寻觅“根”“魂”

——中国经济特区改革创新路径探索

主　编　曹龙骐

副主编　袁易明　郭茂佳　高兴民

人民出版社

责任编辑：陈寒节
责任校对：湖　偺

图书在版编目(CIP)数据

寻觅“根”“魂”——中国经济特区改革创新路径探索
/主编 曹龙骐　副主编 袁易明　郭茂佳　高兴民
北京：人民出版社，2005.8
ISBN 7-01-005069-4

Ⅰ.寻...　Ⅱ.曹...　Ⅲ.经济特区-经济体制改革-研究-中国
Ⅳ.F127.9

中国版本图书馆 CIP 数据核字(2005)第 082072 号

寻觅“根”“魂”

——中国经济特区改革创新路径探索

XUNMI GEN HUN—ZHONGGUO JINGJI TEQU GAIGE CHUANGXIN LUJING TANSUO

主　编　曹龙骐

副主编　袁易明　郭茂佳　高兴民

人民出版社 出版发行
(100706　北京朝阳门内大街 166 号)

北京小红门印刷厂印刷　新华书店经销

2005 年 8 月第 1 版　2005 年 8 月北京第 1 次印刷
开本：787 毫米×1092 毫米 1/16　印张：22.125
字数：596 千字　印数：4500 册

ISBN 7-01-005069-4　定价：50.00 元

邮购地址：100706　北京朝阳门内大街 166 号
人民东方图书销售中心　电话：(010)65250042　65289539

目 录

一、科学发展观与特区发展

二、国际化与特区发展

序

25年前，深圳经济特区的率先创立开始了中国经济特区的发展历程。此后，相继建立的厦门、珠海、汕头、海南经济特区和上海浦东新区共同构成今天重要而独特的中国经济特区现象。中国经济特区诞生于由计划经济向市场经济体制转型之时，是"渐进式"改革路径设计的产物，这注定了中国经济特区与世界诸多经济特区在基本使命和功能上的差异：国际上多数经济特区，特别是成熟市场经济国家的经济特区，往往强调一定制度背景下的地域特殊性，具有"局部性"意义，而中国经济特区则刚好相反，其存在意义远远超越经济特区所在的地域本身，具有"全局性"意义，其基本功能是对全国的"试验性"、"示范性"和"带动性"。这里的"试验性"是指检测、筛选对全国有普遍应用价值的经济体制与发展模式；这里的"示范性"是指通过"先试"、"先行"创造发展的典范；而这里所说的"带动性"则是指体制魅力和特区的城市发展魅力所释放出来的辐射作用。

中国经济特区作为中国改革开放鲜明和重大的标志，已为中国特色社会主义事业作出了宝贵探索和巨大贡献，这将被重彩浓墨写进中国当代史、写进中国现代化的伟大历程。之所以如此，是因为经济特区在中国经济现代化过程中的存在意义在于其改革性与创新性，也就是说，缺乏改革创新的能力，或者改革创新的能力不足，都会使经济特区失色，甚至失去其存在的依据。正是基于这一基本逻辑，在过去的25年里，以深圳为代表的中国经济特区走出了一条创造历史的改革创新道路：

1. 通过杀出一条血路来的改革勇气与胆识，充分证明了自身存在的重要意义。

自从中国经济特区诞生那一天起，其使命和功能决定了其发展路径的独特性，正如邓小平所言："在全面的统一方案没有拿出来之前，可以先从局部做起，从一个地区、一个行业做起，逐步推开"①。受此鼓舞，特区人敢闯敢试，成为若干个"第一"的发源地；比如：率先冲破传统计划经济体制的束缚，确立"以市场为取向的改革目标"；率先打破土地无偿行政划拨，实行土地有偿使用；"率先打破一大二公"的所有制结构，大量兴办"三资"企业等。凡此种种，不一而足。在大批量的体制试验中，经济特区出现了前所未有的生产力，创造出了举世瞩目的"深圳速度"和"深圳辉煌"，形成了深圳的发展魅力，由此才有"深圳的发展和经验证明，我们建立经济特区的政策是正确的"②历史性结论。

2. 改革创新能力的相对减弱，产生"特区特与不特"的质疑，直接挑战经济特区存在的合理性。

经历10多年的发展，在90年代中国经济特区面临严峻的发展挑战，市场经济制度从广

① 《邓小平文选》第二卷，人民出版社，1994年版，第150页。
② 《邓小平文选》第三卷，人民出版社，1993年版，第51页。

度与深度上快速推进，全国进入新的改革开放时期。面对全方位改革开放格局，经济特区的政策性优惠和市场经验的创造能力均在相对减弱，由此产生出“特区特与不特”、“特区该如何发展”等诸多针锋相对的争论，显然，经济特区存在的合理性受到挑战。不难看出，之所以出现经济特区存在意义的动摇，其实质原因是因为经济特区改革创新相对优势的下降，而这又进一步说明，在目前改革创新对于经济特区存在与发展的特别重要性。

3. 体制改革的内容仍在继续，但创新的内涵已经改变。

在创立后的第三个10年，经济特区发展的背景与前一个10年又不大相同，在这样一个与80年代相比几乎是全新的经济社会发展格局里，特区的定位必然要求发生调整。如果说在80年代经济特区的作用主要在于其试验性、示范性与带动性三个方面的话，那么，今天的中国经济特区的作用更应在于其借鉴性、带动性与辐射性。由此，经济特区自身发展的新优势，形成自身产业、社会综合协调发展的新魅力显得尤为重要。90年代以来经济特区的重要作用不仅仅在于市场体制的试验，还在于探索普遍适用于全中国现代化建设的模式与路径，这无疑使经济特区创新的内涵也需要从体制创新向体制与产业创新并重转变。这是因为：

第一，经济特区制度创新的“垄断性”已经不复存在，仅靠制度创新已难以形成优于其他地区的发展优势。经济特区成立的初期，“试验田”、“窗口”的定位使特区拥有市场制度的“先试”、“先行”权利，这里的“先试”、“先行”权利形成制度创新的“垄断”。实施制度创新的“垄断”权利，需要一个基本精神——“敢闯”与“敢试”，即敢于在计划经济制度的大背景下引入市场手段。正是可以首先引进并采用市场体制的“垄断”性权利，创造了经济增长的“垄断”性优势。如今，特区所处的制度背景与20年以前比已经大相径庭，国内的全面开放使得地区间制度创新的“垄断”状态已不复存在，在未来也将不会再度出现。总之，仅靠制度创新来获得自己“一马当先”的发展优势已成为过去。

第二，制度创新的发展动力效应已经减退。改革开放已经历了20多年，从单项突破到综合配套改革，现今已经初步建立起了市场经济体制的基本框架。从制度演进的轨迹来看，特区已经进入了稳步改革时期，下一步的主要创新空间在于完善现有的制度框架。若干年前，仅从单项改革那里，特区就可获得巨大的发展动力(比如土地用地制度改革)，而今这样的制度发展动力已大为减弱。虽然制度创新无论在内容上还是在时间上均是无限的，但制度创新的发展动力效应却显然有限。

其三，制度创新已非昨天那么容易，创新成本大幅增加。在特区建立初期，制度变革的重要内容是建设市场经济运行机制，其主要途径是借鉴别人的做法，引进若干市场手段并对其进行试验。到现阶段，如果只是简单的学习、引进、模仿，显然难以完成制度创新的任务。可见，制度创新已经进入了高级阶段，即更需要在现有制度基础上建立一套适合自己的自主性创新。这里的“自主性”强调“创造性”，必然要比“引进性”特征的制度创新要来得困难。

两岸猿声啼不住，轻舟仍在万重山。经济特区使命艰巨，道险路长。经济特区这一重要的经济形式将在中国长期发展下去，这不仅是政府的决策，更是中国走向现代化建设和现代化建设中制度创新渐进路径的要求。中国经济发展的转型特征要求经济特区的职能、作用在不同发展时期作相应调整，但无论何种发展时期，经济特区只有一条发展路径，即改革与创新路径，因此，探索改革创新的内涵、方式、战略、政策等也就是经济特区的重要课题。

深圳大学中国经济特区研究中心作为教育部和广东省教育厅共建的普通高校人文社会科学重点研究基地，自成立的那一天起，就以研究经济特区发展的一般规律、研究中国现代化的道路与模式、研究经济特区的改革创新理论与实践等三大内容为己任。通过包括创建“中国经济特区论坛”等各种学术形式联合国内外学者，已经形成一个求真论道、百花齐放的经济特区研究环境，经历数载，深圳大学中国经济特区研究中心已经创造出了一批充满思想锐气和理论建树的学术成果。《寻觅“根”“魂”——中国经济特区改革创新路径探索》一书就是其中一束，书中精选了2001—2004年四次中国经济特区论坛中的部分论文，从不同角度反映特区人在新形势下探索特区改革创新路径的思路和愿望。我热切期望和祝愿本论文集能引起社会各界关注并收到实效。

章必功

（深圳大学校长、教授）

2005.6.8

一、科学发展观与特区发展

以特别之为，立特区之位

——深圳改革创新大讨论

改革创新与和谐深圳（吴忠）

在不同的时代背景下，改革创新具有不同的主题和时代内容。当下经济特区的改革创新，就是要在构建社会主义和谐社会方面作出探索，作出试验和示范。

从目标上看，我们所要构建的和谐深圳，是人与人之间关系和谐、人与社会之间关系和谐、人与自然之间关系和谐的深圳。和谐深圳既重视经济、政治、社会、文化、人口和生态之间的和谐，又重视各领域内部关系的和谐；既注重深圳城市内部各方面关系的和谐，又关注深圳与外部区域之间的和谐；既强调社会组织之间和社会成员之间的团结有序，又维护社会各成员的自由发展，从而形成一种互动、互利、互惠、公平、公正的社会发展格局。显然，这是一个更高发展阶段上的更为艰巨的历史任务，它所需要的创新也是一种难度更大的创新。

培育城市精神和城市理念

和谐社会是一个行为规范的社会，“不以规矩无以成方圆”，大家都按规矩办事，社会才会井然有序。构建和谐社会要求广大市民必须具备义务精神和责任意识，最重要的是要规范自己的行为。这种与和谐社会相适应的良好的公民意识的形成离不开城市精神和城市理念的培育。和谐社会的城市精神和城市理念最主要的是以人为本、改革创新、公平正义、诚信守法、关爱宽容。塑造和培育这样的城市精神和城市理念，与实施文化立市战略和加强精神文明建设息息相通。对深圳来说，应结合率先基本实现现代化、国际化城市建设、创建全国文明城市等，培育上述城市精神和城市理念，并把这些城市精神和城市理念转化为人民群众的实际行动。

形成多元利益诉求和调节机制

随着社会主义市场经济的发展，我国不同群体和阶层的利益要求日益增强，阶层和阶级的分化及其地位的变化日趋激烈。有效协调好各团体、各阶层、各区域的利益关系就成为构建社会主义和谐社会的关键和根本所在。协调好各方面的利益关系，既要建立多元的利益诉求机制，又要建立多元的利益调节机制，其所遵循的理性原则是公平和正义。这个机制的建立，一是离不开群众的广泛参与；二是必须建立“党委领导、政府负责、社会协同、公众参与”的社会管理架构，尤其要发挥好中介机构和基层组织的作用；三是有一系列的制度保障，如民意调查制度、信息公开制度、协调谈判制度、听证会制度、公民投票制度等等。如何设计和运作这样的机制，经济特区应该积极而大胆地探索和创新。

建立经济与社会协调发展机制

从社会学的角度讲，和谐社会应当是社会结构合理的社会，所谓“合理”，即社会的各个组成部分，各子系统之间有一个比较匀称、均衡、稳定的关系。社会结构不合理，必然会把社会距离和社会矛盾拉大，带来社会整合和社会控制难度的增大。温家宝总理曾这样指出：“改革开放以来，在经济快速发展的同时，各项社会事业也取得明显进步。但社会发展滞后于经济发展，存在着‘一头重、一头轻’、‘一条腿长、一条腿短’的问题”。经济特区是以经济建设为中心起步的，科技、教育、文化、卫生等社会事业的发展普遍落后于经济的发展，这就要求我们率先探索，建立起一种经济与社会协调发展的机制，使得社会各领域均衡发展，各部门各司其职，否则就会带来社会的混乱、失调和冲突。深圳市政府去年为落实科学发展观，决定将基本实现现代化的时间表由2005年推迟至2010年，并对现代化的指标体系进行调整，增加了一部分社会指标、人文指标和环境指标，应该说这正是建立经济与社会协调发展机制的一种努力。

创新城市治理结构

和谐社会要求创新城市治理结构，建立起民主、合作、高效的行政管理体制。这就要求政府必须由统治型向治理型转变，建立一种包括让公民对地方公共事务进行有序的参与，政府绩效目标体系及绩效评估、测评、审计制度，一定区域内政府合作的科学形式和方式在内的管理体制，从而做到民主行政、高效行政，有效协调各方关系、解决各种矛盾。在构建和谐社会的历史进程中，深圳等经济特区有必要在这一方面作出自己的探索和创新。对深圳的各级政府来说，必须把民本理念、法治理念、责任理念、效能理念、国际化理念作为政府管理全面创新的基础和先导，使政府既要做经济运作领域的弱势政府，又要做城市规划管理和公共服务领域的强势政府，不该做的不要做，该做的坚决做到位。

建立健全城市安全体系

城市安全体系是社会和谐的基本保证。许多国家的发展进程表明，人均GDP在1000－3000美元之间，是现代化进程中的关键阶段。这一阶段，既充满着发展的机遇，也充满着发展中的矛盾。而当前的社会矛盾很多是由生活安全、生命安全和财产安全所引起的，如就业问题、社保问题、社会治安问题、安全生产问题、食品安全问题、疾病控制问题以及群体突发性事件等等。经济特区由于面临的环境和社会结构更为复杂，这些问题表现得也更为突出，控制这些矛盾的要求也更为迫切，这就要求我们积极去探索，建立起社会安全体系，维护社会稳定。包括如何建立和完善社会舆情汇集和分析机制，完善信访工作责任制，健全有效调节人民内部矛盾的工作机制；如何建立健全社会预警体系，建设形成统一指挥、功能齐全、反应灵敏、运转高效的应急机制；如何加强和完善社会治安综合治理工作机制，依法打击各种犯罪活动，保障人民生命财产安全。构建社会稳定所必需的安全体系是整个现代化建设时期都必须引起高度重视的问题。

构建和谐的经济特区(周文彰)

构建和谐社会，是党的十六届四中全会提出的重要任务。作为现代化的先行地区，经济特区当前和今后的历史使命，就是要在全国率先构建和谐社会，并率先进入和谐社会。构建社会和谐的经济特区，要把清理和解决社会不和谐作为切入点和突破口，继续推进和完善已经实现的社会和谐，认真排查和清除各种明显存在的社会不和谐，创造新的和谐。

“特”的意识万万不可丢

当前，社会存在着的种种不和谐，大体都是由于传统体制与全面建设小康社会的客观要求不相适应而产生的。例如：户籍制度没有及时随着人口流动大潮而变革；收入分配调节制度没有能自动跟踪让一部分人一部分地区先富起来后出现的新情况；犯罪惩防机制不能有效抑制恶意制造社会不和谐的不法分子；城乡统筹发展的制度缺失加剧了城乡的二元结构；干部选拔和考核制度的不完善助长了某些干部的形式主义、做表面文章等等。这样，我们关于构建特区和谐社会的切入点和突破口，实质上就是经济特区要继续改革、创新体制的问题。

解放思想、创新体制是经济特区构建和谐社会贯穿始终的关键。大胆改革是经济特区的突出特点，也是特区快速发展的原因所在。构建和谐社会，仍要靠改革开放。实现公平正义、诚信友爱、充满活力、安定有序、人与自然和谐相处，每一个和谐目标的实现都要靠改革推动，即通过体制创新去实现。

一段时间以来，随着全国万马奔腾局面的出现，许多人误以为特区使命已经终结，从而丧失了特区敢闯敢试的意识，不再锐意改革，不再锐意推进体制创新。结果在改革热情、创新胆量方面反倒有所消退。因此，特区构建和谐社会，实质性举措就是解放思想、与时俱进，胆子更大一点，步子再快一点，全面推进系统配套的改革。如果说，经济特区之“特”以前主要靠中央政策赋予，那么今天特区之“特”主要靠自我创造。特区政策可以不争，特区“特别之为”的意识却万万不可丢；特区究竟特不特可以不去争论，特区自暴自弃的心理万万不可有。

来不得半点虚功

构建和谐社会需要扎实推进，来不得半点虚功。首先，要把我们的脑子彻底换上科学发展观，这是构建特区和谐社会的思想前提。科学发展观的核心是“以人为本”，但“以人为本”四个字似乎还没有引起足够重视，在有些人那里还只是一句口头禅。牢固树立以人为本的科学发展观，要求我们的立法理念、执政理念、司法理念、发展理念切实体现以人为本。只有这样，我们才有可能构建和谐社会。

第二，系统编制构建和谐社会的行动方案。包括努力方向、指标体系、具体措施、发展阶段等。

第三，三头并进构建和谐社会。一是认识、清除不和谐因素；二是弘扬和谐，把已有的和谐发扬光大；三是创造新的和谐。

第四，正确处理好和谐与稳定的关系。和谐的社会必然是一个稳定的社会，但稳定的社会却不一定和谐。不能掩盖矛盾，而是要积极地解决矛盾；不能裹足不前，而要开拓进取，加大改革力度，追求真正的和谐。

用科学发展观为特区发展定位（曹龙骐）

近期的市委工作会议给深圳经济特区赋予新的基本内涵，即它是“特别能改革、特别能开放、特别能创新的地区”。这是在新形势下对特区定位的提炼和升华，它跳出了长期以来困惑人们“以有无优惠政策来为特区发展定位”的认识圈子，对深圳特区今后的发展具有重大的指导意义，是用科学发展观为特区发展定位的具体体现。

要有特的本事和能力

特区还要“特”，特区还能“特”，这实际上是一个问题的两个方面。但并不是单纯理解为要独辟蹊径。一方面，特区是中国的特区，从区域发展来说，它与相关区域存在着多方位密切联系；从发展经济学的角度分析，具有地区之间资源组合和优化配置的问题。所以，特区的发展决不是孤立的，一定要将它置身于全国甚至是全球这个大环境中加以考察和安排。特区要继续“特”下去，既要充分发挥“内力”的作用，也要借助包括来自港澳台在内的国内诸方面“外力”的作用，由此获取“双赢”和“多赢”，为特区的改革创新提供厚实的基础和拓展更大的空间。

另一方面，在目前中华大地万马奔腾你追我赶的改革开放年代，改革创新必然也是大家的必选之路，一些省份和城市成绩卓著。面对这一形势，作为特区，应十分注重吸取先进地区的经验，以他之长，补己之短，结合特区的实际，既找“差距”又明“差异”，增强紧迫感和责任感，不断提高特区要“特”的本事和能力，这既是特区本身发展的需要，也是特区定位的需要。同时，坚信事物总是不断向前发展的，特区总有“先”可创、“特”可写。重要的问题要“以创新之勇争天下之先”的大无畏精神，坚持不断创新。

必须有超前意识创新理念

“特”，必须有超前意识、创新理念和敢闯精神，所以更应该遵循科学发展观。我认为，以下方面应该特别关注：

1. 科学发展观的核心问题是“以人为本”，深圳在如何解决育人、聚人和用人三者的结合上，如何运用科学的人才评估机制、淘汰机制和激励机制，如何首先致力于创办特区自己的名校方面还有待提高。

2. “改革创新”是特区发展的重要手段，但具体落实还要靠体制和机制，如用人机制、权力机制、政策体制、管理体制、政府职能、分配体制、社会保障体制、法律体制、评估体制等的转换。

3. 深圳在产业布局和结构调整上，如何进一步发挥自身的优势，形成开放的产业结构体系，降低对自然资源依赖的产业发展格局和建立充满活力的产业互动机制方面，真正实现“和谐深圳、效益深圳”的目标，还有许多工作要做。

4. 现代化、国际化是一个城市发展的本质和价值体现。深圳如何在城市实力、能力、潜力和魅力方面走在前面，加速实现这一过程，还需要跨过多道门槛。

5. 在深港合作上，两地应在实施 CEPA 框架下，以服务业为重点，实现全面而有重点的融合。与此同时，为确保两地合作的稳定和有效，必须加强监管。如何做到以“融”为主、以“管”为重，如何促进两地在谋求合作共同促进共创繁荣，还有很多方面需要深化。

6. 深圳是一座移民城市，已经形成竞争向上的移民文化，但同时也要营造相互交融、和谐安定的氛围。

7. 改革创新既是一项伟大的系统工程，也是一个涉及和调整各方利益的紧迫而繁难的课题。既要防止“改革创新”的背后，存在“体制性障碍”所带来的“陈旧”，也要允许纠正在探索过程中出现的过失。

改革创新关键在于落实（苏东斌）

当深圳市委工作会议旗帜鲜明地提出：“深圳的定位就是改革创新”、“改革创新是深圳惟一可以选择的道路”、“改革创新是我们最好的道路”的时候，就已经把特区概念的内涵转换了，把特区概念的外延缩小了。这就把逻辑关系理顺了，这就等于给长期以来关于特区还要不要“特”以及能不能“特”的争论，作了一个历史性结论。显然，现在的关键问题是如何来认真落实市委的这一号召。为此，我提出三点建议。

健全运行机制保证政令畅通

改革创新的前提条件是有一个权威的政府。深圳进行的“净畅宁”工程成功的经验证明，在经济转型时期，在法治尚不健全的状态下，确立权威政府的必要。几年前类似整治为什么收效甚微？我认为不是政府没有决心，而是因缺乏健全的机制而使政令堵塞。“净畅宁”工程的真正矛头所向并不是“脏乱差”本身，而是背后的某些人的权力与利益。于是，人们逐渐认识到，基本制度决定并不等于具体机制的形成。只有能自动维持正常运行和充分发挥预期功能的配套制度才能形成相应的机制。作为主要内容除了有完整配套的制度体系外，还必须有一个推动制度运行的动力源泉。显然，这种源泉又来自对自身利益的获得，所以政府行为的重点是如何去调动人的积极性，使其既冒风险投入又敢于监督裁决。只有这样，政府才不是某些人讨价还价的场所，也不是平衡不同利益集团的仲裁人，而是一个指挥中心，一个绝对的领导者，这种机制允许不同的创造性思路，但不允许对政令的雷打不动，更不允许去偷梁换柱。责任到人，一追到底，只有政令畅通，才能遏止体制内失控。有这样的执政能力，才有真正的权威政府。

严防政府错位，坚持市场取向

改革创新的重要内容对于深圳来讲，仍然是对国有企业的改革。据悉，市国资委近期规划：从明年开始，深圳国有经济的布局调整战略重点将由“以退为主、进退兼顾”向“以进为主、适时调整”转移，做大做强八大产业集团。

学术界早有共识：市场经济与计划经济最本质的区别在于资源配置的主体与方式上。计划经济体制资源配置的主体是政府，其方式是计划和命令。而市场经济体制资源配置的主体是企业（以及个人），其方式是价格与市场。区分的关键看企业是否有独立的决策权以及价格在资源配置中的作用。如果地方政府企图在一切控制国计民生的领域中居于垄断地位，尤其企图以资产重组和资本运作的名义来取代“看不见的手”——市场对资源配置的作用，进行全面的产业结构安排，那恐怕就是角色的错位。政府的基本角色是创造良好的市场环境。“净畅宁”工程为什么获得那么高的评价，因为它决不仅仅是城市的清洁运动，而更重要的是政府在创造良好的经济与文化投资环境。

对于国有企业改革的艰难度，并不在于种种操作技术方案的选择，而在于弱化体制内的垄断利益和特权地位。改革开放25年后的今天，利用计划与市场两种体制摩擦而形成的某些既得利益者并不希望退回到保守计划经济体制，因为那将失去金钱，但同时更不希望改革深化与创新的形成，因为那将被剥夺特权。所以，对于国企的改革，国资委必须排除干扰，必须坚持社会主义市场经济体制的根本取向，不动摇地运用市场的力量去培育企业集团。华为、中兴如此，其他企业亦是如此。

壮大社科队伍，贯彻百家争鸣

改革创新需要智力支撑，无论是中央的号召，还是市委的决策，最终都要落实到全社会的行动上。而行动又必须建筑在高度共识之上。这就不仅需要丰富的经验积累，更需要正确的理性思维。因为，不是任何意义上的社会变动都可以称为“改革”，只有朝着经济市场化和政治民主化方向前进，才能够称为“改革”；也不是任何意义上的打开国门就可以称为“开放”，只有在抵制反文明的污泥浊水的同时，认真吸取全人类的先进文化，才能够称为“开放”；更不是任何意义上的独辟蹊径都可以称为“创新”，只有在保持风格、特性又接受国际惯例与普遍价值的新思维与新行动才能够称为“创新”。

对于这一系列与时俱进的更新，在相当程度上要靠社会科学工作者的推动。而深圳的社会科学队伍的现状则存在着三个不适应：与深圳的经济社会发展速度、水平不适应，与承担中央、省委、市委对深圳寄予的重任不适应，与其他省市自治区社会科学的规模与质量不适应。

北京、广州等外地学者虽然常常能够高屋建瓴，但难免缺乏对症下药。由于深圳既不能永远做"经验批发商"，又不是惟一的"法定创新区"。所以，只有"以特别之为，立特区之位"，才能从根本上扭转深圳社会科学的极为薄弱的局面。总之，为了加强决策的民主化与科学化，必须排除构成决策所需要的智力支持的体制性障碍。

改革创新：深圳永远的精神(陶一桃)

深圳市委工作会议提出"向改革创新要发展的动力，向改革创新要发展的优势，向改革创新要发展的资源，向改革创新要发展的空间"，我以为，这是一个战略性的思考，这一思考将深圳与时俱进地提升到了一个自我超越的更高的层面，那就是从"试验田"意义上的特区，走向了"精神"层面上的特区，使曾经培育、支撑了这座城市的魂——改革创新，继续培育、支撑着这座城市，并成为这座城市的精神。

深圳缺少的不是改革创新的能力，而是保持改革创新精神的意识

深圳最初的吸引力是改革开放的氛围，以及比内地传统体制更宽松的机制和内地所无法提供的创新机会。另一方面，靠改革创新起家、靠改革创新发展、靠改革创新而闻名中外本身则证明，改革创新不仅仅是深圳的传统，而且还是深圳重要的政治资本。

近几年来，是什么使有些深圳人丧失改革创新意识呢？我以为是有些深圳人没有把已经取得的成绩当作继续改革创新的基础，而是把富足、安逸的生活看作成功后的享受。为此深圳人曾轰轰烈烈进行过"富而思源"和"富而思进"的全民教育。深圳不能以今天的成就来遐想明天的辉煌，更不应以曾经辉煌的历史困住现在的思路和脚步。过去的"功劳"使深圳成为中国市场经济的"排头兵"，但深圳不可能原地踏步还能成为永远的"排头兵"。所以，丧失改革创新的意识才是深圳致命的伤痛，因为这意味着我们自己把自己给打倒了。

探索制度创新的途径，探究制度创新的成本、收益、绩效，这是今天的深圳保持其改革创新精神的关键之所在

如果我们从制度变迁的角度来分析25年来深圳的发展变化，无论是当初享誉中外的"深圳速度"，还是今天体现崭新发展理念的"效益深圳"，都是制度变迁的结果。从理论上说，作为社会运行规则制度的类型和质量，直接影响一个社会的经济增长，以及社会成员对经济增长的满足程度。所以，制度的文明是和谐社会的保证。同时，社会发展不仅要向资源使用要效益，而且还应该向制度要效益。制度作为一种资源，它具有"制度资本"的特质——保障社会秩序和效率，降低交易成本和风险。

从制度的形成来看，一方面，人(政府)是制度的供给者，有什么样理念的人(政府)，就有什么样的制度，制度的文明与效益，取决于人(政府)的文明程度及素养；另一方面，观念不能直接改变社会，然而观念可以改变人，而人则能改变社会。改革创新的理念只有通过人的制度创新，才能成为造福于社会的制度绩效。

如果说"速度深圳"是对"发展是硬道理"时代深圳人"敢闯"和创新精神的最形象的概括，那么"效益深圳"则反映了这样一个情结：随着中国社会主义市场经济的普遍推开，深圳人期望"以特别之为，立特区之位"，以制度创新的胆识和勇气使改革创新成为深圳永远的精神。

改革创新是深圳的命脉所系（代明）

即将走过1/4个世纪历程的深圳正面临一个十字路口，深圳靠什么发展，靠什么续创辉煌，3月25日召开的市委工作会议就十分鲜明地回答了这个问题：一定要珍惜特区的牌子，高举特区的旗帜，戴牢特区的帽子……当然还有一条路，那就是丧失特区的活力，丢掉特区的牌子，使深圳流于一般城市。我们坚决不走这条路。

深圳的核心价值

其实经营经济特区与经营城市本来就并行不悖。中央自始至终都是以“先行先试”、“改革创新”来定义经济特区和定位深圳的。深圳要再创辉煌，答案只有一个，就是靠改革创新，改革创新是深圳的命脉所系，不二选择。为此必须旗帜鲜明地把创新作为深圳的标志，作为深圳人的核心价值观，作为深圳发展的根本动力，推动经济社会发展。

既然深圳本身是改革创新的成果，深圳的发展道路是一条改革创新之路，中国的改革开放不止，深圳的探索使命未竟，而且迄今中央一直对经济特区发展勉励有加，并未对经济特区的存在提出疑义，我们就没有必要对此过多争论。改革创新曾经是深圳经济特区的立区之据，理当继续作为其立区立市之本。

深圳核心目标：创新中心

自C. K. 普拉哈拉德和G. 哈默尔1990年首创以来，“公司的核心能力”一词便不胫而走。其实岂止企业，个人、学校、国家、区域、城市等的发展何尝不需讲求核心能力？至于如何形成核心能力，另一西方学者杰克·特劳特给人们的建议是创造一种独特、有利的定位，让你与众不同，就像沃尔玛代表超市、英特尔代表微处理器、休斯敦代表航太基地、好莱坞代表电影文化、硅谷代表新经济一样。那么深圳的独特定位亦即其城市核心能力是什么呢？核心能力本义为领先于竞争对手的一种关键能力或在某一方面的持续优势。而不论是历史地观察还是现实地检视，深圳领先于其他城市或区域的关键能力和持续优势都可以归结到改革创新。很难想象深圳还能有比“改革创新的试验场”更好更恰当的定位。从改革旨在寻求制度创新的意义看，我们也可将改革纳入创新的大功能定位。这样深圳的独特定位或其核心能力的最简洁表述就是“创新中心”，涵盖观念创新、体制创新、科技创新、产业创新、金融创新、开放创新、环境创新、文化创新等。

自我解放+利他奉献

受科学发展观的启迪，深圳如今意识到一味采用粗放型经济增长方式、不计代价地追求高速度将使有限的资源和环境难以承受，于是提出了从“速度深圳”到“和谐深圳、效益深圳”的转型之路。那么如何建构“效益深圳”？从一定意义上说“效益深圳”=“创新深圳”。因为创新是“超额”收益的真正源泉。正如西方学者熊彼特所说，利润来自“创新”，亦即建立一种新的生产函数，实现生产要素或生产条件的新组合，包括：开发新产品—产品创新、运用新工艺—技术创新、开辟新市场—营销创新、开辟新供应渠道—供应创新、尝试新组织—体制创新。深圳惟有走创新之路，才能实现超过一般效益的高效益，将“效益深圳”变成现实。

此外，从工业化进程中区域中心城市核心功能演变的一般规律和趋势看，已处工业化较高阶段且遭遇资源环境承载力瓶颈的深圳亟待走上科技含量高、经济效益好、资源消耗低、环境污染少、人力资源优势得到充分发挥的新型工业化道路。再从泛珠三角合作的大背景看，深圳也需借当前产业结构调整与产业链重构的趋势，在把制造业产业链两端（即研发、品牌营销这两大创新与效益密集端）的根留在深圳的同时，将部分大耗能、大耗水、大耗地、大排放及劳动相对密集型工业"链段"转移至外围。这无疑是一种"自我解放＋利他奉献"的"双赢"结果。这一过程正是从"深圳加工"到"深圳制造"再到"深圳创造"，亦即使深圳"从加工中心"到"制造中心"再到"创新中心"，从而实现从"速度深圳"到"效益深圳"转变的必由之路。

建立长效机制解决实际问题（杨立勋）

深圳市委三届十一次全会提出构建和谐深圳，这是新时期深圳经济特区的新使命、新任务和新标杆。深圳经济特区是改革的试验场和对外开放的窗口，同时也应当成为全面贯彻科学发展观、构建和谐社会的先行区和示范区。只有构建和谐深圳，深圳特区才能增创新优势、实现新发展、探索新路子、办出新特色。世界现代化历史经验告诉我们，当人均 GDP 达到 3000 美元至 8000 美元之间是现代化的关键期，同时也是社会问题高发期。一方面是经济增长加快、产业升级加快、发展机会增多；另一方面是社会矛盾增多、社会冲突增多、贫富分化加剧和社会风险加大。在这个时期，如果能及时处理长期积累下来的各种社会问题，协调各种社会阶层关系，整合社会资源，及时将经济财富转化为人民的生活质量与社会文明水平，努力构建和谐社会，将会迎来新一轮经济高速发展。

经过 25 年的经济持续高速增长，深圳人均 GDP 已经超过 6000 美元，进入了现代化起飞阶段和社会转型中期。深圳市委在这个时候提出努力构建和谐深圳，化解长期积累下来的各种社会矛盾和社会问题，为新一轮发展蓄势，为新一轮发展提前消除不确定因素与潜在风险，非常及时，非常正确。

构建和谐深圳必须用科学发展观统揽全局。和谐深圳应该是经济持续稳定增长、经济社会协调发展的社会；应该是生产力与生产关系、经济基础与上层建筑相适应的社会；应当是物质文明、政治文明和精神文明三个文明协调发展的社会；应该是经济建设、城市建设和环境保护协调发展的社会；应该是社会结构合理，所有社会成员各尽所能、各得其所的社会；应该是公平公正、社会结构开放、社会流动充分、核心价值有凝聚力、多元文化有包容力的社会；应该是效率与公平、一次分配与二次分配充分协调的社会；应该是讲信用、守法制、知礼仪和充满人文观照的社会；应该是幸福指数、安全指数、人文指数、关爱指数、廉洁指数、环境指数俱佳的社会；应该是人态和谐、生态和谐、心态和谐，人与自然双赢、人与社会双赢的社会。

构建和谐深圳要着力解决下列实际问题。尽管构建和谐深圳是一个巨大系统工程，但必须从解决人民群众实际问题做起。一是要加快宝安龙岗城市化，通过城市化解决深圳的"三农"问题、就业问题、特区内外发展差距问题。二是要关爱外来工的劳动权益与生活状态，平等友善对待外来工。三是关爱困难群众的生产生活，充分利用财政、税收、福利等杠杆，实现社会公平和正义，减少贫困和低收入群体，使机会平等、按贡献分配和社会调剂有机结合起来，同时加大教育扶贫、技术扶贫的力度，培育他们的自我发展能力，使他们共享改革开放成果。四是要消除社会流动的体制与政策障碍，完善垂直社会流动，为人们提供更多升迁机会，完善水平社会流动，为人们提供更多发展空间与机会。五是要优化社会结构，扩大中等收入阶层比重，使社会结构向两头小中间大的"橄榄型"社会结构转变。六是要加快发展社会组织，发达国家平均每百人有一个社会组织，社会组织多寡成为衡量国家社会化程度的标志，参与社会组织多寡成为衡量人们社会地位标志。政府和市场不是万能的，两者之间应有大量社会组织，以承接“无限政府”和市场不应承担的职能。社会组织有服务、协调、纽带、监督、稳定等功能，是化解社会矛盾的润滑剂和削减社会震荡的安全阀。七是健全各级工会组织，发挥工会在维护职工合法权益、协调劳资关系、化解社会矛盾、构建和谐社会、促进社会稳定等方面不可替代的作用。八是完善分配机制，一次分配注重效率，二次分配注重公平，实现权利公平、机会公平、规则公平、分配公平与人道主义的有机统一，让全体人民共享改革发展成果。九是要处理好自律与他律、私权与公权、社会管理与行政管理、核心价值凝聚力与多元文化包容力的关系，建立规范、长效的社会治理机制。十是要建设和谐的劳动关系，随着经济成分、企业组织形式、就业方式、分配方式的多样化，使劳动关系越来越复杂。深圳的劳动关系总体稳定，但也存在较多问题。劳动关系不和谐是引发一系列社会问题的根源，因此，各级党委政府应从构建和谐深圳的大局出发，把建立和谐的劳动关系提到非常重要的位置。

构建和谐深圳，需要政策，更需要建立长效机制。构建和谐深圳要建立以下几种长效机制。一是要建立开放平等的社会流动机制。它是缩小社会成员之间的政治地位、经济地位和社会地位差距的重要途径，是缓解社会成员因差异所引起的不满、隔阂、摩擦、冲突的最好的办法。开放平等的社会流动机制，能使所有社会成员有均等的垂直流动机会与水平流动机会，通过这两个社会流动，社会成员能实现升迁，能获得新的社会资源与发展机会，要让全社会的创造活力充分激发、社会财富的创造源泉得到充分涌流、社会成员各尽其能；二是要建立公正公平的利益协调机制，使各阶层之间的矛盾、各利益集团之间的冲突、各群体之间的摩擦能及时得到协调与处理，有效化解社会矛盾，防止贫富两极分化；三是要建立人道的社会保障机制，收入分配要讲公平，社会保障要讲人道，要高度重视特区外贫困地区、困难行业的发展，尤其要关爱困难群众，政府要通过公共权力、公共资源和社会保险、社会救助、社会福利和慈善事业等社会保障体系，为困难群众编织一张社会安全网；四是要建立有效的社会控制机制，通过法治严格规范政府官员的行为，通过德治提高其自律能力；五是要建立灵敏度极高的社会预警机制、舆情汇集分析机制和社会危机应急机制，提高保障公共安全和处置突发事件的能力；六是要科学制定和定期发布深圳和谐指数，把它作为观察社会良性运行、协调发展、社会稳定的晴雨表以及制定公共政策的重要依据；七是要建立有效的矛盾疏导机制，综合运用法律、经济、行政、教育、协商、调解等方法，把矛盾化解在基层、化解在萌芽状态。

效率兼公平：改革与发展新模式(钟坚)

市委、市政府提出“和谐深圳”、“效益深圳”。我认为，这标志着改革与发展模式的根本转变，即由过去追求速度的效率优先型发展模式转向现在追求效益和谐的效率与公平并重型发展模式。深圳深化改革，任务就在于建立和完善以效率和公平两大目标相适应的新的经济社会运行机制，走出一条公平与效率兼得、稳定与激励并举的现实之路。

第一，建立社会竞争机制。没有竞争，就没有效益。首先，建立完善的市场制度。研究表明，一国的经济活动越市场化、越民间化，其经济增长方式就越“集约化”(即对资源的利用率越高)。否则，反之。也就是说，经济增长方式的粗放程度，与经济活动的市场化程度成反比。一是要把所有企业推向市场，确立企业的主体地位，使各种所有制企业平等竞争，除涉及国家安全和机密外，取消民资的“限进”。二是政府真正成为市场的裁判者和公共利益的守护者，同时发挥市场和民间力量。其次，在进行经济改革的同时，相应地进行政治改革，推进民主化进程。最后，建立社会流动制度。竞争机制反映在社会领域，就是要一个有效的开放社会流动机制。社会流动，指的是个体的社会等级(阶层)地位的变化。我们要打破社会成员之间的城乡分割、暂住与常住分割、单位分割、所有制分割，使全体社会成员享受平等的权利，并能够得到充分流动，合理配置，以调动全体社会成员的参与度和积极性。

第二，建立社会控制制度。社会控制是指一个特定的社会，运用社会力量对社会成员的社会行为实施约束的全部过程。要使社会竞争既符合效率，又体现公平，就必须建立和完善一套社会控制机制。诺贝尔经济学奖得主科斯告诉人们：市场协调并不是在社会任何方面都是效率最高、成本最小的。事实表明，政府和市场在协调人和人关系上有着各自的比较优势。政府与市场一样，本身也是一种制度安排，即通过维持市场秩序和规则来帮助市场协调人和人的关系，也在市场协调成本过高的地方独立协调人与人的关系。首先，进一步完善我国的法律体系，强化社会的外在控制机制。这里要特别提出的是，深圳应借鉴新加坡经验，加大执法力度，从严治市。其次，重建新型的道德体系，形成社会良好的内在控制。道德对社会的控制功能是通过对社会成员的教育功能和评价功能来实现的。伴随着向市场经济的过渡，我们必须加强精神文明建设，重塑适应于市场经济发展的道德新体系。再次，加强组织纪律，强化组织内部的层级结构控制机制。最后，充分利用大众传播媒介，放大和强化舆论的控制功能。通过报刊、广播、电影、电视、图书以及人们在集体中的评价和议论，放大和强化舆论的监督功能，对社会成员的行为构成直接制约，形成社会舆论控制。

第三，建立社会调节机制。社会公平与否，不仅表现在社会给予其成员劳动成果和社会价值分配的平等机会，还表现为社会成员在财富占有上的整体状态的合理性。首先，消除不公平现象，防止贫富差距悬殊。政府应加强宏观调节，通过税收、就业、教育、投资社会保障和社会福利等一系列制度，调节不同群体间的利益差距，合理地分配公共资源，以此调整和制约过度市场化所产生的收入差距越拉越大、财富和资源过分集中、多数群体利益被侵犯的社会矛盾和社会现象，使所有社会成员都能从社会进步和发展中受益。其次，完善社会保障制度。要尊重弱势群体生存发展的基本权利，保证民众享有基本的、体面的生存权利，享有医疗、养老、教育制度保护。对弱势群体生存、发展权利的保护状况，是检验收入差距适度与否、社会公平与否的基本标准。

产业创新在深圳未来发展的应有地位(袁易明)

改革与开放是造就今天深圳成就的实质原因已经成为人们的共识，正因为如此，在深圳经济特区成立 24 年后的今天，我们力图找回当初改革开放的“敢闯”、“敢试”精神与胆识，以期从中获得未来发展的动力，走出发展后劲不足的困境。在当前的客观现实和发展挑战面前，这种提倡无疑是极富意义的。因为我相信，没有改革与创新就没有深圳明天的辉煌也将成为人们的共识。

改革创新的上述功效需要有一个前提，即改革创新的效率，也就是说，只有有效率的改革创新才能产生发展动力，进一步地，有效改革创新又有赖于创新领域即改革创新重点的选择。对于深圳而言，产业创新应重于制度创新。

第一，制度创新的“垄断性”已经不复存在，仅靠制度创新已难以形成优于其他地区的发展优势。经济特区成立的初期，“试验田”、“窗口”的定位使深圳拥有市场制度的“先试”、“先行”权利，这里的“先试”、“先行”权利形成制度创新的“垄断”。实施制度创新的“垄断”权利，需要一个基本精神——“敢闯”与“敢试”，即敢于在计划经济制度的大背景里引入市场手段。可以首先引进并采用市场体制的“垄断”，创造了同样又有“垄断”特征的经济增长优势。今天，深圳所处的制度背景与20年以前比已经大相径庭，国内的全面开放使得地区间制度创新的“垄断”状态已完全不复存在，在未来也将不会再度出现。这就是说，仅靠制度创新来获得自己“一马当先”的发展优势已无可能。

第二，制度创新的发展动力效应已经衰减。改革开放已经历了20多年，从单项突破到综合配套改革，现今已经初步建立起了市场经济体制的基本框架。从制度演进的轨迹来看，我们已经进入了稳步改革时期，下一步的主要创新空间在于完善现有的制度框架。近几年前，仅从单项改革那里我们就可获得巨大的发展动力(比如用地制度改革)，而今这样的制度发展动力已不再可能。虽然制度创新无论在内容上还是在时间上均是无限的，但制度创新的发展动力效应却显然有限。

第三，制度创新已不再容易，创新成本大幅增加。在特区建立的初期，制度变革的重要内容是建设市场经济运行机制，其主要途径是借鉴别人的做法，引进若干市场手段并对其进行试验。因此，制度创新的关键内容为制度的选择与引进。到现阶段，只是简单的学习、引进、模仿显然难以完成制度创新的任务，制度创新已经进入了高一级阶段——更需要在现有制度基础上建立一套适合于自己的制度内容，强调制度的自主性创新。这里的“自主性”强调“创造性”，必然要比“引进性”特征的制度创新要来得困难。

在全面又全方位改革开放的当前格局里，显然深圳创新的内容应以自己的发展需要为出发点，服从于城市整体竞争力的培养与提升，再结合现阶段制度创新的难点，我们应该理性地将未来相当长时期内的创新定位于产业创新之上。通过推进产业创新，创造深圳发展的动力。突出产业创新，既是资源禀性条件下深圳发展的路径选择，又是体现效率的创新选择。只有在当产业创新能力培育起来并强大，深圳彻底实现由“垄断”型的制度创新状态向独具特色的产业创新状态转换之后，深圳才算真正具有了自身的优势创造能力，也是能实现深圳持续发展的能力。其间还能探索出一条发展路径，供人借鉴。

开创和谐发展的新旅程

——写在深圳经济特区成立25周年之际

乐 正

一群特别能创新的人，抓住中国百年不遇的发展机遇，在一个特殊的区域，依据特殊政策完成着为中国改革开放探路的特殊使命。特殊的人群、特殊的区位和特殊的政策这三特元素，也构成了经济特区特别价值的三个支撑点。

以先行确立优势，以速度创造实力，以创新成就发展，这是过去深圳取得成功的特点。回顾特区走过的25年，感觉它颇像一位少年大学生。在推进改革开放的大业中成绩优异，聪慧过人，得社会之宠爱，博时代之聚焦，成非常之伟业。结果，深圳用超乎寻常的短暂时间，跻身中国经济中心城市的行列，成为中国现代化中的先行者和大城市发展中的新星。

由于一个“特”字，似乎没有一个中国城市会像深圳这样受到关注、引发争议，也似乎没有一个中国城市会像深圳这样不断地反思自身存在的价值。经济特区在完成了它的第25个年轮之后，“少年大学生”终于要毕业了。深圳这个少年城市也开始长大成人，走向成熟。其成年的标志，就是深圳人已经善于自觉地反思成长中的不足，寻找自我发展的新动力和理性地确立前进目标。

在特区庆祝25周岁之际，深圳不事声张地提出了两个新目标，一是落实科学发展观，建设效益深圳、和谐深圳，二是以特别之为立特别之位，继续开创经济特区的宏伟事业。这两个发展目标的确立，使人看到深圳似乎正在完成着由成长中少年步入成熟青年的历史转型。

作为一个由经济特区起步的新兴城市，为改革开放与经济高速起飞探路是少年深圳的首要使命，推进经济体制改革与构筑现代经济结构也成为深圳最引人瞩目的领域。因此，深圳的发展自然呈现较典型的非均衡发展态势，表现在：城市的经济功能一直优先发展，迅速扩张，一鸣惊人，而深圳的其他城市功能则相对滞后。政治、经济、文化与社会的发展程序和功能配置具有明显的差异性和不均衡性。

客观地说，任何一个发展中的社会实体，在其现代化起飞阶段都不可能做到均衡全面的发展。以经济现代化为龙头的发展模式具有相当普遍的实践意义。尽管这样的发展模式并不理想，也有风险，但它是大多数发展中社会必经的成长博弈。对这种历史的合理性和必然性，我们无法回避，但必须保持足够的警惕。成长中的陷阱，足以毁掉已成就的辉煌，给社会造成难以弥补的发展创伤。这就是在一片高歌猛进的欢跃声中，中国决策者始终保持着冷静的理性思维，在全面建设小康社会的旅途中举起科学发展、和谐发展大旗的深层原因。

深圳是中国迅速完成现代化起飞阶段的先进城市之一。但辉煌的成功不能掩饰发展不平衡所引发的深层次矛盾。高速度曾经是深圳手中一张值得骄傲的王牌，但是，过于迷恋速度所造成的非理性发展风险，是再也不能视而不见的了。因此，创造科学、和谐的发展模式，是深圳未来走向成熟必须迈出的重要一步，也是新阶段深圳创新中无法回避的新课题。

和谐发展并不排斥高速度，但决不迷恋高速度，而是把发展的相对平衡与综合效益置于战略选择的首位。具体来说，我们认为深圳未来的发展应重点处理好四个方面的平衡协调问题。

一是继续解决好经济发展与社会发展一条腿长一条腿短的问题，实现经济发展、社会发展及生态平衡的统筹协调。我们应继续高举特区创新的旗帜，但不能被经济二字遮挡发展的视线，局限了创新的领域。经济发展是一切发展的根基，但在经济体制、行政体制、文化体制改革相继推进的同时，在社会治理结构方面的改革也应加快步伐。特别是社会治理主体的多元结构和法制结构应尽快建立。文化教育事业的发展，特别是高等教育、高雅艺术和学术研究的薄弱环节也应加快补课，以保障市民的文化权利，满足现代城市的精神需求，促进城市品位的优化升级。

二是树立深圳人的新市民观念，提高包括外来劳务工在内的全体市民的家园意识和城市认同感。数百万暂住人口也是这座移民城市的主人，全社会都应尊重他们的劳动成果，保护他们的合法权益，支持他们平等享受发展成果的权利。目前，深圳正在对暂住人口的管理机制进行创新。在调整最低工资标准、实施劳务工合作医疗、规划建设廉租屋、选举劳务工代表参政议政、开展关爱行动和举办外来青工文化节等方面进行创新试验，这些将为推进中国城市化探索新的制度体系。当然，在这座由“流水的市民”所组成的新城市中，要使上千万人口真正形成凝聚力和亲和力，还需要全社会拿出更多的善意和智慧，在经济、政治和社会文化方面进行更多的制度创新。只有人的和谐问题解决了，社会的和谐发展才有了根基。

三是用市场、政府和社会这三只手来共创社会公平。市场经济是强者经济，它必然导致社会资源向少数市场强人聚集。政府的基本职能是建立面向全体社会成员的二次分配体系，通过税收和公共财政使各种社会资源相对均衡地为所有社会成员共享。对于那些特殊的困难群体，则需要由政府和各种非政府组织共同发展慈善捐助事业，全社会伸出援助之手，扶贫济困，帮助有需要者共度艰辛。因此，社会的三次分配体系的建立，是要靠三种不同机制的形成来共同完成。能否在建立和完善三次分配体系方面先行先试，是深圳能否实现和谐发展的又一关键，也是经济特区未来应该探索的和谐之路。经济特区不仅应该成为中国社会主义市场经济的摇篮，也应该成为中国建立社会公平的试验田。在这块创业的热土上，不仅创业者受到鼓励，成功者得到奖赏，所有劳动者都能够各尽所能，各得其所，在一起体面地工作与生活。

四是加强特区内外规划、建设、管理各个环节的协调统一。要按照建设效益深圳的发展目标，提高二线关外的投资密度和产业技术含金量，提升产业升级置换和可持续发展能力，以产业自身的提拉力帮助关外地区走出低素质加工经济的循环圈。要按照现代城区和绿色城区的发展要求，提高宝安龙岗的规划建设水平，强化特区外的城市基础设施建设，增加二线关出入通道，将更多的大型城市公共建设项目安排在关外，改善关外的公共服务和商业服务环境。按照集约化、生态化的要求，推进新街道、新社区的规划建设，建立起城市发展、市场需求与原居民利益三者间的平衡点。严格控制土地的一次开发，节约土地资源，鼓励土地功能改造后的二次、三次开发利用。建设更多的郊野公园和生态自然保护区，从源头上实施空气和水资源污染的综合治理，使宝安龙岗成为循环经济的试验区。

在人们已习惯用“发展是硬道理”进行价值判断的今天，深圳人应该树立“科学发展、和谐发展才是硬道理”的新观念，在落实科学发展观的创新实践中，举起“效益深圳、和谐深圳”的旗帜，在开创和谐发展之路的征途中，以特别能创新的勇气和魄力，把经济特区的宏伟大业继续推向新的发展历程！

世纪之交金融功能的变革与深圳区域性金融中心的创建

曹龙骐

环视全球，任何一个国家或地区的经济迅速崛起，无不重视金融业的发展和采取“金融先行”的战略方针。从某种意义上说，当代经济是金融经济，当今世界国家之争、地区之争、城市之争也往往集中表现为金融之争。在现代社会，无论是高科技、经贸、物流以及文化、人才等领域的开拓和发展，无不依托金融市场上货币资金流的运转和竞争。可见，金融业在整个社会经济发展中确实处于举足轻重的地位。正如小平同志所说：“金融是现代经济的核心”。我国改革开放进程中，各地在“金融立省、金融立市”的目标下，口号频率之高、花费精力之多，已令人瞩目。深圳市委市政府也明确提出：高新技术产业、金融业和物流业为深圳的三大支柱产业，加快深圳区域性金融中心的创建是当务之急。

深圳如何创建区域性金融中心？面对这一有关特区发展的重大紧迫而繁难问题，我认为主要应把握好以下两个方面。

一、世纪之交金融功能的重大变革说明，对传统金融的界定已经过时，现代金融业的产业性、先导性、风险性、服务型、知识密集型和资源配置性日趋显露

据考证，世界金融业已有一二百年的重大变迁历史。从二十世纪后期始，随着全球经济一体化和金融全球化，以及计算技术和信息技术的飞速发展，特别在一些发达国家，金融功能发生了一系列巨变，主要表现在：

1. 现代金融的战略地位得以极大提升

传统金融功能被简单地局限于“信用中介”，而现代金融的功能已扩张到证券、保险等领域。更引人注目的是，现代金融首先表现为全球战略问题，由金融业所经营的货币资金的同质性和全球经济的一体化、市场化趋势所决定，国与国之间、地区与地区之间的联系，主要依靠马克思称为“第一推动力”和“持续推动力”的货币作为“纽带”来实现。同时，现代金融也是一国的宏观战略问题，在市场经济条件下，一国商品供给决定了一定时期的货币需求，货币需求决定了货币供给，而货币供给又形成了对商品的需求。所以，一国货币供求的平衡大体上可演化为社会总供给和社会总需求的平衡，这一宏观平衡是国民经济健康、协调、持续发展的重要保证。另外，金融安全、金融霸权、金融创新、金融监管、金融市场等，都与现代金融功能的发挥密切相关。

2. 金融与经济相互渗透，互为因果

传统金融强调对经济的从属性、被动性和工具性，单纯认为“经济决定金融，金融反作用经济”。但现代经济作为金融经济，其资产和财富的形式、各种交易方式和手段，经济关

系和理念等，无不体现金融化的特征。金融不仅是经济的“一部分”，更重要的是“核心部分”，正如一位金融专家所说：“离开了金融的经济，已不再是现实的经济；离开了经济的金融，也不再是现实的金融”。所以单纯从“决定”和“被决定”的狭窄思维中去理解经济与金融的双向关系是远远不够了，还需要从不同的角度和方位加以研究考察。例如过去的政治经济学课程讲述“经济危机引起金融危机”，而近几十年来的事实证明，多数是“金融危机在先，经济危机在后”。又如我国经济体制改革中，客观上要求较多方面必须金融改革要超前于经济改革。

3. 金融创新层出不穷，金融监管难度加大

从理论上讲，金融创新是指金融领域内各种金融要素的重新组合。具体而言，是指金融机构为生存、发展和迎合客户需要而创造的新的金融体制、新的金融产品、新的金融交易方式、新的金融市场以及新的金融机构等。随着金融功能的变革、科学技术的发展以及金融电子化、工程化、自由化的进展，现代金融创新异军突起、层出不穷。据统计，目前全球金融衍生产品就有一千多种。但事实也告诫我们：作为金融发展动力的金融创新是把“双刃剑”，它既起到加速资本流通、降低金融成本、高效配置资源等作用，同时也造成了金融资产的虚拟化和金融风险的多极化，给金融宏观调控和金融监管增加了难度。

4. 金融体系日趋庞大、复杂

长期以来，传统金融仅指银行业，其业务范围也仅局限于货币信用。现代金融体系已是一个复杂的庞大系统。从组织机构看，有银行、证券、保险三足鼎立；从经营性质看，有经营性金融和政策性金融、间接金融和直接金融、宏观金融和微观金融、国内金融和国际金融之分。从其外延看，金融与政治军事、经济社会、财富资源、价格投资、财政税务、道德法律、科学技术等均存在有紧密的相关度，与此同时，金融企业的合并、兼并和重组风起云涌，各金融主体之间的融合和分裂时起时伏，促使有关权威部门公布的大金融机构的资产和利润排名榜不断刷新。总之，金融虽有其独特的运行规律，但其实质上是一国的国民经济问题和世界经济问题。

从世纪之交金融功能的巨大变革中看出，传统金融的观念和界定已经过时，现代金融的含义已远超越于传统金融，可简要概括为：

1. 现代金融业是一个先导性产业

代金融业首先是一个产业，它在GDP构成中已有相当的比例和贡献，金融商品的交易量已大大超过了实物商品的交易量，金融业与一般企业一样，是法人治理，也讲成本和收益，同样交纳税收，也要“自负盈亏、自担风险”，所不同的则是其经营的是特殊商品——货币而已。现代金融业又是一个先导产业。这是因为：作为第三产业的金融业，它已向产业化、工程化和信息化为主要特征的龙头产业发展，其先导性在于它已发挥着社会经济的“核心指挥”和“大脑支配”功能，通过货币资金的分配和组合、利率汇率的调整、金融资产的选择、信息工具的提供等，不断拓展新的投融资领域，优化产业结构和产品结构，从整体上促使国民经济的快速、协调和持续发展。

2. 现代金融业是风险性产业

由金融业经营货币这一特殊商品性质以及金融机构的业务特征所决定，一方面要受制于国家货币管理部门的宏观调节和控制，另一方面它主要依托发展负债来增加资产，其必然涉及国民经济各个部门和千家万户。所以，一旦金融管理当局的宏观决策失误或调控失调，金融企业的经营活动失败，必将破坏整个社会信用资金循环的连续，导致局部甚至于整个信用

链条的断裂，最终会引发货币信用和金融危机，由此造成整个社会经济的混乱。而且，随着经济金融全球化不断深入，虚拟金融资产的不断扩张和金融创新的层出不穷，金融的整体形态和变化机理都出现了重大变革，由此在金融风险的规模、频率、传导和扩散等方面也呈现一系列新的特征，促使金融风险的诱发因素增强，不确定性程度提高和复杂性增多。据有关资料，1980年以来，世界上已有120个国家发生过严重的金融问题，耗资高达2500亿美元。可见，金融安全问题已是现代社会的一个重大现实问题。

3. 现代金融业是一个服务型产业

实践证明，金融业的一切经营活动的宗旨就是向社会公众提供各种金融服务，满足广大人民群众的需要。随着金融创新的深化、金融业务的拓展、金融电子化程度提高、金融服务水平将提升到一个新的层次。通过金融业的优质服务，也实现了金融业自身的价值和求得金融业更快的发展。所以，社会公众不仅是金融业服务的对象和市场，也是金融业生存之本、发展之根和竞争力之源。

4. 现代金融业是知识密集型产业

现代经济是知识经济，具体说是高度智能化、社会化、市场化和高度文明化的经济，知识密集型与技术密集型是先进生产力和现代文明的重要体现。作为现代经济核心的金融业是现代文明的重要组成部分。与其他部门相比，金融业是率先广泛应用计算机技术和网络通讯技术等先进科技手段的行业，知识和技术含量高，需要具有相当水平和层次的人才与之相适应。特别是作为推动金融业发展不竭动力的金融创新，更要求金融人才必须以全新的理念和聪慧的头脑去面对现实，寻找有效的发展途径。

5. 现代金融业是优化配置资源的产业

传统金融理论将金融业划归为流通领域范畴，长期以来，连银行工作的同志总认为自己只是从事“收收付付、点点票子”的出纳会计工作，没有充分发挥货币市场、资本市场和保险市场的重大作用。其实，金融业既是一个流通范畴，也是一个分配范畴，从本质上来说更重要的是一个属于分配的范畴。马克思对“分配”的解释是它既是“生产物”的分配，更重要的更大量的是“生产条件”的分配。金融业从经济发展的战略出发，通过信贷、利率、汇率等经济杠杆的运用和金融资产证券化、重组兼并等手段，实现对“生产条件”的有效分配和对金融这种稀缺资源的优化配置。所以说，金融业在相当程度上是指人们从事资产配置的方式，其核心内容所涉及的主要是金融市场上金融产品的定价问题。

二、深圳要创建区域性金融中心，必须正视金融功能的重大变革，从国际化、市场化的视野出发，更新观念，采取一系列切实有效的措施

上述分析可见，现代经济是金融化的经济，它不仅仅表现为交易方式的金融化、经济金融化，而且随着世纪之交金融功能的变革，它还表现为金融业的产业化、工程化和信息化，表现为金融工具和金融产品的多样化、个性化和虚拟化，表现为经营方式和手段的混业化、网络化、电子化和全球金融市场的一体化。

由此，深圳要创建区域性金融中心，必须更新理念，站在一个新的高度，努力实现金融运作的市场化、金融业务的国际化、金融操作的现代化。目标应是创建依托珠三角、搞好深港衔接、辐射华南地区的多功能、开放式、区域性金融中心。具体措施应当有：

1. 夯实基础：加快高新技术产业发展，重视经济结构调整，营造优良环境

事实证明，一个金融中心的创建，首先要以快速、稳健的经济发展作为基础。这是因为：一个国家或地区金融发展和经济增长之间，存在着一种“平行”和“促进”的关系，即经济增长促进金融发展，而金融发展又反作用于经济增长。历史证明，只有经济发达的地区或城市，才有可能实现金融机构和金融市场的群集，由此促使各种金融活动和交易市场的兴旺发达。设想一个经济不发达的地区或城市能成为金融中心是不可思议的。深圳在现有经济快速、稳定发展的基础上，必须加快高新技术这一骨干产业的发展，抓紧传统产业的升级换代，完善现有的经济结构，以夯实经济和金融发展的基础。

当然，历史也证明，不是所有的经济发达地区或城市都可以成为金融中心。建立一个名符其实的具有世界影响的金融中心谈何容易，它不仅包括金融集聚、金融创新、金融安全等方面，还包括时区优势、地点优势、交通通讯、环境设施、诚信道德、法律建设、政策自由度等，所以，构建金融中心是一项复杂而艰难的系统工程，切不能忽视营造有利于创建金融中心的优良环境。

2. 明确定位：界定好金融中心的区域定位和城市功能定位

作为一个区域性金融中心，其区域定位尤为重要，而区域定位又决定了作为金融中心的城市功能的发挥。我认为：依据深圳经济、金融发展的现状和趋势，创建金融中心的最强辐射面应是大珠三角经济圈(包括香港和澳门)。这是因为：(1)从历史地理风俗看，粤港深之间地域相连、世代相传、习俗相近、语言相通、人流物流资金流频繁，目前正在形成相互依存、协作配套、日趋融合的都会经济区；(2)在珠三角都会经济区内已拥有结成经济联盟的实力，具有相当的开放度和体制优势；(3)在金融机构互设、业务经营渗透、支付结算联通、金融市场衔接、两种货币流通、金融监管合作等方面已有相当的合作和发展前景。由此，深圳区域性金融中心的区域定位亦即金融中心城市的功能定位应是立足深圳，依托华南、衔接香港、辐射大珠三角经济圈。

必须指出，金融中心的区域性“界定”或城市功能定位并不是一种区域“限定”，深圳作为区域性金融中心，依据金融全球化的要求和金融业本身的运营特点，它与区域外的地区以至于整个世界经济，必然亦有不可分割的联系。在某种特殊情况下，由于经济上的关联和投融资需要，对区域定位以外的某些地区或城市也具有较强的金融辐射力。从某种意义上说，这样做会有利于进一步拓展区域内的金融业务，有利于加强区域性金融中心的建设和巩固区域性金融中心的地位。

3. 抓好关键：顺应全球金融一体化大趋势，组建金融控股集团公司，努力提高金融企业的核心竞争力

深圳要创建区域性金融中心，决不能离开全球经济、金融一体化这一大背景。特别是现代金融业投融资功能和战略地位的提升，金融业兼并重组风起云涌，各大经济区金融市场的相继形成、扩大和相互贯通，各国金融体制出现趋同化的走势，金融风险加剧和国际经济合作的强化等，加上中国加入 WTO 后面临的挑战和世界金融业由分业经营向混业经营过渡的大趋势，客观上要求我们在创建区域性金融中心进程中，从全球经济一体化、市场化的角度出发，不断更新理念，寻找有效的途径和对策，以适应变化了的新情况和新问题。其中，最关键的问题是如何提高金融企业的竞争力。

近几年，深圳金融业在完善法人治理结构、股份制改造、内部管理体制改革和业务品种创新等方面已作了大量工作，金融企业的竞争力有较大提高。为面对挥师直入、全副武装、

超级规模的称为金融“巨无霸”的外资金融机构，紧迫的问题是深圳应在组建金融控股集团公司方面作出新的尝试。

我认为：深圳要在建造金融业航空母舰上创新路，可以从三个方面展开：(1)对现有的独资国有商业银行进行改造。已有的四家国有独资商业银行，应该说已称得上是金融航母，他们早已跻身世界500家银行之列，但必须看到，尚存在许多与现代商业银行运作机制相悖的弊端。如冗员过多，机制过死，资产质量偏低，经营管理水平差等等。为此，要首先树立现代商业银行的运作理念，下大力气引进先进的管理思想、管理方法和管理机制，构造有效的管理流程。在此基础上可以先选定2—3家优质银行作试点，进行产权制度改革，实行股份改造，成为产权多元化的国有控股公司，再创造条件上市成为上市公司；(2)提升现有优质非国有金融机构，分别在银行业、证券业和保险业内合并、重组几家具有相当规模的商业银行、证券公司和保险公司，“做大做强”，以提升竞争能力；(3)在现有分业经营体制框架内，加强金融同业之间在业务、技术和组织等方面的合作，通过优化组合达到资源共享、优势互补。总之，当今世界，只有致力于增强金融企业的竞争力，创建金融中心的目标才能成为现实。

4. 创出特色：加大金融创新的力度，办出区域性金融中心的特色

创新是金融业发展的不竭动力，也是金融业改革与发展的主旋律。深圳成立20多年来，在金融创新方面已取得明显成效。在金融机构创新方面，建立了第一家外资银行、第一家股份制上市银行、第一家法人持股的商业银行、第一家股份制保险公司、第一家证券公司、第一家外汇调剂中心、第一家城市商业银行等等；在金融业务创新方面，第一个实现银行之间业务的全面交叉与竞争、第一个实行信贷资金“切块”管理、第一个试行信贷资金比例管理、第一个在银行推行资产风险管理、第一个涉足离岸金融业务、第一个发行了B股、第一个采用个人支付信用卡业务等等。这些，又都与深圳经济特区本身的体制创新有着密切的联系。

总结深圳金融创新的实践经验，我认为以下两点必须引起重视：(1)推进市场化进程，不断为金融创新开拓新的发展空间。从理论上分析，整个金融市场就是一个创新的市场，金融市场的发展过程也就是不断创新的过程。这是因为，创新本身来源于市场化条件下金融市场的需求，所以创新的思想孕育于市场、创新的动力来源于市场、创新的成败也由市场来检验。(2)以体制创新为先行为基础，推进金融业机构、品种、技术等领域的创新。这是因为，社会的发展过程无非是体制创新和技术创新的相互作用和交替过程，西方发达国家已是进入成熟的市场经济阶段，基本上完成了体制创新的过程，其往往将技术创新(对金融业来说可称资本创新)为重点是不言而喻的。但我国处于经济转换时期，金融业的资本创新只是一个重要前提条件，主要还是体制创新。正如党的十六大报告中指出的：“我们一定要适应实践的发展，以实践来检验一切，自觉地把思想认识从哪些不合时宜的观念、做法和体制的束缚中解放出来。”实践证明，不排除我国改革中的体制障碍，金融创新往往缺乏新的动力。就是在资本创新方面有所尝试，也往往因体制性障碍而形成扭曲和变形，没有能真正达到预期的创新效果。

创新才能发展，创新也才有特色。深圳创建区域性金融中心，一个更高的要求是通过创新如何创出特色。努力在依据深圳一大批高新技术产业和中小型民间企业飞速发展现状金融业如何在搞好风险投资和二板市场的建设、在如何组建金融控股集团、在建立为中小企业投融资服务的有效机制、在金融业务品种创新等等方面，形成自己的特色，那么，深圳区域性金融中心必然会在不断创新中拥有强大生命力。

5. 防范风险：转变金融监管理念，防范和化解金融风险，建立金融安全区

金融创新的核心问题是金融风险，而有效防范和化解金融风险的重要举措是强化金融监管。深圳要创建区域性金融中心，着力于建立金融安全区是一个不可回避的重大问题。

金融业是一个高风险产业。创建金融中心的目的虽然是为投融资创造有利环境和获取最大收益，但更重要的是建立强大的金融风险防御体系，求得一方金融安全。现代金融风险具有客观性、不定性、隐蔽性、复杂性等特征，从体制、业务经营、金融创新和诚信道德上防范和化解金融风险，是一个既重大又繁难的问题，重要的是要强化金融监管，它既是实现金融安全的重要举措，也是创建区域性金融中心的重要保证。

现阶段我国金融监管的滞后，原因是多方面的，但不能忽视的是：传统合规性监管、过于严格的金融管制、消极监管、事后监管、忽视效率的监管等，已严重扼制了金融业的创新和发展空间，直接影响金融业整体效率的提高。要适应现代金融功能变革的态势，金融监管必须有一个新的理念。主要有：(1)从单纯合规性监管向注重风险性监管转变。不可否定合规性监管的重要作用，但它仍停留在独立性严重不足条件下的行政式监管阶段，所以它毕竟是一种一般性、浅层次、现场的、静态的金融监管方式。而风险性监管则具有深层次、超前性、动态的特征，因为以风险为本的理念，有利于将监管模式与建立风险系统架构相结合；有利于围绕风险确定监管的重点、统一监管的标准、有效配置监管资源和评价监管的效果；也有利于建设风险性监管和合规性监管相结合的监管制度。(2)从单纯维护金融安全监管提升到既维护安全又着力于提高金融业竞争力方面转变。金融监管的根本目的，是通过对风险的防范，为金融业的创新和发展营造有利的内部和外部环境。那种单纯的为监管而监管，不讲效率的监管，实际上隐含着最大的风险。金融监管只有兼顾安全和效率，注重在监管中不断提出解决问题的切实有效的措施，将监管与强化法人治理结构、建立准入退出机制、提供优质服务等有机结合，才能真正达到提高金融业竞争力的目标，而竞争力的提高又是完善监管体制的关键所在。(3)要明确金融监管是一个庞大体系，是一个系统工程。这是因为：从其广度而言，它是一个包括政府监管、金融机构内部控制、行业自律、社会监管等多层次的庞大体系；从其深度而言，它是一个涉及风险防范、效率获取、诚信道德、法律规范和操作高效率的系统工程。

6. 寻求捷径：充分利用毗邻香港的区位优势、借鉴其创建国际金融中心的成熟经验，加快提升深圳金融业的国际化水平

深圳毗邻香港，近几年香港的经济发展几经起伏，遭受困难，但香港的核心竞争力依然存在，香港仍然是国际金融中心。作为一个国际的金融市场，它不仅是外资银行云集的国际银行中心，而且是全球第五大外汇交易中心、第七大股票交易中心、第五大金融衍生工具交易中心、第四大黄金交易市场、亚太地区最大保险市场和亚洲第二大基金管理中心。

近几年，香港在金融创新方面，虽独创性不强，但具有对外来金融创新的强吸收能力，要比内地高出一个层次。在体制创新方面，香港金融管理局采取了包括放宽撤销利率管治、简化三级发牌制度、成立金融基础设施督导委员会、加强银行内部财务管理和风险控制等措施。在金融机构方面，香港已将原联交所、期交所及三家结算公司合并成控股公司，成立香港交易及结算有限公司。在金融业务方面，及时采用如电子支付系统和自动提款机等国外创新技术，近年来还推出网上银行、电话银行和多方位的零售及批发性银行业务(如贸易融资、理财服务、证券及金银买卖、经纪业务)。在金融品种方面，在国际市场上运用的金融衍生工具中，有80%以上已被香港资本市场所采用。金融创新促使香港金融市场成为成本低、效

率高、最为活跃的市场。

同时，香港银行业也有一整套健全的金融监管制度，香港对金融衍生工具交易的监管也有一套新的风险识别和度量的新方法，对应付金融突发事件的能力也较强。

深圳要创建区域性金融中心，必须充分利用毗邻香港这一独有的区位优势，加强深港金融合作、依借香港拥有“最自由市场环境”的优势，借鉴香港建设国际金融中心的成熟经验，努力提升深圳金融业的国际化、市场化水平，以加快创建深圳区域性金融中心的步伐。

发展路径选择：理论逻辑与实践启示

袁易明

可持续发展战略作为一个全球性的发展战略，受到各国的高度重视。无论是发达国家，还是发展中国家，都在努力地探求社会经济的可持续发展之路，以期稳步快速地提升国民的物质文化生活水平，可持续发展正在成为新世纪社会经济发展的主导模式。

一、可持续发展道路的理论逻辑

可持续发展战略的核心在于发展过程中将经济与生态置于同等重要的位置，当以生产力发展为目标时，目标的实现过程中除受到传统要素的影响外，还受到环境、资源基础的制约。也就是说实现可持续发展，必须在经济增长模型里将劳动、资本、土地、环境质量、资源基础视为同等重要的因素。因此，在发展过程中社会、经济、生态的高度协调是实现可持续发展的必要条件。

数百年的发展与积累创造了一个物质丰富、体制运行有效、法制健全、教育科技发达的西方世界，但仍有众多国家由于各不相同的诸多原因导致发展速度的相对低下，体现在物质生产力水平、体制效率、社会、教育，科技进步方面的不发达。这些不发达经济体构成另一个世界——发展中国家。发展中国家与发达国家间在经济、社会两方面存在着日益扩大的差距，使发展中国家深切地感受到发展的重要性，并且有了追赶发达国家的现实目标，以提高自己国家的社会福利水平，由此形成了流行于发展中国家的“赶超战略”。

在不发达世界内部的国家之间，出于具体国情和制度的差别，实施“赶超战略”的途径各不相同。东亚国家在发展初期以“进口替代”为主要战略推进工业发展，其后又适时地实现由“进口替代”向“出口导向”的战略重点转移，而始终如一的“进口替代”发展战略成为南美的巴西等国的选择。无论是何种具体的“赶超战略”选择，经济的高速增长均是共同的追求，因为毕竟，社会福利改进的基本依赖是国民的实际收入水平，这显然又只能靠 GDP 的高速增长来突破。进而，经济的高速度成为了发展中国家实施“赶超战略”过程中的重要目标，寻找经济高速增长也相应地成为发展中国家实现社会综合发展的切入点和突破口。

在资源的稀缺面前，不断加大资源的开发和使用可以带来当前社会福利水平的快速提高，加快发展中国家“赶超战略”的实施步伐。但是，资源稀缺和经济资源对经济增长贡献的减少必然引起经济增长高速度的难以为继，经济增长过程中的“外部不经济”现象也会消减经济增长推动的生活水平提高速度(高收入与高污染显然并不能产生高社会生活水平)，因此，从长期来看，过分注重短期经济增长将不利于社会总体利益的提高。这个矛盾的出现使发展中国家面临两难选择：经济增长的极端重要性和经济增长面临的资源供给压力；经济增长引起的“外部不经济”现象对生活质量的消减。

面对“两难选择”，出现过许多的途径探索，产生了“可持续性发展”和“不可持续性发展”

两种模式。不可持续发展模式以经济的最大增长速度为基本目标，可持续发展则在经济增长、生态环境和资源储备三者间寻求发展的均衡。以“既能满足当代人需要，又不对后代人满足其需要构成危害”为基本内容的可持续发展，其战略目标为：恢复经济增长、改善经济增长质量、满足人类基本需求、确保稳定的人口水平，保护和加强资源基础，改善技术发展方向，在决策中协调经济与生态的关系。

可持续发展模式在世界上成为一个愈来愈受到重视的发展模式，并正在成为新世纪的主导模式。可持续发展主导模式的逐渐形成并非表明人类认识境界的飞跃，而且客观现实的必然。因为在经济与环境、资源基础的保存产生矛盾时，对可持续性发展的选择具有机会成本——当代经济增长速度的下降带来的福利损失，同时，可持续发展战略的“外部经济性”（对下一代的福利增进）也意味着将增大当前发展的代价。之所以产生可持续发展战略，是因为世界已饱尝了不可持续发展战略带来的“苦果”——20世纪50年代以来，追求经济增长引起的一系列全球性问题：人口增长过快、资源耗竭、环境恶化，这样的发展态势（在不改变发展方式条件下）将导致城市更为拥挤、污染更为严重、生态更不稳定，进一步引起物质丰富程度提高、生活水平降低的畸形变动趋势。正如1972年罗马俱乐部《增长极限》报告所言：目前人口、资本快速增长模式的继续，世界就会面临一场“灾难性的崩溃”。由此看来，可持续发展模式的出现和发展以及作为主导模式的确立并非是一个感性的过程，而是一个立足于现实条件的“理性道路”选择。

二、现代化与发展道路选择的理性

现代化作为世界各个国家、各个民族社会发展的共同目标，其建设过程是当今人类的共同事业，现代化已成为人类发展过程中一个新的历史进程。在这样一个国际现代化建设的背景条件下，中国同样需要建设现代化、实现现代化，这不仅是社会制度存在和发展的需要，更是提高民众生活水平的需要。

中国的现代化起步较早，但经历的曲折较多，真正走向现代化建设道路，将中国现代化建设提到重要的议事日程是在20世纪70年代末期，因此，从严格的意义上讲，中国是一个现代化的后建设国家。作为后发展国，中国现代化建设具有一些不利的影响因素，这些因素被吉尔伯特·罗曼兹概括为：(1)与现代化先发展国间的发展差距，这些差距必须缩小。(2)没有现存的现代化模式供套用、分享，其他国家的经验、发展模式又遇到模式运作背景的差别。(3)现代化目标的实现遇到物质、资金和技术的制约等。

从罗兹曼的研究结论中可以看出，寻找适合的现代化模式和物质条件的不足是后发展现代化国家面临的最大挑战和条件制约，中国的现代化进程也同样如此。由于现代化过程是一个涉及多层次、多阶段宽领域的发展过程，“现代化是一个多方面的过程，涉及人类思想和活动的所有领域中的变化”（亨廷顿：《变迁社会中的政治秩序》，上海人民出版社1989年版）。现代化主要涵盖经济、社会、政治、教科文、环境、发展能力，特别是可持续发展能力等领域，其实现目标包括社会领域的城市化、公平化、高质化；制度方面的民主化、法制化、标准化；经济方面的产业结构高度化、经济体系的高效化、资源配制的市场化和经济行为的国际化；教科文领域的知识化、信息化和科技进步；持续发展领域的自然的承载力和持续发展力。现代化的内涵说明，其建设过程是一个多领域的综合协调发展过程，因此，现代化的历程实际上就是一个实施可持续发展战略的过程。另外，在中国国情条件下推进现代化建设，实现对先发展国家现代化步伐的追赶，无论在发展的速度上，还是在发展的质量上，都必须走可持续发展之路。因此，实施可持续发展战略是我国现代化建设的必由之路。

三、现代化建设的“路径试验”

作为中国这样一个后发展国家现代化建设的先行者，深圳在过去的发展历程中，吸收人类文明的共同成果，从自己的实际出发，借鉴国外发展经验，在实际中逐步摸索出了一条可持续发展的道路。

深圳可持续发展道路的形成具有三个客观背景：其一，资源相对短缺和资源承载能力较弱的客观现实。在建立特区之前的1979年，深圳人口总数为31.41万人，其中农业人口25万人，非农业人口6.41万人，社会经济的发展主要依赖于自然资源，自然资源的承载能力为45.5万人，经济资源承载能力5.6万人，社会资源的承载能力为7.8万人，显然，自然资源是主要的发展依靠。资金、人力的缺乏和社会发展的缓慢与落后决定了经济、社会资源较低的承载能力。当深圳被赋予为中国改革开放试验、示范的历史使命后，仅挖掘、开发承载能力为45.5万人的自然资源是难以完成历史使命的，况且其自然资源的开发空间也已十分有限，因此，寻求经济资源和社会资源承载能力的提高就成为了当务之急，而经济、环境并重的发展也就成为了必由之路。

其二，对世界文明成果的借鉴。人类在不可持续的发展模式里曾经付出过高昂的代价，并且在今天的时代，这样的代价仍然在发生，过于沉痛的代价不得不引起人们对带来沉痛代价的发展模式和策略进行深刻的反思，反思的过程实际上就是发展模式和策略的选择和优化过程，在这一过程中不仅产生了较优的发展模式，还使人们更深刻地理解了经济增长的终极目标和社会福利的真正内容。只注重经济增长意味着人类发展内涵的单一化，单纯追求经济的高速增长已有极大困难。“先增长后治理”的途径选择由于治理成本的高昂和环境质量形成过程中某些环节的不可逆性，使后治理难以产生实际效果，因而使得治理效率低下。所以“先增长后治理”难以实现最终的经济、环境发展的协调性；“边增长、边治理”虽然在治理的时间上较“先增长后治理”提前，但由于具有与“先增长后治理”同样的困难，再加上生产力落后国家经济资源的相对缺乏，难以承受经济发展过程中的治理成本，所以“边增长、边治理”不具有现实可行性。在漫长而曲折的发展历程中，人们通过长期探索，得出协调发展的重要性：包括经济增长数量与质量的协调、自然资源和生态环境的保护与开发的协调，最终实现经济系统、社会系统和生态系统的全面发展，并且实现资源利用和财富分配的“代际间公平”。

深圳作为改革开放的“窗口”，在成立之初就被赋予的使命决定了她的发展过程必须借鉴国外先进的经济与技术，在技术、改革开放、管理、知识等“窗口”当中，引进、试验并示范先进的经济体制和先进的发展模式是极为重要的内容。吸收人类文明成果，实现“赶超式”的发展是后发国家和地区的共同行为，深圳的超常发展同样是如此。在这里，一个有效率的发展模式显然不仅是指模式在短期内的有效适用，更指在整个发展过程中的效率，历史的过程对诸多发展模式进行了彻底的检验，为后发国家或地区展示了充分的经验证据，显然，经济、环境的并重与发展过程的综合考虑是对文明成果的吸收和对人类历史教训的吸收。

其三，较低生产力发展水平和实现生产力发展目标的需要。中国社会的现代化历程是以满足人民的需要为终极目的的，其核心内容是社会福利水平的提高，由于经济发展的落后，使得收入水平成为中国社会福利改进的最主要制约因素，也就是说，只有生产力的发展才能有效地改进社会福利水平，基于这一逻辑，“解放生产力、发展生产力”必然为中国社会的基本任务，进而形成了经济建设这一中心任务。深圳，由于在中国现代化历程中的重要作用，在完成其使命过程中，必须使自身的生产力水平得到大幅度的提高，因为只有这样才能证明国外文明成果在中国背景下的效率，也才能真正起到“试验与示范”的作用。不论是整个中国，还是走在中国现代化前列的深圳，落后生产力水平的背景和发展目标之间的距离，决定了经济增长不仅要高速，而且还必须持续，也就是说，实现经济本身增长的可持续性对于深圳发展而言显得十分重要。经济增长的持续性与环境质量之间的“良性互动”关系清楚地表明：离开优良的环境质量难以实现经济的持续增长，在深圳的建设与发展过程中，对这两者间关系的认识显得十分清晰。

另外，当从经济发展水平极低的状态到生活富足的状态时，人们的福利受到环境质量的影响增大，这在今天的深圳体现为“天更蓝、地更绿、水更清、花更多、命更长”的具体行动。

出于上述几点原因以及深圳20年经济高速增长的历史，在深圳的现实及未来发展规划中将环境因素“内在化”于经济发展过程，换句话说，经济增长必须置于生态成本与社会成本的约束中，因此，深圳的发展选择只能是给定生态成本和社会成本条件下的物质产出最大化，或者一定经济增长条件下的生态成本与社会成本最小化。

深圳经济、环境并重的发展目标在制定经济发展规划与政策中体现的是，将环境的保护与建设放在同等重要位置。这又具体体现在：一方面，努力实现经济的高速、持续增长，以经济现代化为相当时期内的发展目标。比如到2010年，经济总量达5000亿元，人均生产总值10—13万元，人均GNP8200美元，经济发展的综合水平约为当时世界平均水平的2倍，与发达国家的差距缩短到7—10年左右，并在2025—2030年前后实现经济综合发展水平赶上发达国家等等。在进行经济发展目标的规划时，对环境建设和质量改善也进行了令人鼓舞的规划与设计，比如现在正在实施的“蓝天碧水工程”和未来水源、大气质量、地表植被等的保护行动规划。再如，在2010年的规划中，饮用水质达国家二级饮用水标准；适当控制机动车数量的增加，推广无铅汽油、机动车辆尾气排放技术改造、严格控制建设污染严重的工业项目、减少建筑物尘污染等；土地生态方面，不断增加植被覆盖，到2010年，城市公共绿地总面积达4500公顷，人均绿地11平方米等。

为了实现经济与环境发展的协调性，城市发展目标规模(人口数量)，电力、电讯、燃气供应、污水处理、供水等市政设施和客运、港口、铁路、高速公路、机场、快速干道等交通体系建设成为深圳从规划到政策再到行动的重要内容，同时，社会发展也是深圳持续发展的重要组成，诸如建设国际水准的博物馆、展览馆、中心图书馆、国际交流文化中心、歌剧院、音乐厅等大型文化娱乐设施，加大对教育的投入力度，发展中小学教育，尤其是高等教育；实施医疗体制改革，按高标准改造建设医疗机构，完善专业医院建设，建立健全医疗保健网络；改善体育健身条件(通过建设一批体育设施和加强设施的管理，提高利用效率等途径来实现)。

1. *在社会发展与经济增长间实现协调*。可持续发展的中心内容显然在于发展，只有发展才能带来福利水平的提高，对于发展中国家而言，在发展初期，经济的增长在发展中就具有了重要的地位，因为表现在诸如普遍贫困、收入低下、住房短缺、健康不良、教育落后、婴儿死亡率高、预期寿命和工作年限短等为特点的低下生活水平和这个低下水平的保持并不具有任何可持续发展的含义。而低下生活水平的改变必须依赖于经济的增长。在深圳的历史上，改革与开放前的“小渔村”经济，实质上与上述低下的生产力发展水平社会相比，并无太多的先进。1.96亿元的生产总值，1.6亿元的居民收入、0.8亿元的工业总产值、3.48亿元的农业总产值、1.29亿元的社会商品零售总额、0.17亿元的预算内财政收入和930万美元的出口贸易总额，这一组数据清晰地表达了深圳“小渔村”经济的规模与经济的内部结构，在总体经济规模与人口作了一系列计算之后，就是“小渔村”居民生活水平的画面：593元的人均居民收入、769元的职工年均工资，152.2元的农民人均分配，0.47亿元的城乡储蓄积累。

上述数据决定了发展起始期深圳居民只能享有的社会福利水平：拥挤的住房、落后的医疗条件、不发达的教育，等等。这一切均说明：高速的经济增长对于社会福利水平迅速改进的极端重要性。

经济增长重要性造就了后来经济建设为中心的形成，经济振兴政策的出台与行为带来经济的迅猛发展，1979—1992年间年均46.6%的GDP增长，居民收入以年均44.6%的速度递增，农业、工业部门总产值年均增长率分别为8.4%和63.43%，社会商品零售总额年递增41.4%，财政收入年增长45.3%，出口贸易总额年均上升62.43%。作为经济增长结果，生活水平大幅改进：人均居民收入年均递增25.7%，职工工资增长6倍，农民年人均收入增长17.6倍，居民储蓄积累增长382倍。这样的高速增长过程至今仍在继续，高速增长过程的持续使经济总体规模不断扩大。

经济增长并不必然等同于经济发展。虽然至今为止，对于二者间还没有一个普遍认同的界定，但是，经济发展与增长之间，一个共识是前者较后者有广泛得多、丰富得多的内涵。在帕金森那里，经济增长是指国民收入或国民生产总值的总量或人均量的上升。经济发展则意味着经济结构的根本性变化，其中主要指两种变化：国民生产中农业份额的减小和工业份额的扩大；农村人口份额的下降和城市人口比重的上升。在哈根看来，经济增长代表一国人均国内生产总值和人均收入(国民生产总值)的增加。经济发展则有两重意义：其一，低收入国家中的经济增长加上物质利益分配的改善，即最低收入家庭营养、卫生、教育条件的改善，婴儿死亡率的降低以及生活变得较为体面。小朱维尤斯对经济发展的含义作了下述表述：经济增长伴随着变化——经济结构的变化、社会结构的变化与政治结构的变化。

理论的发展，使得经济增长与经济发展间内涵的分野愈来愈大，时至今日，经济发展就意味着产出增长与经济、社会、政治结构的变化，具体地，包括投入结构、产出结构、产业结构、分配状况、消费模式、社会福利、文教卫生、群众参与等在内的变化。可以得出的结论是：经济增长是经济发展实现的重要途径或手段，经济发展是目的。

深圳本地经济资源的稀缺现实决定了依赖于自身经济资源实现经济持续增长的不可能。这种不可能性的存在使得经济规模的扩张必须寻求新的道路，在1979年当地自然资源的承载能力仅为45.5万人，而同年末已拥有人口的数量已达31.41万人，其中农业人口为25万人，占总人口的80%，一个典型的农业经济社会。不发达的农业商品化又意味着当地基本的生存依赖为自然资源，自然资源承载能力发展的有限性(事实上，从1979年到1997年，自然资源承载能力仅从45.5万上升到56.19万人。说明，经济资源的引进和社会资源的发展必将是深圳城市扩张的两个必然的依赖(社会资源承载能力由1979年的7.77万人增加到1997年的184.2万人)。经济资源和社会资源承载力的突飞猛进意味着在可持续发展的两条道路上——节约资源路途和资源基础拓展路径，深圳选择了后者，通过引进境外经济资源，扩大资源基础和促进社会资源的发展，实现经济增长的可持续性。

深圳以经济增长为核心内容的经济发展，显然走了一条不寻常的道路，之所以不寻常，是由于深圳经济发展是在特定的国内环境并肩负着重要的历史使命条件下进行的，这就构成了对于传统体制背景下经济发展途径与方式的区别，不仅如此，她还不同于一般条件下发达经济体的经济发展历程，因为她不具备发达市场经济体系的社会制度与体制前提，更没有发达市场经济体的开放条件。在计划与市场结合点上，深圳经济发展在内容上除了国内（或国民）生产总值这一增长指标外，其他的内容为：

其一，体制的全面创新。被赋予改革开放试验者和探索者使命的深圳，大规模的体制变革是完成其任务与使命的要求，这个过程是对计划体制的突破和对发达国家市场体制的借鉴、试验、总结、示范，为目标经济体制的形成和效率检验作贡献。在一系列通畅的要素市场、商品市场出现之后，当这些有形或无形的场所在供求关系的作用下，创造出能准确或至少近似准确地反映商品稀缺程度的价格信号时，标志着体制相对于传统的计划体制而言已发生实质性的变迁。虽然这个变迁过程今天在深圳尚未完成，但已发生的体制变革足以让制度经济学家们惊叹不已。

其二，农业自然经济社会向工业经济社会的跃迁。80%的农业人口和37.0%的产值比重（1979年）只能将经济腾飞前的深圳划归农业自然经济的范畴。在经济增长过程中，服装、玩具、钟表、珠宝、皮革、食品、包装等传统工业基础上的计算机及其通讯、微电子及其基础元器件、机电一体化、视听产品、重点化工和能源、生物工程、新材料与新能源等现代先进工业的出现与发展是深圳工业体系的表征，加上工业发展的作用与地位，揭示了伴随经济增长过程的经济结构、产业结构的演进。

其三，从传统农村社会到现代城市社会，由传统村社家庭文化到现代城市商业文化的转变。工业社会伴随工业经济的产生而形成（1998年，深圳非农业户比重超过75%），工业社会的形成意味着农业社会的消失，这种社会形态的变迁并非仅仅是投入要素由劳力、土地到劳动、资本，更是经济行为方式的转变和经济社会中人与人间关系的变化，这是工业经济所决定的。

对经济增长与经济发展关系的不同处理方式（表现为不同的政策与不同政策作用下的行为差异）源于对二者的认识差别，这个差别的存在将不同程度地影响一个经济体发展过程的可持续性。现实中，对经济增长与发展的内涵在认识上的全面把握也许并非困难，关键在于能否不失时机地将短期内便可获得成效的经济增长成果向经济发展转化，推动经济素质的改进。这个转化过程之所以不易发生，是因为这个过程的成效的出现相对缓慢和这个缓慢对于政府任期内追求政绩是最大的矛盾。深圳的实践正是对于转化过程的重视和转化时期的相对适当：将经济增长的辉煌成就逐步转化为社会文明进步的成果，体现在改善市民生活、工作环境，提高物质、精神生活服务水平，在民主法制、教育文化、社会文明进步等方面所作的努力。

2. 实现经济增长与环境质量的均衡。经济与环境协调的重要性的凸现，是因为二者之间产生过太多的不协调，之所以需要协调，必然是由于协调比失调更有效率，因为失调发展会给人类社会带来总福利的损失。这里的人类福利也包括存在于“代际间的”福利。经济与环境的协调的提出，实际上已将环境从经济体系中分离出来，使环境、经济成为了彼此影响的两个因素。

从另外一个角度去分析，在可持续发展战略中，对经济与环境协调性的强调是基于两个原因：经济发展与环境质量改进的非一致性和环境资源的有限性。当环境所提供的资源和环境质量本身具无限性因此而无价时，或当经济增长对环境质量改进具有正向效应时，经济增长与环境质量的改进没有冲突。

人口增加、经济规模迅速扩张产生对经济资源的强劲需求，资源再生循环周期的漫长使得经济资源的供给日趋紧张。而资源的大量需求又发生在经济的起飞过程。在一国的低水平的发展阶段或在一个低发展水平的国度，往往以自给自足的简单再生产为其经济特征，以农业为主导产业，以农产品加工、冶炼、烧制等为工业的重点内容，以人力、畜力、木材、木炭、水能等为动力能源，广泛利用土地、气候、水、生物作为重要投入，经济过程强烈地依赖于自然环境。随着经济发展水平的提高，它们对自然资源的依赖性减弱。

经济过程与环境质量的非一致性表现为经济增长过程中企业成本与社会成本的非等性，个别企业向社会的成本转嫁导致社会成本的上升，当这个成本没有能找到承担者时，环境将遭致损失，引起环境质量的下降。

深圳极为有限的自然资源和由此决定的弱承载能力，使得20年的经济增长不能强烈地依赖于原有资源禀赋，外来资源(人力、资本、技术等)是经济增长的重要投入。因此，经济与环境的关系主要体现为经济增长与环境质量的矛盾，由于环境质量的高低直接制约着吸引外来资源的能力，并成为决定福利水平的重要因素，所以环境质量的改进一直成为政府的重要任务。正因为如此，才有“天更蓝、水更清、地更绿”的实实在在目标和控制汽车尾气、减少大气污染、提高空气质量、控制污染投资项目、大量投资污水垃圾处理工程等具体的行动，也才有“国家园林城市”、“全国环境综合治理优秀城市”、“全国环保模范城市”等荣誉称号的获得。

获得一系列荣耀是整体环境质量良好的证明，而整体环境质量的一系列技术指标才是荣耀背后的关键，更为重要的是这些在获得荣耀之前所实现的指标在未来的维持。1997年的静态指标：二氧化硫年日均值0.008毫克/米^3(达国家一级标准)、一氧化氮年日均值0.053毫克/米^3(达国家二级标准)、TSP年日均值0.103毫克/米^3(达国家二级标准)；降尘年月均值6.90吨/公里^2(空气质量甚佳)；城市交通干线噪声和区域噪声平均值分别为69.8分贝和57.2分贝(符合国家环保模范城标准)；主要饮用水源水库水质达到国家地面水质二类标准，特区内建成绿化覆盖率44.1%，垃圾粪便无害化处理率达100%。这些都充分证明了深圳现今环境质量的优良，这样的环境质量如果说曾经协调于经济发展，这种协调性并不必然性地长期存在，因此，关注现实及未来的协调性更为重要。由于环境与经济的协调的内涵与环境质量的绝对水平并非等同，协调性更多强调二者间的适应性，环境质量不断改善速度与经济发展速度间的差距的扩大不是二者协调性的增强而是相反，这里的实际意义是：在深圳经济已具相当水平的现阶段，环境质量对经济发展而言的相对变化较过去某一时期的静态指标更重要。

3. *创立新发路径的制度条件*。在市场条件下产生经济发展与环境保护之间失调的原因是经济行为主体的利益目标与环境质量和经济利益间的矛盾。当市场企业在实现利益最大化过程中向社会转嫁成本时，或社会承担这部分转嫁的成本(比如由政府投入治理企业造成的各种污染)，或者引起环境质量的下降。企业的独立自主的经营行为使得作为公众利益代表的政府无法直接干预，企业的“外部不经济”行为发生，况且，政府干预的高成本使得干预范围和程度极为有限，企业转嫁成本行为因此可能频繁发生，引起环境质量的问题。与此相反的是，在计划体制下，政府对投资行为的直接控制，可以有效地减少“外部不经济行为”对环境质量的负面效应。处于由计划体制向市场体制过渡的深圳，企业自主性的增强和企业对利润目标的追求，使得“外部不经济”行为发生的可能性远大于传统体制下的经济过程，因此，难以仅仅依靠政府对经济行为过程的直接控制达到降低环境污染的目的，鉴于此，深圳走了两条必然而现实的路径：建立法规与治理并重。通过制定法规，建立企业经营行为过程中统一的游戏规则，减少经济行为产生污染的可能性。通过政府投入治理已发生的污染，消化企业"外部不经济"过程引致的社会成本。

法规对污染性经济行为的约束包括前期、中期和后期的约束。前期的约束力体现在对可能具有污染性项目的严格控制。1994年初就已颁布实施的《建设项目环境管理实施办法》的基本出发点就在于对污染的前期控制——对大量产生废气、废渣、粉尘、恶臭气体、放射性物质及噪声、振动、电磁波辐射等具严重污染项目的淘汰和对任何具有污染可能性项目的环境效应预测，实施对可能产生环境污染和改变自然环境现状建设项目环境影响报告的审批制度。法规的过程约束是在项目实施过程中对环境质量影响的监测并对正在产生污染的项目进行处理。而法规的后期约束则是对产生污染的经济行为的环境危害程度进行评估和处理。当破坏环境的行为已经发生时，对行为过程的处罚十分必要，因为处罚可以有效地阻止企业成本向社会转嫁过程的发生，当处罚数额等于对环境污染造成的损害时，处罚规定具有效率，否则污染行为将继续发生，因为具有污染的经济行为的继续(无论是规模的扩大和时间的延长)将会给经营者带来更多的利益。

增加环保投入是实现可持续发展的一个不可缺少的举措。这不仅是当今世界对于已经发生的环境问题的无奈选择，也不仅仅是解决环境问题的最后手段(也许不是最有效的手段)，其背后更为合理的理由是：由于经济行为过程对环境质量损害程度度量的极端困难，造成对损害行为处罚数额的难以确定，引起法规实施过程的尴尬，环境质量的下降清楚地表明，对污染行为处罚远低于转嫁了的成本；其次，环保投入用于环境质量的提升(并非完全用于对损害了的环境的修补)将会增加可持续发展的能力并利于社会福利水平的改进。近几年，占国内生产总值1.8%的环境投入比重代表着深圳决策的远见和未来经济与环境发展协调性的增强(在投入过程具有效率的条件下)，因为在经济上与发达国家相距甚远的深圳，在环保投入占GDP的份额却已接近发达国家的水平。

深圳未来发展具有两重目标：作为一个城市，其目标是建设区域性经济中心城市、高科技城市、园林式花园式现代化国际性城市；作为中国的一个成功的经济特区，其目标与任务是充分发挥经济特区的"五个带头"作用，在中国的背景下，探索后发展国家实现现代化的道路与现代化的建设模式。

国际性城市作为深圳自身发展的目标，它显然是其他目标实现的客观结果。由于深圳在中国经济现代化过程中曾经肩负的使命——改革开放的试验、示范，现代化建设的先行者，使得深圳在诸多方面的实践均具有全国性意义，为全国经济建设提供创造性的实践活动和能促进生产力发展的新鲜经验，这即为深圳是"全国的深圳"的基本内容。显然，在这一基本内容的实现过程中，试验、示范的效率高低决定了深圳的"全国性"内容的多寡，取决于深圳自身社会、经济的发展速度和由速度决定的发展水平。一套在体系上无论是多么完善却不能带来社会、经济快速、健康发展的体制不能产生任何示范作用，因此，对于深圳而言，其"全国性"内容的多少和完成历史任务的优劣首先在于深圳的社会、经济发展成就。深圳今天在全国经济发展中的地位与作用证明如此。在未来的发展过程中，深圳改革与发展的探索目标的实现必将带给深圳一个美好的未来，这里的结论是：深圳现代化国际性城市目标是其他各项单项目标的综合，同时，这一目标也是深圳在新时期继续发挥在全国经济建设中的作用的必然要求。

国际性城市以城市与国际社会间要素的高度流动性为特征，这里的要素既包括经济要素也包括社会要素，其重点在于对经济活动、生活活动在国际间的交流与融合。任何一种要素在任何规模的区域内流动都以重组为流动的结果，以重组产生的优势为流动的动力与追求，不产生新优势的流动只能具有流动的成本，不具流动效益。这样的流动显然没有存在的实际意义。国际性城市所产生的经济要素流动，是一个城市参与国际生产力分工的过程，这样的流动早已被实践证明是具有效率的。而社会要素的流动所引起的科技文化、教育的交流，其结果是产生社会要素的国际间重组，创造重组优势，推进社会发展。在全球化趋势不断发展的大背景下，城市国际化显得日益重要。

深圳作为中国现代化过程中率先对外开放的经济特区，在自身经济和中国整个经济与世界经济体系的融合过程中，率先参与国际间的分工与合作，这个过程的实现就是建立国际性城市的过程。国际性城市对于深圳而言并非仅停留在吸引外资、吸收国外先进技术、管理经验的初级层次，也不仅仅表现为城市基础设施的大规模建设，甚至是几个路标的多种语言标识(这些当然也都重要)，更应表现为：在内容上，不仅指物质要素(人力、资本)的流动，技术、信息、商品的交流，还应包括体制的相互借鉴，文化的广泛、频繁交流，最终体现为生产力在国际间的有序分工协作，城市功能的互补，以推动整个国际社会经济的发展；在要素的流向上，不仅指各种要素的流入，也应包括各种要素的流出。

以上分析的结论是：深圳的发展目标不仅需要具有较高的经济、社会发展水平，还要求有人口、经济、生态的高度协调。实现目标需要实施可持续发展战略，强调单一的经济增长将不可能实现“花园式的现代化国际性城市”的目标。

实现建设目标，深圳面临挑战。这是因为，一些环境问题依然较为严峻，持续的经济高增长及高速的城市化与大规模的资源开发，给环境以极大的压力。生态问题仍然是决定和影响深圳目标实现的主要因素，如何协调经济发展、城市建设、生态环境、人口增长这几者间的关系，使生态环境质量适应现代化国际性城市建设的要求，是深圳未来发展面临的挑战。

特区需要造就自己的经济学流派

曹龙骐　郭茂佳

特区发展需要有自己的经济学流派

无论是哪个学科，诞生众多不同的学派，不仅是该学科研究达到一定规模和水准的标志，而且也是与之相关领域互动发展的一股不可缺少的重要力量。当然，经济学也不例外。

回顾历史，西方发达国家的经济大船之所以能够顶风破浪，不断向前，其中一个重要原因，就在于继亚当·斯密和马歇尔等西方古典经济学派之后，涌现出了种类繁多的现代经济学流派，如以杰出代表人物而闻名的凯恩斯学派，有以研究领域而著称的货币学派，有以大学命名而令人景仰的剑桥学派，有以城市著称而威震四方的芝加哥学派，有以原理推论而显赫的边际效用学派，有以研究方法而独辟蹊径的行为学派、数理学派等等，不胜枚举。

同理，奋勇前行的特区经济之舟，要想出色地成为中国经济的排头兵，也需要有自己的经济学流派去推动。特区经济学理应成为特区人文社会科学领域中的一门显学，研究推动特区经济发展的新思维、新战略是特区经济研究工作者的第一课题，不仅在特区的大学和研究机构中需要为数众多的学者从事特区经济学研究，而且在特区的一些部门和企业中也理应有自己的首席经济学家。

随着时代的变迁，特区经济学研究已今非昔比，形成自己经济学流派的必要性已超过了过去任何时期，这是因为：

1. 特区经济研究的内涵变了。当今时代，已赋予特区以新的内涵，今日之“特区经济研究”与昨日之“特区经济研究”已有很大不同。“特”已不是体现在特殊的经济政策上，而是体现在“特别能改革、特别能开放和特别能创新”上，这些新内涵，对于特区经济理论工作者来说，无疑是全新的课题。

2. 特区经济研究的重点变了。按照科学发展观的要求，特区经济研究要把重点放在构建“和谐特区”、“效益特区”的发展目标和发展思路上，放在如何解决特区经济运行中的深层次矛盾、消除特区经济发展的体制性障碍和构建特区经济协调发展的制度性保障上。从经济学原理分析，制度创新和技术创新这两大因素发挥作用、互动配套，既是推动经济增长的主要因素，也是难度最大的因素。

3. 特区经济研究的任务更重了。探索特区经济效益和速度有机结合的方法要比单纯探索特区经济增长速度的方法，其工作量更大，对研究的广度的深度的要求更高，仅用过去的思维方式和论证推理已不足以满足新的需要了。

4. 理论指导实践的压力更大了。用科学发展观来给特区定位并指导特区的发展，不仅要善于在特区的实践中不断提升正确的理论，而且要将理论进一步指导实践，使特区真正起到“排头兵”、“试验田”和“窗口”的示范作用。特区经济理论如果不能引领特区经济发展走在全国的前列，对于特区经济理论工作者来说，既是无能的表现，更是莫大的耻辱。

由此，我们认为，为适应形势的发展，需要透过特区经济学流派这个平台去进行学术争鸣和交流，以带动特区学术精英的成长，充分发挥特区经济学者们的创造力，努力为特区经济增长和社会进步提供必要的理论营养。

特区为什么形成不了自己的经济学流派

遗憾的是，造就和培育特区经济学流派的工作被我们长期忽视了，其间，对经济特区的研究虽也有些研究成果，但实际上至今既未形成完整的特区经济学理论体系，也没有形成在国内、国际上有一定影响的特区经济学流派，现有关于特区经济研究的成果大多属于述而不作的性质，其主要表现为：就事论事地讨论中国特区经济问题者多，而真正有理论创新者少；介绍国外理论或以国外现成理论为框架研究中国特区问题者多，而按现代经济学规范，建立严谨的逻辑体系并以实证资料对理论推论进行严谨的经验检验的系统性研究成果者少。特区经济研究之所以没有取得令人敬仰的成果，究其原因，笔者认为，主要有以下四点：

1. 由于历史的原因，人们长期把特区经济狭隘地理解为“享有特殊经济政策的经济”，以至于以此为出发点，偏重于研究如何争取中央特殊经济政策基础上特区发展，特区经济理论工作者也把研究的重心放在如何在速度上追求特区的地位和作用上，这必然助长人们轻视或忽视去探索特区经济理论体系规律性和科学性的倾向。

2. 由于对特区经济研究缺乏明确的定位。这必然对特区经济学在特区经济和社会发展中应当、能够和如何发挥作用等一系列问题的认识并不清楚，对特区经济学内部应包括哪些子学科和子研究课题缺乏广泛的共识，因而容易给人一种特区经济学说不清、道不明的印象，使得至今依然有不少人不同程度地怀疑甚至否定特区经济学的规律性、科学性以及在特区经济和社会发展中的价值和功能。

3. 由于人们在特区经济研究中存在着较为严重的学术失范。在特区经济学研究中，那种急功近利，脱离实际，漠视自己的社会责任和学术责任，片面追求数量，甚至侵占他人成果等现象已经发展成为了一种司空见惯的公害。如有些学者耐不住寂寞，缺乏坐冷板凳的精神；有些学者不愿深入社会，参与社会实践，研究成果与特区实际严重脱节；有些学者，热衷于炒作自己，在某一研究领域仅取得一点成绩便自封为“著名学者、名师、大家”等。这些不良现象有损特区经济学学术研究的环境，不利于良好学术研究风气的形成。

4. 由于缺乏科学的评价体系。如许多重大奖项对参评成果都有极其严格的时限要求，不科学地排除了一些出版或发表年限稍长的精品和上品，由于这一错误的导向，致使不少特区经济理论工作者热衷于去捕捉当前特区政治经济社会生活中的热点和政策取向问题，从而助长了特区经济研究中的短期化、泡沫化倾向，忽视对特区重大而深远课题的研究，这在很大程度上妨碍和抑制了特区经济学名师、名著和名篇的产生。

特区有条件形成自己的经济学流派

就目前条件而言，创建特区经济学流派虽难度不小，但也并不是遥不可及的，应充分认识目前创建特区经济学流派的有利条件。

1. 经过多年探索，深圳经济特区已明确了建设国际化城市的战略目标，确立了建设“和谐深圳”、“效益深圳”的发展模式，找到了经济发展的根和魂——改革创新，提出了向改革创新要发展的动力，向改革创新要发展的优势，向改革创新要发展的资源，向改革创新要发展的空间的战略思路，从而为特区经济研究指明了大方向。

2. 按照党的十六届三中全会通过的《中共中央关于完善社会主义市场经济体制若干问题的决定》要求，特区正在对照国内国外先进地区的改革经验，评估梳理过去特区在行政管理体制改革和政府职能转变、国有资产监督管理经营和国有企业改革、投融资体制改革、文化体制改革、司法体制改革、社会保障制度改革和城市管理体制改革等方面所取得的有益经验，可以为特区经济学流派的诞生提供必要的研究素材和相关资料。

3. 为了大力推进特区经济改革创新，深圳经济特区已在发展改革局下面设立了一个副局级的改革办，教育部和广东省教育厅在深圳大学设立“中国经济特区研究中心”，加上综合开发研究院（深圳）、深圳社科研究中心、深圳市委党校等，在组织机构上提供了催生特区经济学流派的基本条件。

4. 目前国内五大经济特区和上海浦东新区的高校及社会科学院已成立了数量颇多的特区经济方面的研究机构，国内出版的特区经济学理论方面的论著成倍增长，各种以特区经济学理论为主题的研讨会层出不穷，国内外特区经济学界的学术交流也日益活跃，为特区经济学流派的兴起创造了良好的外部环境。

5. 特区凭借其品牌、先发、政策、经济实力、创业环境以及市场体制等优势，已吸引了一批批经济理论研究人才的加盟，为特区经济学流派的诞生打下了一定的人才基础。

催生特区经济学流派需要加大改革创新力度

上述有利因素对于催生特区经济学派是重要的，但造就特区经济学流派既是一个自然演进的过程，也是复杂繁难的系统工程，仅有这些有利条件是远不够的。为促成特区经济学流派的早日诞生，笔者以为，营造特区经济学流派形成的环境条件相当重要，当务之急是要加大改革创新力度，重点抓好六项工作：

1. 要抓住突破口。特区经济学目前正处于一个重要的历史转型时期，它既要追踪国际经济学界过去几十、甚至几百年积累的研究成果和前瞻其发展前沿，又要研究特区经济学自身运行规律，其艰难程度可想而知。许多问题不仅有待于深入研究，甚至有待研究。要想在预期的时间内对所有的特区经济学问题都进行深入研究，并取得突破性成果，是不切实际的。笔者认为，近期可将研究重点放在三个方面：（1）特区市场资源配置机制问题。无论是评估特区以往改革的路径和目前的改革措施，还是提出新的政策性建议，市场作为资源配置机制问题，都应该是研究的基础，并且由此可以延伸到特区产业结构、城市化、区域化等问题的研究。（2）特区企业改革问题。特区经济是靠企业来支撑的，企业组织机制和活力关乎特区的现在和将来，特区企业改革问题理应成为特区经济研究的重点。可喜的是，随着博弈论、信息经济学、契约理论等的发展，现代企业理论研究已集中到对企业内部经理层、大小股东和其他利益相关者之间的利益冲突和调节机制的分析，已发现了很多公司治理结构的规律，如果以此为切入点，特区经济学最有可能在企业产权和治理结构问题的研究上率先取得突破性进展。（3）特区政府的行为及对特区经济影响的问题。由于特区政府行为及其对特区经济的影响既是特区经济转轨中最突出的和最受关注的问题，也是特区经济发展中带有普遍性的深层次问题，因此，特区政府的行为及对特区经济影响问题自然而然地应该成为未来特区经济学的一个核心内容。并且，与此相关的，还可带动和刺激其他相关领域，如政府行为与财政体制、政府行为与法律体系、政府行为与金融监管体制、政府行为与融资体制、政府行为与企业制度等领域的研究。

2. *将聚才与用才并举*。特区经济学流派的产生关键在于人才，特别是能独当一面的领军性人才。如果没有一批功底扎实、锐意进取、能站在特区经济学理论前沿的优秀学术带头人，就无法创建特区经济学流派。因此，特区应充分利用自身的诸多优势，继续抓紧引进海内外具有创新能力的经济学家和出色的学科带头人，为特区经济学流派的产生储备充足的人才资源。同时，特区相关部门的决策者和管理者要充分认识到特区经济学在特区现代化建设进程中的重大作用，应把为特区服务与为学者服务结合起来，充分尊重特区经济研究工作者的学术人格和学术自由，尊重学者的劳动和研究成果，积极地为他们的研究工作创造良好的环境和条件。

3. *要活跃学术气氛*。在探索特区经济理论和现实问题时，由于研究条件、掌握材料、探索的角度和深度不同，以及思考和研究方法上的差别，必然会出现不尽一致的见解和思想体系。对于这些学术争鸣和分歧，要求有关的决策者和管理者，要有开阔的视野和宽广的胸怀，要遵循学术发展的特点，努力营造宽松的学术环境，充分发扬学术民主，鼓励不同看法、不同观点的学者之间进行相互切磋，要提倡探索、尊重探索、鼓励探索，既要尊重研究者的学术自由，不打棍子、不扣帽子，又要提倡积极的健康的学术争鸣和学术批评；要求广大理论工作者切实做到不惟上、只惟实，既要反对盲目崇拜学术权威，又要反对任何学术权威压制新的学术思想观点和新生力量，进而逐渐形成不同的流派。

4. *要搭建理论舞台*。催生特区经济学流派需要以学术精英举旗的社团作为组织载体，为此，五大经济特区和上海浦东新区要采取一些切实可行的政策，加大对特区经济研究基地、研究中心、研究学会等机构的支持和投入，扶持那些遵守国家法律法规并能对特区经济学界的学术研究发挥一定组织带动作用的社团的发展，引导它们关注和研究特区经济中的重大理论和现实问题。

5. *要树立良好学风*。就目前而言，当务之急是：(1)要净化学术环境。特区经济研究就如同人需要清新的空气和洁净的饮水一样，需要培育良好的学术环境。只有这样，才能诞生令人信服的经济学大师和催生茁壮的学术新苗，也才能从根本上提高特区经济学研究的自主创新能力。这就要求管理者要加强诚信教育，要旗帜鲜明地同不良学术风气作坚持不懈的斗争，以维护学术殿堂的尊严。广大特区经济学理论研究工作者要从严自律，争做表率，从我做起，带头弘扬学术道德，反对浮躁浮夸作风。(2)要遵循学术规律。特区经济学研究的精品和上品的产生往往需要经过长期孵化，往往需要研究者长时间呕心沥血的累积。只有经过长时间的苦其心志、劳其筋骨的钻研、磨练，方能孕育和创造出高水平的学术精品。惟有像经济学大师亚当·斯密那样，闭门整坐十年冷板凳，才能写作《国富论》这样的传世之作。为此，特区经济学科研管理部门要延长重大学术奖项参评时限，把科研成果放在一个合理的周期里考察，以便于那些有重大学术价值和称得上是精品、上品的学术成果能够脱颖而出。(3)要树立正确的治学态度。学者以研究为业，学术研究是一种艰辛的劳作，只有做到像江泽民同志在2002年考察中国人民大学时所希望的那样，即“要甘于寂寞，淡泊名利，力戒浮躁，潜心钻研；要认真读书，多思慎思，关注现实世界，注重学术积累；要厚积薄发，出精品，出上品；要加强团结、和谐合作，在学术研究中相互切磋，共同进步。”惟有如此，才有可能取得对国家重大决策和学科建设具有重要价值的科学成果，创造出在理论上有所建树的真正的精品力作。(4)要理论联系实际。在现代社会，参加社会实践，进行调查研究，不仅是研究和解决现实问题的需要，而且也是特区经济学研究的最基本和最重要的研究方法。因此，特区经济理论工作者要坚持理论联系实际的作风，积极投身于特区经济建设的实践中去，开展调查研究，关注社会、关注民生，努力研究和解决特区现代化经济建设中的重大理论和实际问题。

6. 要健全科研管理制度。科研管理制度是否健全，事关特区经济学研究发展的方向、水准的高低以及学术风气的好坏。因此，正确确立特区经济学的研究方向、提高特区经济学的研究水准，以及纠正不良学术风气，都要求我们必须对特区经济学传统的科研管理体制进行变革。其思路主要有二：(1)要重构特区经济研究成果评价标准和评价体系。在特区经济学研究成果评定时，要尽力减少行政评估行为，防止非学术因素对研究成果评价的干扰，保障评价的公开性和公正性；要坚决摒弃简单的量化管理方式和手段；要着重看科研成果的社会认可度和影响力，包括同行的评价和介绍，学术成果的引用率，以及特区政府和企业的采用情况等；要尊重研究者的原创性劳动，建立健全保护特区经济研究成果的有关制度和有关的监督和制约体系[4]。(2)促进科研成果转化为生产力。特区经济学科研管理部门要充分发挥市场机制在科研资源分配中的作用，探索出一种能够把特区经济理论研究与政府决策和企业咨询服务紧密联系起来的有效方式和运作机制，尽可能使广大专家学者的研究成果被广泛应用于特区重要经济发展计划和重大政策、制度和措施的制定上，被广泛应用于特区企业、产业布局和制度创新上，被广泛应用于特区经济管理和人才培养上。

用科学化的“硬道理”指导特区加快发展

祁亚辉

一、引言：关于发展观研究中出现的偏差

1. 不能把发展的“代价”记在“发展是硬道理”的账上

党的十六届三中全会通过的《关于完善社会主义市场经济体制若干问题的决定》明确提出了要树立和贯彻科学发展观的要求：在发展中要坚持以人为本，树立全面、协调、可持续的发展观，促进经济社会和人的全面发展；要按照“五个统筹”的要求，推进各项事业的改革和发展。科学发展观的提出，在全国理论界引起强烈反响，被称为中国“第二代发展战略”。许多学者开始从哲学、经济学、社会学、公共行政管理等学科的理论思辨角度，从25年来改革开放取得巨大成就(包括特区建设成就)的社会实践角度，从中国现代化“三步走”战略和全面建设小康社会所处发展阶段的历史进程角度，从“和平”与“发展”是当代世界主题的国际环境角度，从新兴工业化或新兴市场经济国家(地区)的国际经验角度，对科学发展观的科学内涵、核心内容、精神实质、政策导向、战略意义等等方面，展开了多方面、多层次的探讨研究。这些研究活动以及所取得的理论成果，无疑对于科学发展观的学习理解、宣传教育和贯彻落实，都具有十分重要的推动作用。

但纵观这些研究成果，我们看到，有些研究者在对科学发展观表示充分肯定的同时，也透露出对“发展是硬道理”的批评甚或否定，他们把“发展是硬道理”的指导思想与在发展过程中出现的问题作为因果关系联系起来，认为“发展是硬道理”是导致一系列问题的原因。比如，他们认为，是“发展是硬道理”导致了重经济发展轻社会进步，重物质财富的增长轻人的全面发展的结果，导致了“高投入、高消耗、高排放、不协调、难循环、低效率”增长模式的形成，导致了各级官员的GDP崇拜、各地发展中的拼资源耗费、不惜使环境遭到污染破坏等等“有增长无发展”的结果。他们认为中国在最近25年间，在取得经济建设巨大成就的同时，也为此付出了沉重的代价。这主要表现在四个方面：

第一，城乡差距、地区差距和居民收入差距持续扩大。比如，在城乡居民收入差距扩大方面，城镇居民收入是农村居民收入的倍数，由1978年的2.36扩大到1995年的2.72，再扩大到2003年的3.11。这一数字尚不包括政府财政对城镇居民的各种补贴；在地区发展水平差距扩大方面，最发达的上海市与最不发达的贵州省相比，人均收入GDP差距由1978年的9.1倍扩大到2002年的12.9倍，全国各省市自治区形成所谓“一个国家、四个世界”的格局；在国民贫富差距扩大方面，基尼系数由1995年的0.437扩大到2002年的0.454。

第二，政府财政对教育、文化、科技、卫生等公共事业的投入严重不足，使社会的进步水平落后于经济的发展水平。比如，按照《中国教育改革和发展纲要(1993)》规定，到20世纪末，教育经费的支出应该达到GDP的4%，但是到2001年，教育实际支出只达到GDP的

3.19%，与世界平均5.1%的水平相比则存在更大的差距。

第三，社会保障的制度建设落后，就业压力大，给社会稳定带来潜在的威胁。在当前及未来几年内，我国每年新增就业人口保持约750—1000万的庞大规模，但是现在GDP每增长一个百分点所创造就业机会的能力却大幅减少，仅相当于20世纪80年代的1/3。

第四，经济增长对资源环境的压力越来越大，严重影响到经济发展的可持续性。主要表现在自然资产损失严重(包括能源耗竭损失、二氧化碳污染损失、矿产耗竭损失、森林耗竭损失等)，能源资源消耗比居高不下，土地沙化、水体污染、水土流失的势头难以遏制等等方面。

2. 如何正确认识上述“代价”

不可否认，上述问题和矛盾在不同地区不同方面都程度不同地存在，有些问题已带有全局性质，许多矛盾还就是在最近25年加快经济发展过程中出现的或者被加剧的。但是，我们不能苟同把这些问题矛盾与“发展是硬道理”作为因果关系联系起来，不能苟同把它们当作“代价”记在“发展是硬道理”的账上。我们认为，这些问题的产生和被加剧，与坚持“发展是硬道理”战略思想之间不存在必然的内在因果联系。导致这些问题产生和被加剧的真正原因主要是两个方面，一是某些主政一方的官员对“发展是硬道理”战略思想产生了错误的理解，在执行中出现了偏差。当他们在谋划一时一地的发展时，往往把作为“硬道理”的发展简单化地等同于经济发展，又把经济发展歪曲为GDP的增长，有的甚至把GDP的增长别有用心的转化为职务升迁的筹码，即所谓“数字出官”。二是现行的官员政绩考核机制和职务晋升机制出现了扭曲。当一些官员故意或恶意地歪曲“发展是硬道理”，片面推动GDP增长，甚至不惜欺上压下报假数字的时候，现行的政绩考核机制和职务晋升机制很难或很少对其加以惩戒；在现实中，这个机制往往不仅不会对其加以惩戒，反而对其施以鼓励：予以职务的提升和权位的重用，即所谓“数字出官”。这种扭曲的刺激鼓励作用，一旦被制度(无论是显性的制度还是隐形的制度)加以强化和固化，其产生的恶劣影响就一定会恶性膨胀，其产生的破坏作用也就必然是恶性的。总之，前述问题在发展过程中的产生和被加剧，并不是坚持“发展是硬道理”战略思想所必然要付出的代价，也根本不是“发展是硬道理”这一战略思想有什么问题，而是一些官员的政治素质和执政能力低下，不适应新的历史条件下经济社会发展的要求，是现行官员行为的激励博弈机制出现了扭曲或失效所致。

总之，不论从中央《决定》的精神看，还是从25年改革开放所走过的道路看，无论从有关发展观理论的发展轨迹看，还是从作为战略指导思想的发展观的深化与升华看，现在提出的科学发展观与引领我们走过改革开放不平凡历程、取得举世公认成就的“发展是硬道理”，都是一脉相承的发展和升华，而绝不是前者对后者的否定或扬弃。需要强调的是，在树立和贯彻科学发展观的时候，如果不能正确理解和把握科学发展观的内涵、实质，不能准确把握科学发展观与“发展是硬道理”继承与升华的关系，不仅无助于正确及时和有效地贯彻落实科学发展观，而且有可能导致我们的改革开放和现代化建设事业迷失方向，延误我们抓住21世纪头20年的战略机遇期，实现全面建设小康社会的发展目标。

二、邓小平关于发展道理的“硬”之所在

1.“发展是硬道理”战略思想的提出及其历史条件

“发展是硬道理”是小平同志在1992年南方谈话中明确提出来的。但抓发展，特别是抓经济发展，以经济发展带动社会的全面进步，却是小平同志的一贯思想。这一思想不仅在

“文革”前在农村工作中提出“三自一包”、“四大自由”工作方针中得以体现，更在十一届三中全会以后，小平同志作为总设计师，在指导中国改革开放和现代化事业的进程中得到充分体现。

“硬道理”是小平同志家乡话的一种通俗表达方式。所谓“硬道理”是指，在种种道理之中，有一种道理是第一位的，是管其他道理的，是必须首先要遵循的，坚持这个道理是不可动摇的。这里的“居于第一位”、“管其他道理”、“必须首先遵循”、“不可动摇”等等内在规定性，就是这个道理的“硬”之所在。在小平同志看来，中国曾经是一个经济文化比较发达的国家，但在近代以后落后了，因此，一部中国近现代史就是国家图富强、民族图振兴、经济图发展、社会图进步的历史，特别是中国共产党领导全国人民浴血奋斗28年，赶走了日本侵略者，推翻了国民党腐朽统治，建立了新中国。这就为国家由战争转向和平、由争取自由转向促进发展、由为战争组织生产转向为摆脱贫困、结束民不聊生局面、提高人民生活水平创造了前所未有的政治、经济与社会条件。

但是，国家经济建设和社会发展除在“一五”时期比较正常并取得巨大成就外，其他时间我们用于搞政治斗争的时间远远多于抓经济建设，耽误了许多发展时间，坐失了许多发展机会，使中国落后于世界发展水平的差距进一步拉大了。尤其是十年“文革”动乱，不仅打倒了一大批功勋卓著的党和国家领导人，打倒了一大批保持独立思考和独立人格的思想家、科学家等知识分子，而且把国民经济拖到了崩溃的边缘，使中国与世界各国特别是与发达国家的发展差距拉大了，使人民的生活水平长期得不到提高，许多人长期处于贫困状态。在激烈无序又无休止的政治斗争中，国家的经济发展和社会进步出现了长时期的、全面的停滞和倒退。这一段灾难重生的历史创伤，就是十一届三中全会实现拨乱反正，启动现代化建设航程所面临的国内局面与国际条件，也是小平同志提出加快发展特别是发展经济这个“硬道理”的特定历史条件和深厚社会基础。正是在这样的历史条件和社会基础之上，党中央做出把全党工作重点转移到经济建设上来，实施改革开放的重大战略决策。

在结束“文革”实现拨乱反正之后，小平同志在谋划中国的未来前途时，对于抓住机遇、加快发展有一种特别强烈的紧迫感。他认为，要实行改革开放，要推进现代化建设，尽管千头万绪，但是必须把发展摆在第一位，必须把加快发展社会生产力、提高人民生活水平、增强国家的经济实力和综合国力摆在第一位，作为必须首先要遵循的、坚定不移贯彻的“硬道理”。在那个特定的年代，可以说，抓发展特别是抓经济发展作为全党工作重点，怎么强调都不会过分。因为，只有加快发展，才能实现拨乱反正，才能把“文革”耽误的时间抢回来；只有加快发展，才能真正推进现代化建设，逐步缩小已经拉大了的与发达国家之间的差距；只有加快发展，才能摆脱贫困落后的状态，尽快提高人民生活水平；只有加快发展，才能增强国家的经济实力和综合国力，在世界事务中享有一个大国应有的地位和尊严。总之，“发展是硬道理”战略思想的提出，不仅凝结着中华民族“落后就要挨打”的沉痛历史教训，辉映出一代又一代仁人志士发愤图强、富民强国的时代呐喊，更反映了小平同志对建国后一次次政治运动导致经济发展停滞和社会进步倒退的深刻反思。

2. 小平同志关于“发展是硬道理”的战略思想

在这里，我们不妨回顾一下小平同志关于“发展是硬道理”的战略思想。小平同志在领导中国实现改革开放和推进现代化建设的20年间，逐步形成并丰富完善了关于中国发展的理论思想，其核心就是抓住机遇、加快发展，其关键是坚定不移地推进改革开放，不断解放和发展社会生产力。这一思想成果在《邓小平文选》第三卷中得以集中而系统地体现。

小平同志认为，在我国经济发展和社会进步的整个现代化进程中，一定会遇到许多复杂问题，一定会出现许多矛盾关系，为此，只有实行统筹协调才能正确处理这些矛盾，才能有效解决这些问题。他提出，要协调好发展、改革、稳定的关系，正确把握改革的力度、发展的速度和稳定的程度；要协调好改革涉及的各方利益关系，正确处理对既定利益格局的调整和对新的利益格局的重组；要协调好经济体制改革与政治体制改革之间的关系，使政治体制改革要同经济体制改革相适应，既保持党和国家的活力，克服官僚主义，又提高工作效率，调动基层和群众的积极性；要协调好经济发展和社会发展，在经济发展的基础上促进文化建设与思想道德建设，促进科技、教育、卫生、体育事业的发展，完善社会保障制度，确保社会治安，促进人口增长与资源环境的协调发展等等。与此同时，小平同志多次强调，关键是抓好发展，特别是抓好发展经济，这是解决一切问题的基础和条件。特别是在20世纪90年代初，小平同志看到人们对“姓资”、“姓社”问题的纠缠有可能阻碍中国发展，有可能坐失发展机遇的时候，心头十分担忧，于是他在南方谈话中明确的提出了“发展是硬道理”的经典论断，从国家战略的高度阐述了发展对于中国的极端重要性。

——关于发展对中国的决定性意义。小平同志说，中国解决所有问题的关键是要靠自己的发展。中国的主要目标是发展，是摆脱落后，是国家的力量增强起来，人民的生活逐步得到改善。归根到底，就是要发展生产力，逐步发展中国的经济。不把经济搞上去，一切都无从谈起。中国只要不搞社会主义，不搞改革开放、发展经济，不逐步地改善人民的生活，走任何一条路，都是死路。

——关于抓住发展机遇的重大意义。小平同志说，要抓住机会，现在就是好机会。我就担心丧失机会。不抓呀，看到的机会就丢掉了，时间一晃就过去了。他强调：抓住机遇，发展自己，关键是发展经济。发展才是硬道理。这个问题要搞清楚。如果分析不当，造成误解，就会变得谨小慎微，不敢解放思想，不敢放开手脚，结果是丧失时机，犹如逆水行舟，不进则退。

——关于全面、协调与可持续发展思想。小平同志指出，不能单打一，不能顾此失彼，需要综合平衡，要扎扎实实，讲求效益，稳步协调的发展。他说，经济建设这一手我们搞得相当有成绩，形势喜人，这是我们国家的成功。但风气如果坏下去，经济搞成功又有什么意义？因此，他提出，要实施两个大局的发展战略，沿海地区较快发展起来，带动内地发展；然后到了一定时候，沿海拿出更多的力量帮助内地加快发展。我们要建设的社会主义国家，不但要有高度的物质文明，而且要有高度的精神文明，要两手抓、两手都要硬。要采取有力的步骤，使我们的发展能够持续、有后劲，为中国今后几十年的持续稳定发展奠定基础。

——关于发展的步骤和最终目标。小平同志说，我国的经济发展，总要力争隔几年上一个台阶，而且这样做是能够办得到的，让一部分人、一部分地区先富裕起来，最终达到共同富裕。他强调，社会主义的本质，是解放生产力，发展生产力，消灭剥削，消除两极分化，最终达到共同富裕。

——关于发展与提高中国的国际地位。小平同志说，我们的国家一定要发展，不发展就会受人欺负，如果我们国家发展了，更加兴旺发达了，我们在国际事务中作用就会大。

由此可见，小平同志关于“发展是硬道理”的战略思想，是重点论与普遍论的统一，是唯物论和辩证法的统一，既强调经济发展的重要性，也强调经济发展对社会全面进步的推动作用，既强调发展的动力，也强调发展的目标、目的和步骤，因此，小平同志的发展观本身就是全面、协调与可持续的发展观。我们知道，在《邓小平文选》第三卷全部383页的正文中，

“发展”这个关键词的出现频率竟高达558次，平均每页出现1.46次。这充分反映了小平同志对发展问题的全面思虑与极端重视。

3.“发展是硬道理”战略思想的历史地位

25年来我国改革开放与经济建设所取得的巨大成就，奠定了“发展是硬道理”战略思想的历史地位。

首先，在“发展是硬道理”的理论指导与实践中，我们加深了对社会发展历史进程和历史阶段的认识，提出了我国正处在并将长期处在社会主义初级阶段的理论，确立了党在整个社会主义初级阶段的基本路线、基本方针、基本任务。作为基本路线“一个中心”的经济建设，指的就是发展，特别是发展经济；“两个基本点”则是保障和实现经济建设这个“中心”的条件和途径。小平同志说，基本路线要管一百年，动摇不得。

其次，通过对我国20多年改革开放、经济发展与社会全面进步丰富实践的系统总结，我们党取得了第二次理论飞跃，形成了邓小平理论——关于在经济文化比较落后的中国如何实现社会主义现代化的科学学说。邓小平理论的核心内容、基本思想和主体组成部分，就是对中国为什么要建设社会主义、如何建设社会主义问题的科学回答，而“发展是硬道理”则是邓小平理论中一个具有鲜明特色的基本观点。因为，邓小平理论作为一个思想理论体系，其理论来源是中国的改革开放与经济社会发展的实践，其主要内容是对这个实践的系统总结和理论升华，其理论特色是体现和保持了与这个实践的与时俱进，其历史地位是对中国在推进现代化建设事业的整个历史阶段、在完成建设中国特色社会主义历史任务的过程中始终发挥指导思想与理论基础的作用。

再次，25年来，中国所发生的翻天覆地变化，所取得的举世公认的发展与进步成就，都为“发展是硬道理”战略思想提供了最有力、最充分的论据和注脚。深圳特区以及其他经济特区的创立，就曾被当作“发展是硬道理”思想的第一块试验田；经济特区的成长与发展，已经无可争议地成为矗立在南海边上闪耀着“硬道理”思想光辉的实践丰碑。

总之，发展是基础，发展是前提。对中国这样一个发展中的大国来讲，没有较快的发展，就谈不上提高人民的生活水平和实现人的全面发展，就谈不上促进社会的全面进步和维护社会制度的长治久安，就谈不上增强国家的综合国力和享有世界大国的应有尊严，就谈不上实现祖国的和平统一。同样，对中国共产党这样一个大国执政党来讲，没有加快发展的紧迫性和制定正确的发展战略思想的主动性，就谈不上提供高的执政能力和增强党的凝聚力，就谈不上党的先进性和合法性。

三、在新的历史阶段实现发展战略思想的科学化

1. 新的历史阶段提出发展战略思想实现升华的必要性和紧迫性

经过25年的持续高速发展，我们实现了现代化建设“三步走”战略的第一、第二步发展目标，跨越到总体上实现小康生活水平的新阶段，跃上了人均GDP达到1000美元的新台阶。当然，我们站在新阶段、新台阶上，也面临着新的形势和新的挑战。这就是，经济体制变革引发社会利益关系的重大调整和重组，科学技术进步正促使经济结构优化和升级，工业化和城市化的加快伴随着社会结构的深刻变迁，人均GDP超过1000美元后导致的社会需求升级并日益呈现多样化；再加上前述我们面临的差距扩大、环境资源压力、社会保障和就业压力以及对外开放面临的种种挑战等等。这些新形势和新挑战，既标志我们进入了一个新的转折时期，又向我们提出了发展战略思想由“硬化”到“科学化”实现升华的必要性和紧迫性。

这是因为，在不同的发展阶段，我们面临着不同的发展形势、不同的发展格局、不同的发展课题，因而需要有与之相适应的发展战略、发展思路和发展指导思想；而一旦所面临的发展形势、发展格局和发展课题发生了变化，那么对既有的发展战略、发展思路、发展观念方面做出必要的调整，实现发展战略思想的丰富与升华，就实属必要和必然。回顾十一届三中全会以来，实现拨乱反正、坚持改革开放、坚持以经济建设为中心、实施现代化“三步走”战略、初步建成小康社会所走过的道路，我们创造的就是一部抓住机遇、回应挑战的历史，一部不断适应新形势、研究新情况、解决新问题的历史，一部在实践中对指导思想、发展战略、发展方式不断做出调整、丰富和完善的历史。事实表明，我们在实践中形成的“挑战—回应”机制日渐成熟，日益有效，我们回应的周期更为缩短，回应的方式越来越主动。现在提出要牢固树立和坚决贯彻科学发展观，既是实现发展战略思想由“硬化”到“科学化”的升华，也是党在新的历史阶段，面对新的形势和挑战，做出的最新回应。这个回应与选择的理论基础和思想根源，乃是邓小平理论的精髓——坚持解放思想、实事求是和与时俱进。

2.“发展是硬道理”与科学发展观具有共同的哲学基础、相同的理论品格和同一的核心内容

科学发展观的核心思想是坚持以人为本，而反对以物为本，见物不见人；其基本要求是坚持全面、协调与可持续发展，而反对片面、不协调、不均衡、不具有可持续性的发展；其根本原则是实现统筹协调，而反对各方脱节或形成矛盾冲突，当前的重点是要做到“五个统筹”。对照小平同志关于发展的战略思想，我们可以看到，从作为“硬道理”的发展观到科学发展观，它们具有共同的哲学基础和相同的理论品格。首先，它们都坚持用普遍联系的观点和运动的观点看问题，而不是用孤立的或静止的观点看问题；它们都坚持用矛盾对立统一的观点分析问题，抓住事物的主要矛盾和主要矛盾的主要方面，提出一个时期一个阶段的主要任务和主要目标，反对“眉毛胡子一把抓”的思想方法和工作方法；它们都坚持生产力决定生产关系、经济基础决定上层建筑的历史唯物主义基本原理，都坚持以人为本，注重人在发展中的主体地位和人在发展中的目标性与目的性，都充满着对人在物质和精神方面的关注与关怀。

其次，它们都具有同一的核心内容——发展。核心内容的同一性，为发展战略思想由“硬化”到“科学化”的升华提供了现实条件。作为“硬道理”的发展思想和作为科学发展观的发展思想，所表述的核心内容是发展。提出“发展是硬道理”战略思想，着重要解决的是“要不要发展”和“发展什么”等有关发展的紧迫性问题；提出科学发展观战略思想，着重要解决的是“怎样发展”和“更好发展”等有关发展方式和发展质量的问题。离开了发展，所谓发展的战略思想或发展观，就无从谈起。25 年改革开放和建设中国特色社会主义的实践告诉我们，抓发展首先是抓好经济发展，坚持以经济建设为中心，用发展的办法解决发展中的问题，用经济发展带动和促进社会全面进步，把发展的目的和落脚点设定在社会的全面进步和人的全面发展，设定在提高人的素质，提高人的生活水平、生命质量和生存价值，丰富人的精神生活和精神世界。

四、结论：用科学化的“硬道理”指导特区加快发展

1. 科学发展观也是“硬道理”

如前所述，经过 25 年的发展，我们站在了新的历史阶段，拥有了更强大的物质技术基础，也面临着新的形势和挑战。正是基于对发展的新的历史阶段和社会条件的清醒认识与准

确把握，为了进一步巩固和扩大已经取得的经济建设成就，为了更有效地迎接各方面挑战，推进实施现代化第三步战略目标，为了更好地抓住战略机遇加快自身的发展，完成全面建设惠及十几亿人民的小康社会任务，党中央提出了牢固树立和坚决贯彻科学发展观的战略思想。从这个意义上讲，科学发展观也是“硬道理”，也是必须坚持而不可动摇的指导思想和战略选择。如果说我们曾经感叹，在“发展是硬道理”战略思想指引下，中国发生了翻天覆地的变化，取得了举世公认的建设成就，那么，我们现在有充分的理由和十足的信心坚信，中国完全可以在科学发展观这个“硬道理”的指引下，成功地迎接经济发展和社会进步过程中遭遇的种种挑战，妥善地排除经济社会转型过程中出现的体制性障碍，有效地解决诸如差距扩大、人口环境资源压力增大的种种问题，顺利实现现代化第三步战略目标，实现中华民族的伟大复兴。这是一个令人振奋的历史过程，也是一个需要多方探索、不断付出艰辛和智慧的历史过程。

2. 用科学化的“硬道理”指导我们加快发展

发展是世界的主题，是时代的主题，更是人类社会的永恒主题。抓住机遇，加快发展，是我们党实现由“革命党”向“执政党”转变的关键步骤和试金石，是党在整个社会主义初级阶段的根本任务，是执政兴国的第一要务。要提高党的执政能力，首要的就是提高各级党政领导干部分析形势、抓住机遇、加快发展的能力。显然，我们所追求的是发展而不仅仅是增长，是经济、社会、政治、文化的全面进步而不仅仅是经济的“单打一”发展，是人的全面发展和社会公平与正义的弘扬而不仅仅是物质财富的增加，是人与自然的和谐与可持续的发展而不仅仅是人类自身欲望的一时满足。坚持科学化“硬道理”的发展战略思想，高举科学发展观的旗帜，为我们党实现提高执政能力的政治目标，实现抓住机遇、加快发展的历史使命，提供了指导思想和战略方向上的保证。

毫无疑问，在这个过程中，特区人所具有的解放思想、开拓进取、扎实工作、杀开一条血路的“拓荒牛”精神，仍然是十分重要和十分可贵的。经济特区在实践科学发展观方面，在加快经济发展与社会进步方面，仍然应当对全国发挥排头兵和示范区的作用，仍然应当继续走在全国的前面。我们坚信，抓住了发展，就抓住了解决经济、社会、政治、文化一系列错综复杂问题的最关键环节，对于中国来讲，这是破解一切难题的科学选择和有效途径。抓住了发展，并长期坚持全面、协调与可持续发展的“硬道理”，坚持以经济建设为中心的党的基本路线不动摇，那么，中国的和平崛起与中华民族的伟大复兴就一定是不可阻挡的。

经济特区率先实践科学发展观
继续发挥排头兵的作用

俞友康

在新世纪新阶段，党中央以邓小平理论和“三个代表”重要思想为指导，提出了树立和落实科学发展观的重大战略思想。这是新一届中央领导集体对发展内涵的新理解，对社会主义现代化建设规律的新认识，也是对特区25年来探索科学发展观的总结。在新时期，特区要继续进一步发挥排头兵作用，解决发展中的问题，就必须率先实践科学发展观，成为落实科学发展观的典范。

一、特区25年的发展是实践科学发展观的有益探索

回顾特区改革开放的历程，从总体上是符合科学发展观的，初步走出了一条探索科学发展观的路子。

1. 特区发展举世瞩目，实践科学发展观初具雏型

作为改革开放的一个伟大创举，我国经济特区的成功实践早已为世人瞩目。深圳经济的高速发展创造了一系列“世界之最”，厦门、珠海、汕头以及1988年设立的海南特区的社会经济面貌也发生了巨大改观，是探索科学发展观的一个缩影。

深圳特区是我国经济效益最好的城市之一，经济总量相当于一个中等省份，是我国人均生产总值最高的城市，生产总值居大中城市第四位；财政收入居大中城市第三位；进出口总额占全国七分之一，连续10年居大中城市第一。港口集装箱吞吐量居全国第二位，世界第六位。深圳市围绕建设现代化中心城市、国际化城市的目标定位，努力建设成为高科技城市、现代物流枢纽城市、区域性金融中心城市、美丽的海滨旅游城市、高品位的文化和生态城市。2003年生产总值2860.51亿元，按常住人口计算：人均GDP6510美元，探索出了一条经济、社会协调持续发展的路子。

厦门特区建立以来，尤其在“八五”、“九五”计划时期，国民经济和社会发展取得了辉煌的成就。经济持续快速增长，社会主义市场经济体制初步形成，经济运行方式逐步与国际惯例接轨，人民生活水平日益提高，城市面貌焕然一新，先后被评为“国家卫生城市”、“国家园林城市”、“国家环保模范城市”、“全国科教兴市先进市”、“中国优秀旅游城市”、“全国城市环境综合整治特别奖”。2003年，全市实现生产总值760.12亿元，比上年增长17.2%。今年8月，厦门市政府颁布了《关于加强环境保护促进人与自然和谐发展的实施意见》（试行），拉开实践科学发展观的新序幕。

珠海特区坚持经济建设不以破坏环境为代价，环境建设和生态保护取得了举世公认的成就，先后荣获“国家级生态示范区”、“国家环境保护模范城市”、“联合国改善人居环境最佳范例奖”等殊荣。2003年，全市建成区绿化覆盖率达45%，人均公共绿地达21.4平方米，空

气质量优良天保持在100%，多项环境指标在全国大中城市中名列前茅，这是珠海历届市委、市政府持之以恒地坚持经济发展与环境保护并重的结果。坚持走可持续发展之路，致力于保护环境，不断优化环境，是珠海在实践科学发展观方面最可宝贵的经验。

总的说来，虽然我国五大特区只占全国领土的不到十万分之五，工业产值却占到了全国的2%还要多。特区25年的成功实践，向全国人民展示了什么是改革开放、怎样搞改革开放；什么是社会主义市场经济、怎样发展社会主义市场经济；什么是科学发展观，怎样实践科学发展观；什么是中国特色社会主义、怎样建设中国特色社会主义。这是特区在党中央和邓小平的关怀指导下做出的最重大的历史贡献，有力地发挥了示范、辐射和带动作用。

2. 新时期，中央对特区提出新要求新希望

以胡锦涛同志为总书记的党中央非常关心特区的建设和发展。2003年4月，胡锦涛同志视察广东、深圳时提出，广东要在全面建设小康社会中更好地发挥排头兵作用，努力在建设中国特色社会主义伟大事业中继续走在前列，努力实现加快发展、率先发展、协调发展。胡锦涛同志对特区的发展寄予厚望，要求继续发挥“试验田”和“示范区”作用，在制度创新方面走在前列，为全国提供更多有益经验，更重要的是，特区在科学发展观等方面以自己的先行探索和试验，为全国改革开放和现代化建设提供借鉴，“不自满、不松懈、不停步”。

二、特区要在新一轮发展中成为科学发展观的先行示范区

特区要继续发挥排头兵的作用，率先实践科学发展观，有必要也有可能先行一步。特区作为我国改革开放的先行地区，发展得如何，事关全局。当前特区在发展中虽然也面临着一些需要认真研究和解决的问题，但总的讲，特区完全有条件也应该率先取得实践科学发展观的经验，为全国的现代化作出新的更大的贡献。建设实践科学发展观的先行示范区，在新时期更好地发挥特区“实验田”和“窗口”作用，是特区新的历史使命。

1. 特区具备率先实践科学发展观的经济基础

树立和落实科学发展观，主要是要解决对经济社会发展规律的认识问题，实现经济社会发展政策取向、体制建设上的一系列转变，但同时，也需要有经济实力作为有力的后盾。要统筹城乡的协调发展，需要有政策的倾斜，财力的支持；要统筹经济和社会的协调发展，需要在社会发展上拿出必要的投入来；统筹人和自然的协调发展，保护自然资源，以永续利用，也需要拿出投入来治理环境，拿出投入来改善许多工业生产的工艺和设备，等等。这些都既需要有认识上的清醒和坚定，也需要有经济实力的强大后盾。特区25年来以经济建设为中心，大大提高了综合实力，有了坚强物质基础的特区，更应该有条件、有能力在树立和落实科学发展观上先行一步，实现全面、协调、可持续发展，为全国全面、协调、可持续发展作出自己独特的贡献。

2. 特区具备率先实践科学发展观的客观条件

党的十六大报告提出“鼓励经济特区和上海浦东新区在制度创新和扩大开放等方面走在前列”，表明党和国家对经济特区发挥示范、辐射和带动作用寄予厚望。在我国加入WTO，国内全面实行市场经济体制和全面实行对外开放的新时期，特区原有的政策优势正在弱化，单一的经济发展实验区的示范效应正在减弱，要更好发挥“试验田”和“窗口”作用，必须在经济社会的全面协调可持续发展方面大有作为，在落实科学发展观上发挥示范作用。应该看到，特区的政策优势虽然淡化，但特区的地域优势还在，中西交汇、开放多元的文化优势还在，敢于创新、善于创新的观念优势还在，环境优势还在，拥有立法权的机制优势还在。只要充

分利用这些优势，在对内改革和对外开放的制度创新中勇于突破，在牢固树立和全面落实科学发展观的实践中力争走在前面，就可以从单一的经济发展试验田发展为经济社会全面协调可持续发展的经典示范区，建成实践科学发展观的先行示范区，更好地发挥特区“实验田”和“窗口”作用。

三、特区实践科学发展观要着重解决的若干问题

特区近年来的发展态势显示，虽然对特区的政策倾斜与优惠已明显淡化，但特区却没有因此而失去生机与活力。以全面实现现代化为目标，继续在深化改革开放中不断开拓探索，在实践科学发展观的进程中先行一步，承负着新的历史使命的特区又开始了新的起飞。

1. 新阶段新功能新定位新机遇

从原有的标准和功能看，今天特区似乎已经不“特”了，特殊政策几乎没有了，历史使命似乎已经完成了。但特区在新的时期，仍然需要发挥它的“特”的功能，需要赋予它新功能，进行新定位。

特区的新定位，是一个迫切需要研究的课题。而解决这一问题，一方面需要特区自身的主动定位；另一方面需要社会赋予它新功能，给它一个更为广阔的探索、试验空间和更多的灵活性。这是坚持和发展邓小平开放思想的理论与实践的新课题，是坚持和发展“三个代表”重要思想的新课题，是关系新时期社会发展全局的大问题。特区的主要功能就是创新。特区是全国的特区。过去证明了这一点，今后将会继续证明这一点。

科学发展观指明了我国现代化建设的发展道路、发展模式和发展战略，明确了我国要发展、为什么发展和怎样发展的重大问题，特区将在这一方面继续探索，积累经验。特区的新定位就是要成为贯彻科学发展观的先行区、试验区。在坚持以人为本、推动社会全面进步、促进人的全面发展等方面，发挥率先示范的作用，成为落实科学发展观的新特区，成为经济富裕、社会公正、政治民主、精神文明、生态良好的新特区，成为中国特色社会主义的示范区、模范区。

2. 特区要加快经济结构调整的步伐

特区要重塑自我，使自己成为全国当前经济结构调整的先行者。现在，发达国家正开始把它们的高科技和知识密集型制造产业转移到人工等制造成本更低的发展中国家来。不论是在全国还是在全球范围内，特区要成为高增值制造业转移最热的地方。

特区未来的任务不再是吸引外国资本，也不是赚取外汇。需要发挥它们既有的区域竞争优势，使更多的企业遵守国际规则。同样，他们需要推进技术革新和各个部门的工业升级，帮助那些有能力在全球发展的国内公司迅速成长。

随着相对的比较优势从政策优惠转向特区自身创造的全面商业环境，特区的未来关键取决于它们能否在遵守国际惯例、建立现代的第三产业和实现第三产业与第二产业之间的相互促进这三个重要的问题上有所作为。

在未来，大多数特区将把诸如微电子和生物工程这样的高新技术产业放在优先发展的位置，将会把注意力更多地放在管理创新和技术创新上。

3. 特区要加快体制创新的步伐

目前，面对经济全球化的浪潮，通过形成新优势，从容面对严峻的国际竞争，特区要未雨绸缪作好各种准备：体制创新、机制创新、科技创新，推进对外商实行国民待遇，与国际惯例全面接轨，从有效地引进来，到坚定地走出去。

特区今后深化对外开放的重点将包括对海外投资者实行国民待遇等，从“优惠吸引”转变为“基本无禁区”。与此同时，将加快实施“走出去”战略，不仅使产品占领国际市场，还要把更多的企业办到国外去。

特区深化改革的重点是体制创新，它包括调整所有制结构；按照与国际惯例接轨的要求，实现政府职能的转变，把政府审批减少到最低限度。此外还将完善社会保障体系、投融资体制，培育要素市场，规范发展中介机构等。

在党中央的关怀下，经济特区走过了25年不平凡的历程，创造了世界城市发展史上的奇迹。新世纪新阶段，得风气之先的特区再次敢为人先，要在树立和落实科学发展观方面先行一步，努力以经济持续快速协调健康发展和社会全面进步的优异成绩，来回答怎样做到以人为本，怎样实现全面、协调、可持续发展的问题，继续进一步发挥排头兵的作用。

把握中国经济特区未来走向

鲁　兵

20 世纪 90 年代中期之后，对于某种程度上已经失去政策优势的中国经济特区走向，众说纷纭，见仁见智，迄今仍未取得共识。笔者认为，只有从规律性的高度，才能科学把握中国经济特区的未来走向，正确解决中国经济特区新定位的问题。

所谓规律，是指事物之间及事物内部各要素之间发生的本质联系，这种本质联系，决定着事物的发展趋势。从中国经济特区 20 多年实践显示出的规律性来看，中国经济特区的生存与发展主要取决于国家特惠安排、外商投资、国家发展战略安排三大关系。可以这样说，这三大关系，不仅决定着 20 多年来中国经济特区的发展基本走势、地位和作用空间的演变，而且规定和决定了中国经济特区未来发展的走向和命运，因此，科学认识这三大关系的现状、变数、走向及其发展前景，是准确把握中国经济特区新世纪的走向，正确解决其新定位问题的基础。

一

中国经济特区，实质上是计划经济体制下实行特惠安排的产物，这种以税收减免和实行与计划经济某些不同做法的政策、管理方法上的特惠安排，使中国经济特区在全国处于计划经济体制和尚未全面开放的期间具有了政策上、体制上的独有优势。无可讳言，中国经济特区在 20 世纪 80 年代和 90 年代初的高速发展，主要得益于这种特惠安排，也正是由于这种特惠安排，使中国经济特区具备了一些与世界一般特殊经济区相似的特征，因此在国际上被普遍视为中国的特殊经济区。但是，正是因为中国经济特区特惠安排是在计划经济条件下做出的，而且中国经济特区实行的是与世界一般特殊经济区不同的“境内关内”的模式，因此这种特惠安排就具有了阶段性、多变性、暂时性。一方面，随着全国全方位开放格局的形成和加入 WTO，产生了特区特殊经济政策“普化”和被取消的两种结局。先是特区对外贸公司的审批权和企业投资所需部分物资的进出口审批权被停止执行，接着，1994 年，原规定在批准额度内特区企业可自行进口的商品，如粮食、化肥、成品油等，恢复向国家申报进口配额并实行专营，同时，信贷计划切块管理、多存多贷的金融政策也停止执行。从 1995 年 1 月 1 日起，取消特区电视机、摄像机、录像机等 20 种商品进口的关税和进口环节税的减免政策。接紧着，从 5 月 1 日起，取消特区房地产项目进口建筑装饰材料的关税和进口环节税的减免政策；12 月，国务院又发出 34 号文件，对特区进口各类物资实行额度管理，逐步递减，额度外一律照章纳税。这样，在 1996 年之后，特区享有的关税和进口环节税减免的优惠政策就基本被取消，而 1994 年起国家统一推行的财税体制改革中征收税率较高的增值税，还冲淡了特区所得税方面的优惠政策，而且所得税方面的优惠政策也有最终被取消的趋向。这样，进入 21 世纪后，中国经济特区实质上已经蜕变成没有特殊经济政策的“特区”。另一方面，随着全国全面铺开建立社会主义市场经济体制的改革，原先在体制内采取的一些特殊作法也在全国“普化”甚至过时了，当前，中国经济特区的管理体制和管理方法已与全国其他地区无异。

中国经济特区特惠安排的这种演变，既具有一定的必然性和合理性，又表现出很大不得已而为之的被动性。计划经济体制内的特惠安排和多功能(包括政治功能)特区模式，决定了中国经济特区发展前期的特惠安排的过渡性和不成熟性，一些本是市场经济和对外开放应有之义的做法却以特殊权利、特殊政策和优惠政策出现；一些本是“特殊经济区”应实行的优惠政策和特殊管理方法却在国际上被某些国家特别是西方国家视为有悖于非歧视和国民待遇原则；一些不符合市场经济公平竞争的做法以特殊经济政策和优惠政策出现，如对外商给予的“超国民待遇”；而由于缺乏统一法律法规规范而造成各特区优惠政策上的恶性竞争，又在国际上被认为中国经济特区政策缺乏透明度，等等，这种特惠安排的过渡性和不成熟性，使中国经济特区享有特殊经济政策和特殊管理方法，在全国实行社会主义市场经济体制和全方位开放后自然而然地“普化”和趋同，或在加入 WTO 过程中由于一时难于转换中国经济特区模式而不得不在做出的妥协中被动地取消。

然而，特殊经济政策和特殊管理方法的取消，导致“特区不特”的客观现实，造成中国经济特区具有的与世界特殊经济区一些共同特征的退化。综观世界各国和地区的特殊经济区，无一不是在实行特殊经济政策和特殊管理方法的前提条件下运作的，在特殊经济政策和特殊管理方法消失的条件下，企求在不改变原有模式而让中国经济特区继续“特”下去是不现实的。“鱼与熊掌不可兼得”，应该遵循特区与特殊经济政策之间关系的内在规律性，在特区定位转换的多种模式中做出抉择。从当前中央的决策层面观察，看不出对中国经济特区有新的政策和体制安排，党的十六大也基本上重复十五大的原则要求：“鼓励经济特区和上海浦东新区在制度创新和扩大开放等方面走在前列”，而且在短时期内也不会有新的变化。但是，从世界各国和地区特殊经济区发展的趋势，从中国进一步融入经济全球化的要求，从中国面对“入市”的形势等国际国内经济因素看，中国经济特区未来的走向存在着不少不确定的因素和变数，新的政策和体制安排并非没有可能。

二

能否成为吸引外资的高地，是中国经济特区存在的价值，更是中国经济特区发展能够超越一般地区的关键，中国经济特区的价值与发展对外资的依赖性，是中国经济特区 20 多年发展中充分显示出的一条基本规律。吸引外资，发展对外贸易，推动本国或地区经济发展，创造就业机会，是世界各国和地区特殊经济区的共同功能和战略目标，其中吸引外资是核心，中国经济特区也是如此，一开始就把吸引国外资本、引进先进技术和先进管理经验，发展对外贸易作为主要功能和总体战略目标之一。创办中国经济特区成功的主要标志之一，正是五个特区为国家吸引了大量外资，并在 20 世纪 80 年代和 90 年代初成为中国吸引外资最多的地区。在这一期间，五个经济特区累计共批准外商直接投资项目近 3 万项，约占全国的 1/7，外商实际投入资金累计达 168 亿美元，约占全国实际利用外资总额的 18.4%。正是由于大量外资的拉动，中国经济特区才能创造经济高速发展的奇迹，可以这样说，外资在这一期间对中国经济特区的资本形成和经济的高速发展起到了主要拉动力的作用。

20 世纪 80 年代和 90 年代初外商青睐中国经济特区的主要原因，是中国经济特区优于中国其他地区的政策条件和体制条件，随着这些条件的减弱、蜕变以至消失，中国经济特区对外资的吸引力逐渐减退，外资对中国经济特区的投资热情也大为减弱，外商在中国的投资战略已由中国开放初期的政策选择转向市场、环境选择，投资的重点转向上海、北京、天津、广州等全国重要城市和苏州、惠州、大连、东莞、青岛、无锡等东南沿海城市。从总体上看，20世纪90年代中期之后五个经济特区吸引外资的增长速度呈下滑趋势，实际利用外资总额在全国实际利用外资总额中所占的比重也下降至2002年的15.5%。深圳、厦门两个特区依托区位有利条件和较好的投资环境，吸引外资在总量上有较大幅度的增长，而且在进入21世纪后增长速度有加快的势头，但增长率也远低于90年代中期前的黄金时期，而且不论在总量上还是在增速上正在被非特区的城市(如苏州)赶上甚至超过。上述情况表明，中国经济特区正在失去吸引外资高地的地位，据中国社会科学院财贸经济研究所倪鹏飞主持的《中国城市竞争力报告》(2002年)的评估，在全国利用外资指数前10名的城市中，只有深圳特区名列其中，排名第6位，而珠海、厦门两特区则落后于惠州、大连、苏州、东莞、青岛、无锡等城市，分别排名第14、17位，汕头特区则排在第45位，海南特区吸引外资最多的城市海口，也只排名第29位。中国经济特区对外资吸引力减退产生的后果，是特区价值色彩的褪色和特区经济增长的放慢。中国经济特区吸引外资高地地位弱化的这一趋势，还会随着西部大开发战略和振兴东北老工业基地战略的实施进一步加剧。因此，中国经济特区的未来走向和前景，在很大程度上取决于其在中国吸引外资中的地位。

三

中国经济特区的定位和走向，取决于国家改革开放和现代化发展战略，这是对中国经济特区定位和走向起关键作用的基本规律。20世纪90年代中期之前，中国经济特区在国家改革开放和现代化发展战略中的历史方位是“窗口”、“试验区”、“排头兵”，其作用是要为全国的改革开放“杀出一条血路”。这一定位出于国家打开改革开放和现代化建设局面的战略需要，具有战略性、全局性的影响和作用。依据这一定位，国家在这一期间给予中国经济特区独享的特惠安排，正是这种特惠安排，铸成了中国经济特区“特”的本质特征，具有了与世界特殊经济区一些相似的特征，尽管在模式上与世界特殊经济区还存在很大差距，但在中国尚未全方位开放和实行市场体制时期，仍然被国际社会视为特殊经济区的一员。也正是主要依靠这种特惠安排，中国经济特区成为全国吸引外资最多、对外贸易和经济发展最快的地区。随着全国改革开放局面的打开，当全方位开放格局业已形成、社会主义市场经济体制已经在全国逐步建立之后，国家的改革开放和现代化发展战略不断发展、演变和转换。1990年4月，党中央、国务院宣布开发和开放上海浦东的战略决策，开始实施以上海为龙头，带动长江三角洲和整个长江流域，乃至全国改革开放和现代化建设的新战略，这标志着国家改革开放和现代化建设的战略重点，开始由以五个经济特区为龙头的珠三角地区和闽南三角洲地区向以上海为龙头的长江三角洲和长江流域转移，由发展出口加工业基地向构建经济、贸易、金融中心转移。20世纪末，党中央提出西部大开发战略，这表明在国家发展战略中，促进地区协调发展已成为重点之一。进入新世纪后，党中央又提出振兴东北老工业基地战略，特别是党的十六届三中全会提出“以人为本和全面、协调、可持续”的科学发展观和“五个统筹”方针，标志着国家改革开放和现代化发展战略发生重大转换，全面发展和地区协调发展已成为战略重点。正是国家发展战略的这种演变和转换，使中国经济特区建立之初确定的功能和作用定位发生了根本性的转折，“窗口”的功能已告结束，“杀出一条血路”的作用也已实现，随之而来的结果，是中国经济特区战略地位和作用的减弱以至消失，在国家改革开放和现代化发展战略棋盘中，中国经济特区已不是具有战略性作用的棋子。正因为如此，中国经济特区的特惠安排才会被取消。而使中国经济特区出现困境的是，在原有定位成为历史的情况下，新的定位出现了“空缺”，特区的名义保持不变，但特区的功能已经基本消失，特区有名无实的确是时下的客观现实。

考察国家改革开放发展战略走势，在中近期内对中国经济特区定位产生重大影响的可能有两个方面变数。一是中国全面融入经济全球化战略的发展和提升开放层次的需要，可能会对中国经济特区的新定位进行新的考量，就经济特区设立价值的角度而言，现在世界上特殊经济区的生命力犹存，而且一些国家甚至像日本这样的发达国家，出于应对经济全球化，吸引国外投资，寻求经济新的增长点，推动本国对外经济发展，还在积极筹划建立新的特殊经济区，世界特殊经济区发展的这一态势，可能会成为中国经济特区模式转换的重要考量；二是中国在国际多边贸易体系中的“入世”战略，有可能把中国经济特区推上实施这一战略的前沿，中国经济特区有可能在中国“入世”中抓到定位转换的新机遇。

论特区建设的主体经验与制度竞争力的构建

黄景贵

目前，我国正处于由计划经济向市场经济的社会转型时期，面临着经济增长与体制转轨的双重任务。对如何建设与发展社会主义，在中外社会主义革命和建设的历史上都经受过各种各样的、或大或小的政治与经济挫折，特别是对于如何发展经济方面更是没有找到一种有效的方法和模式。经济效率低、经济福利少、政治热情高、政治运动多似乎成了社会主义的代名词。如何改变这种情况，扭转这种局面，将重点转到发展经济、改革体制、实现经济转轨、提高人们福利、提高生活质量等方面来，成为“文化大革命”结束后摆在当时我们党和国家领导人面前的重大课题。

当时以邓小平同志为首的党中央审时度势，高瞻远瞩，排除障碍，从全国人民的根本利益出发，大胆打破传统教条，突破历史禁锢，锐意改革，敢于创新，不仅在全国范围开展了“真理标准”的大讨论(1978年)，以解决人们的思想认识问题，而且在广大的农村地区推行家庭联产承包责任制(1979年)，以提高粮食产量，解决人们基本生活问题；同时，在广东、福建沿海设立经济特区，实行对外开放，为在全国进行全面的体制改革积极探索改革经验。

一、经济特区是我国改革开放的有力“驱动器”

1980年我国先后在深圳、汕头、珠海、厦门创办了经济特区，1988年又在海南岛创办了全国最大的经济特区，1992年又在上海创办了不是特区胜似特区的浦东新区。

在社会主义中国创办经济特区是社会主义发展历史上前所未有的大事情，这是党中央、国务院为推动经济体制的深化改革、扩大对外开放、建设中国特色社会主义、实现体制创新和经济转轨而探索出的一条新路子和新措施。

20多年来，经济特区依靠中央给予的带有“含金量”的特殊的、优惠的政策，大胆探索、勇于实践、不断改革，促进了经济特区社会经济的全面快速发展。自1980年经济特区建立以来，无论是在经济增长速度、人均收入水平、人均创汇数量，还是在改革开放、制度创新、法制建设等方面，经济特区均走在了全国的前列。如建省办特区之前的1987年，海南国内生产总值(GDP)为57亿元，人均为939元，2002年达到624亿元，人均7900元，即海南建省15年经济总量增长了11倍。以人均GDP来衡量，1987年全国平均水平为1104元，海南相当于全国的85%，2002年全国为7900元，也就是说，海南的经济发展水平由以前居全国的落后水平已上升到全国的平均水平。

中国各省市区人均 GDP 差距之比较（2001 年，元）

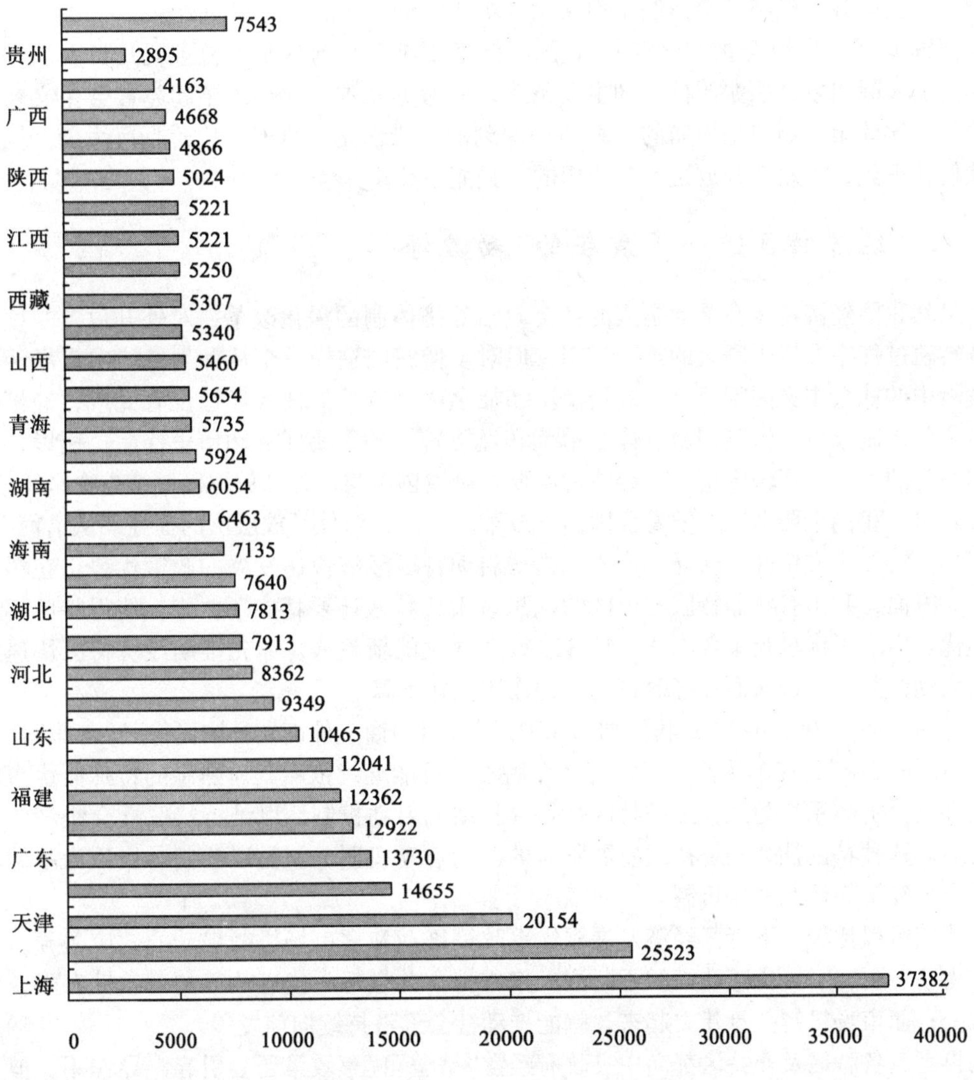

资料来源： 国家统计局：《中国统计年鉴 2002》，中国统计出版社 2002 年版，第 61 页。

因此，经济特区对我国从传统的社会主义计划经济转向有计划的商品经济（1984 年 10 月），从有计划的商品经济转向社会主义市场经济（1992 年 10 月），无论从思想认识上，还是从体制建设上，都起了重要的推动作用：它使越来越多的人在思想意识上认识改革，理解改革，拥护改革，支持改革；在改革中得到实惠，从改革中看到希望，在改革中坚定信心；并能以特区的改革带动全国的改革，以特区的开放带动全国的开放，以特区的发展带动全国的发展；走出了一条有中国特色的体制改革和体制创新道路，有中国特色的对外开放和外引内联道路，有中国特色的经济增长和社会协调发展道路。

另外，经济特区的超前改革与超前试验加大了特区经济结构的“外向型”成分，提高了对外开放的程度，探索了与国际经济接轨的新途径，增强了特区创新体制的示范效应和导向作用；并且通过经济特区的创建、体制改革的深化和对外开放的扩大，使广大的中国人民从蒙昧走向觉醒，从停滞走向发展，从传统走向现代，从封闭走向开放，从思想僵化走向思想解放。因此，经济特区在我国改革开放和经济转轨进程中起了重要的推动、示范、带动和辐射作用，是我国政治经济社会体制全面深化改革和经济转轨的有力驱动力量。

回顾1949～1979年的30年间，我国经济发展徘徊不前的基本教训就是没有从中国革命和建设的实际出发，照搬照抄马列主义条条，照搬苏联本本，提出了超越社会主义初级阶段国情的错误政策，损失是惨痛的，教训是深刻的，错误是严重的，代价是巨大的。同时，也使我们认识到，不改革开放是没有希望的，只能是死路一条。

二、经济特区进一步发展的"动力源"

虽然我国经济特区在推动全国的社会政治经济体制的深化改革、对外开放、制度创新和经济转轨过程中发挥了巨大的推动作用，但对于像我国这样一个从计划经济向市场经济转轨的发展中的社会主义国家而言，政治经济和社会体制改革的任务还远没有完成，经济特区仍然肩负着体制改革、体制创新、体制示范和经济转轨的重要任务和历史使命。所以，江泽民同志在党的十六大报告中指出，经济特区要在制度创新与对外开放方面继续走在全国前列。

同时，我们也要承认，随着我国体制改革的深入，对外开放层次的提高，从沿海、沿边、沿江到内地的全方位开放格局的形成，当初启动特区经济快速发展的政策优势正在消失。现在，一方面，我国有些非特区省市区的优惠政策比特区还要特、还要优，使得特区不特、特区不优，出现了优惠政策普惠化，特殊政策大众化的新趋势，原先推动经济特区快速发展的初始启动机制——特殊而优惠政策——的作用正在下降。

另一方面，2001年12月我国加入WTO后要对内商、外商实行国民待遇，"非国民待遇"与"超国民待遇"将逐渐取消，经济特区今后不大可能继续依靠其所熟悉的特殊而优惠的政策来发展其经济体系。为此，经济特区必须寻找新的启动机制，以维持特区社会经济的持续稳定发展。这种特区社会经济持续发展所需的新的启动机制，就是以法制、法治为基础的社会主义市场经济新体制和新机制。

我们可以比较一下特区经济发展靠优惠政策推动和靠市场机制启动的效应差异。前者必须靠更新、更特、更优惠政策的不断注入来维持，并且每一优惠政策的时效性有限，因而作用有限；而市场机制一旦建立起来，就能推动社会经济持续向前发展。

再者，各特区及非特区都向中央政府经常"挤争"优惠政策还会引起误导作用，似乎特区的发展只是得益于中央给予的优惠政策，得益于中央政府的政策倾斜，使人以为，如果某地也有了类似经济特区的特殊而优惠的政策，经济也能快速发展，使下级不断向上级挤争各种特殊而优惠的政策，其结果是开发区数量攀比，特殊政策与优惠政策攀比，而忽视了体制创新和体制建设的重要意义和重要作用。

要知道，市场经济体制不是靠争来的，而是靠脚踏实地干出来的，不是攀比攀来的，而是靠自己努力建立起来的。如果经济特区有了比较完善的市场经济新体制，让市场机制合理配置资源，提高资源配置效率，再辅以优惠政策，则能产生更大的体制运行效益，发挥更大的优惠政策作用，对社会的影响也更积极，更具指导作用和普遍意义。

需要着重指出的是，我国的经济特区除政策特而优外，体制并不怎么特而优，或至少不像人们想象和要求的那样特和优，甚至在不少地方与内地毫无二致。如果与西方的自由经济区相比，那么可以发现，我国经济特区是计划经济与优惠政策相结合的产物，而西方的自由贸易区则是市场机制与优惠政策的结晶。

我国经济特区最缺乏也是最需要的就是市场运行机制和良好的市场运行环境，而西方国家的自由经济区是在较为完善的市场机制条件下，再配以优惠而灵活的政策，使资源的配置更优化，资源的利用更有效率，因此，其发展如鱼得水，如虎添翼。无论是从最早的意大利热那亚莱克亨的自由港(1547 年)，还是现代的爱尔兰香农国际机场的自由贸易区(1958 年)，抑或是从当今遍及西方市场经济国家的各种各样的加工贸易区来看，无不是以市场机制配置资源为先导，以优惠政策吸引外资为启动，来维持自由经济区的顺利而快速地发展。

众所周知，整个西方发达国家包括新兴工业化国家(地区)经济持续稳步向前持续发展的终极原因，就在于它们有较为完善的法制、法治规则，有较为完善的市场经济运行机制，能合理配置稀缺资源，有效组织生产经营，时时降低交易成本，处处物尽其用，人尽其才，地尽其利，不断创造体制运行效率，而这种能减少社会交易成本的体制运行效率所带来的社会经济效益是传统的计划经济体制所无法比拟的。

三、经济特区的生命在于体制创新与制度优化

2003 年 11 月 12 日世界银行(IBRD)公布了在中国 25 个大中城市所进行的投资环境评估报告，其结果是，在前 10 名我国最佳投资环境城市中，只有深圳特区榜上有名，而其他几个特区包括海南特区则名落孙山。可见，我国特区的投资环境不具有竞争优势。

我们知道，运行规范、效率高的现代市场经济新体制是特区经济建设和社会发展的重要战略目标。经济特区建立之初所确定的四大目标——改革开放的“窗口”、出口创汇的“基地”、对外联系的“桥梁”和体制改革的“试验田”，到目前为止，除“体制改革”目标外其余都已基本实现，现在是主攻体制改革目标，通过制度创新，体制建设，来进一步创建体制优势的时候了。

以经济特区作为改革开放的“窗口”来说。由于过去中国的长期闭关自守和外界的不断封锁，使得我国在改革开放之初，外部世界不了解中国，中国也不熟悉国际市场行情。通过设立经济特区，使国人看到了精彩的外部世界，更看到了与外界的巨大经济差距，也使外界增加了对中国改革开放的了解和认识，增强了对中国的信任，来华投资与合作日益增多，中国经济持续快速增长，世界上出现了“中国现象”，产生了“中国热”。

改革开放以来，中国累计利用外资 4800 亿美元以上，近年来，中国利用外资的数量在发展中国家是最多的，如 2002 年我国利用的外资达 500 亿美元，超过了“常年冠军”美国。虽然我国利用外资数额在不断增加，但经济特区在其中份额则在下降，2002 年特区所吸纳利用的外资不到全国的十分之一，与经济特区成立之初的三分之二的份额已有相当距离。

因此，虽然经济特区在我国对外开放过程中的确起了重要的“窗口”作用，但是，随着我国改革步伐的加快和开放程度的提高，沿海、沿江、沿边和内陆省份全方位对外开放格局的逐步形成，对外联系的“桥梁”作用也由经济特区的“一木独桥”发展成为放射状的对外联系多渠道和多桥梁，对外商外资优惠政策的吸引力也已从经济特区这一点扩展到全国各地。再者，虽然经济特区曾起到了出口创汇基地的重要作用，成为我国吸收和利用外资的中心地区，但随着我国外贸体制的不断改革，各类企业包括私营企业外贸进出口自主权的扩大，现在我国出口创汇基地多元化，创汇项目遍地开花，如 2002 年全国 6000 多亿美元的进出口贸易总额中，经济特区的出口创汇基地的中心作用也已大幅下降。

因此，经济特区在创建之初所确立的四大战略目标——试验田、窗口、桥梁和基地，经

过特区人20多年的不懈努力，“窗口”、“桥梁”和“基地”的三大目标都已基本达到，唯有体制改革的“试验田”的任务还远没有完成，建立市场经济新体制的目标还远没有实现。现在，我国确立了建立社会主义市场经济新体制的宏伟改革目标，作为经济体制改革的“试验田”及对外开放的“领头雁”和“排头兵”的经济特区，应该在体制的超前改革和超前试验上继续走在全国前列，增创特区体制改革和体制建设的新优势，在制度创新、体制改革和制度优化上更上一层楼，使特区的发展由优惠政策推动转变到体制优势驱动上来。

四、全球化时代的制度质量竞争(制度竞争力)

在当今经济全球化时代，发达国家传统的经济危机的次数减少了，危机程度减轻了，而发展中国家的危机不断，且危机严重，原因何在呢?

笔者看来，那些体制变革与制度创新较慢的发展中国家(如东南亚国家、拉美国家及东欧国家)出现的问题与危机比较多，因为这些国家虽然强调了商品、资本及劳务的自由与开放，但忽视了对这些生产要素应有的监督与管理；强调了经济运行过程与形式的一体化，但忽视了经济运行机制和管理规则的一体化；强调了本国政治经济的自身特色和特殊性，但忽视了一体化条件下各国政治经济发展的一般性、普遍性和共同规律性。

因此，世界经济的全球化、一体化不仅应该包括投资贸易的自由化，更为重要的是还应包括经济体制、市场机制、管理规则等的趋同化或一体化。如果说经济一体化是显性的，具有“量”的规定性，那么体制、机制、规则等的一体化则是隐性的、潜在的，具有“质”的规定性，因而也是容易被忽视的，引发的后果也是严重的。所以，经济全球化时代的国际竞争，不是资本、技术、人才的竞争(因为在全球化时代，这些生产要素都是可以流动的)，而是体制质量、效率的竞争。

由此看来，在世界经济一体化的今天，我们是否更应该重视在经济发展背后起着重要作用的经济体制、经济运行机制和法制与法治制度这种“质”的提升呢，是否在生产要素全球自由流动的背后，更应重视体制质量、效率的提高，甚或趋同化、一体化(与国际接轨)呢?

我国由计划经济向社会主义市场经济新体制的过渡是一个持续而漫长的发展与转变过程，决不可能一蹴而就。随着体制改革的不断深入，深层次的经济利益关系和权力分配矛盾将更加突出和复杂，更需要经济特区在先行一步的体制超前改革和超前试验的基础上，提供更为成熟可行的改革经验、开放模式和发展路径，这不仅是由我国地广人多、层次不一的基本国情所决定的，而且也是由中国改革逐步推进的渐进特点所决定的。历史因素与现实条件都赋予经济特区责任更为重大、任务更为艰巨、目标更为明确的体制超前改革与超前试验的新使命，这既是经济特区建立20多年来取得巨大发展成就的重要法宝，也是经济特区继续存在以及“特区生命之树常青”的惟一武器。

关于经济特区新世纪经济结构调整的思考

鲁 兵

进入新世纪后，中国经济特区经济发展面临着经济结构的战略性调整和转型的课题。

一、进一步优化产业结构、实现产业升级和产业结构转型

由于各经济特区的经济发展战略目标、产业结构现状以及产业发展水平不尽相同，因此在推进产业的升级换代中会有不同的战略选择。

深圳等四个城市型经济特区在20世纪80年代，都选择了以“工业为主导”的产业发展战略，并且都是主要依靠发展劳动密集型出口加工业拉动经济的高速发展，建立起以工业为主导的“二、三、一”产业结构，成功实现了由农业经济向工业经济的转变，也即产业结构的第一次升级。从20世纪90年代起，面对劳动密集型产品市场竞争激烈和市场饱和的新情况，深圳等四个城市型经济特区着手调整产业结构，并都选择发展高新技术产业为主推动产业结构升级的产业发展战略。经过十来年的产业结构调整，从工业结构看，劳动密集型加工业逐步向资本密集型、技术密集型工业转变，产业结构调整和升级取得了明显的成效，特别是深圳特区更为突出。2003年，深圳市的通信设备、计算机及其他电子设备制造业产值在全市工业总值中所占比重达58.2%，其中高新技术产品比重近47%，而拥有自主知识产权的产品产值，已占到全部高新技术产品产值的55.9%。总体上看，这四个特区的工业都已进入产业结构第二次升级换代的转换阶段，只不过在实现的程度上有所差异。但是，无论是实现程度较高的深圳特区，还是实现程度较低的汕头特区，这四个特区的高新技术产业尚未形成具有核心技术和自主知识产权的主导性成熟产业，与发达国家相比，其科技含量、科技水平、产业规模以及产业竞争力，都存在相当大的差距，比如高新技术产业发展最强劲的深圳特区，大多数电子产品的核心技术——蕊片来自进口，其软件产值在信息产业中所占比重不足1/7，不仅大大低于国际平均水平，也低于国内平均水平。特别是第三产业尤其是现代服务业发展的滞后，成为四个特区产业升级换代、步入信息经济的重要制约因素。

在21世纪的头10年，深圳等四个特区应以实现产业结构的第二次升级换代、建立起以高新技术产业为先导、向信息经济过渡的产业结构为产业发展战略目标。第一，四个特区应根据现实条件和比较优势，进一步确定各自发展高新技术产业的战略方向，构建起具有产业规模经济效应和核心竞争力、有各自特色的高新技术产业体系，成为第二次产业结构升级换代的主导产业和第一经济增长点。高新技术产业发展强劲并已产生一定规模经济效应的深圳特区，应着眼于推进高新技术产业的深度开发，加强高新技术产业自主知识产权和核心技术的研发，提高产业的科技含量和技术水平，增强高新技术产业核心技术的竞争力；进一步培育具有国际竞争力的高新技术产业企业集团，提高产业的规模水平，增强产业的品牌竞争力，从而促成深圳高新技术产业由以配套低端非核心技术为主向拥有自主知识产权高端核心技术

为主，由加工装配为主向自主研发、设计、制造为主转型，真正做大做强高新技术产业；拓展高新技术产业领域，消减因电子产业"一业独大"态势造成的产业发展结构性风险。为此，深圳特区应努力营造促进高新技术产业发展的良好综合环境，以吸引国内外高新技术大企业到深圳投资设厂和设立研发基地，吸引国内和国外留学的高新技术人才到深圳创业。珠海、厦门两个特区的高新技术产业已有一定的基础，今后的着眼点，应是进一步提高产业的聚集度和规模经济效应，加强拥有自主知识产权和核心技术的产品的开发，培育大型高新技术产业龙头企业，并注意高新技术产业与资本密集型的重化工业的结合。汕头特区的高新技术产业发展实际上尚处起步阶段，规模小，其在汕头经济发展中的地位和作用远不及其他三个特区，2002 年，以电子信息、生物工程和新材料为主的高新技术产业产值 120 亿元，仅占全市工业总产值的 14.3%。而且近年来汕头特区产业发展出现了侧重发展资金密集型重化工业的战略性变化。对这一变化的评价姑且不论，但以发展高新技术产业为先导促进产业的升级换代也应是汕头特区产业发展的必由之路。因此，汕头特区应把发展高新技术产业与实施的重化工业发展战略结合起来，找准发展高新技术产业的切入点，发展具有自身优势和特色的高新技术产业群，加快高新技术产业体系的构建和形成。第二，这四个特区应高度重视第三产业发展滞后的问题，加快发展第三产业尤其是现代服务业。从四个特区 20 多年的工业化进程看，第三产业发展的总体状态是比较好的，工业的高速发展并没有导致第三产业比重的大幅下降，而是二、三产业保持着一种互动、协调的发展态势，这四个特区的传统第三产业在工业化的推动下不仅在量上得到迅速的发展，而且从现代化的重塑中实现了质的飞跃，金融、物流、电信等现代服务业的崛起，使四个特区的第三产业发展跃上新的台阶。但不能忽视的是，进入 21 世纪的头三年，工业保持强劲增长势头，而第三产业出现疲软，比重持续下降。深圳特区从 20 世纪末的 48% 左右，降至 2003 年的 40.5%，珠海、厦门则下降至 40% 以下，汕头也下降至 41.1%，出现了与以往逆向的发展态势。虽然第三产业的发展不能违背工业化发展规律，而且从四个特区经济发展现状看，工业发展都还存在着不同程度的发展空间，工业为主的产业结构恐怕在一个时期内不会发生根本性的变化。但是，四个特区的第二产业比重都已超过 50%，其中深圳特区已近 60%，工业化程度应属中后期水平。如果以这一指标衡量，四个特区尤其是深圳特区的产业结构正在接近转型的临界点。在信息经济迅猛发展的当代，以四个特区尤其是深圳特区现阶段的工业化基础，第三产业的比重应该呈现出逐步上升而不应该是下降的趋势。实际上，由于体制性的障碍和产业发展战略上的缺失，相当部分可以市场化的公共服务没有放开市场准入，致使四个特区为社会与个人提供公共服务的行业发展严重滞后。因此，四个特区应重新审视第三产业发展战略，在采用高新技术改造传统服务业，推进金融业市场化改革、做大做强金融服务业，进一步开拓物流业的同时，应推进公共服务业管理体制创新，促使相当部分公共服务的产品和服务，包括基础设施、咨询服务、信息服务、技术服务、中介服务等实现市场化运营，使社会与个人服务业成为拉动第三产业发展的新增长点，特别要注意深化文化体制改革，释放潜力巨大的文化生产力，大力开发包括广播影视、报刊出版、文艺演出、教育、体育娱乐等在内的文化产业。通过上述努力，扭转第三产业比重下降的趋势，促使第三产业在国民经济中比重的回升，为四个城市型特区的产业结构转型创造条件。

海南特区产业结构调整与四个城市型特区不同。从总体上看，海南特区还处于从农业经济向工业经济转变的第一次产业结构升级换代进程中。2003 年，海南特区三次产业的比例为 36.8：24.6：38.6，其中工业比重仅为 17.6%，工业化还处在初期水平。因此，海南特区产业发展的最重要课题，是加快推进工业化进程，实现第一次产业的升级换代。立足本地资源发展新兴工业，可能是海南特区加快工业化进程的重要选择，比如利用海南岛周围海域丰富的油气资源发展资金密集型的石化工业和电力工业；利用海南岛丰富的热带农业和渔业发展农副产品深加工业；利用海南丰富的南药资源和良好的生态环境开发生物制药等。在加快推进工业化进程中，海南特区必须坚持走新型工业化的道路，以低代价资源和生态环境换取工业化的实现。

二、加快城市化进程，消除城乡二元经济结构，促进区域经济协调发展

深圳、珠海、汕头、厦门四个城市型特区的经济结构，应逐步向更加注重社会发展和解决社会公平的结构转型。在当前来说，主要是消除四个特区内城乡二元经济社会结构，促进区域经济协调发展。深圳等四个城市型特区人口城市化水平比较高，其中深圳市已超过90%，珠海市达到73%。但是，这四个特区仍然存在着城乡二元结构和区域经济发展差距过大的问题。深圳市农村人均纯收入11346元，已远远超过全国城镇居民人均可支配收入，但与特区内城市居民人均收入之比为2.28∶1，差距还相当大，而且在最低社会保障和养老、医疗社会保险方面，城乡之间还存在着不同的制度安排和做法；深圳市五个区中，区域之间的经济发展水平也存在过大的差距，其中特区内的三个区2002年人均生产总值7306美元，而特区外的宝安、龙岗两个区人均只有3704美元，二者之比为2∶1。厦门市岛内是特区，岛外尚有41%农村人口，特区内城市居民人均可支配收入与农村人均收入的差距比深圳市还大，达到2.5∶1。珠海市城乡居民收入的差距更大，达到3∶1，与全国城乡收入的差距相同。汕头市则还有相当部分贫困的山区、老区和农村。因此，这四个特区在经济结构调整中，要结合本地实际，进一步提高城市化水平，转移农村剩余劳动力，调整生产力布局，加快落后区域经济发展，大力发展城郊型产业化现代化农业，推进农村社会保障事业，率先在全国消除城乡二元经济结构、完成由农村社会向城市社会转变的城市化进程。

海南特区是省建制经济特区，既有城市，又有广大农村；既有经济发展水平较高的沿海平原地区，又有非常落后的腹地山区地区。建省办特区前，海南是传统农业经济占主导地位的地区，城乡二元结构突出，城乡之间、地区之间经济发展水平悬殊，还有占全岛总人口17%、总数约100万的贫困人口。建省办特区后的16年中，全省18个市县都有不同程度的发展，贫困人口也减少到7万人，但由于工业化进程缓慢，城镇化发展滞后，大量农村剩余劳动力难于转移，因此至今仍有60%以上农村人口，城乡之间、地区之间仍然存在很大差距。据统计，2003年，海南特区城乡居民收入之比为1∶2.8，经济最发达的省会海口市人均生产总值为中西部贫困县的5至6倍。因此，“三农”问题和区域差距问题，是海南特区经济发展的重要制约因素。为此，海南特区应加快发展新型工业和城镇化进程，尤其注意在县城和农垦区发展农副产品加工业，进一步推进农业产业化进程，加强省会海口市和南部旅游城市三亚同全省各市县的经济合作，充分发挥这两个中心城市对全省各市县的辐射和拉动作用，推动海南特区县域经济的快速发展。

关于深圳产业结构调整的几点看法

杜月昇

深圳，作为一个新兴的外向型经济体，及时调整产业结构以适应经济快速发展的需要，是实现经济跃迁式增长的重要环节。自深圳特区创建以来，深圳市政府始终将调整深圳经济的产业结构作为一项重要的工作来抓，二十年来，深圳市的国民经济也正是在政府产业结构政策的引导下获得前所未有的发展的。

深圳的产业主要由金融、贸易、电子、通信、建筑、运输、钟表、服装等行业构成。实行改革开放以后的股票发行，最早是在深圳和上海两地进行的，由于地缘和政策两种优势，深圳的金融业曾一度得到空前的发展，2002 年以前，金融业曾经是深圳发展最快的行业，也是深圳经济的产业支柱之一。由于金融业发展势头强劲，曾一度使得深圳跃跃欲试，试图成为华南地区的金融中心。除了金融业，作为深圳产业支柱的还有第二产业的电子业、建筑业和第三产业的贸易业和物流业。但是，在所有这些产业中，金融业和电子业的发展是最为引人注目的，它们的发展对于深圳整体经济的影响也是举足轻重的。

2002 年，对于深圳经济发展来说是一个转折点。这一年，中央对于上海和深圳两地的股市格局作了调整，中央决定，深圳证券交易所自 2002 年 9 月起主板市场不再增发新股，自此，深圳金融业的地位便开始面临跌落，而不再能够成为一种带动特区经济发展的力量。在全球一体化的现代经济中，金融业居于整体经济的核心地位，一个外向型经济的金融业一旦发生动摇，受挫折的绝不只是金融业本身，而是由它所支撑的整体经济体系。再加之，经过二十年的发展，深圳在地缘方面的优势和潜力也已大不如前。同时，在我国加入 WTO 以后，特区曾经享有的特殊政策已变成普惠的政策，深圳已经不可能继续保持以往的那种政策优势。如果没有新的契机出现，深圳似乎已经没有什么力量能够继续支撑曾一度出现过的那种旺盛的经济增长势头。

深圳资源缺乏、工业基础薄弱，自创建特区以来，在制造业方面有了很大的发展，不过，由于资源缺乏，得到发展的主要是电子业和通信业，而不是重工业。经过十多年的艰苦创业，华为、中兴通讯等一批生产电子和通信产品的企业已经成为本行业的翘楚，2003 年，电子通信业的产值已占到深圳工业产值的 65%，形成电子通信业一枝独秀的局面。同时，2002 年以后，深圳的物流业和建筑业仍然发展较快，继续保持以往的那种增长势头。

尽管深圳的电子通信业一枝独秀，尽管深圳的贸易、物流、房地产、旅游等第三产业尚有潜力可供挖掘，尽管市政府想尽办法试图克服种种不利因素，但是在深圳金融业呈现颓势的情况下，深圳的产业发展一直未能出现重大的突破性进展，也是意料之中的事。深圳经济在全国城市经济中的排名也在逐步下滑，种种迹象表明，如果没有新的契机出现，深圳退居二流城市似乎已是无法扭转的定势。面对新的挑战，再次创业已经成为深圳未来发展的惟一选择，深圳必须从第二产业中找到新的经济增长契机，找到实现经济持续发展以保持强劲势头和强势地位的可靠出路。

由此可见，对于深圳来说，尽管进行产业结构调整，这并非第一次，然而，与以往相比，此次调整却具有截然不同的涵义，因为这次调整是在深圳的地缘优势明显弱化和政策优势不复存在的情况下进行的。在未来的经济发展中，深圳必须依靠自身的力量和条件，自立自强，奋力崛起，以保持原有的发展势头和风采。深圳资源缺乏，工业基础单一，要保持原有的强势地位，就必须再次创业，不断创业，而再次创业所依赖的，也只能是二十年来所打下的经济基础。今后深圳的产业发展，更是要靠自己的“真本事”，要靠深圳现有的条件和基础以及自身的创新能力和文化底蕴。在这种情况下，深圳如果真的能够自立自强，实现再次腾飞，再创辉煌，那么，深圳原有的光环就不仅不会退去，而且会更加灿烂夺目，深圳就会具有无限的增长潜力和远大的发展前景。为此，深圳新的产业发展构思，必须能够从基本面上如实地反映出处于“后特区时代”的深圳对于自身产业现状和发展条件的清醒认识、对于以往成败得失的深刻反思和对于未来前景的高瞻远瞩。

为了适应深圳再次创业的需要，市政府汇集各方专家出谋献策，在充分论证的基础上，已经将“工业适度重型化”作为未来一段时期深圳制造业发展的方向，并且将汽车、精细化工和装备制造业确定为未来重点发展的行业。“工业适度重型化”口号的提出是正确的、适时的，它为深圳下一步产业结构调整明确了方向。同时，将汽车、精细化工和装备制造业作为未来重点发展的行业，应该说这种选择也是有其合理性和有远见的。不过，有关行业的一些具体方面的确定，似乎还有待进一步深入研究。

实际上，在我国当前的形势下，发展汽车业并不是一个十分有利的选择，要加入汽车业，就必须首先克服深圳自身的种种困难和外界的重重障碍。因为目前国内汽车业的竞争已经相当激烈，现在要上汽车项目，特别是上整车项目，必然会使已经十分激烈的竞争进一步趋于恶化。深圳即使要发展自己的汽车业，也必须在汽车类型和生产技术等方面另辟蹊径，走出一条自己的路。

当前世界上石油紧缺已经成为国际间重大矛盾和冲突的根源，对于我国来说，增加石油储备同样是刻不容缓的战略任务，这些因素的存在，大大增加了我国汽车需求的不确定性，在这种情况下，深圳再上汽车项目，似乎不合时宜，即使发展汽车业，深圳也只能以生产零部件作为主要内容，而不能将生产整车作为眼前的发展目标。

与汽车业相比，精细化工和装备制造业所面临的竞争和风险要小一些，然而，对于这两个行业来说，目前所能确定的也只能是一个大致的目标，具体项目的清晰度不可能很高，也不可能很确定。发展汽车业的最终目标就是生产和销售汽车，其主攻目标是十分明确和具体的。与之相比，精细化工和装备制造业的发展就不可能集中到具体的目标上，从而这两个行业的发展具有较大的灵活性和变动性，一切都要根据未来的具体情况而定。

不过，深圳市政府在调整产业结构上所选择的策略和目标以及所采取的做法，总的来看，是正确的、合理的。实际上，在市场经济中，市政府只要能够做到以下这些也就已经足够了。首先，政府必须确定产业结构调整的方向并提出相关的口号，提出的口号应该既是明确的，又是笼统的。必须明确的是产业调整的主导方向，同时又必须是笼统的，而不涉及有关产品和技术的具体内容方面的规定。“工业适度重型化”就是一个这样的口号，它大致能够满足上述需要。其次，有了这样的口号，政府接下来的任务就是制定相关政策，以保证资金、技术和人才的引进，鼓励和扶持企业投资和相关产业的发展。在市场经济中，具体的项目只能由企业来定夺，具体的任务只能由企业去完成，一切都要由企业根据它们的实际情况来定。其次，需要政府做的还有，为企业增上新项目，发展新产业，提供健全的基础设施和有利的投资和物流环境。以汽车为例，据专家分析，深圳要发展汽车业，必须努力做好以下工作：(1)编制长中短期规划。其中包括一个20年的中长期规划，一个10年的滚动发展规划和一个3—5年的项目实施计划。(2)结合汽车行业的特点，借鉴国内外经验，研究和制定出切合本地区实际的汽车业发展策略。(3)要选好国内的合作厂家和国外的合作对象。(4)要建立一支具有国际视野和实践经验的高级人才队伍。(5)要有一个适合于汽车业发展的物流体系。(6)要为汽车业的发展提供良好的基础设施，如港口、公路、铁路、航空、市政、通讯、电、水、气和用地等，为汽车业的发展提供充分的发展条件。这就要求政府必须制定出一套有利于从国外引进技术项目，有利于引进人才的激励创新政策，并且能够提供一个有利于创新和发展的环境。这些工作有些是需要政府做的，如制定政策、策略和规划、选择引进和合作对象、提供基础设施；有些是需要政府和企业共同来做的，如建立高级人才队伍。具体的生产、经营、创新和开发等项工作则要由企业单独来承担。

尽管精细化工和装备制造业的发展目标，不像汽车业那样集中和具体。但是，政府在促进产业发展中所担负的任务却大致相同。

另外，根据笔者的看法，在当前的产业结构调整中，政府还须注意作好以下几点：

第一，进一步加快深圳电子通信业的发展，使电子通信业的龙头地位得到巩固和加强；加快公路、铁路、海港、空港等立体化物流业的发展和钟表、服装等轻工业的发展。上述行业的形成以及它们目前所处的地位，是特区建设多年积累的结果，目前，深圳的GDP也主要是由它们的产值构成的，只有这些行业的地位得到了巩固和发展，深圳经济现有的产业基础才不至于发生动摇，我们在发展新行业的同时才不至于顾此失彼。

与此同时，必须注重新创产业与现有产业基础的结合，如注重开发汽车电子产品、注重数字化装备技术的发展，这些都是非常好的思路，这样做，我们就能在发展汽车业和装备制造业的同时，也使深圳在电子通讯领域现有的技术优势得到更好的利用和发挥。

第二，由于是发展市场经济，因此，政府必须注意充分发挥民营企业或民营资本的作用。深圳以往在搞活国有企业方面，并无多少成功的经验可供借鉴。国内外的大量事实证明，市场经济的发展，归根结底，要靠民营企业的经营活力和创新能力，深圳以往的经验也证明了这一点。在深圳未来的产业结构调整中，即使是发展新兴产业如汽车业，也同样要鼓励、支持和依靠民营资本的积极参与。巩固和加强民营资本在新兴产业中的地位和作用，鼓励和扶持民营企业的技术创造、产品开发和企业创新。只有这样，深圳的市场经济才能长盛不衰、充满活力。

第三，对于市场经济的发展，政府必须做好自己的本职工作。在产业结构调整上，政府的作用主要是确定大方向以及通过制定适当的政策，以便对企业的投资和发展进行激励和诱导。政府显然不可能直接参与企业创新和产品开发，甚至不宜参与企业的投资、经营和发展的决策。不过，在引进外资、引进技术项目和各类人才以及与国内其他地区的合作方面，在大多数情况下，没有政府的参与都是不行的。引进外资、技术和人才不仅需要政府出面牵线搭桥，而且，在中国目前的情况下，任何一项重要的活动都离不开政府的政策支持，同时也离不开政府在安全和信用上的担保。深圳品牌已经成为一项重要的无形资源，只有特区政府在政治、行政和信用上提供的保证才是最可信赖的。因此，政府在这方面的作用是不可替代的。

第四，必须加紧改善深圳的法治环境，努力提高政府部门的办事效率和服务质量。在中国目前的情况下，任何一个地区，企业的发展都离不开政府相关部门的服务和支持，离开政府部门的有力支持，企业发展迟早都会遇到难以克服的障碍。因此，地方政府的办事效率和服务质量如何是企业特别是外资企业和跨国公司特别看重的。不过，政府对企业提供服务是由政府的各级公务员来具体操办的，服务的质量如何，直接与公务员的个人素质有关，同时也在很大程度上取决于政府内部的风气。假如在腐败之风盛行和任人惟亲的情况下，公务员的素质是得不到保证的，他们不可能提供高水平的管理和高质量的服务。这也就是说，政府部门的办事效率和服务质量是以政府官员的清廉和勤政为前提的，没有各级政府官员的清廉和勤政就不可能有政府部门的高水平的管理和高质量服务。在我国的一些地区，经济发展裹足不前，外资引进困难重重，主要原因不是当地的物质资源匮乏和人力资源不便宜，而是当地政府部门的腐败盛行和风气不正，一个地区的风气是好是坏，外来人员是很容易察觉到的。深圳地区在这个方面不能说已经做得很好，深圳优势的衰减也并非完全与此事无关。风气净化绝非一日之功，要实现社会法治化和政府部门的优质服务，深圳还有相当长的一段路要走。

第五，加紧引进各类高素质人才和创新人才，努力改善和提高深圳人口的平均素质。“文化产业”作为一种新兴产业，正方兴未艾，具有极其诱人的发展前景。深圳作为一个年轻的现代化城市，在这个方面，应该说是大有潜力的。文化产业的发展有赖于市民普遍具有的文化素质、文化品位和文化需求，深圳市民目前具有较高的人均收入和物质生活水平，这些条件为市民的文化素质、文化品位和文化需求的提高，提供了必要的物质前提和重要的经济基础。时至今日，国内仍然有不少人把深圳视为“文化沙漠”，但是，接连不断地出现在深圳的文化现象却迫使人们重新认识深圳。例如，“首届深圳国际文化产业博览会”已轰轰烈烈地全面铺开，“首届文博会”在有力促进我国文化产业发展的同时，也集中地展现了深圳文化发展的脉络和精髓。又如，最近亚洲萧邦钢琴中国赛区总决赛就是在深圳举办的，这使人们不能不对深圳的钢琴文化刮目相看。深圳的钢琴教育之所以能够走在前列，不仅是因为深圳有但昭义这样的钢琴名师和深圳艺校培养出来的一代琴坛新星，而且是因为深圳市民家庭注重孩子的素质培养和钢琴教育。“追求卓越”应该成为深圳人再次创业的口号，如果深圳文化的其他方面也能达到目前深圳青少年钢琴教育所达到的水平，那么不仅是深圳的文化事业和文化产业，而且“深圳”这两个字本身都将会成为更具感召力、凝聚力和诱惑力的品牌。

深圳工业面临的问题及发展战略研究

罗清和 欧阳仁堂

一、深圳工业现状

深圳的工业是20世纪80年代初，在一片空白的基础上引进“三来一补”劳动密集型工业发展起来的。1979年以前，深圳只有20多家作坊式小工厂，年产值不过数千万元。经济特区建立后，“三来一补”和“三资”、“内联”企业的大量涌入，使深圳工业进入一个大发展时期。1989年，工业总产值首次突破百亿元，但这一阶段工业的技术含量还比较低，90%的企业是劳动密集型企业。90年代以来，深圳大力扶持高新技术产业发展，使工业跃上一个新台阶。1996年工业总产值首次突破千亿元，1999年突破两千亿元，2001年突破三千亿元，2002年突破4000亿元，而2003年又突破5000亿元大关。以出口加工起步的深圳工业，善用海内外两种资源和市场，以外向型工业带动整个工业完成了惊人的跨越式发展：特区建立20多年来，工业总产值由3千万元增至1百亿元，用了10年；从1百亿元增至1千亿元，用了6年；从1千亿元增至2千亿元，用了3年；从2千亿元增至3千亿元，仅用了2年；而从3千亿元增至4千亿元，从4千亿元增至5千亿元，都只用了1年。这在全世界工业发展史上绝无仅有，伦敦没做到，东京没做到，纽约也没做到，而深圳这座只有25年历史的年轻城市却以令人叹为观止的发展速度折服了全世界。

经过25年的发展，深圳工业经历了四次较大的跨越。第一次是“六五”时期的“铺摊子，上项目，打基础”的起步阶段。工业以“三来一补”为主要形式，以电子、服装、纺织、皮革等行业为重点，实行外引内联相结合、工贸技相结合，形成了劳动密集型工业结构。至1985年，工业总产值达到30亿元。第二次是“七五”时期的“抓生产，上水平，促外向”的蓄积阶段，来料加工与进料加工并重，初步形成“产业以电子为主，资金以外资为主，产品以外销为主”的外向型格局，工业基本建设投入逐渐增多，一批先进工业项目逐步投产，轻重工业逐步协调配套，并从劳动密集型为主逐步向劳动密集型与资金密集型的“双密型”结构发展。至1990年，工业总产值达到200亿元。第三次是“八五”时期的“抓高新，上规模，求效益”的调整阶段，进料加工比重开始超过来料加工，轻重工业比重基本持平，高新技术产业崭露头角，支柱产业逐步形成，规模经济逐步显现，一批重点骨干项目和一批重点骨干企业发展迅速。至1995年，工业总产值达900亿元，其中高新技术产品产值达226亿元。第四次是“九五”时期的“抓重点，重发展，促主导”的加速阶段，高新技术产业成为第一增长点，七大主导产业加速发展，“三个一批”战略加快实施，产业定位趋于明确，技术密集型和资金密集型的行业和产品比重逐步提高。至2000年，工业总产值达2586亿元，其中高新技术产品产值达1065亿元。经过四个阶段的发展，深圳工业迅速实现了三大转变：从来料加工到自主生产的转变，从小型、分散生产经营到规模化、集约化生产经营的转变，从传统产业为主导到高新技术产业为主导的转变，从而初步建立了区域经济特色比较鲜明的现代化工业体系。

20世纪90年代以来，随着工业化不断推进，深圳工业逐步由数量扩张、粗放经营型向质量优化、集约经营型方向发展。工业结构调整的步伐不断加快，工业整体素质不断提高，初步建立了以高新技术产业为主导、区域经济特色比较鲜明的现代化工业体系，形成了以计算机与外设、软件、通信、微电子与基础元器件、数字视听等电子信息产业为代表的优势战略产业群，以医药、医疗器械、生物技术、新材料与新能源等产业为代表的新兴产业群和以机械、纺织服装、家具、钟表、玩具、珠宝首饰、皮革、印刷、包装等产业为代表的传统支柱产业群。

二、深圳工业存在的问题

经过20多年的快速发展，深圳工业取得了骄人的成绩。但是，由于深圳工业发展的基础较弱，时间较短，加上深圳科研、教育发展相对滞后，经济发展受水、土地、技术、人才等因素的制约以及体制转轨中种种因素的影响，在工业发展的各个阶段，不可避免地带有粗糙、单薄、片面的痕迹，与国际先进水平相比，还有很大的差距。总结起来，深圳工业主要存在以下几个方面的问题：

1. 工业结构轻重比例失调，结构明显偏轻

深圳当年在工业政策上"弃重就轻"是历史的选择结果，且结局证明当年的选择是正确的，没有当时的策略就没有深圳的今天。20世纪80年代之前，国家基础工业的布局根本没有考虑"深圳"。深圳从建立一开始就游离在对国民经济命运攸关的各种重化工业之外：钢铁、机械、冶金、石化、汽车、造船、机床等产业与深圳无关。经过几次重大的调整后，目前，深圳已初步建立起以高新技术产业为主导，先进制造业和优势传统产业为支撑，行业门类较齐全、区域特色鲜明的现代化工业体系。截止到2003年底，深圳限额以上工业总产值已突破5000亿元，成为我国仅次于上海的第二大工业城市。但工业轻型化仍然没有得到实质性改变，深圳的工业基础在产业结构上存在着隐忧。工业结构中，以电子信息产业为代表的轻工业一枝独秀，而传统的重化工业基本没有形成足够的优势。2003年的工业产值中，电子信息产业比重高达60%。

由于工业结构"重"不起来，深圳在区域经济的角力中已开始退步。在广东省社科院刚刚公布的城市综合竞争力排名中，深圳从2003年的第一名退居次席，而广州则升至首位。面对全国上下掀起的新一轮的重化工业浪潮，北京、上海、广州等城市相继引进汽车项目，周边的惠州、珠海等地也纷纷引进国内外石化巨头进驻，而深圳却依然没有什么大动作，这不得不引人深思。

2. 技术开发和技术创新的水平较低，研发投入不足

从科技投入看，西方一些发达国家在产业优化的竞争中都竭力加大研究与开发的投入。20世纪90年代中期研发的支出占GDP的比重，美国为2.79%，德国为2.33%，日本为2.99%，法国为2.23%，韩国2.72%。正是由于有较合理的研发的投入比例，这些国家才能够在基础研究上各有特点，在高新技术发展上各有优势，国民经济发展有强大的后劲。近几年这些国家的研发支出更有了大幅度的提高。据广东省和深圳市联合课题组的最新研究，目前国际上研发支出占GDP比重的标准值已提高到2.5%～4.0%左右。我国2002年研究与开发研发总数为1287.6亿元，占GDP的1.24%，约为国际标准的一半。深圳2003年全市研发的支出占GDP的2.6%，然而也只能达到发达国家二十世纪九十年代中期水平。比较可见，

深圳工业的科技研究和开发投入还有待加强。另外，由于深圳的科技研究比较薄弱，科研机构也很少，因此深圳的科技活动主要集中在大中型工业企业和计算机应用企业中，并且大中型工业企业占了绝大部分。

从科技创新能力看，深圳不仅低于世界先进水平，而且也低于国内先进水平。美国作为世界科技领域的霸主，目前在世界科技发明中所占的比重为1/3以上。我国北京、上海为科技强市。1992—2002年，北京、上海每年的科技成果都有3000～4000项左右，较为落后的云南、广西每年也有2000项左右，而2003年深圳市共登记重点科技成果只有259项。若从科技成果的结构看，情况更不尽人意，深圳申请的专利，大部分属于外观设计和实用新型专利。1998年发明专利只有233项，占全年专利总数的11.1%。而北京仅1998年12月份的发明专利就有241项，占同月专利总项数的33.1%；上海1998年12月的发明专利有92项，占同月专利总项数的27.4%。再从深圳科技创新的自主性看，2003年深圳具有自主知识产权的高新技术产品产值占全市高新技术产值总数的55.9%，但大多数出自于华为、中兴新少数几家公司。并且这几家公司的技术创新在相当程度上仍然依靠设在上海、北京、南京等地的“体外实验室”来完成其技术开发。通过上述比较可以看出，深圳工业科技进步方面，不论是在客观条件还是在主观能力方面都落后于国际和国内先进水平。

3. 工业结构多元化程度有待进一步提高

深圳电子信息产业的比重高达60%左右，既有一枝独秀的竞争优势，也蕴藏着结构和市场双重风险。从高新技术发展趋势看，电子信息产业的技术已逐步成熟，市场空间相对有限。深圳电子信息产业发展主要是全球制造业不断转移的结果，加上北京、上海甚至珠江三角洲地区城市电子信息产业发展趋同化现象严重，一旦发生全球性的产业调整，市场风险就不是已经丧失了土地和劳动力成本等优势的深圳所能承担的。相比之下，深圳工业其他行业产值总和比重仅占三分之一。特别是生物技术、新材料、新能源等高新技术产业产值比重只占5%，缺少装备制造业和基础工业的支撑。再者，深圳工业结构“虚高度化”的情况值得注意，主要表现在电力、能源等基础工业缓慢增长与加工工业高速增长之间的矛盾，以及工业产值高速增长与工业经济效益相对增长平缓之间的矛盾。

4. 工业产品国内市场开拓不足

由于在国内市场份额较低，市场营销网络建设滞后，随着入世后国内市场国际化局面的形成，深圳产品缺乏国内市场的竞争优势。深圳工业产品很大程度是市场在“外”，比较忽视产品国内外市场定位和市场细分化、多样化，企业自身营销能力与制造能力之间也存在一定矛盾。一方面，深圳工业外向型明显，外商投资企业（包括港澳台资企业，下同）占主导地位，2003年外资企业产值占深圳限额以上工业总产值的77.35%，而外资企业大多是“两头在外，中间在内”，即研发、接订单与销售都在国外或港澳台，只有生产安排在深圳，这样深圳只是充当了一个加工厂的角色。一旦外资撤走（如转移到长三角或内地），深圳制造的产品将在国外市场地位大大削弱，而且国外越来越多的贸易壁垒（如越来越多的技术规范、社会责任、环保要求）将使深圳出口面临严竣的形势。另一方面，深圳产品在国内的市场份额远不如上海、广州、北京、青岛等城市，也不如珠三角西岸一些地区（如佛山、顺德）和江浙一带许多地区（如温州、宁波），虽然有一批产品如钟表、中高档服装、自行车、彩电、电脑、打印机等在国内占有一定的份额，但在汽车、石化、重化工业设备及日用品等方面则落后其他地区不少。

5. 工业用地资源十分有限，产业布局规划亟须加强。

特区内可供利用的土地资源不足，特区外用于连片开发的集中工业用地也越来越少。早期深圳工业大多是在“一企、一村、一路”的基础上自然发展起来的，缺乏科学布局和规划，特别是缺乏基于产业发展链条的工业布局规划。一些主导产业群和主要企业群的不合理分割，导致产业配套、产品配套、技术配套相互脱节。深圳总面积1952.84平方公里，特区内面积391.71平方公里，而平原只占陆地面积的22.1%。据统计，深圳目前已建设用地超过467平方公里，占全部可建设用地的近67%。1994年至2002年，深圳年均新增建设用地25平方公里，增速惊人，且某些地区仍继续违法占用土地。据预测，如果不采取有效措施，深圳未来发展所需要的建设用地可能不足以维持10年。

6. 工业发展后劲相对不足。

首先，近年来深圳工业直接利用外资增长虽然高于工业自身发展速度，但工业实际利用外资占整个外资总额比例处于下降状态，甚至出现了15%的负增长。中国加入世界贸易组织后，跨国公司调整在华投资战略和产业结构，中国的“世界工厂”定位进一步明确。面对跨国公司对华投资扩张的机遇，深圳与国内其他城市将在相同的政策下公平竞争，降低生产经营成本的压力加大。其次，深圳工业投资在全社会固定资产投资中比重偏低，房地产投资比例偏大，这非常不利于工业产业结构优化调整。据深圳综合研究开发院的测算，深圳GDP要保持12%~15%的增长，工业投资比重需要达到35%~40%。但20世纪90年代以来，深圳的这一比例由42.1%下降到了2002年的16%，整体上处于下滑状态。若以工业净投资计算，这个数字则更低。与上海、北京、广州等城市相比，深圳不但大项目少，而且增速也明显落后，产业配套能力和带动能力弱。第三，深圳工业的生产经营成本居高不下。劳动力、资金、土地价格远远高于其他省市，直接影响深圳工业投资环境，成为制约工业快速发展的重要因素。

三、深圳工业发展战略选择

在群雄并起、机遇与挑战并存的时期，如何找准深圳工业发展的方向，对工业结构进行新的调整，使工业结构不断优化升级，继续保持快速健康的发展，是深圳经济发展的重要课题。

我们认为，深圳工业发展总的指导思想是，紧紧围绕建成社会主义现代化示范市的总体目标，坚持有所为、有所不为，在调整中发展，在发展中调整。以市场为导向，以提高产业的国际竞争力为首要目标，以增强企业自主研究开发和创新能力为核心，以建设高新技术产业带为主要载体，形成产业自我转换、自我完善的机制。以信息化带动工业化，培育具有竞争优势的名牌产品和大企业(集团)，促进中小企业健康发展，促进工业结构与城市生态环境协调。大力发展优势战略产业，积极扶持新兴产业，改造和提升传统支柱产业，在发展高新技术产业的同时，不失时机地发展规模较大的先进制造业，形成具有区域经济特色的合理工业布局，在可持续发展的基础上实现工业经济快速增长。深圳工业发展的基本原则是，第一，市场机制与政府调控相结合。第二，循序渐进与跨越式发展相结合。第三，扩大增量与优化存量相结合。

1. 以大工业为发展方向，以高新技术产业为主导，抢占新一轮全球产业结构调整的制高点

深圳的工业化是从以轻工业为主的“初期”阶段直接进入到以深加工和高新技术产业为主

的"中后期"阶段，跨越了以重化工业为主的"中期"阶段。

21世纪的深圳，应该继续将高新技术产业作为支柱产业，不断引进先进技术，加大对科学研究与开发的投入，选择一批具有战略意义的行业进行重点扶持并加以政策引导，以此带动和提升工业乃至整个产业的高度化。要以大工业为方向，这里的大工业并非只是强调项目的规模，它必须具备以下条件：一是关联度大。作为"龙头"项目，能带动一批相关产业的发展，带活一批中小企业，对整个国民经济有较大影响；二是成长性强。作为大工业项目，必须是长远发展项目，成长性强，而不是短、平、快项目。三是技术先进和附加值高。大工业项目必须是在先进技术的基础上研究与开发生产具有世界一流技术水平的产品，紧跟世界技术进步的潮流。用进口的零部件和进口的生产线组装的高技术产品并不能代表技术先进，实际上仍属于劳动密集或资本密集型工业，有些产品在国际市场上属于成熟期，其生命周期有限，也不符合大工业发展的战略选择。目前，深圳应优先发展信息技术、生物工程技术、新材料与新能源、医疗设备等产业。

2. 工业适度重型化，重点发展电动汽车、石化、重型装备工业为代表的重化工业

发展中国家的工业化过程中，工业结构的变动一般经历四个阶段：轻纺工业阶段、重工业化阶段、高加工度化阶段、技术集约化阶段。其中重工业化阶段又可分为以原材料工业为重心和以加工装配工业为重心两个时期。以加工装配工业为重心的重工业化时期，同时也是高加工度化阶段的一个时期。1999年，中国重工业增速超过轻工业，此后中国重工业增长速度持续超过轻工业，2001—2003年重工业比轻工业的增速分别快5.18%、1.68%、4.50%，与此同时，出现了一批以重化工业为主体的高增长行业，如煤炭、钢铁、汽车、化工、机械。自20世纪90年代以来，随着国际产业转移的相对高级化，一些资本技术密集型的重化工业开始陆续向我国转移。特别是近几年，以汽车、化工为代表的全球重化工业50%以上的投资集中在中国。这一切表明中国工业已经进入新的重化工业时期。

在这个大背景下，中国经济的热点地区珠江三角洲、长江三角洲、环勃海地区的重工业投资一浪高过一浪。继食品、纺织、建材三大传统产业的长足发展后，汽车、石化、装备工业在广东异军突起，广东产业结构也出现重型化趋势，从1991年到2000年，全省重工业年均增速已经比轻工业增速高出6个百分点；进入新世纪后，这一增速进一步扩大到10个百分点。至2003年底，重工业增加值占工业增加值的比重已经从1997年的44.4%上升到57.4%。广州、珠海、惠州成为世界级汽车、化工巨头重兵布阵的场所。

深圳由于历史原因形成了偏重外向型以及"两头在外"、"三来一补"的以轻工业、加工装配为主的轻型化工业体系，且形成了"一业独大"、"一枝独秀"的特殊现象，加工装配型的电子信息产业占工业总产值的60%多。近年来，随着深圳电子及通讯设备制造业的飞速发展，重工业在产业结构中所占比重有所上升，2003年已达68.3%。但深圳的重工业大多是电子及通讯设备制造业的中间产品，从一定角度上看，现有重工业的结构也偏轻。其他如仪器仪表、电气机械及器材制造业、石油开采、电力、蒸汽、热水生产供应业在重工业中的比例很小。进入20世纪90年代后期，随着新一轮国际产业转移的启动和升级，深圳轻型化产业结构日益暴露出对新兴产业发展潮流承接不足以及基础产业过于薄弱等问题。产业是财富之源，是经济的上游。强大的产业，是一座城市综合竞争力的核心。没有产业的发展，其他的发展都谈不上。因而要不断促进深圳产业的进一步升级，增创产业发展新优势。目前，根据深圳所处的环境及具备的条件，可优先发展装备制造业、电动汽车、精细化工等重化工业。

3.“科技兴工”作为工业发展的主体战略，坚持依靠科技进步，立足于增强自主创新能力

科技是生产力中最活跃、最重要的因素，是高新产业形成的源泉，也是实现工业现代化的动力。为此，必须把“科技兴工”作为深圳工业现代化的主体战略。

第一，大力扶持拥有自主知识产权的高新技术企业。具有自主知识产权的高新技术企业是深圳工业现代化的灵魂。

第二，加大研发经费的投入，建立一个以市场为导向，企业为主体的科技研究和开发体系。对研发经费的投入是科技进步的物质保证。

第三，加强企业与科研院校的合作，促进产学研一体化。科教是提高深圳工业创新能力的基础，只有科研和教育发展了，提高深圳技术创新能力才能变为现实。

4. 走新型工业道路，促进深圳工业的可持续发展

新型工业道路，即可持续发展的工业道路，既要发展经济，又要保护生态环境，实现“生产发展，生活富裕，生态良好”三位一体的发展目标。新型工业道路本质可概括为“高、好、低、少、优、适”，即科技含量高、经济效益与社会效益好、资源消耗低、环境污染少、人力资源得到充分发挥、工业发展适度。深圳工业用地十分有限，自然资源比较匮乏，既要实现经济的快速健康发展，又要保持优美舒适的人居环境，这就决定了深圳不能走高能耗、高污染、高投入、低产出、低效益的“三高两低”型传统工业道路，而只能走新型工业道路，从而促进工业的可持续发展。因此，深圳今后重点发展占地面积少、环境污染少、科技含量高、附加值高、经济效益好的工业，如生物工程、激光电子、电动汽车、软件业、电子信息等。

5. 以推进名牌产品为先导，积极营造产业优势，提高工业产品的国际竞争力

深圳的名牌产品发展与整个经济的发展十分不协调。这种不协调表现在，虽然深圳目前已创造出一批在全国乃至全世界影响都很大的拳头产品，但真正属于自己的名牌却很少，大部分拳头产品的品牌都为合资方或外方所有。这种帮别人扬名的格局不打破，深圳工业就无优势可言。由此，深圳在发展名牌战略中，首先要在收复这部分拳头产品的品牌上下功夫。其次，要保护和支持一些老牌的名牌产品增创新优势。根据企业新的情况和问题给予政策支持。再次，要把工作重点放在新名牌的创造上。目前，全球工业产品的开发速度日益加快，新技术转化为产品的周期缩短，同时科技、生产和市场之间的衔接越来越紧密。在这种形势下，要争创全国乃至全世界都有影响的名牌，必须跟上世界产品开发的步伐，以科技为先导，加速新产品开发的广度、深度和力度，创造出科技含量高、附加价值高，既有市场，又能引导生产和消费潮流的名牌产品。最后，要把名牌产品的发展同市政府确立的主导产业的发展结合起来，用名牌产品带主导产业，用主导产业促名牌发展，实现名牌产品与主导产业的联动，营造深圳产业优势。

6. 重视用先进技术改造传统产业，全面提高深圳工业的素质

深圳传统产业的发展已落后于社会经济和技术的发展，产业内日益落后的生产模式跟不上日新月异的市场需求。为此，解决深圳传统工业面临困境的关键是全面提高企业的素质，用先进的技术改造传统产业，使其能够跟上高科技发展步伐和新兴市场的要求。具体地说，可从以下几个方面着手解决传统产业发展滞后的问题：

第一，改变现行大多数企业追求稳定的生产规模，忽视企业创新，片面追求量的扩张，忽视质的提高的现象，真正把企业的生产经营转到技术创新和提高产品质量为中心的轨道上来。

第二，加强企业技术改造，努力提高企业的技术构成。各行业要积极引进世界一流技术设备，用先进技术大规模地进行工艺、设备的更新，提高企业技术装备水平和技术开发水平。

第三，以市场为导向，调整和优化产品结构。在产品开发中，重在产品的改进、组合和功能延伸方面下功夫，提高工艺技术水平和原材料技术附加值，将现行低附加值产品转向技术型，高附加值产品。

第四，加强企业现代化管理。要学习和借鉴国外先进管理方法和手段，特别是学习新经济企业的管理方式，提高传统工业企业的管理素质和管理水平。

第五，重视企业员工的素质教育。运用各种继续教育方式和培训手段，不断对员工进行在岗在职培训，以增加他们的文化知识和专业知识，提高他们的科技素质、业务能力和企业管理水平。

深圳股市生态问题研究

郭茂佳

一、深圳股市生态之义

深圳股市生态虽是时下构建和谐社会和和谐股市中谈论得较多的热门话题，但究竟什么是深圳股市生态，国内现有文献并没有作出权威的解释。笔者以为，所谓深圳股市生态，是指为保持深市永盛不衰的生命力，充分运用组织、架构、工具、法律、政策、制度等体系和知识、技术、道德、文化等人类文明，营造出符合深市生理特征、生存时空和生命规律的环境构成。从大环境来理解，深圳股市生态应该是指与深市产生和发展具有互动关系的社会、自然、人口、政策、制度、道德、文化、心理等外部因素的总和。从小环境来分析，深圳股市生态应该是指与深市产生和发展具有互动关系的法律法规、社会信用体系、会计与审计准则、筹资者与投资者结构、中介服务体系、公司治理水平及社会资本进入深市的限制等内部因素的总和。因此，深圳股市生态的内涵十分丰富，它包罗着深市中各种制度、政策、业务、服务、产品、工具，以及理论、心理、意识、道德、文化和秩序；涵盖着各种深市资源的研究、开发、营销、利用、反馈、再生等过程。一个理想的深市生态，应该是有着其良好的组织体系、制度体系、法律、法规体系；有着优化的土壤、气候和营养环境；有着紧密的生存链接、有序的生长机理、旺盛的生育机能；有着正常的播种、生长、成熟、繁衍等循环往复过程；有着自身的繁育、承载、净化和免疫能力。

我们之所以要借用生态学的方法和成果来分析和考察深市生态问题，是因为：(1)深市生态与自然生态一样，也是具有生命力的。它要经历产生、发展与消亡等几个阶段；它要遵循由低级到高级、从萧条到繁荣、由弱小到强大、由无形到有形、由分散到集中、由区域到全球、由现货到期货、由投机到投资、由不完善到规范的发展规律。(2)深市生态与自然生态一样，也是一个有机的系统。它大致包括：第一，理论——知识系统。即深市发展战略和工具的创新与推介，需要有科学缜密的理论作支撑和指导。第二，试验——论证系统。深市的战略、构想和理论产生之后，必须经由实践去反复检验和论证。第三，播种——决策系统。只有被实践证明是科学的理论、战略和构想，并得到权威部门的认可和纳入管理层视野，才能付诸实践。第四，土壤——传导系统。各项战略的实施，必须同时辅之以必要的方针、措施、方式和程序，以确保各项股市方针决策传导的畅通、到位。第五，气候——容量系统。深市的生存与发展，首先，需要建立一个监管者与参与者相互联系、参与者之间相互依赖、相互竞争的体系。其次，必须有一定的存在形式和承载主体，需要有丰富多彩的金融工具。第六，管理——监督系统。作为履行深市监管之责的监管机构，应明确分解监管责任，及时研究监管对策，采取先进监管技术，加大监管工作力度，确保正态监管效果。第七，营养——哺育系统。深市的成长，离不开必要的营养元素哺育。欲使其健康快速发育，甚至还要提供一定的催生剂和助长素。第八，诊治——矫正系统。在深市的成长过程中，也难免要与恶性圈钱、散布虚假信息、操纵市场等病魔和恶习作斗争。第九，护理——成长系统。正常的股市生命现象，有其合理、有序的生命程式，如公司上市要求严格遵循相应的制度、程序、手续、环节等，以保障其运作有序。第十，收获——再生系统。深市资本运动的最终目标，从大的方面来说，是优化资源配置，从小的方面来讲，是投资利润最大化。而优化资源配置和利润最大化目标的实现，意味着深市发展基础的扩充和新一轮规模的扩大。(3)深市生态与自然生态一样，也要遵循达尔文的“优胜劣汰、适者生存”定律。如深交所如果不思进取就有可能被国际和国内其他交易所淘汰；深市筹资者内部的竞争将使那些业绩优良、素质较高、具有成长性的公司可以在股市上以相对较高的价格和频率筹资；投资者内部的竞争将迫使那些丧失竞争力的投资者退出市场。(4)深市生态与自然生态一样，也具有鲜明的制度结构特征。因为深市生态是在一定政治、经济、文化、法制环境下形成的，所以，它必然要涉及到政治、经济、文化、法律制度等层面的问题。(5)深市生态与自然生态一样，也具有自我调节功能。深市生态中，不但有着自身内在的生态链，并且彼此之间有着相当的自我平衡能力。如股价涨多必跌，跌多必涨；资金觉得有厚利可图必然蜂拥而至，无利可图必然逃之夭夭。(6)深市生态与自然生态一样，也具有脆弱性。如果过度破坏或保护不力，就会出现生态主体失衡、生态调节失灵。

二、深圳股市生态之危

近年来，由于保护不力，深市生态已严重恶化。具体表现在：(1)宏观经济一路走好，但深市表现却持续低迷。自2002开始，我国经济步入了一个新的景气周期，2004年GDP增长率更高达9.5%，背靠这样一个高速增长背景的深市，本应有一个牛气十足的表现，然而，深市非但没有成为国民经济向好的晴雨表，反而与国民经济的走向背道而驰。如深综指2005年3月底仅收于297点，创1996年9月以来的新低；从2001年6月的高点算起，深综指跌幅高达55.8%。(2)上市公司业绩不断攀升，而深市股价却一路走低。2002年以来，深市上市公司业绩呈现出整体逐年提高的态势。如2002—2004年深市上市公司平均每股收益分别为0.16元、0.20元和0.28元，2003和2004年深圳上市公司业绩分别比上年提升25%和40%。然而，深市并不为此所动，至2005年3月底，20元以上的股票已成为稀有品种，平均股价只有5元左右，创10年以来新低；有近50支股票股价跌破净资产，有数支个股跌破非流通股股价，有近七成2003年以来发行的新股跌破发行价，有一批ST个股在面值附近徘徊或已跌破面值，成为“仙股”；整个深市市盈率已低于20倍，即使不考虑股权割裂、计算口径等因素，它也是世界上最低的市盈率之一。(3)政策利好频出，但深市反应却越来越冷淡。2001年以来，管理层采取了诸如大幅降低佣金和印花税、实行新股市值配售、快速发展证券投资基金、实施QFII制度、拓宽券商融资渠道以及让社保基金和保险资金直接入市等利好措施，然而，不幸的是，深市对若干政策性利好的反应越来越麻木，交易量和交易额日趋萎缩。如2004年深圳股市股票交易额和换手率分别只有2000年的一半左右，一些股票的日成交量甚至萎缩到1手这一极致。(4)场外资金云集，但深市场内资金却日益捉襟见肘。目前囤积于深市外围的资金十分可观，仅居民本外币储蓄存款规模就超过13万亿元。但深市场内资金却极度匮乏，一方面是新增投资者对股市望而却步，如2000年新增投资者达500多万，而2004年则不到50万。另一方面是被困在股市围城中的老投资者急于寻找机会破“城”而出。(5)深市筹资暴富者越来越多，但投资致富者却越来越少。深市从初期的本地15股发展到目前的500多支股票，融资规模已过5000亿，这些既不付息，也不还本的资金，不仅帮助不少公司摆脱了困境，而且也造就了一大批一夜暴富的公司老总、股东和自然人。然而，深市二级市场的投资者却被洗劫一空，1991年—2004年，深市投资者亏损总额超过8000亿元，亏损幅度之大世界股市罕见。(6)环球股市牛气十足，而深市却熊态不改。深市投资者耳熟能详的道指、纳指、恒指、日经指数等海外股指，在经历了2002年前后的大幅下挫后，近两年纷纷趋稳回升，在香港上市的国企H股更是红透香江。与此形成鲜明对照的是，深市却至今仍在"下降通道"中运行。

三、深圳股市生态恶化之源

按照生态学的观点，我认为，导致深市生态危机的原因主要是：

1. 理论之乱。近年来，至少有如下三种理论混淆了深市投资者的视听：一是泡沫论。该理论单纯依据市盈率这个指标，认为深市泡沫远远大于成熟市场，需要通过采用打压股价的方法来消除泡沫问题。二是接轨论。该理论认为，随着中国入世，深市与国外成熟股市接轨将不可避免。由于深市定价主导权的日益丧失，深市与国外成熟股市接轨的过程事实上也就是深市股价走向不断下跌的过程，甚至是不断走向崩溃的过程。三是推倒重来论。持该观点的学者认为，深市历史遗留问题太多，采取任何的改良方法都不足以让其健康发展，只有采取休克疗法才能使其获得新生。

2. 政策之偏。2004年初虽出台了《国务院关于推进资本市场改革开放和稳定发展的若干意见》(简称"国九条")，但困扰深市的消极政策惯性并没有完全消除。这主要表现在：(1)错误的调控方法并没有彻底转变。管理层在处理深市供求矛盾时，长期把调控的重点放在需求方，并试图从需求的角度来化解深市危局。然而，不幸的是，深市危局非但没有化解，反而越陷越深。其实，在深市供求这对矛盾中，矛盾的主导方不在需求，而在供应，因为需求是一个有限的量，而供应则是一个趋近于无限的量，有限的资金需求是无论如何也无法满足企业上市筹资需要的。(2)处置历史遗留问题的方法并不明确。时下，深市中的历史遗留问题突出地表现在两个方面：一是同股不同价。同一上市公司发行的A股与B股价差较为悬殊。它既给深市长期稳定留下了一大隐患，也使境外投资者无法放心介入深市。二是同股不同权。即目前有近70%的国有股和法人股禁止流通使其丧失了与公众股同等的流通权。它使深市上市公司大股东可以只管圈钱不担风险。令人不解的是，"国九条"对B股去留问题只字未提；股权分置改革试点的帷幕虽已拉开，但由于对流通股的补偿不足，已被市场视作为利空。(3)保护投资者的行动并不积极。这具体表现在：第一，质量低劣的公司照样可以包装上市。如"江苏琼花"仍能通过做假越过会计师事务所、律师事务所、承销商以及发审委所设置的道道审查防线而取得深市上市资格，这说明管理层所保护的仍然是筹资者这个世界上最凶狠的"巨型老虎机"的利益。第二，对于上市公司及其高管人员违规行为的处罚仍然不力。统计显示，2004年，深市上市公司暴露出来的违规行为高达数十起，其违规带来的收益数以千万，甚至数以亿计，而管理层对其处罚的成本则是微不足道。如对违规公司处罚金额最高的仅为60万元，对高管人员处罚金额力度最大的仅为30万元。

3. 链条之断。这主要可以从两个方面考察：(1)筹资者与投资者之间的生物链已经断裂。多年来，深市追求的是为企业，特别是为国有企业筹资服务这一目标，当扩容与保护投资人利益发生冲突时，往往是扩容优先，使投资者对扩容十分恐惧，每逢有新股上市、配股、增发，甚至发可转债的消息，深市便战战兢兢。(2)投资者内部的生物链已经断裂。2000年以前，深市机构与散户投资于深市的资金之比是3∶7，此时的局面是，散户的日子好过，机构投资者也衣食无忧。但2000年以后，在管理层创导的超常规发展机构投资者理念的引领下，深市生态失去了原有的平衡，机构与散户投资于深市的资金之比变成了7∶3。

四、治理股市生态之策

(一)要治理理论之乱

1. *要破除泡沫论*。可以有把握地说，经过四年的调整，深市已是目前世界上泡沫最小的股市。理由是：第一，按可比口径计算，深市目前的市盈率是世界上最低的。如按深证100指数计算，2004年末的平均市盈率只有15倍左右，而同期道指、德国DAX指数、英国金融时报指数、日经225指数、巴黎SBF指数的市盈率分别为17、21、24、38和36倍。第二，从成长性来看，每年以9%的速度增长的深市上市公司，肯定要比每年以3%的速度增长的外国公司更有投资价值。

2. *要破除接轨论*。深市属于“新兴+转轨”的股市，它既有新兴股市所共有的特点，也有许多转轨股市的特征。由此，它要求我们摒弃那种单纯用成熟市场标尺来衡量目前深市投资价值的种种观念。比如依照纽约市场蓝筹股估值方法来给深市蓝筹股估值，就并不科学。因为即便是行业相同的蓝筹股，由于两市所处的产业周期阶段不同，因此，其估值水平和投资价值差异甚大，在纽约市场，钢铁、传统化工等“重化”工业普遍被视作夕阳产业，而在深市，钢铁、传统化工等“重化”工业则表现出了惊人的成长性。并且，深市即使是融入国际社会，也未必完全丧失定价权而成为国际资本市场的附属品。如东京股市在其国际化的进程中就没有完全丧失定价权，东京交易所已经成为全球市场中针对日本企业最具有定价权的市场。

3. *要破除推倒重来论*。从国际经验来看，创业板市场推倒重来的先例的确有不少，如美国证券交易所推出的中小企业市场、英国等欧洲许多国家的创业板市场以及新西兰、澳大利亚创业板市场等均有被推倒的先例，但证券交易所推倒重来的例子倒是难得一见，充其量也只是像香港那样将几家交易所加以合并。在我国现时条件下，深市之所以不能推倒，是因为：(1)深市是国民经济中一个不可缺少的庞大产业。首先，政府需要深市提供庞大的税源。如1992—2004年仅股票交易印花税一项深市所创造的税收就达近千亿元，如果加上上市公司、证券公司、证券交易所、证券咨询公司、会计师事务所和律师事务所等所缴纳的税收，估计要占整个财政税收的5%以上。其次，企业需要深市提供资本运营的舞台。近三年来，深市所产生的数百起资产重组案中，有不少体现了产业结构由低技术含量产业向高技术含量产业、由劳动密集型产业向资金密集型特别是知识密集型产业、由国家限制发展的产业向新兴产业和瓶颈产业转化的趋向。再次，市场中介需要借助深市生存。深市的发展，一是带动了投资银行、会计师事务所、律师事务所等中介的发展；二是带动了报纸、电视、广播等传媒业的发展。可见，推倒深市，事实上也就是推倒国民经济的一个重要产业。(2)深市具有重要的制度创新功效。可以毫不夸张地说，深市对于“股份制是社会主义公有制的实现形式之一”这一著名论断的诞生和国有企业顺利实现三年脱贫解困功不可没。(3)深市具有财富效应。在美国，由于财富效应，股票市值每涨跌1美元，直接影响消费支出4—7美分。并且这种影响在股价上涨与下跌时表现出不对称性，即股价上涨1美元，可能拉动消费增长4美分，而股价下跌1美元，则可能影响消费支出7美分，股价的下跌对消费的负面影响更为显著。因此，发达国家的经验告诉我们，深市上涨，可以带来社会投资和消费的相应增加，而目前深市下跌，则导致了社会投资和消费的相应萎缩。

（二）要纠正政策之偏

1. *要转变从需求入手的调控思路*。即管理层应尽快将调控深市的重点从需求转到供应上。当务之急，一是要合理控制供应总量。为使深市扩容变得理性和透明，管理层应严格实行“单一规则”，即将扩容速度与国民经济增长速度挂钩。二是要从严控制供应质量。关键是要杜绝包装上市和“业绩变脸”现象。三是要调控供给价格。重点要解决价格形成的依据不真实的问题。

2. *要破解历史大难题*。重点要做好两项工作：（1）要尽快实现同股同价。就目前而言，实现深市A股与B股并轨的条件已基本具备。一是入世后人民币资本项目下自由兑换的推进速度大大加快，打通深市A股与B股的阻隔，直接对外开放的操作思路有理论和现实的基础。二是深市B股市场“A股化”的趋势十分明显，不仅筹资者是国内的企业，而且投资者也几乎是国内的机构和个人。三是目前深市B股市场既丧失了正常的融资功能，也缺乏应有的流动性。（2）要尽快调整实现同股同权的思路。简单地将2.9倍于流通股的公股（国有股和法人股）全部在较短时间内推向二级市场，无疑会带来灾难性的后果，我们只有把握好“四字诀”，才能将冲击降低到最低限度。一是“堵”。即国家应采取断然措施阻止公股规模继续膨胀。在解决公股流通时最好暂停新股上市，以腾出一个时段让公股逐渐步入二级市场。二是“缩”。即本着准确、公平的原则按一定比例对公股进行缩股。三是“锁”。即国家应按“抓大放小”原则，对国家必须绝对控股的行业和企业要确定一个限制上市流通的比例。四是“转”。转的具体方法有很多，如可将一部分公股转换成优先股；通过增发新股来回购公股；建立公股减持基金来实现公股转公众股；通过国债的“债转股”来实现公股转公众股；利用国债的“债转股基金”来实现公股转公众股等。

3. *要真心实意地保护投资者*。深市这座大厦是建立在众多投资者参与的基础上的，如果离开了千千万万投资者的参与，深市将变成无源之水、无本之木。因此，要想提高深市的吸引力，就必须真心实意地保护投资者。目前最关键的是：第一，要明确保护的重点对象。我认为，深市中中小投资者应该是重点保护对象。其原因有二：一是信息不对称，中小投资者在信息获取上常常处于不利地位；二是中小投资者持股比例相对较低，在公司决策上处于弱势地位。第二，要还权于投资者。当务之急是：一要确保投资者知情权。二要让投资者充分行使质询权、建议权和监督权。第三，要杜绝损害投资者权益。具体可以从以下四个方面入手：一是要杜绝大股东占用上市公司资金；二是杜绝大股东利用关联交易损害投资者利益；三是要杜绝随意增发新股或配股。四是要杜绝随意改变募集资金投向。第四，要建立证券民事赔偿制度。时下最需要解决的是哪些民事违法行为应该赔偿、由谁来赔、赔给谁、赔多少、赔偿期限等具体的操作问题。

（三）要重构生态之链

根据现时情况，至少需要重构两条生态链：

1. *要重构筹资者与投资者之间的生态链*。筹资者与投资者之间的关系应该是一物助一物的关系，而不是一物灭一物的关系。深市要想建立起这种良性互动关系，当务之急要将目前的融资性市场转变为投资性市场。那么，什么样的市场才能称得上是投资性市场呢？根据股神巴菲特的标准，至少要做到三点：一是要透明。一个谁也看不懂的市场绝不是一个投资性市场。二是要有合理回报。如果上市公司都是铁公鸡，投资者所取得的红利回报，还不如购买国债甚至不如将资金存在银行所获取的利息收益高，这样的市场枉谈投资。第三，风险可控。如果政策多变、上市公司业绩起伏不定，投资者既面临着难以控制的系统风险，也面临着难以控制的个别风险。

2. *要重构机构与散户之间的生态链*。深市中的机构投资者好比是虎、狼、狮、豹等食肉动物，而散户投资者则像是牛、羊、鹿等食草动物，如果缺少机构这类食肉动物，深市将失去其应有的生气；如果缺少散户这样的食草动物，食肉动物的日子也就难以为继。在一个处于相对平衡的股市投资者生态系统中，尽管各种投资者之间时时上演着各种争斗，散户随时都有被机构吃掉的可能，但被吃掉的充其量也只是其中的一小部分。并且，只要草原水草充足，散户同样具有生存发展的机会和空间。问题是这些年深市机构与散户之间的生物链出现了两点断裂：一是管理层只重视食肉动物的繁衍，而忽略了食草动物的保护，使深市生态基础系统萎缩。二是上市公司提供给散户的草料太小(鲜给回报，且高价圈钱)；看起来好一点的草地(科技概念、绩优概念、重组概念等)大多成了机构伏击散户的猎场，使散户面临着被机构赶尽杀绝的危险。因此，要保持深市投资者内部结构的生态平衡，就必须尽快修复上述两条断裂带。措施有二：一是要超常规发展散户投资者。因为在深市投资者生态系统中，规模最大的群体是散户，他们是基础力量和支柱力量。更何况，深市的群众基础远比成熟市场薄弱，更应大力发展散户。如美国人口2.8亿，股票账户有1.8亿个，参与股市的家庭占总家庭户数的65%，而我国人口多达13亿，深市开户人数只有3000多万，如果再扣除众多的死账户，实际参与深市的人数不到总人口的3%。因此，当前深市所应采取的战略应当是超常规培育居民散户投资者，而绝不是机构投资者。二是要尽可能延长深市投资生态链。成熟股市的生态之所以比深市稳定，一个很重要的原因就是上市公司实行高比例分红和政府实行低资本利得所得税，为股市生态提供了充足的初始养分，从而大大延长了股市生态链。因此，深市应借鉴成熟股市经验，一方面要提高上市公司给投资者的回报比率；另一方面要对居民散户将个人储蓄和收入、企业将利润投资股市减免和抵扣个人所得税，以延长深市生态链。

论深圳文化的特色与定位

吴 忠

随着全球化进程的加快和知识经济时代的到来，文化与经济、政治相互交融，越来越成为综合国力的重要组成部分，文化要素在经济发展和社会进步中的作用越来越重要。而一种文化的强势和生命力主要取决于三个因素：一是文化的特色和个性；二是文化的开放交往度；三是文化的先进性和整合功能。像巴黎、纽约、法兰克福这样的著名城市正是以其独特的文化性格和鲜明的文化风格奠定了它们在世界文化舞台上引领潮头的地位的。

深圳作为经济特区，经过20多年的发展，在初步完成中国经济体制改革试验场的任务的同时，实现了自身经济的起飞，正在向国际化城市的目标迈进。循着现代化演进的逻辑，文化的发展便日益提到重要的议事日程。在现代社会，文化的发展要快速推进，显然不能像在农业社会纯自然地积累和演进，而必须对城市文化的特色、定位乃至发展策略有着清醒的自觉。

一、城市文化特色的形成及其意义

文化特色指的是文化的个性特征，它是城市的外在形象和内在品格的有机统一。诚如斯宾格勒所认为的，每一种文化都有自己的灵魂和形式，有自己的深层心灵和表层象征。表层文化特色通常是深层文化特征的表征和反映。就深层文化特征来说，文化特色就是文化特质。一定的国家、民族、地区乃至城市，人们在长期的生活和交往中，由于自然环境的养育和社会历史的积淀，往往会形成相对稳定并具有独特品性的共性观念意识、思维方式和行为方式，这便是该国家、该民族、该城市的文化特质。城市的文化特色不仅是城市文化的风景和魅力所在，而且是城市的活力和生命力的体现。

一般来说，城市文化特色是长期以来由城市的物质生活、文化传统、民俗风情、社会风气、地理环境、气候条件诸因素综合作用的产物，是人为因素和自然历史因素交互作用的结果。对城市文化的形成起直接作用的主要是以下四个因素。

一是自然地理环境。文化特色的最显著、最基本的特征在于它的地域性。这种地域性特点的形成最原始的原因在于不同地区和城市自然地理环境的差别。在古代，人们对于自然地理环境的依赖性很大，不同地区和城市间处于相对封闭和隔离状态，人流、物流、资金流、信息流远未形成，不同地区和城市间的文化影响极其有限。在这种情况下，自然地理环境的差异性很大程度上决定了不同地区和城市文化特征上的差异性。例如，中国北方市民性格的豪放、严谨、开朗、健谈，南方市民性格的浪漫、活泼、精细、务实；沿海市民性格的开放、宽容、求新，内陆市民性格的严谨、循规、求稳，这些不同的特点很大程度上是由自然地理环境的不同造成的。可以说，历史距离越久远，自然地理环境对城市文化特色形成的作用就越大。当代社会，地区、城市间的信息文化交流日益频繁，不断加深，自然地理环境对城市文化特色形成的作用已大大减弱。

二是历史文化传统。文化是在漫漫的历史演进中形成的。因此，城市文化的厚度通常需要积累，城市文化的特色和风格需要一定的地域文化的哺育。特殊的地域文化传统和人文资源孕育出独特的城市文化风景和文化精神。城市作为承载社会文化的建筑空间，积淀和展示着生活在这里的世世代代人们的理想抱负、价值观念、生活习惯和审美趣味。拉萨人的宗教信仰、广州人的早茶习惯、杭州人的山水情怀，显然是历史和文化传统养育的结果。但在当代社会，随着信息文化交流频率的加快，历史文化传统对形成城市文化特色的作用力在下降。

三是城市性质和功能。按照马克思主义观点，每一历史时期的经济生产以及必然由此产生的经济结构是该时代政治和精神的基础。社会形态的历史演变及其区别决定了文化的时代特征。而社会形态的作用是要通过众多城市的性质和功能发挥的。不同城市的性质和功能直接决定了各城市文化具有不同的特色和趣味。首都和省会作为政治中心，往往是精英文化的大本营；而远离政治中心，更为生活化和世俗化的工商业城市，则是市民文化和通俗文化生长的沃土。当代社会，每个城市都在寻求自身科学而准确的定位，这种城市定位（城市的性质、目标、功能）对城市文化特色的形成起着越来越重要和越直接的作用。

四是文化生态环境。文化生态环境指的是文化体制、政策、氛围和人才结构状况。它们不仅构成了城市文化发展的基本素材和质料，而且构成城市文化形成的基本底色。市场经济体制推动形成的是开放型文化，通常以大众的、活泼的、多样的、个性化的为其特点。在文化政策宽松的地域则会形成百花齐放、百家争鸣的局面，产生多样化的文学艺术和学术文化成果。在史学精英相对集中的城市，自然是史学研究的发达，而在戏剧大师汇聚的城市自然是戏剧文化的繁荣。

城市文化特色的形成和弘扬对城市的建设和发展具有十分重要的作用。

1. *有利于广大市民在心理上形成文化认同，提高城市的凝聚力*。随着物质生活水平的提高，广大市民对精神文化的需求更加迫切，一个只能满足人们物质欲望的城市是缺乏凝聚力的，一个平庸的毫无文化特色的城市对于具有现代文化心理的人来说是无法认同的。现代社会的流动性很大，一座不仅具有较高的经济发展水平，而且具有厚重文化内涵和鲜明文化特色的城市无疑能够吸引更多高素质的人才。尤其对于一座移民城市来说，由于市民来自各方，人们的思想观念、生活习惯有一定的差异，这就更需要通过先进文化的发展和城市文化特色的形成，使市民产生对他所生活的城市的文化认同，把这座城市看成他理想的居住地，激发他们安居乐业、爱岗敬业。

2. *有利于培养和陶冶人们的情操，提高市民素质*。人是环境的产物，良好的文化环境对人们心灵的塑造和情操的培养具有极其重要的作用。有什么样的城市文化特色就会有什么样的风土人情，而良好的社会风气和风土人情则是塑造市民美好心灵、陶冶市民高尚情操的基础。在一个政治文化发达的城市，市民会形成一种强烈的政治责任意识，“天下兴亡，匹夫有责”，人们关心时政，关心国家的前途和民族的命运。在一个崇德厚德的城市，市民会追求人格的完善，重礼节、讲礼貌，奉公守法，关心他人。在一个学习型城市，市民会追求科学文化素质的提高，尊重知识、尊重人才，重视教育、重视对子女的培养。

3. *有利于提高城市的知名度，发展旅游文化产业*。一座城市的知名度往往不在于它的经济发展水平，而在于它的文化特色。一座城市的文化特色越是鲜明，它的国际知名度就会越高。人们向往和憧憬一个城市，很大程度上是为这座城市的独特风格所吸引。人们到外地旅游，说到底是为了感受不同文化背景下的人文风光，体验一种异质文化。当代社会，旅游业作为一种朝阳产业已纳入许多城市的发展战略，成为城市经济发展新的增长点。而旅游业的发展要么以自然景致取胜，要么以人文风光见长。即便是前者，也要在自然中适度注入人文内涵。可见文化特色是对游客产生吸引力的关键因素，是发展文化旅游业的重要资源。

4. 有利于保护文化遗产，展示民族文化的魅力。文化的魅力在于它的民族性和地域性，在于它的多姿多彩。城市文化特色随着历史的积淀，通过城市建筑、城市风俗、城市风貌、文物古迹、居民服饰、方言等而成为文化遗产。因此，对城市文化特色的弘扬，既是对城市文化资源的开发和利用，又是对城市文化遗产的保护。对城市文化遗产最佳的保护手段不是科技的，而是人文的，即进一步弘扬和强化城市的文化特色。“横街窄巷比石油更宝贵”，文化遗产对城市来说，是弥足珍贵的财富，因为越是民族的就越是世界的。

二、深圳文化特色分析

经过20多年的发展，深圳在文化建设上的力度不断加大，亮点日益增多，早已不再是“文化沙漠”。总体上看，随着深圳的文化形态已成雏形，深圳的文化特色正在形成过程之中并已显露端倪。

深圳文化是伴随着经济的快速起飞和现代化建设的迅速推进逐步形成的，这是一种在中国先进文化规范指导下，以市场经济为经济基础，以对外开放为现实背景，与深圳的工业化、现代化相适应的新都市文化，是一种正在焕发勃勃生机的朝阳文化。只要稍稍接触深圳，初步涉猎深圳文化，不难感受到这一文化的表层特色是新颖性、多样性和通俗性，而这种表层特色却内涵着以下几个方面的精神特质。

一是创新求异。深圳是我国新文化现象的重要发源地，“深圳的重要经验就是敢闯”。这里曾创造了许多震撼全国的第一，这里是改革开放以来中国产生新鲜事物最多的城市。尤其在观念文化上，改革开放的起步阶段，这里发出了“时间就是金钱，效率就是生命”、“实干兴邦，空谈误国”的新呐喊；20世纪80年代末90年代初，这里又推出了“按国际惯例办事”的新理念；90年代中后期又提出了“不让雷锋叔叔吃亏”的新思维。这些超前而崭新的观念，呼唤和推动了中国的改革开放、深圳的国际化城市建设以及市场经济条件下的精神文明建设。在其他文化样式以及文化运作方式上，这里较早提出并推出企业文化、社区文化、广场文化、旅游文化、主题公园，较早走出了经济与文化相结合的路子，较早探索了采取人才组合机制制作文化精品。在生活方式上，深圳人在追求时尚和品位中体现出求异、创新和超前。无论是生活环境的美化，还是居室的装修、布置；无论是业余的休闲方式，还是女性的服饰样式，深圳都引领着潮流。正是创新和求异的内在冲动使深圳产生出许多新的文化生长点，并使其文化内涵越来越丰富，文化形式越来越多样。

二是务实致用。深圳文化与市场和经济生活的结合度高，文化发展要服从经济的发展和体制的创新，不尚务虚，讲求实效。因此在社会科学研究上，要求“贴近改革开放、贴近经济建设、贴近领导决策”。深圳书城年售书量多年来居全国单店前列，但它售出的绝大多数是适用于个体竞争需要的实用类书籍。在文艺取向上教育功能必须服从娱乐功能和经济效益。这一特点，既与它所肩负的历史使命有关，又与深圳的文化资源配置方式有关。深圳的文化资源主要是通过市场来配置，深圳的文化产业主要靠企业自主运营。企业从事文化生产自然首先要考虑市场的需求和受众的需要。这种文化与经济和市场的结合与渗透恰恰体现了当下中国文化体制改革的基本方向。

三是宽容大度。深圳倡导“支持改革者，容忍失误者，惩处腐败者”。深圳人胸怀宽阔，气量宏大，宽以待人。在深圳，无论是机关干部，还是打工青年，你都没有作为"外乡人"的心理压力。深圳"排污不排外"，不以"非我族类，其心必异"的狭隘心理对待异质文化。人们不嘲笑事业上的失败，不打压观念上的新奇，不歧视生活方式上的独特，体现出一种文化平权主义。只要不涉及严重的意识形态问题，深圳接受和接收一切有差异的文化观念、文化方式和文化模式，给其以存在的合理性。这种宽容大度构成深圳文化创新和快速成长的沃土。

四是兼收并蓄。文化的宽容和平权必然会带来文化的多样化，形成多元共存的文化格局。在深圳，人们不仅能感受到西方文化的影响和港台文化的渗透，更能感受到中原文化的浸润和岭南文化的承传。这里不仅有着遍布全城的西方人爱吃的"麦当劳"和"比萨饼"连锁店，更能享受到全国各地的美味佳肴；这里既有外国人喜欢的酒吧和咖啡屋，又有中国人爱去的茶馆和面馆。深圳实际成了境内外文化汇集的"蓄水库"，成了中西方文化展示的"大舞台"。"世界之窗"和"民俗文化村"正是这一"水库"和"舞台"的典型。这种文化的兼容并蓄精神和多元共存格局为承继中华民族优秀传统文化，汲取先进外域文化的成果，实现文化创新提供了良好的条件。

五是大众为先。深圳不处于政治中心，人们更多地关注世俗生活，加上它的文化与市场的结合度又高，文化消费群体主要是几百万的打工青年，这就使得深圳文化在品位上是以通俗性、娱乐性为特色，在文化结构上以大众文化为主体，严肃的高雅文化、精英文化不发达。深圳文化的旨趣注重直观，讲求感性的娱乐，以获得人们心理上的平衡和放松，而较少诉诸理性和思辨，因为它较少承载学术的使命。大众为先体现出深圳文化的平民色彩，正是这一特色使得深圳文化极富活力和生命力。

深圳文化的上述特质表明，深圳的工业化、现代化的精神和文化基础是新市民意识。它是一种以新集体主义为核心内涵的合理主义。与小市民意识相比，虽都以务实为基点，但新市民意识更具理性，更具创新的冲动，更为宽容别人，更为尊重别人的文化选择。

深圳作为现代都市不是自然演进的结果，而是政策所使然，因此，不能把深圳文化简单归结为岭南文化，作为岭南文化的一个支脉。但深圳毕竟是在岭南大地上崛起的，深圳的建设者中有一大批岭南儿女，这就意味着岭南文化对深圳文化特色的形成不可能不产生影响。岭南文化的基本特质表现在：重商、受用、开放、兼容、多元、忤逆、远儒等。从这里我们可以看到深圳文化与岭南文化在基本特质上有许多相通性，可以看出岭南文化对深圳文化的影响，但这种影响对深圳文化特色的形成并不是根本性的，深圳文化更不是岭南文化在一定地域空间的简单复制。

对深圳文化特色形成起根本性作用的是其城市的性质和功能，最重要的是她作为经济特区，作为中国改革的"试验场"和对外开放的"窗口"。这种城市的性质和功能要求深圳必须敢闯敢试，开拓创新，务求实效，从而找到快速实现中国现代化的现实道路；这种城市的性质和功能要求深圳必须打开国门，引进和吸纳对深圳发展有利的经济、政治和文化资源，海纳百川，辩证兼容，从而找到适合中国发展需要的经济体制、政治体制和文化体制。岭南文化与深圳文化的相通性，正在于它们都承载着如何率先实现由农业文明向工业文明过渡，如何在中国工业化进程中起示范带动作用的历史使命。由于地域关系，传统岭南文化在中国工业化和现代化的最初启蒙阶段就承载着率先探路的使命，使这里的商品经济起步较早，经济比较发达，同时成为中西方文化的重要交汇点，只是改革开放前，这种探路还主要局限在较低的技术和器物层面，并没有上升到理性的自觉，而经济特区承载的探路已上升到体制和机制层面，并成为一种自觉的国家发展战略。

对深圳文化特色的形成起作用的另一重要因素是移民城市的性质。深圳是一个典型的移民城市，移民在社会人口结构中占绝大多数。移民的基本心理特征是：一切的价值观念、伦理原则和行为习惯都必须服从个体的生存和发展，该学则学，该变则变。在移民社会，对众多的“外乡人”来说，要在新的土地上生存并发展，惟有拼搏、冒险、开拓、进取。在移民社会，一般来说，特定的地域文化不占绝对主导地位，为了让“别人”尊重你，你就必须尊重“别人”，宽容异己。

三、对深圳文化定位的战略思考

文化的定位是一个地区或城市走向文化自觉阶段的理性选择，但这种选择不是无前提的、随机性的，正确的选择必须考虑到自身的文化传统、文化资源以及地域功能与特色。因此，城市文化的定位与城市文化特色是内在关联着的。从逻辑上说，特色制约着定位，定位应体现特色。

深圳并不处于中国传统文化的源头地区，历史的厚度和传统文化资源十分短缺；从深圳的文化特色看，它大体反映了现代文化世俗化、技术化、市场化和多元化的大趋势；从地域特征看，深圳毗邻现代化的国际大都市香港，社会开放度高，已具有相当浓烈的现代都市气息，且自身要建设国际化城市，这就意味着深圳文化的定位不可能是传统的，而应该是现代的。人们关心和关注深圳，不是因为在这块土地遥远的过去曾发生过什么或留下了什么，而是因为这个城市和地区在现时代曾创造了什么或还应该创造什么。深圳的文化定位只能是现代文化。1996 年制定的《深圳市精神文明建设“九五”规划》将深圳文化发展目标定位为建设“现代文化名城”，使之成为中外文化交流的窗口，文艺精品与优秀文化人才荟萃的中心，现代文化艺术产品生产的基地，文化艺术商品的交易市场。这个定位除了对文化的理解有些过窄外，应该说基本上是科学的，符合深圳城市文化特点和现实发展需要。

当下深圳又进一步提出了“文化立市”战略。如何实施这个战略，建设现代文化名城，一般都从文化设施建设、文化产业发展、文化结构布局、文化活动开展、文化体制改革、文化政策调整、文化人才培养等方面做出思考。问题在于，在这个思考过程中，我们不能仅仅着眼于量的扩张，更要考虑到内涵的丰富性和特色的鲜明性。按照建设现代文化名城的目标定位，深圳的文化建设应充分体现其“现代性”，体现其已露端倪的现代文化特色。深圳的文化建设要突出“现代性”，以下几个方面的问题尤其需要引起我们的足够重视：

首先，要以发展社会主义先进文化为导向，突出文化建设的时代性、先导性和创新性。文化的力量与其先进性程度成正比，当下中国寻求现代性的本质是为了寻求先进性。先进性就是要体现时代性、先导性和创新性。对一个国家和地区来说，先进的文化可以采取借鉴吸收的办法，即着眼于世界科技文化发展的前沿，勇于把人类一切优秀的文明成果化为自己的血肉。但更重要的方式是提升自身的文化原创力。这是因为，一个只能购置和重组外来文化资源而不能培育和输出自己原创文化作品的民族是不能引领世界文化潮流进而真正弘扬和发展自己的民族文化和地域文化的。提升文化竞争力的关键是增强文化的原创力。

对深圳来说，目前提升自身的文化原创力显得十分重要和必要。过去说深圳创新，主要还是着眼于计划经济时代的经济政治和文化背景，局限在中国的内陆范围，现在看来，当时很多的创新其实不过是借用和移植。当下深圳执意要把自己的文化产业做大做强，在操作思路上，我们就不能简单地将深圳作为文化产品的加工制作基地，而要能够生产和掌握其产品的“核心技术”，即有能力产出一大批集思想性与艺术性、知识性与趣味性、教育性与娱乐性为一体的原创性作品。大众为先是深圳文化的一大特点，但深圳追求的大众文化不应该是平面化的无思想深度的技术主义作品，而应该是像《水浒》、《西游记》这样的充溢着丰富思想内涵和高超艺术技巧的通俗文化精品。对深圳来说，不应把大众文化与精英文化绝对对立起来，应实现二者的相互渗透，实现精英文化的大众化，大众文化的精品化。

其次，寻求文化与市场的良性互动机制，形成由多元文化组合、多种板块集成的，结构相对合理的文化体系。文化立市，建设现代文化名城必须建立相对完善的文化体系。这一体系应是多元文化组合的、多种板块的集成。文化的多元组合不仅指文化样式和活动方式的多样化，还指投融资方式和文化消费方式的多样化，更重要的是价值观念的多样化。对深圳来说，一方面要努力使建设社会主义经济特区，建设具有中国特色、中国风格、中国气派的国际化城市成为人们共同追求的社会价值目标，另一方面又允许人们自由选择自己的生活目标和方式，构建自己的价值体系。因此，现代性要求我们不应简单地采取传统的机械方式来提倡什么和反对什么。关键是要建立并完善一种与我们的主流意识形态相协调、并体现多元特质的现代文化机制。这个机制形成的关键是民主与法治。

文化从结构上分，一般包括公益文化板块、演艺文化板块、娱乐文化板块、科教文化板块、传媒文化板块、社区文化板块、民俗文化板块和体育文化板块。对深圳来说，目前的问题是包括博物馆、图书馆、纪念馆等在内的公益文化板块及体育文化板块等不够发达，尤其重要的是，包含在科教文化板块之中的学术文化很不发达，而学术文化是文化灵魂的精髓所在。一个社区文化、娱乐文化欠发达的城市是缺乏生机和单调乏味的；一个学术文化缺乏的城市是没有品味和缺乏创造力的。学术文化的落后，意味着这个城市的文化还不具备真正意义上的现代特质，因为它缺乏与别人平等对话的资格和能力。

多元文化组合的、多种板块集成的、结构相对合理的文化体系的形成，自然离不开党委和政府的规划、协调和政策引导，而从内在机理上说，应寻找文化与市场的良性互动机制。从总的思路上讲，一是要遵循市场经济规律，充分利用企业力量来开发文化资源，促进文化产品的生产和传播；二是充分利用、吸收社会资金和力量来发展和繁荣文化事业与文化产业；三是要利用"藏艺于民"的优势，采用人才组合机制开展具有深圳特色的文化精品生产，提高深圳城市文化的影响力和辐射力。

第三，塑造具有现代科学精神、人文精神和民主法制意识的现代市民群体。现代文化的主体支撑是现代市民群体的形成。什么是现代人，中外很多学者都从创新意识、开放意识、时效意识、竞争意识、敬业意识等方面做出界定，但这还只是一种经验描述，人的现代化的最本质的东西是具有现代科学精神、人文精神和民主法制意识的公民人格的形成。英格尔斯说："如果一个国家的人民缺乏能够赋予先进制度以生命力的广泛的现代的心理基础，如果掌握和运用先进制度的人本身在心理、思想、态度和行为上还没有经历一场向现代性的转变，那么失败和畸型的发展就是不可避免的。"英格尔斯强调，在任何社会、任何时代，人都是现代化进程的基本因素。只有国民在心理和行为上都发生了转变，形成了现代的人格，现代的政治、经济和文化机构中的行政人员都获得了人格的现代性，这个社会才能称得上是真正的现代社会。

从整体的深圳市民素质来看，具有现代科学精神、人文精神和民主法制意识的现代成熟的公民人格远未形成，因为人们还不时地看到在一些人身上的子民人格和暴民人格。对子民来说，他的人格是不独立的，依附性的，自己不能代表自己，意识不到自身的权利和利益结构。对暴民来说，自我是惟一的价值所在，什么法律、道德、权威、纪律，一切规范都不能成为束缚他的力量。培育成熟的现代公民人格，需要将法治与德治结合起来，学校、家庭、社会相协作，党政、群团齐抓共管，将科学精神、人文精神以及民主法制精神注入到公民的血液中。

第四，营造凝聚现代人类智慧、情感、想像力和审美趣味的城市景观。城市是现代人类文化发展和展示的平台。城市文化特色既深层地体现在市民的精神品质、文化作品以及日常的生活习俗中，同时也表现在城市的环境设计和建筑风格上。城市建筑的造型、风格、色彩，城市的道路、广场、公园等等都应该具有文化个性和艺术感染力。有人说，打乱了北京中轴线的城市布局，没有了故宫和四合院，我们就难以领略北京的文化；没有了外滩、小洋房、石库门及上海人对逼仄空间的高度敏感，我们就难以领略到上海的城市文化；没有高大的风火墙和精雕细刻的横梁门窗，我们就难以领略到江南的徽州文化。城市文化特色有一个生长发育的漫长过程。城市景观不仅是城市文化特色的体现，它的风格的形成对陶冶市民独特的精神气质有着十分重要的作用。

深圳的城市景观建设应该立足亚热带的气候条件和海滨城市的自然地理位置，按照建设现代文化名城的目标定位，营造凝聚现代人类智慧、情感、想像力和审美趣味的栖居空间。这一空间的营造应遵循在多样性中体现出主导性和统一性的原则。其主导性和统一性的基本内涵应该是现代的、先锋的、前卫的、清新的、活泼的。无论是建筑景观、雕塑景观还是园林和小区景观的营造都应遵循这一原则，使深圳的文化特色和文化品位首先在空间上得到充分体现。从深圳目前的城市景观建设来看，存在的主要问题是：能够真正体现现代人类的智慧、情感、想像力和审美趣味的标志性建筑过少，琐碎中难见大气；城市布局中，高起点规划、高标准建设、高效能管理尚未真正到位，杂乱中难见优美；在城市公共空间里，作为“凝固的音乐”、“传神的眼睛”的城市雕塑群尚未形成，平淡中难见品位。从文化特色和审美的角度来看，深圳的城市规划和建设还任重道远。

深圳的文化建设已进入理性的自觉阶段，随着建设国际化城市和“文化立市”战略的逐步推进，深圳的文化一定能找准自己的位置，在大发展中体现出自己的鲜明特色、个性和魅力。

提升深圳城市文化品位的思考与对策

吴俊忠

中共深圳市委三届六次全会确定了建设高品位文化城市的目标，明确要“把深圳建设成为国际化城市”。三届八次全体(扩大)会议又进一步明确了国际化城市的定位，提出要努力把深圳建设成为“高科技城市、现代物流枢纽城市、区域性金融中心城市、美丽的海滨旅游城市、高品位的文化生态城市”。因此，如何提升深圳城市文化品位，就成为一个十分现实的问题。解答这一问题，仅靠理论探索不行，只凭现实观照也不行。必须以科学理论为指导，紧密联系深圳城市文化的现状和发展趋势，围绕深圳城市发展的理念和定位，进行科学、理性的分析和解答。

一、国际化城市的文化标准与文化品位

西方学者彼德·霍尔 1984 年在《世界城市》一书中提出了衡量“世界城市”的 7 条标准，其中 3 条是关于文化的标准：一是各类专业人才集聚的中心，有众多的大学、大医院、图书馆、博物馆和各类科学技术、文化艺术研究机构；二是信息汇聚和传播的地方，有发达的出版业、新闻业及广播、电视网总部；三是娱乐业成为主要产业部门。

经过历史发展和文化变迁，目前国际公认的国际化城市的文化标准主要有以下几个方面：1. 报纸、出版、广播、电视等媒体行业相当发达；2. 图书馆、博物馆、剧场、电影院等文化设施的数量和质量名列前茅；3. 教育和科技产业优势明显。

上述国际化城市文化标准，大多是城市物质文化的直接体现，或者是精神文化的物质载体，属于城市文化的外在表现，而国际化城市的文化品位，除了文化的外在表现外，还应包括城市文化的内涵和韵味，如城市形象的鲜明个性和世界风范；城市精神的民族特色和国际意蕴；市民群体的文化修养和全球意识，等等。

国际化城市的文化标准和文化品位，是互为体现、相互依存的两个方面，是城市物质文化和精神文化的综合体现，亦是高品位城市文化的国际标准，既可观，又可感。就我国许多城市国际化的历史进程和现实状况来看，一个真正意义上的国际化城市，应当向世人展示城市形象、城市精神和市民素养的内外和谐，以达到文化品位高、经济实力强、城市特色明的境界。因而必须具备：高境界的现代城市精神；高档次的城市文化设施；高素质的现代市民群体；高水平的文化艺术产品；高格调的文化娱乐活动；高辐射的文化传播系统；高效率的文化管理机制。

二、深圳城市文化品位的现实评估

评估深圳城市文化品位，若依据国际化城市的文化标准，逐条加以对照，就难免流于一般，失去特色。故本文侧重从精神文化层面分析深圳城市文化的优势和亮点，问题与不足。

深圳是一座只有20多年发展历史的年轻城市，惟其年轻，所以具有创新特色和青春活力，也惟其年轻，难免存在文化积淀不厚、文化韵味不足、“亚文化”纷杂无序等问题。优势和问题的并存，成为观照深圳城市文化品位的独特视角。难能可贵的活力，是深圳城市文化的鲜明特色，文化积淀和文化韵味的不足，以及“亚文化”无序等问题，则是提升深圳城市文化品位需要面对和解决的现实问题。

活力既是深圳城市文化的特色所在，也是其文化发展的优势所在。由此，《中国城市竞争力报告》把深圳的“文化竞争力”评为中国第一，引起世人的广泛关注。对于深圳城市文化的优势，学者们有不同的认识和表述。有的认为，深圳存在着“决策优势、区位优势和移民文化优势”，“移民文化的好处是多元文化的汇合，各地的文化资源汇合之后形成一种崭新的富有生命力的文化”，“深圳应该把移民文化的优势巩固发扬，让它制度化、体制化”。有的则认为，深圳文化具有新颖性、多样性和通俗性特色，这种特色有着创新求异、务实致用、宽容大度、兼收并蓄、大众为先的精神实质，大众为先体现出深圳文化的平民色彩，正是这一特色使得深圳文化极富活力和生命力。笔者以为，体现深圳城市文化品位的文化优势，可从文化特征和文化结构两个角度来看。从文化特征看，深圳城市文化客观上有三大优势。一是文化开放和文化兼容的态势好。开放的文化心态，灵活的文化机制，多元的文化观念，形成了海纳百川、尊重多样、追求竞争的文化态势，显现出与开放城市和市场经济相适应的文化活力。二是文化集聚和文化辐射的力度大。多元并存的移民文化，中西融会的港台文化，特征迥异的西方文化，以及本土的岭南文化等，在深圳自然融会，势不可挡。与此同时，通过外来劳务工返乡、媒体传播等形式，深圳文化对广东乃至全国产生着广泛的影响。三是文化引领的先导性强。面向现代化的新颖文化观念，面向世界的开阔文化视野，面向未来的超前发展意识，充分体现出深圳文化特质的先进性和引领文化发展趋向的先导性。深圳成为全国公认的思想观念最新、发展变化最快、现代气息最浓的城市。从文化结构看，深圳的物质文化、制度文化和精神文化，各具优势，相互辉映。已建和在建的各类高档文化设施，显现出深圳物质文化发展的经济实力；深圳市人大的地方立法权，彰显出深圳制度文化完善的法律保障；宽松的社会人际关系，以及市民自我实现和自我解放的现代观念意识，展现出深圳精神文化提升的思想基础。深圳完全有条件承担建设高品位城市文化的历史使命。

深圳城市文化品位的提升，除了有较好的基础和条件外，同时也必须面对文化积淀和文化韵味不足、“亚文化”纷杂无序等问题。深圳在改革开放初期所担负的“窗口”和“试验场”角色，决定了它不是自然生成和发展起来，而是在特殊时期特殊政策的作用下快速发展起来的一座新城，因而必然缺乏文化的深邃感和厚重感。对此，必须充分重视，但也无需妄自菲薄。只要认识和措施到位，缺失和不足就可转化为激励文化建设和文化提升的动力。至于与深圳主体文化不相融合的“亚文化”纷杂无序现象，在某种意义上是与深圳移民文化伴随而来的必然存在。多元的移民文化，在文化融合的过程中，由于受文化主体即移民自身素质的影响，必然有徘徊和疏离于主体文化之外的文化现象，如同乡观念驱使下的宗派主义、小团体主义和地方主义，带有明显的农村文化痕迹的封建落后思想，以及不讲科学、不讲理性、不遵法纪、不守规范的投机冒险行为和自由主义倾向，等等，在客观上成为与主体文化相脱节的“亚文化”现象。这种现象的存在虽然有其必然性，但影响到城市形象和城市文化品位，必须着力改变。

三、提升深圳城市文化品位的具体对策

城市文化品位的提升，涉及到物质文化、制度文化、精神文化等各个层面，为了切合深圳实际，突出当前重点，本文侧重从精神文化层面论述。

(一)进一步明确深圳城市发展理念和城市形象定位

城市发展理念和城市形象定位，是城市文化发展的目标选择和价值体现，也是城市文化品位判断的重要依据。深圳在发展进程中，关于发展理念和形象定位，曾有过多种表述，既有比较简洁的概念性表述，如：“现代化国际性城市”、“现代文化名城”、“高品位的文化城市”、“国际化城市”，等等，也有比较具体的阐释性表述，如：“中外文化交流的窗口，文艺精品与优秀文化人才荟萃的中心，现代文化艺术产品生产的基地，文化艺术商品的交易市场”，等等。表述的多样性体现出城市发展理念的不确定性，也表现出认识的不断提高和升华。在新的历史阶段，为了适应提升深圳城市文化品位的现实需要，必须进一步明确城市发展理念和城市形象定位。

广东省委书记张德江同志视察深圳时明确指出，深圳要建设成为具有中国特色、中国气派和中国风格的国际化城市。这可以作为深圳明确城市发展理念和城市形象定位的总体指导思想。按照现代城市文化理论，深圳当前应落实以下几个方面：

1. 准确表述城市发展理念和城市形象定位

除了上述市委三届八次全体(扩大)会议对国际化城市的定位表述外，还可以作一些更具体的表述。

可供选择的方案有：

①敢于创新、最有活力的城市(展现深圳的城市特色)；

②最有利发展、最适合居住、最有安全感的城市(体现深圳的城市功能)；

③思想观念最新、发展变化最快、现代气息最浓的开放城市(显示深圳的城市风格)；

④高科技、生态型、园林式花园式现代化中心城市(表现深圳的城市风貌和文化内涵)。

2. 强化城市发展理念与城市形象定位的外在标志

城市发展理念与城市形象定位的外在标志是一个系统，包括许多方面，就深圳现状而言，要着重强化以下两个方面：

①形象雕塑

A、开荒牛形象(除了在市政府门前有此雕塑外，可在海滨公园等人群密集的地方都增设此雕塑，使之成为深圳城市精神的形象体现)；

B、大鹏形象(大鹏不仅是大鹏镇的标志，更是鹏城深圳展翅腾飞的形象标志。可考虑开辟一个文化广场，并在广场上设立大鹏雕塑)。

②广告标牌

在市区各开阔、醒目之处，树立体现深圳城市精神风貌的广告标牌。

可供选择的方案有：

▲ 开拓创新、务实高效、诚信守法、团结奉献(让“深圳精神”广为宣传，深入人心)；

▲ 增创新优势，更上一层楼(表现深圳永不停步、不断进取的精神)；

▲ 倡导科学理性，弘扬人文精神(展现深圳的精神追求)；

▲ 做改革先锋，当文明市民(体现深圳市民的精神特征)；

▲ 深圳给我机会，我为鹏城争光(体现市民对深圳的文化认同)；

▲ 热爱生活，努力奋斗，追求成功，实现自我(体现深圳市民的生活观念和人生境界)；

▲ 有朋自远方来，不亦乐乎(表明深圳是诚招天下客的开放城市)；

▲ 深圳是中国的窗口(体现深圳作为特区城市的独特功能)；

▲ 喜看万商云集，感受文化荟萃(显示深圳是面向世界的国际贸易中心)；

▲ 文化深圳，美化深圳(体现深圳城市环境建设的基本理念)。

(二)进一步凝炼和提升深圳城市精神

城市精神是城市的灵魂。上海等大都市近年都在讨论如何凝炼和提升城市精神问题。那么，究竟什么是城市精神？上海社会科学院历史研究所所长熊同元教授把上海的城市精神概括为8条，即“海纳百川，敢为人先，与时俱进，儒雅大气，诚信守法，天下意识，崇尚科学，天人和谐”。这是以上海为例，对城市精神所进行的个性化表述。学者朱来常先生则对城市精神的内涵和产生途径，作了另一种共性化表述：城市精神受时代精神的制约，它应以积极态度来反映时代精神；城市精神的培育，是建设城市文化过程中最为艰巨的工作，它贯穿于城市的经济活动、政治活动、以及居民的全部生活方式中；城市精神的培育过程也就是实践的过程；离开实践任意拔高、提升城市精神，就会使城市精神成为空中楼阁。没有广大居民的积极参与和实践，就没有城市精神的产生，即使它经少数人制定、提炼出来，也不可能发挥应有的作用。这表明，城市精神是城市文化的核心，是城市文化品位的突出要素，它从根本上决定了一个城市的文化意蕴和发展方向。城市精神不仅要在理论上凝炼，更要在实践中提升。

深圳在其20多年的发展进程中，已初步形成了独具特色的城市精神内涵，如珍惜时间，注重效率，开放兼容，尊重个性，开拓创新，求真务实等。在全国改革开放“万马奔腾”的新的历史条件下，深圳城市精神的凝炼与提升，既要继承以往的文化积累，又要总结深圳市民在经济社会活动中所焕发的新的精神要素，更要体现高品位国际化城市精神追求。根据上述原则，深圳城市精神可概括为：开拓创新，务实高效，开放兼容，尊重个性，科学理性，以人为本，诚信守法，团结奉献，全球意识，浪漫情怀。这10个方面，有相当一部分是现实的深圳城市精神的概括与总结，同时又在很大程度上体现了代表和发展先进文化的精神追求。在凝炼、提升和实践深圳城市精神的过程中，必须明确内涵，注重引导，使深圳城市精神由高度精练的文字表述，变为广大市民自觉的文化行为，从而从根本上提升深圳的城市文化品位。

(三)培育全面发展的现代市民群体

广东省委书记张德江同志在广东建设文化大省工作会议上的讲话中指出：文化建设，从根本上讲是人的建设，核心是全面提高人的素质。人的素质决定了一个国家、一个地区的发展。由此可见，要提升深圳城市文化品位，就必须提升深圳市民的文化品位，即提升市民的综合素质，培育全面发展的现代市民群体。

深圳是个移民城市，市民的综合素质参差不齐，离国际化城市居民素质的要求，还有较大差距，甚至已在一定程度上影响到深圳的城市形象和文化品位。因此，必须把提升市民综合素质，培育现代市民群体，作为提升深圳城市文化品位的根本任务。

有学者认为，北京有贵族精神，上海有绅士风度，深圳没有贵族，只有富族——先富起来的一族；也没有绅士，只有白领。贵族有精神，而绅士有风度，白领则只有仪态。对此，笔者不敢苟同。贵族精神的本质特征是高贵，绅士风度的本质特征是典雅。无论是谁，只要深入深圳的市民生活，就会发现，其实深圳也不乏高贵和典雅。因此，那位学者的看法，至少在认识上有只看部分不看全部，只见树木不见森林之嫌。深圳市民群体在结构上与内地城市不同，不是“两头尖中间粗”(素质特高和特低的人较少，素质一般的居多)，而是成二元对分之势(素质较高的白领和素质较低的“劳务工”两种类型群体共存)。这就在客观上形成了深圳市民群体形象的双重性：白领一族具有较高的学历和较强的开拓创新意识，但迫于生存和发展的压力，在生活方式和行为方式上显得过于“急迫”、“匆忙”，缺乏国际化城市居民的大气和从容；在价值认定和精神追求上也过于务实、功利，缺乏理想情怀和生活韵味；劳务工群体既有重塑自我、追求新的人生目标的可贵精神，又对城市文明知之甚少，在生活方式和行为方式上离科学、文明、健康的要求差距甚远；另外，劳动强度过大、文化生活贫乏的客观现实，又导致他们对深圳这个城市的疏离和不认同，缺乏精神的家园。因此，无论是提升外来劳务工的综合素质，使之逐步摆脱与国际化城市不相适应的观念意识和生活方式与行为方式，还是倡导白领一族的生活艺术化和人生高境界，提升他们的人文素质，使他们避免在市场和商海中迷失自我，都显得尤为突出和重要，都是提升深圳城市文化品位的重要方面。

就具体对策而言，可采取以下途径：

1. 加强对外来劳务工的现代城市文明教育

通过专题演讲、发放城市文化普及读物、进行普法知识教育、开展“深圳给我机会，我为鹏城增光”系列教育活动等形式，将灌输和疏导结合起来，使外来劳务工逐渐摆脱小农意识，增强城市文明观念，加深对深圳的了解和认同，走出疏离环境、忽视自我提升的思想误区，逐步成为与深圳城市环境和发展要求相适应的现代市民群体。

2. 在广大市民中提倡科学、文明、健康的生活方式和行为方式

通过举办“社区文化周”、“读书月”、“鹏城艺术节”等形式，引导市民逐步养成爱书、读书的良好习惯，宽容待人、欣赏他人的人际交往意识，热爱生活、遵纪守法的生活观念，讲究科学、注重理性的生活与工作态度，激励市民从深圳特区创建初期“闯世界”、“捞世界”的生活观念和生活状态中走出来，展现更高的生活目标，努力实现人生的诗化和艺术化。

3. 充分发挥城市精英群体的文化影响和文明示范作用

城市学专家认为，城市中的精英群体是个样板群体，这个样板群体应该是高学历群体，具有现代生活方式和消费方式的群体，同时又是一个富裕的群体，这个群体在构建时尚和生活方式时，对市民社会的方向产生整体性影响。深圳作为新兴的现代化城市，已经吸引了一大批高学历、高职称人员在此集居(有资料统计显示，在全国大中城市中，深圳高学历、高职称人员比例最大)，在客观上已形成了一个高素质群体。关键是要充分发挥他们的文化影响和文明示范作用，使之真正成为“样板群体”，成为广大市民生活方式、消费方式和行为规范的榜样。这可从两方面入手。一方面，政府部门要给精英群体提供平台和机会，激励精英群体增强文化责任感和使命感，鼓励他们站在先进文化的高度，理性地关注和审视深圳城市文化，不断地在电视、报刊等媒体上发表体现先进文化和现代文明的思想观点，以此来产生文化影响作用。另一方面，部分身属精英群体，样板作用不强的高素质人才，要调整自己的角色，尽快从“埋头经济活动、混同普通百姓”的生活状态中走出来，增强文化自觉意识和文化批判意识，思考深圳文化发展问题，弘扬先进文化观念，批判不良文化现象，同时在生活方式和行为方式上体现高格调，引领新时尚，真正起到对市民群体的思想影响和行为示范作用。

（四）塑造文化品牌，建构深圳城市文化的品牌形象

文化品牌是城市文化的亮点，也是品位的标志。深圳在短短的20多年间，已经产生出了一批文艺精品，塑造了不少享誉全国的文化品牌，如歌曲《春天的故事》、《走进新时代》、《又见西柏坡》，电视剧《钢铁是怎样炼成的》，文学作品《花季·雨季》等。这些文化品牌，对于塑造深圳的文化形象起了很好的作用。在新的历史条件下，深圳应努力塑造亮度更强、高度更高的文化品牌，使之成为深圳城市文化的品牌形象。

1. 创办高层次艺术节。策划举办“深圳国际艺术节”（三年一度）和“鹏城艺术节”（一年一度，可把原有的大剧院艺术节提升更名为“鹏城艺术节”），不断提高艺术水平，使之享誉海内外。

2. 创建媒体品牌。在深圳现有的电视、广播、报刊等媒体中，开展“树品牌、创名优”活动，通过精心的策划、选择和建设，推出若干个在全国甚至海外有影响的名优品牌（如电视台、广播电台的品牌栏目，报刊的品牌专刊），使世人一看到（或听到）这些品牌，就想起深圳。

3. 继续推出文艺精品。在现有基础上，进一步发掘文艺工作者的创造潜力，生产和推出一批新的文艺精品。这批新的文艺精品，要避免追求政治时效性和竞争宣传文化大奖的单一模式，体现文化样式的多样化和丰富性，体现艺术质量的高水准，能够成为长久流传的经典和品牌。

4. 推出一批名牌培训机构。在深圳现有的众多培训机构中，精选出经理进修学院、国际人才培训中心、深达专修学院等3至5个条件好、基础厚、影响大的培训机构，按现代化、国际化的高标准加强建设，面向全国及海外开展培训活动，使之逐步成为享誉海内外的名牌培训机构，成为深圳市继续教育和终身教育体系中的亮点。

（五）大力发展学术文化，提升深圳文化的整体层次

早在1997年，深圳就有人发出了“呼唤深圳学派”的声音，虽然这种呼唤类似“畅想”，不无浪漫，但见识绝对是高明的。深圳学术文化的落后是一个客观现实。要提升深圳城市文化品位，就必须提升深圳文化的整体层次，必须大力发展学术文化。须知，一个学术文化缺乏的城市是没有品味和缺乏创造力的。学术文化的落后意味着这个城市还不具备真正意义上的现代特质，因为它缺乏与别人平等对话的资格和能力。

发展深圳学术文化，主要途径有三条：

第一，引进、培养一批学术名人。

深圳不乏学者，缺少的是著名学者。这已成为深圳学术文化落后的一个标志。从一般学者到著名学者，需要一个培养、发展过程。因此，年轻的深圳宜走引进和培养相结合的道路。组织、人事部门要区分引进人才和引进学术名人的概念，后者在某种意义上是发展深圳学术文化的一条“捷径”，需要力度更大、投入更多。缺乏力度，重视不够，投入不足，就难以引进高层次学术名人。与此同时，对深圳现有的具有较大学术成就和较好学术发展前景的学者，要加大培养力度，促使其快速发展。可考虑设立“鹏城学者”荣誉称号（相对应于全国的“长江学者”和广东的“珠江学者”），同时给予相应的待遇和奖励，使之成为代表深圳学术文化水平的学术名人。

第二，推出一批学术精品。

学术精品是学术文化的载体和标志，其体现方式是产生重大学术影响的学术著作和学术论文。近年，深圳已采取一些措施，扶植学术精品出版问世。如推出《深圳社会科学文库》，奖励社会科学优秀研究成果等。也涌现出《文艺美学》、《选择经济》等学术精品。但在数量和规模上仍显不足。因此，采取各种有效措施，推出一批学术精品，是发展深圳学术文化的重要环节。深圳大学、深圳市社会科学院等学术机构要认真做好学术策划和科研组织工作，必要时可由深圳学者牵头，联合市外、省外的著名学者共同开展重大课题研究。通过几年努力，推出一批“产地”是深圳的学术精品，树立深圳学术文化的形象标志。

第三，建立一批重点学术基地。

深圳现有深圳大学、深圳市社会科学院、深圳市委党校、综合开发研究院等教学科研单位。这些单位及其下属的相关科研机构，均具有一定的学术含量，并已形成了若干个学术研究基地，如由教育部和广东省共建的人文社科重点研究基地——深圳大学中国经济特区研究中心，广东省高校人文社科重点研究基地——深圳大学当代中国政治研究所，深圳市邓小平文艺理论研究基地，特区文化研究中心等，但总量偏少，规模效应不够。对此，应做好两方面的工作。一方面，鼓励支持市属教学科研单位，积极申报国家级、省级重点科研基地，另一方面，可考虑建立若干个深圳市学术研究重点基地，在行政上隶属基地所在的相关单位，业务上由深圳市社会科学院统管。这样，不但有利于整合学术队伍，开展重大课题研究，而且可以形成深圳学术研究机构的整体阵容，产生较好的规模效应和较大的学术影响，营造深圳学术文化的氛围。

（六）加强深圳主体文化建设

主体文化是文化学的一个特定概念，又称“主体性文化”。就本质而言，主体文化是指一个民族或时代所顺应的文化精神主流，具体到一个区域或一个城市，其主体文化是指顺应时代精神，具有鲜明的个性特色，体现该区域或城市的文化本质特征和发展趋向的主流文化。文化学者认为：一个国家和地区必须存在主体性文化，这种主体文化的存在与发展，一般具有三种前提条件：一是有较深厚的历史传统；二是基于较为强盛的物质文化基础之上；三是具有伦理性和宗教性。深圳虽没有深厚的历史传统，但有在改革开放进程中积累起来的新的思想文化观念，同时，深圳又有较强盛的物质基础，因此，深圳主体文化的存在与发展，已具有两个前提条件，从本质上讲是充满青春活力的“朝阳文化”。加强深圳主体文化建设，最根本的是要强化深圳的文化特色，确定深圳的文化角色和文化地位，阐明深圳文化的精神价值和文化意义，克服认识深圳文化的种种偏见，构建一个全新的观念文化体系。当前，需要从理论上切实解决以下三个突出问题：

1. 如何看待深圳文化以大众文化为主体的结构性特征？

在历史发展和文化变迁进程中，我们对大众文化的认识也必须与时俱进。在当下文化视野中，大众文化不是低层次文化的代名词，更不是与精英文化完全对立的文化形态。大众文化来自和形成于民众自身，是他们的生活经验和生活体验的自然表达，体现出他们的价值观和文化认同。深圳是一座新兴城市。深圳市民的思想解放和观念更新，带有行为上的普遍性和文化上的共同性，是不分阶层，不分行业的。在深圳，传统意义上的精英文化与大众文化的界限早已淡化，大众精英化，精英大众化，已是不争的现实。因此，决不能因为深圳是以大众文化为主体，就认定深圳文化层次不高，就看不到深圳文化在思想观念上的现代性和先导性。不明确这一点，建设深圳主体文化就会迷失方向，就会把应该坚持的扬弃，把应该扬弃的保留。

2. 如何确定深圳当下的文化角色和文化地位？

著名文化学者余秋雨先生早在1995年就对深圳的文化角色有过形象的表述：深圳既然没有什么文化积淀，有没有可能成为一个新的文化的试验场？如果深圳能够吸纳许许多多新兴的文化模式到那里去试验，这个文化角色也是很可爱的。"1997年，在谈及深圳文化地位时又进一步指出："如果深圳今后的文化构建对未来前景特别有想像力，而这个想像力又那么有魅力，那么便于付诸实现，因此又那么能够裹卷其他城市，那这个城市在新世纪的文化地位就非同小可了。余秋雨先生的这两段表述，明确了深圳的文化角色是"文化试验场"，深圳的文化地位是"对新世纪中国的文化大空间负责"，创造性建构面向未来的新型文化，发挥先导作用。由此可见，深圳的文化角色和文化地位都带有特殊性。我们必须超越传统的参照性思维方式，不把深圳与上海、北京等历史文化名城简单类比，创造性地用发展的眼光来观照深圳的文化角色和文化地位，从而可以自信而自豪地认定：新世纪新文化模式的试验角色非深圳莫属；深圳的文化创新和文化辐射的地位与作用是不可替代的。

3. 如何构建全新的观念文化体系？

构建全新的观念文化体系，是深圳的文化特色、文化角色和文化地位的综合体现，是文化创新的核心内涵。早在1994年，笔者就提出使优秀民族文化的内在精神和具有进步意义的现代文化观念，以及党和政府倡导的文化精神，有机地融合在一起，逐步建构一个全新的、寓古今中外文化于一炉的特区文化体系，并使之广泛传播，深入人心，为广大特区人民所乐意接受和自觉奉行的观点，时至今日，这一观点除了在文字表述上需作些调整外，基本思想仍是可行的。通过建构一个全新的观念文化体系，把深圳发展进程中涌现和积累的新思想新观念，加以有机整合和整体提升，以达到理论创新和文化创新之目的。纵观深圳文化的发展进程，透视当下的文化现状，这个新的观念文化体系已基本形成，但还需要进一步丰富和完善。在理论上可概述为：深圳应建构一个全新的代表先进文化前进方向的现代观念文化体系，表现在政治文明方面，是民主意识与法治观念的有机统一；表现在社会生活方面，是崇尚创新、追求知识、讲究理性的系统结合；表现在人际关系方面，是诚信、宽容、互爱的完美协调；表现在自我意识方面，是自主性、创造性和责任感的完整统一。我们相信，这样一个新型的观念文化体系的建立，将成为深圳城市主体文化发展和城市文化品位提升的重要标志。

深圳城市主体文化建设是一个渐进过程。上述三个问题的解决，必将推动深圳主体文化的建设与发展。由此，我们可以预测：未来的深圳城市主体文化，其核心是体现现代科学精神和现代人文精神的文化价值观；其外在表现是丰富的物质文化、科学的制度文化和先进的精神文化的融合；其文化功能是促进深圳市民的全面发展，推动深圳社会的全面进步。届时，国际化城市深圳将更加生机勃勃，举世瞩目。

抓住机遇，加强创新，加快海南经济特区的发展

周文彰　王志盛

海南经济特区自1988年创办以来，已经走过了15年的奋斗历程。15年来，海南积极发挥自身的政策、区位和资源优势，紧紧抓住世界产业转移和新一轮科技革命的机遇，深化改革，扩大开放，取得了巨大成就。

眼下，海南要继续抓住经济全球化的机遇，在制度创新和扩大开放上下工夫，努力打造更加优越的投资环境，争取更大发展。

一、能否抓住机遇、加强创新，是我们事业盛衰的关键

在中国近现代史上，曾经出现过三次重大的国际战略机遇期。中国在这三次机遇面前的不同表现，决定了自身的盛衰。

(一)第一次机遇：地理大发现与西方世界的兴起

1500年代的地理大发现，是世界历史伟大的转折点。美洲、亚洲新大陆的相继发现，开辟了欧美和欧亚大陆的海上通道，极大地促进了世界商业贸易的发展，向人们展示了巨大的市场潜力和广阔的开发前景。

西方世界抓住这次机遇，加强"制度创新"，推动"商业扩张"，实现了自身的飞跃发展。

1. 制度创新方面：

①推进国内政治一体化进程，建设民族国家。民族国家的兴起，是近代欧洲最重要的事件。它强化了王权，结束了欧洲四分五裂的政治局面，统一了国内市场，并在此基础上进行一系列重大变革，从制度上鼓励和保障商业活动，为商业冒险保驾护航。

②改革土地制度，实行土地私有化。在这方面，最著名的当属英国的"圈地运动"。"圈地运动"改变了中世纪继承下来的、小而分散的、条块式的土地分布格局，使土地连成一片，并对之进行集约化、科学化经营，大大提高了土地的生产率，为英国工业发展提供了充足的羊毛、粮食和自由劳动力。

③消除特权和垄断，发展国内市场。荷兰、英国采取有效措施，打破行会、官僚、贵族、王室等对商业活动的垄断和限制，打破地区之间的分割和封锁，统一国内市场，鼓励自由贸易，促进了劳动力、资本等生产要素的自由流动。

④发展议会制度，依法保障私有产权。议会制度对促进西方世界的发展起到十分重要的作用。国会主要由新兴商人阶级和土地贵族组成，有权规定税收水平，阻止王权做出低效或无效的制度安排，有效地保障了经济的良性发展。"国会至上和习惯法中包含的所有权将政治权力置于急于利用新经济机会的那些人的手里，并且为司法制度保护和鼓励生产性的经济活动提供了重要的框架。"

⑤发展信用制度，降低交易费用。契约书、汇票等延期支付手段的发展，提高了资金的使用效率；银行、证券交易所、股份公司、保险公司、公证人制度等的发展，则扩大了融资渠道，降低了市场风险。

⑥依法保障知识产权，鼓励科技创新。专利法的制定和实施，有效地保障了知识产权，提高了技术创新的私人收益，降低了技术创新的风险；各类科研团体的成立，则整合了人才资源，提高了科研水平。

2. 商业扩张方面：

①争夺殖民地，掠夺财富。葡萄牙、西班牙、荷兰、英国和法国在东亚、美洲和非洲展开激烈的争夺，建立了各自的殖民地，并从中掠夺香料、茶叶、咖啡、黄金、白银等大量财富。

②发展对外贸易。各国纷纷开辟商路，建立贸易据点，组建商船队，发展对外贸易。欧洲的朗姆酒、布匹、枪炮及其他金属产品运到非洲，非洲的奴隶运到美洲，美洲的蔗糖、烟草和金银运到欧洲。

③发展新兴工业。商业的发展为欧洲的工业，尤其是制造纺织品、火器、金属器具、船舶以及包括制材、绳索、帆、锚、滑轮和航海仪器在内的船舶附件的工业提供了很大的、不断扩展的市场。英国抓住这个机遇，大力发展采矿、冶金、化学工业，发展火炮、黑色火药、硝石、玻璃等制造业，并迅速占领了世界市场。

④发展海上力量。一是发展海军，依靠军事力量争夺商品市场和原料产地，并为海上贸易保驾护航。二是组建商船队，提高海上运输能力，扩大海外贸易的规模。

⑤对外移民。西、葡、荷、英、法等国将大量的人迁往新大陆，一方面，促进了新大陆的开发，另一方面，则减轻了人口特别是农村人口的压力，促进了工业化和城市化。

总之，欧洲通过一系列制度创新，创造了富有效率的经济组织和体制结构；通过商业扩张，占领了广阔的商业市场和原料产地，掠走了巨额财富。二者相互促进，共同造就了西方世界的兴起。

在历史的机遇面前，明代中国却将力量转向内部，把无穷无尽的海洋留给了西方的冒险者。

(二)第二次机遇：西方工业革命与日本的现代化

始于18世纪中期的工业革命，是技术创新与组织创新相结合的结果：1. 发明出自动机械来代替生产中的人手和人脑，飞梭、水力织布机、蒸汽机、大规模生产线等的发明，使人类生产的机械化水平大规模提高；2. 创造出新能源，热能、电能、煤炭、石油等新能源的开发利用结束了人类对畜力、风力和水力的由来已久的依赖；3. 对物质进行重大改造；4. 交通和通讯技术也取得巨大进步。电报、电话相继问世，开凿了运河，修筑了公路和铁路，发明了汽船；5. 工业生产的组织形式也发生历史性变革，人类实现了从手工业到领料加工再到工厂制造的跨越。

这些技术和组织变革，使西方世界发生巨变；生产力迅猛发展；工业取代农业，上升为主导地位；城市化进程加速推进；投资活跃。

日本抓住这次机遇，积极进行改革，全面学习西方的制度、技术和文化，成功地走上了现代化之路：

1. 建立权威的中央政府。几百块贵族领地被置于中央统治之下，并被合并成75个县，后来又被合并成50个县。

2. 打破等级和特权，实现社会平等，促进社会流动，鼓励国民经商办企业。

3. 向“全世界”寻求知识。大量学生被派往国外，大批外国教师请到日本。在明治时代，日本人大约雇佣了2000名外国人，传播技术。

4. 大力扶持工业发展。1884年，政府通过了发展工业的10年计划，积极向私营企业提供信贷、补助和技术援助，鼓励个人可以自由拥有土地。政府把自己创办的、发展较好的企业交给私人经营，其主要精力则放在私营部门无法解决的妨碍经济发展的环节上，大规模进行交通和通讯建设。

5. 普及教育。明治维新四年之后的1872年，日本颁布了第一个全国教育法，规定国民不分男女都要接受四年义务教育。到1907年，增加到六年，到那时，97%以上的学龄儿童已在公立小学上学了。1900年，日本拥有的大学、博物馆、研究中心和图书馆，可与西欧媲美。

这一系列改革措施，使日本成功地搭上了西方工业革命的快车，迅速改变了原来大大落后于中国的状况，相继击败了中国和俄罗斯，跻身于世界强国之列。

在这次机遇面前，清政府也强烈地意识到要向西方学习。但是，中国没有像日本那样一开始就全面革新政治经济制度，而是在传统的以自我为中心的心态下进行试图调和矛盾的逐步自我反省、重新评价和重新组织，洋务运动、变法维新、立宪等步履蹒跚，收效甚微，最终丢掉了时间，丢掉了机遇，使自身的衰亡不可逆转。

(三)第三次机遇：冷战与东亚的崛起

二战后，美苏两霸的冷战对峙，以及科技革命的第三次浪潮，再次为许多国家提供了重大的战略机遇。日本、韩国、新加坡等国家和中国香港、中国台湾等地区，抓住这次机遇，加快发展，创造了“东亚奇迹”。

以日本为例。它在政治外交上完全倒向美国，并因此获得美国的经济援助、科技支持和商品、原料市场，加上对美苏对峙创造的发展空间以及朝鲜战争和越南战争提供的机会的利用，日本很快从战争废墟中崛起，实现了经济的复兴和迅猛发展。具体说来：

1. 获取美国的巨额经济援助。从1945—1969年，美国提供的用于发展经济和作为军援的贷款和赠款，总数大约达1380亿美元。日本得到了40多亿美元。

2. 大规模学习和引进美国的先进技术，以此改造传统产业，提升工业结构。1955—1961年，仅日本生产力中心便派出2500名商人、工程师以及其他研究人员到美国调查先进技术，并研究如何运用于日本。

1950—1968年，日本与美国大约签订了10,000项进口技术的单项协定，总金额将近15亿美元。这些技术引进集中于具有重大战略意义的工业发展部门，使日本的工业按照当时能够达到的最先进的水平得到重建。汽车、钢材、手表、照相机、数控机床、计算机等资本和技术密集型产业迅速兴起，其产品大量出口到美国。

3. 开拓国际市场，扩大出口。美国为日本的工业提供了市场，而且在美国的帮助下，日本进入了所有重要的国际组织和西方世界的市场。在20世纪50年代，日本的出口额大约每年增加15%，比世界贸易额的增长率高出一倍以上。它同美国的贸易逐渐占它的贸易总额的1/3左右，日本成了美国第二大贸易伙伴(仅次于加拿大)。

这一切，使日本在20世纪60年代至80年代创造了经济奇迹，跃升为世界第二经济强国。

可惜，在世界经济蓬勃发展的20世纪六、七十年代，中国却把大量的精力浪费在内乱上，搞自我封闭，丧失了许多机遇。

二、经济全球化是中国面临的又一次战略性的国际发展机遇

经济全球化是当今世界的一大特征。它指的是在当代科技巨大进步的推动下，商品经济高度发达、国际市场急剧拓展、商品和生产要素在全球范围内交织融合，各国各地的经济活动大量超越边界限制扩及全世界的一种必然趋势。资本主义生产方式确立后，这种趋势就一直在进行中。20世纪80年代后，随着信息技术的迅猛发展，经济全球化的进程大大加快了。它使商品在广阔的世界范围内流动，使人才、资金、技术等生产要素在世界范围内实现重组和优化配置，使企业家能够利用世界范围内的资金、技术、信息、管理和劳动力等在他希望的地方组织生产，然后把产品销往世界各地。具体表现在：

1. *跨国公司大量涌现*。跨国公司是资本国际化的主要载体和承担者，是经济与科技全球化进程中最活跃和最有影响的力量。1968年跨国公司为7千多家，子公司为27万家。到1996年，跨国公司已达44万家，子公司达28万家。2000年，跨国公司达63万家，子公司70万家，遍及160多个国家与地区。世界上有7500万人就职于跨国公司。跨国公司控制了世界生产的40%、国际贸易的60%以上，国际技术贸易的70%，工艺研制的80%，对外直接投资的90%。多年来，跨国公司的研究与开发投入占世界科研经费的三分之一以上。跨国公司的产值占世界总产值的三分之一以上。

2. *跨国生产方兴未艾*。随着各国相继拆除贸易壁垒，相互开放国内市场，许多跨国公司纷纷在具有比较优势的地方建立生产和研发基地，加强生产过程的国际分工与协作，降低生产成本。如：美国波音飞机由近450万个零部件组装而成，这些零部件是由1600家美国和其他国家(包括中国)的公司生产和供应的。美国福特公司生产的轿车，外国部件占27%。日本本田公司在美国制造的协和轿车有25%的零部件在海外制造。美国联合技术公司开发电梯新产品，在日本设计电动驱动装置，在法国制造电梯门系统，在德国制造电子器件，最后在美国组装。另据美国多家市场调查公司最近发表的报告，发达国家的高科技产业向中国、印度、韩国、俄罗斯和中东欧国家转移是未来的趋势。预计到2015年，美国将有45万个电脑行业的工作岗位流向第三世界国家，相当于美国电脑行业所有工作岗位的8%。国际分工与协作，使原来局限于各国本土的分散的、有限的生产活动，被整合到全球性的生产体系中去，形成了推动世界经济发展的合力。

3. *跨国投资大幅度攀升*。根据联合国贸易与发展会议发布的年度世界投资报告，2002年，全球直接投资总额累计达7.1万亿美元。其中美国吸收外资13510亿美元，英国6390亿美元，德国4520亿美元，分列世界前3位。中国大陆吸收外资4480亿美元，位居第4位。海外投资对发展中国家的重要性在日益增长。2002年，发展中国家吸引的外资总额约占这些国家国内生产总值的33%，而在1980年这个比例只有13%。

4. *跨国贸易蓬勃发展*。跨国贸易的总额在世界生产总额中所占的比例越来越大。该比例在1983年为17%，1996年上升为20%，达63万亿美元。1998年全球出口产品占总产品的25%，发展中国家对外贸易额与国内生产总值之比高达38%。从1989年到1996年，商品和服务的跨国贸易额年增长速度，几乎为世界各国国内生产总值年均增长速度的两倍。

国际市场的不断拓展，生产要素的跨国流动，为世界各国利用国内外两种资源、两个市场，加快自身发展提供了重大机遇。许多国家纷纷调整其产业政策，积极进行改革，争取从经济全球化进程中获益。

20世纪90年代初，印度政府根据信息技术发展的潮流，特别是美国信息高速公路发展的趋势，制定了重点发展计算机软件的长远战略，并在班加罗尔建立了全国第一个计算机软件技术园区。1991—1992年度，班加罗尔的计算机软件出口仅为150万美元，2000—2001年度猛增到16.3亿美元，10年内飙升了108倍，占印度全国软件出口总额62亿美元的26.3%。班加罗尔以其计算机软件业闻名世界，被誉为亚洲的硅谷。2001年，联合国开发署在世界新兴工业城市中将班加罗尔排名第四。如今，班加罗尔已经成为印度计算机软件王国，吸引了海内外400多家著名信息技术公司，如英特尔、微软、国际商用机器公司、西门子、通用电器公司、惠普、康柏、奥瑞克、太阳微、鸿基、得克萨斯仪器公司等都在这里设有开发中心和生产基地。1999年，中国华为公司也在这里设立了以开发通讯软件为主的印度研究所。与此同时，也催生了一大批著名的印度计算机软件公司，如在国际上享有盛誉的信息系统技术有限公司和韦普罗技术公司，拥有2万名员工、计算机软件出口排名全国第一的塔塔咨询服务有限公司等。在班加罗尔的带动下，马德拉斯、海得拉巴等南部城市的高科技工业园区接踵而起，与班加罗尔交相辉映，成为印度南部著名的计算机软件“金三角”。

2003年8月，韩国政府在充分征求产、学、研知名专家以及欧美等国著名未来学专家意见的基础上，正式确定未来10年韩国的“十大新增长动力产业”：①数字电视和广播；②液晶显示器；③智能机器人；④未来型汽车；⑤新一代半导体；⑥新一代移动通讯；⑦智能型家庭网络系统；⑧数控软件；⑨新一代电池；⑩生物新药及人工脏器。并制定了具体的产业政策，如加强政府与企业的合作，改革科研和教育体制，加大科研投入，调动民间企业的积极性等。

力图优化韩国工业的产品结构，提升韩国经济的科技水平和国际竞争力。

在经济全球化面前，中国政府也积极应对，继续深化改革和扩大开放：

1. 实施科技振兴计划，如863计划、火炬计划、973计划。

2. 建立健全市场经济体制。包括深化国有企业改革，完善社会保障体制，大力发展非公经济。

3. 积极调整产业结构，大力扶持信息、生物、金融、物流等新兴产业的发展。

4. 深化行政体制改革，转变政府职能，提高政府效率。继机构改革之后，中国又大刀阔斧地进行行政审批制度改革，从中央到地方，取消了大量行政审批项目，并出台行政许可法，明确审批的范围，规范审批行为，努力从审批型、管制型政府向服务型政府转变。

5. 加入WTO，主动参与和推动经济全球化进程。

三、抓住经济全球化的发展机遇，加强创新，加快海南经济的发展

在经济全球化面前，海南要抓住机遇，立足实际，认清自身的优势和劣势，并由此出发进行“制度创新”和“扩大开放”。惟此，才能实现更大发展。

（一）利用自身优势，推动经济发展

海南是一个热带宝岛，自然资源和海洋资源十分丰富。我们首先要用好这些资源，充分发挥这些资源优势，使之尽快转变为经济优势，促进我省的经济发展。

1. 发展热带农业

海南是中国惟一的热带省份，发展热带高效农业的自然条件十分优越，且市场前景非常

广阔。热带水果、瓜菜(主要是反季节瓜菜)和水产品是海南农业的支柱，其产值约占农业总产值的40%，在国内外市场上极具竞争力。据权威部门的测算，目前海南瓜菜平均价格约2000元/吨，比国际市场价格低40%，且又具有反季节的优势；海南一级香蕉的平均收购价远低于国际市场价格，品质远优于国外和内地香蕉；芒果市场价格比国际市场低30%，品质则优于国外；海产品市场价格比国际市场低50%。海水养殖的生产成本与竞争对手东南亚国家基本持平。建省办特区以来，瓜果、水产品的发展十分迅速，产量增长很快，产品远销国内外市场，椰树、椰风、园之梦、绿风等一批知名的瓜果加工企业应运而生。但是，从总体上看，海南农业的产业化水平仍然较低，生产、销售、加工等环节仍有许多不足。因此，大力提高农业的产业化水平是当务之急，包括：①加强科技服务，克服农产品在品质、加工、包装、保鲜等方面的不足；②大力开拓国内外市场，建立健全产品销售网络；③扶持龙头企业，推动产业化进程，等等。

2. *发展海洋产业*

海南是中国的海洋大省，管辖中沙群岛、西沙群岛、南沙群岛及其海域，其面积达200多万平方公里。浩瀚的南海，不仅有丰富的渔业资源，而且有丰富的矿产和油气资源。其商业开发的潜力巨大，前景美好。但是，由于受国家政策的限制，南海资源开发进展缓慢，一直处于资源勘探和简单的海洋捕捞阶段。最近，南海资源开发有突破性进展。中国海洋石油总公司正斥巨资在海南建设"东方化工城"，着力发展石化产业。海南应该利用这次机遇，在不拥有南海资源开发权的前提下，大力发展相关产业，如海岛旅游、海洋水产、海洋运输等，加快自身发展。

3. *发展旅游业*

海南环境优美，气候宜人，自然和人文资源丰富，热带风光独具特色，民族风情浓郁，是理想的休闲和度假胜地。建省办特区以来，海南的旅游业迅速发展，基础设施不断完善，旅游产品日益丰富，旅游人数不断增加，取得了良好的经济和社会效益：一是综合带动效益极强。旅游的6大要素吃、住、行、游、购、娱，必然带动交通运输、餐饮服务、商业零售、文化娱乐等行业的发展。二是就业容量大。统计分析表明，旅游本行业就业人数与相关行业就业人数的比例一般为1∶5，目前海南拥有10万从业者，带动相关行业50万人就业。随着世界经济的发展，旅游、金融、房地产、物流等服务贸易增长迅速，其速度早在1979年便超过商品贸易。目前发达国家服务业已占国民生产总值的50%～70%，个别国家的比重更高。海南的旅游产业要继续抓住机遇，加强旅游环境建设，提升旅游产品档次，提高服务水平，扩大开放，争取更大发展。

4. *发展资源型工业*

海南盛产瓜果，石油、天然气、铁矿、石灰岩等藏量巨大，林木资源、药材资源丰富，适合发展食品饮料加工、石油化工、冶金、建材、浆纸和医药等资源型工业。近年来，海南依托资源优势，积极招商引资，取得可喜成就。椰树集团、椰岛槟榔加工厂、海虹糖业、富岛化工、富海华钴铜开采和冶炼、海能达锂电池、万州制药、藿香科技开发、金海浆纸等一批投资规模巨大、发展前景看好的工业项目相继开工或投产，给海南工业的发展注入了强大活力。今后，要继续在招商引资、资源开发上加大力度，形成产业群，使自身的资源发挥出更大的经济优势。

5. *发挥政策优势，办好海口保税区和洋浦经济开发区*

随着市场经济体制在全国的建立，随着我国加入WTO、国内市场日益开放，随着全国各地大量优惠政策的出台，经济特区的政策优势大大减弱了。尽管如此，特区的政策潜力依然很大。国家赋予经济特区的优惠政策，除了关税政策，大部分没有改变。海南吸引外资的政策仍然是全国最优惠的，如15%的企业所得税，外国人落地签证等。发挥政策优势，重点在海口保税区和洋浦经济开发区。这两个区域的各项优惠政策基本上没有变化，仍然在发挥作用，而且符合国际惯例。海口保税区和洋浦经济开发区要继续完善管理体制，优化投资环境，加大招商引资力度。与此同时，省政府要授予开发区更大的经济自主权，使开发区的管理部门能够在关内就能为企业办妥一切手续，促进生产要素的自由流通。

(二)创造优势，改善投资环境

特区是从发挥政策优势起步的。在特区发展的初始阶段，优惠政策如同特区的生命，没有这些政策就没有特区；没有这些政策的激励，特区就产生不了那么大的吸引力。但是，随着特区政策被内地普遍模仿，随着国家对关税、进出口、金融等特区政策的调整，特区的政策优势已经大大减弱。在这种背景下，特区必须进行"第二次创业"，即从单纯的"政策吸引"转向全面的"环境吸引"，在继续发挥政策优势的同时，更加注意改善投资环境，增强发展后劲。

1. 改革国有企业，提高市场竞争力

产品老化、机制僵化、社会负担沉重、生产经营困难，这是国有企业的通病，也是计划经济的后遗症。在发展市场经济的今天，国有企业的改革刻不容缓。

(1)解决好企业的社会性负担，让企业轻装上阵。长期以来，我们把国有企业的经济或经营目标和社会目标相混淆，使企业承担了过多的社会职能，如安置就业、保障职工福利、保障社会安定等。如农垦企业，目前全垦区离退休人员已达15万人，一年离退休费用3.66亿元，其他企业办社会开支达3.7亿元。沉重的社会性负担，使企业的生产成本十分高昂，产品缺乏竞争力；资金积累严重不足，生产条件落后。对此，必须要加快建立健全社会保障体制，扩大社会保障的覆盖范围，把企业过重的社会负担剥离出来，让企业轻装上阵。

(2)解决好企业的战略性负担，提高企业自身的能力。战略性负担，指的是企业在开放、竞争的市场中缺乏获利能力的问题。这主要是企业自身的内部问题，如经营机制不活，产品不符合市场需求，管理不善。解决企业的战略性负担，可以根据具体情况，对发展前景暗淡的中小企业采取破产、租让或出售等措施；对基础较好、规模较大的企业，则根据市场需求，大力调整产品结构，提高企业的市场竞争力。在改革过程中，要积极吸引民间资本和外资参与企业的改组改造，实施产权多元化战略。

2. 转变政府职能，发挥市场作用

发展中国家与发达国家的差距，不仅有"经济上的差距"——经济发展水平落后，而且有"政治上的差距"——缺乏一个廉洁高效的政府。实际上，后者更应该引起重视。因为，一个廉洁高效的政府，是实现经济发展的前提。

改革开放以来，中国政府已经进行了多次大规模的行政体制改革，有效地促进了经济的发展。中国在加入WTO后，行政体制改革的任务更加繁重，时间更加紧迫。

作为成员方，中国政府是WTO法律体系框架规范的对象。中国与WTO的承诺都是政府的承诺，政府要承担责任。从遵守WTO的规则来看，使政府要加快改革，加快职能转变，切实按照市场经济的规则办事，推动投资和贸易的自由化进程。

海南是全国率先建立"小政府，大社会"体制的省份。眼下，要继续完善这一体制，重点解决好"三个位"：一是"越位"，二是"缺位"，三是"错位"。这"三个位"就是政府职能的转变问题。"越位"是政府干了企业和市场能干的事，不仅是裁判员，也是运动员；"缺位"是公共服务功能没有很好发挥，把有权有利的部分抓得很紧，服务职能注意不够；“错位”是指政府在宏观调控方面把主要精力花在解决下岗分流问题上，而不是花在扩大就业上。投资主体也不应是政府。解决好这三个“位”的出路在于“让位”，凡是市场能做的事情就让给市场，企业能做的事情让给企业。从而实现政府在管理理念和方法上的创新，使政府把工作重点转移到为群众和投资者提供完善、优质、高效的公共产品和公共服务上来。

3. 创新工作机制，搞好投资服务

①按照国际惯例办事。特区的本质在于开放，在于扩大国际经济往来，积极参与世界经济一体化进程。为此，就必须学习、借鉴国际经济交往的规则，按国际惯例办事。建省办特区以来，海南一直努力按国际惯例办事。建省之初，即1991年，省政府就采纳周文彰博士的建议，在我国率先编写《国际惯例书库》，委托周文彰博士主持此项工作，并由省长亲自挂帅，担任“编辑委员会”主任。该书库于1993年出版，共分5卷，向人们全面介绍了国际经济交往的惯例，供人们学习、运用。中国加入WTO后，按国际惯例办事，一方面要学习、掌握和执行国际规范和WTO规则，另一方面要逐步调整我省的政策环境和体制，如改革行政审批制度，废除不合时宜的地方性法规，调整投资政策。

②制定科学的产业政策。产业结构不合理，区域经济布局不合理，是我省的突出问题。前者主要表现在，二次产业的比重偏低，仅为20%左右，且大多属于中小型企业，上规模的企业不到工业企业总数的4%，工业总量太小；后者表现在，城镇化水平低，地区发展不平衡。我们的招商引资工作，必须从解决这“两个不合理”出发，按照“一省两地”的战略部署，制定科学的产业政策，积极向客商宣传、介绍我省产业发展的方向、布局、前景和政策，更好地为投资者服务，为加快海南发展服务。

③创新人才机制。建省之初，海南曾以其巨大魅力，吸引了来自国内外的大批人才，出现了“10万人才下海南”的壮观景象。但是，由于我省经济基础薄弱，机制运行还不够顺畅，国家宏观政策调整使海南的发展步伐放慢等原因，没过几年，大批的人才都流走了。人才缺乏，已经成为我省发展的“瓶颈”。创新人才工作机制，就必须根据我省发展的需要，下大力气做好人才培养、引进和使用工作。包括：第一，对省内高校，加强学科建设，加大课程改革力度；第二，积极引导有条件的企业成立研发机构，并依托企业的研发机构培养人才；第三，吸引国内外高校和科研机构在海南建立产学研基地，以此培养人才；第四，以项目、课题带动人才引进和使用；第五，改革人事制度，促进人才的自由流动，等等。

④加强统战工作，保障投资者的合法权益。统战工作，是团结人、调动人的积极性的工作。要充分发挥各级统战组织的桥梁和纽带作用，把广大投资者组织到人大、政协、妇联、共青团、商会和企业协会等团体中来，更好地听取他们的意见和建议，也让他们更好地了解我省的招商引资政策，更好地为海南的发展献计献策，更放心、更安心地在海南创业。

结　论

经济特区创建和发展的过程，就是抓住机遇，加强创新的过程。特区的建设，已经并将继续为中国的改革开放提供宝贵经验。

经济全球化是特区面临的又一次战略性的国际发展机遇。海南要以此为契机，继续发挥“拓荒牛”精神，加强制度创新，扩大对外开放，争取在参与世界经济一体化方面走在全国前列，继续发挥改革开放的排头兵作用。

浦东新区推进城市化的战略构想

闻继宁　韩建萍

一、浦东城市化发展的基本情况

1. 浦东城市化的概况

1990年浦东开发开放之初，农村地区占新区总面积(520.2平方公里)的92.7%，农业人口占户籍总人口的40%左右。经过十四年的城市化建设，浦东现有郊区总面积约400平方公里，总人口114.30万人，耕地面积14.14万亩，农民人均耕地0.61亩。(见表1)

2003年，郊区经济发展步伐进一步加快，郊区增加值完成189.5亿元，同比增长26.9%；三业总收入完成1152.3亿元，同比增长35.5%；税收完成65.6亿元，同比增长45.8%。

表1　浦东新区十三镇基本情况表

	土地面积(平方公里)	2003年末耕地面积(公顷)	2003年农业总产值(万元)	2003年工业总产值(万元)	2003年末人口(人)	农业人口(按户籍)
高桥镇	39.07	505.2	6502	330202	77193	14238
川沙镇	59.11	1795.8	20695	431679	94991	36580
机场镇	80.62	1158.8	12846	315819	65794	33035
三林镇	34.19	1188.6	12314	291902	87299	20023
北蔡镇	23.71	461.2	2934	470155	110746	12809
合庆镇	41.97	1030.7	8503	508927	50039	29824
唐　镇	32.32	621.0	6953	320905	36493	14629
曹路镇	45.58	1271.1	11777	532517	51307	27787
金桥镇	25.28	29.8	5628	160160	26043	6478
高行镇	22.85	399.4	6561	252383	39053	7357
高东镇	35.21	803.9	4694	222507	34843	12238
张江镇	45.02	920.7	11536	426155	54016	14739
花木镇	20.90	84.9	6415	78601	74893	2260

近几年来，郊区工业各项经济指标连创新高。以2003年为例，郊区增加值完成189.5亿元，同比增长26.9%；三业总收入完成1152.3亿元，同比增长35.5%；税收完成65.6亿元，同比增长45.8%。工业产值连续第五年保持两位数增长，税收、可支配财力等指标在2001年的基础上翻了一番，并提前三年实现了区政府提出的到“十五”期末镇均三业总收入

50 亿元、税收 2 亿元，可支配财力 1 亿元的奋斗目标。

值得注意的是，新区规划的 30 平方公里的郊区镇经济园区显示出强大的后发优势，充分展示了其强大的集聚作用。有数字表明，2003 年，有 78 件项目落户经济园区，投资额 28.6 亿元；经济园区完成工业总产值 127 亿元，比上年增长 26%，高于平均全区工业增幅约 6 个百分点。

按照“稳粮、稳绿、退养、保菜”的总体方针，近年来，浦东郊区以农业结构调整为突破口，重新规划农业形态布局，加快了农业组织化、产业化、标准化的步伐。在农业发展空间以每年 8% 的速度减少的情况下，农业产值逐年提高，2003 年实现农业总产值 14.1 亿元，增长 2.69%。

浦东郊区加快传统农业的退出步伐，营造出一个生态农业形态。2003 年底，共退养奶牛 1500 头，生猪 10.8 万头，内环线内区域退出了传统农业，外环线以内的北蔡、张江、金桥、三林、高行、高东等七个镇实现了“无猪无牛”。重点推进环城 400 米绿化带、市级工程化造林等项目，郊区绿化种植面积达到 9.8 万亩。

2003 年，郊区建成城市化道路 6 条、高等级道路 12 条、新建城镇面积 4.29 平方公里，新增户籍人口 2 万以上，城镇化水平达到 53.3%。现在北蔡、高桥等 9 个镇已创建为市一级卫生镇，其他镇为市二级卫生镇，今年金桥、张江等 4 个镇开始创建国家卫生镇。

在优化环境配套方面，浦东郊区所有村都实施了垃圾集中收集处置，并率先实施天然气配套改造和规划区、市政道路污水纳管工程，完成了 238 万平方米住宅天然气配套工程，郊区集镇交通、排污、排水、通讯、电缆等城市化功能稳步提升。

针对快速城市化进程中出现的新情况，浦东郊区进一步加大了社会事业投入，新区财政对农村合作医疗中大病基金的补贴由人均 2 元提高到 30 元，合作医疗补贴从无到人均 50 元，加上各镇在合作医疗补贴 1∶1 的配比，新区农民合作医疗和大病基金的区镇两级补贴达到人均 130 元，远远高于市规定的人均 30 元的指标要求。在近 3 年内，浦东 34520 人次的贫困人员得到扶助，8010 名残疾人安置就业；农民养老水平逐年提高，平均水平达到 132 元/人。

1996 年 5 月，浦东新区贯彻执行市政府 22 号令，实行农村社会养老保险，以劳动者自我缴费积累为主、集体补助和互济为辅，社会保险与家庭养老相结合。经过几年的发展，浦东新区农保的覆盖率不断提高，截至 2002 年底，新区参加农村社会养老保险人数为 111039 人，投保率达到 93.2%。农民养老水平逐年提高，2003 年郊区 11 个镇的平均水平达到每人 132 元/月，最低的(合庆镇部分村)为每人 95 元/月，最高的(高行镇部分村)为 478 元/月。

为了方便群众、更好地服务群众，浦东郊区建成并启用了 5 个社区服务中心，另有 6 个正在筹建之中。到 2003 年底，郊区 141 个居委会中，有 79 个创建成上海市示范居委会。在每个建制村还实施了“四个一”工程，丰富了村民业余生活，促进了村民向居民的转变。积极拓展非农就业岗位，近三年，郊区完成净增就业岗位 7459 个，实现非农就业 12432 人。根据抽样调查，2003 年浦东新区农民人均收入达到 8077 元，同比增长 7.4%。比上海市郊平均 6650 元高出 1427 元，绝对水平仍居市郊领先地位。

2. 浦东城市化的特点

目前，世界城市人口平均比重为45%，而我国仅为30%(包括小城镇人口)，相当于世界 50 年代初的水平，城镇化的严重滞后，直接影响经济发展。

据测算，三个农民消费抵不上一个城市居民消费水平；城市人口比重增加一个百分点，直接消费可拉动 GDP 增加 1.5 个百分点。因此，浦东城市化进程是不可阻挡的趋势。

浦东城市化的特点：

优化城市布局，突出城区发展。2004年十月，新区领导宣布四大功能区的划定，明确了区镇联动，加速开发区的功能和产业向周边区域辐射延伸，加速开发区和周边区域发展的融合、资源的整合，同时把郊区的发展纳入到浦东整体功能规划体系，高起点地推进"三个集中"，拓展发展空间，控制商务成本，提高土地资源的使用效益。

产业驱动浦东的城市化过程。随着科技进步和需求增长，市场经济中，资本就会自然而然地流向更有产出效益的工业、现代农业、高科技产业、会展、旅游、服务市场等第三产业，其结果就是不断扩张的城市化。浦东在培育高新技术产业、壮大支柱产业和积极发展第三产业的同时，也是在推进城市化的进程。

浦东城市化的开发机制目前基本是由政府包揽，是国家有计划地投资建设新城或扩建旧城以实现乡村向城市的转型。随着浦东经济的迅速发展和改革开放的深入以及经济体制的转型，城市化经济运行主体应朝多元化方向发展，政府、企业（国有、集体、私营以及外资）甚至个人都应积极介入城市化进程。

3. 浦东城市化的优劣势

优势：

政策优势。浦东的优势在于浦东开发是中国国家经济发展战略之一，是党中央、国务院根据20世纪90年代我国改革开放和经济建设的总体部署作出的重大战略决策，中央明确了一系列政策措施，支持浦东先试先行，提出以浦东开发开放为龙头，进一步开放长江沿岸城市，尽快把上海建成国际经济、金融、贸易中心，带动长江三角洲和整个长江流域地区经济的新飞跃。

经济实力。浦东的城市建设有一定的经济基础，浦东以全市1/12的土地面积、1/10的户籍人口，创造了全市1/4左右的GDP和工业总产值、1/2强的外贸进出口额。2003年，浦东GDP达1504亿元，比1990年开发之初的60亿元增长了25倍，经济结构也得到不断合理调整和优化升级。浦东新区经济的高速增长和综合经济实力的增强，为浦东城市化发展提供了坚实的支撑，对推进浦东成为经济、金融、贸易和航运中心的核心区域发挥了重要作用。

人才集聚。初步统计，浦东已集聚外籍和港澳台人士近1.5万人，占全市的五分之一；留学人员近5000人，占全市的六分之一；通过各种教育途径培训的本土人才3万多人。随着浦东的日益发展，新区集聚外籍和港澳台人才及海外留学生的速度明显加快，浦东正努力构筑国际人才高地。

优越的交通优势和较为完善的市政设施，为浦东城市化建设奠定了良好的基础。浦东的地理位置得天独厚，交通便捷。"十五"期间，基础设施建设以"三港"（深水港、航空港、信息港）、"三网"（轨道交通网、市区道路网、越江交通网）和"三能"（电力、燃气、集中供热）建设为核心，进一步完善了对外交通通讯网络、区内综合交通体系、充足清洁的能源和水供应系统。

浦东的水资源也十分丰富，紧临长江、黄浦江，降水量十分充沛。江北是广大的苏北平原，为浦东发展提供了很好的资源环境。

劣势：

在浦东开发开放过程中，按行政级别设市的传统行政管理模式和观念仍被沿用，不按经济规模来安排城市资源的分配，这一传统的桎梏使浦东城市化水平必然受到影响。

长期计划经济体制熏陶下，部分浦东农民依赖政府的思想比较重，市场经济意识薄弱，创业经商的氛围不浓。

浦东新区农村城市化还存在“三大弱项”：生活质量、环境和公共服务。在城市的扩张过程中，附带了生态代价：环境污染、资源耗竭、生物多样性丧失、温室效应、臭氧层破坏等等。

二、浦东推进城市化发展的战略构想

在经过十余年的开发开放之后，浦东新区的城市化问题已成为浦东新区基本实现现代化总体战略中的极其重要的方面。如果没有宏大的战略眼光和深邃的战略思维，是无法解决这一重大课题的。因此，浦东新区未来的城市化规划，必须以战略研究为先导。按照战略思维来指导城市化规划的制定和实施，是不容忽视的科学管理程序。

1. 战略意图

从空间和时间两方面看，浦东的城市化进程出于统一着的两方面的发展需求：

在空间上，上海市要成为以“四个中心”为主要标志的国际化大城市，就必须要有若干个高度现代化的重点城区的有力支撑。而浦东以外向型、多功能、现代化作为自身城市形态的发展目标，无疑是其中最重要的核心功能区之一。这一目标只有在全区范围内得到大部实现，即大幅度地提高浦东的城市化水平，才能对“国际大都市”产生强有力的支撑作用。

在时间上，作为国家战略的浦东开发开放，在经过十余年的经济社会的超常式和跨越式发展后，应当在2010年前后基本消除城乡二元结构、大幅缩小城乡差别，初步形成较为发达的现代城市形态。

上述两个视角所反映的客观存在是一个统一的整体，即通过浦东新区的城乡统筹发展和城乡一体化进程，从城乡关系上解决全区的人口综合素质、经济发展水平、社会文明程度、综合环境质量等问题，在此基础上推进浦东的城市化进程，使其城市综合竞争力得到进一步的提高。

2. 战略目标

在城市化方面，浦东新区已初步形成了现代化的新城区框架：建成区面积已达100多平方公里，现代交通通讯网络已初步形成，以国家级要素市场和重点开发小区为内核的城市集聚和扩散功能已充分显露，金融贸易、现代制造、综合服务和管理等各项功能得到充分开发，以六个功能分区为主体的组团式城市空间布局和区镇联动态势已初步显现，浦东郊区工业水平增长迅猛，郊区对内对外开发不断扩大，由大项目和大企业带来的新的经济增长点不断在郊区涌现，人才、物资、资金、信息和技术的流量也不断涌向郊区各镇。在这样的现实基础上，浦东新区是完全有条件有能力在强有力的行政力量、社会力量和市场力量的综合作用下，加快推进城市化进程，在全市率先消除城乡二元结构。

根据对浦东新区基本实现现代化的现实基础的分析，浦东推进城市化的战略目标是：在未来5—6年的发展中，浦东新区将加快城乡产业、城乡社会结构和农民阶层的转型，以区镇联动为途径，以政策调控为策略，以“三个集中”为手段，经过5—6年的努力，基本上在“十一五”期间(到2010年左右)，初步消除城乡二元结构，大幅缩小城乡差别，使浦东新区城市化面积超过60%，郊区工业和现代服务业基本形成与开发区配套的一体化体系和规模化的现代产业园区的局面，95%的农民转化为城镇人口，其中劳动力的95%以上从事二、三产业，郊区人均非农收入与中心城区持平。在此进程上基本实现浦东城乡一体化发展的新格局。

3. 战略方针和基本原则

从以上目标出发，根据对国内外城市发展的经验和浦东区情的分析，浦东的城市化进程应贯彻“区镇联动、要素集聚、功能牵引、模式多样”的战略方针。

“区镇联动”是浦东新区决策层自开发开放以来一贯的发展理念。其战略意义主要有三点：一是依托重点开发区的品牌效应和功能优势，带动周边城镇的协调发展；二是以重点开发区的发展为主线，统筹周边区域经济社会发展的规划，从而使全区的发展规划更具有科学性；三是以“区镇联动”来有效地整合周边区域的各类资源，使之得到更加集约化和合理化的利用和配置，从而使区域经济社会的发展充分适应科学发展观的要求。为此，在实际举措上要依靠政府的强力推动，坚决破除旧区划的藩篱，建构以产业功能模块为内核、以重点开发区为轴心的城市化发展区划，根据浦东新区功能布局的现状和发展趋势来安排功能区域的建设和管理，在功能区范围内推进“三个集中”，使全区的城市化进程在各个功能区域得到实现。

“要素集聚”就是要抓住上海市和长三角未来的经济发展重心向市郊和浦东沿海地区转移的机遇，通过功能区的聚合作用，为浦东的城市化进程吸纳各种发展的要素。主要是使资金、土地、人才、技术、工商实体等要素在浦东城乡的配置进一步优化，城乡劳动力和人口在城乡统一制度下实现自由选择。

“功能牵引”是指功能区域对浦东的城市化进程所产生的引擎作用。主要是陆家嘴功能区域以现代服务业为主导的功能，张江功能区域以科技创新及产业化为主导的功能，金桥功能区域以现代制造业和出口加工为主导的功能，外高桥功能区域以国际贸易和海港物流为主导的功能。此外，随着若干重大建设项目的落地，川沙和三林地区还将不断产生新的综合功能。这些功能组合是浦东城市化进程的发动机，城市化所必需的诸多要素的具备和条件的成熟，将依赖这些功能开发的程度。

“模式多样”是城市化进程的基本方针。采取多样化的城市化模式，是浦东新区区情所致。鉴于浦东是新型城市化地区，没有沉重的历史包袱，故可以根据各个功能区域的特点，走多样化的城市化道路。以重点开发区带动城镇的城市化和现代化，无疑是最基本的方式。在此前提下，多样化的城市化发展模式有：或通过中心城区的辐射，如内环线与外环线之间的区域；或通过对特有资源的利用，如外环线以东滨江沿海地区；或通过产业的转化，如各功能区域之间的城镇地区；或通过重大项目的拉动，如外环线以南区域。

根据科学发展观的要求，浦东的城市化进程必须坚持四个原则：

一是统一性原则：在承认差别性和矛盾性的前提下，对各功能区和城镇的城市化发展实行统一规划部署，统一制度规范。新区规划部门应会同各功能区管委会立即着手进行各功能区域的“五年期城市化建设规划”，在此基础上编制“浦东新区十一五城市化发展规划”；在政策措施方面，应在深入调查研究的基础上，尽快出台一系列的城乡统一的制度性改革措施，为全面消除城乡差别创造更有利的条件。

二是协同性原则：以建立社会主义市场经济体系为方向，在城市化发展方面，坚持市场导向和政府推动相结合，在功能区之间和功能区内部区镇之间进行系统协同发展。

三是人本性原则：科学发展观的一个重要涵义是：城市的现代化建设要以人为本，坚持走可持续发展道路，从城市的形态、功能和公共设施等方面为实现人的全面发展提供最适宜的发展环境和最有利的条件。

四是生态性原则：在形态发展上，无论各功能区域采取什么样的发展模式，都必须坚持走生态发展之路，避免“摊大饼”式的城市扩张，通过城乡融合，按照现代化和国际化的标准，使得都市工业和都市农业并存，实现城中有乡、乡中有城的交融一体的现代城市形态。

根据科学发展观，浦东新区未来的城市化进程必须体现科学化、人性化和现代化的高度统一，在现代化形态的基础上解决好科学发展与人文发展的关系。

4. 战略重点

在未来5—6年的发展中，浦东城市化进程要从人口布局、产业布局、城镇布局、重大基础设施及社会事业资源的安排等方面入手，大力创新，破除制度性障碍。战略重点是：

——按照上海市委、市政府提出郊区要加快推进“三个集中”的战略举措，浦东新区要利用功能区的整合作用，进一步加快土地向规模经营集中、工业向园区集中、农民居住向城镇集中的步伐。土地集中的问题，要通过统一规划的办法解决；工业集中的问题，要通过市场导向和政府干预的办法加以解决；农民居住集中的问题要在统一规划和指导的前提下，通过自主选择和自由流动的方式加以解决。

——破除浦东城乡一体化发展的制度性障碍，建立符合区情的城乡统一的劳动就业制度、户籍制度、义务教育制度、卫生管理制度和社会保障制度等。（推进非农就业，建立落实社会保障与土地处置、户籍转性整体联动的机制，探索老年农民以承包土地换保障的途径）

——按照城市化发展的要求，浦东新区各镇的人口布局还不尽合理。要运用行政手段和政策措施，通过功能区和重大项目的凝聚作用，一方面撤并城镇，扩大中心镇规模；另一方面要吸引各地人口向城镇集中，形成镇均10万人口的中小城市规模。在农民居住向城镇集中问题上，要注重创新宅基地置换机制，积极稳妥有序地推进乡镇、农村自然村落和居民点的归并，推动城镇低成本发展和农民财富积累。

——按照集约化发展的要求，浦东城镇土地的规模经营必须认真吸取以往开发的经验，把转移农业人口、创新农村产业结构和实施科技兴农结合起来。要进一步推进农村土地征收、征用制度改革，完善征地程序和补偿机制，确保农民的合法权益。积极探索土地承包权入股等方式，坚持科技兴农，创新农业专业合作组织，利用科技优势、现代工业配套体系和先进设施，进一步提升浦东的农业现代化水平。

——按照产业高度优化的要求，浦东要加大郊区工业园区整合的力度，加快城镇工业向已确定的规模化产业园区集中，同时要以功能区域内的重要产业基地为依托，建立功能区域内部、功能区域之间和各镇之间的联动、协同、合作机制。浦东城镇在实现工业向园区集中的同时，要根据功能区域的产业特点，针对城市化发展的需求，大力发展中小城市的现代服务业。特别要重视以人才培养为核心的智力产业和以创意科技为核心的文化产业的发展。对于浦东城镇一、二、三次产业结构的变化以及三次产业内部结构的变化，要重市场，轻规划，主要依靠市场力量去建构浦东农村城市化的产业框架。这也是党中央和上海市委对浦东产业升级的创新要求。

——在功能区域范围内，统筹安排城市化的公共服务和基础设施。要加大区级财政对郊区城市化建设的投入力度，同时以优惠政策吸引国内外的社会和民间资本进入基础设施建设。

科技教育措施与海南经济特区的“科教兴琼”战略

祁亚辉　唐　玲

海南特区实施“科教兴琼”战略取得显著成效

海南经济特区早在1995年就明确提出了坚定不移地实施“科教兴琼”战略，到1999年海南省人大常委会通过《海南省促进科学技术进步条例》，从此海南实施“科教兴琼”战略，促进科技进步走上了法制化的轨道。“科教兴琼”战略的核心是实现教育科技和经济建设的紧密结合，在建立和完善社会主义市场经济体制的同时，形成经济建设、社会发展依靠教育和科技，教育、科技面向经济建设和社会发展的体制与机制。海南实施“科教兴琼”战略以来，省委、省政府积极发挥组织、规划、协调作用，经过教育科技界、经济实业界和其他社会各界几年的不懈努力，紧紧围绕加快海南特区现代化建设步伐的目标，把教育和科技摆在全省社会经济发展的首要位置，努力增强海南的科技实力以及科技向现实生产力转化的能力，努力提高全省人民的科技文化素质，努力把经济建设转移到依靠科技进步和提高劳动者素质的轨道上来，所取得的成效和进步是显著的。这些成绩和进步，既是海南实施“科教兴琼”战略的成果，也是海南继续推进“科教兴琼”战略的基本起点，是进一步增强海南经济特区克服困难、排除障碍的信心与决心的基础和条件。

海南特区继续推进“科教兴琼”战略存在的困难

当然，海南在继续推进“科教兴琼”战略方面存在的问题和困难仍然不少。比如，相当一部分市县巩固“两基”成果的任务十分艰巨，全省高等教育规模、质量和效益都亟待提高，实施素质教育尚未取得实质性进展，教师队伍特别是中小学教师队伍的建设有待进一步加强。再比如，教育经费和科研经费投入严重不足，研发条件仍然落后。但是，在所有这些问题和困难中，最突出、最关键的则是在政策机制方面存在的缺陷和不完善。因为，无论是基础设施问题、经费投入问题，还是人才队伍建设与人力资源开发问题，都与政策和机制问题有关；要解决诸如此类的问题，都可以从解决政策和机制问题上找到突破口，从这里看到前途和希望；而且解决政策和机制的问题，无论财务成本还是社会成本都是很低的。因此，着力解决政策机制方面存在的缺陷和问题，就成为继续推进“科教兴琼”战略最主要、最关键的步骤，也是更为基础性、根本性的方式和途径。

海南特区实施“科教兴琼”战略在政策机制方面存在的问题主要有以下四个方面：

(1)在投资机制方面，筹集资金和激励投资的功能很弱。如果说海南在教育投入上多元化的投资机制正在形成之中，似乎给人以希望的话，那么在科技研发方面的投资机制，特别是风险投资机制尚未出现端倪。不少科研机构人员依旧、设备依旧、机制依旧、面貌依旧，存在着明显的“等、靠、要”思想和“铁交椅”、“大锅饭”、“铁饭碗”等现象，靠财政拨款维持运转的状况尚未根本改变，财政投入的多少直接影响和决定着科研机构的生存和发展，决定着科研成果的多少和科研水平的高低，决定着科研成果转化的快慢和转化效益的好坏。但是，海南特区财政资金的供求矛盾在相当长时期内都难以缓解，主要依靠财政资金解决教育科技投入不足的问题，是不可能的，也是不应该的。因此，真正解决教育科技投入不足的有效途径，应当是尽快建立和完善多元化的投资机制，以及海南政府为此制定和实施相关的鼓励政策。

(2)在人才政策方面，吸引人才、激发人才贡献智慧与热情的政策效应不明显。海南建省办经济特区以来，一直被人才问题所困扰，反复出现人才“大出大进”的涌动，呈现出“来了的留下的不多，留下的又走了的不少”的态势。海南特区的人才问题，从现象上看是人才的不足，不仅在数量上而且在质量上；但反思建特区十五年来的人才风雨，应当说，海南特区缺乏的不是人才，真正缺乏的是发现人才、引进人才、培养人才、使用人才的政策和机制。这是海南特区人才问题的核心和实质。当浦东新区、深圳特区等“人才高地”，正在千方百计吸引人才、努力创造“孵化器”的时候，海南特区尚未从人才问题的困扰中挣脱出来，没有以极大的热情和严肃认真的态度，来设计和构建与知识经济要求和全国人才流动特点相适应，从海南特区改革开放和现代化建设需要出发的人才政策机制。因此，海南特区至今没有形成人才滚滚而来，既心情舒畅又能甩开膀子发挥作用的局面。这是令人堪忧的，也是与海南实施“科教兴琼”战略不相适应的。

(3)在评价引导机制方面，评价标准脱离实际、随意性大，引导机制的效能失常。这种失常可以从两方面来看，一方面它引导的方向存在偏差。它不是把教育科技事业的发展，引导到符合世界经济开放性与一体化的趋势特征，符合国际惯例的原则要求，符合社会主义市场经济运行规则和价值取向上来，而是方向相左甚至正好相反；另一方面它引导的力度不足。比如，年复一年的工作汇报总结、成果的表彰奖励、干部的提拔重用、领导讲话号召的强调与侧重点等等，这些评价引导机制的作用，都程度不同地存在着上述效能失常的问题。

(4)研发机构的产业布局有缺陷，海洋科研的空白亟待填补，新兴工业的研发基础十分薄弱，热带农业的科研力量比较强，但还没有完全进入正常有序又有效的研发轨道。

此外，各级党政领导干部在思想上的认识不足，也是海南特区继续推进“科教兴琼”战略所迫切需要解决的问题。从总体上讲，海南特区在实施“科教兴琼”战略中，各有关政府部门和基层党委政府，特别是其主要负责同志的思想认识是不够的，并没有真正认识到发展教育科技是各级政府的最重要、最基本的职责之一，没有真正认识到发展教育科技对于经济社会发展所具有的决定性、基础性作用，没有真正认识到全力促进教育科技的发展是新技术革命和知识经济时代的迫切要求，因而，他们并没有真正把发展教育科技放到发展战略的首位，至少没有能够经常做到这一点，而时常是说得多做得少，他们推动实施“科教兴琼”战略的积极性和主动性缺乏机制与制度的保证，更多是停留在一般的号召、一般的讲话强调和一般的部署要求上。

加快科技教育发展是海南特区实施“科教兴琼”战略的首要选择

许多国家实现现代化的经验教训从正反两个方面说明，现代科技和现代教育已经成为一种对经济、社会发展具有决定性推动作用的力量，成为各国实现现代化的关键，成为衡量一国综合实力大小的重要标志。进入21世纪，知识创新特别是科学技术创新，对经济增长和社会进步所起的作用，将大大超过其他要素的作用，综合国力竞争更加突出地表现为人才和科技的竞争。而且，不仅人才的培养和成长，直接取决于教育事业的发展；就是科技创新和科技成果的转化，也必然要依托于教育的发展。因此，各国政府和教育科技界、知识界与经济界，越来越普遍地达成这样的共识：现代教育是对经济建设和社会发展更具有先导性、战略性、全局性和基础性作用的知识产业，对正在推进现代化的国家和地区而言，大力发展科技教育更具有紧迫性。正因为如此，实施“科教兴国”和“科技立国”战略，就成为世界各国在世纪之初积极参与新一轮国际竞争，力争在新的国际经济政治格局中居于更重要地位，加快抢占国际科技制高点步伐的必然战略选择；实施“科教兴省”和“科技强省”战略，就成为国内各省市区推动新一轮经济增长，全面建设小康社会，为实现我国现代化建设第三步战略目标提供人才支持、知识保证、创新动力和发展后劲的必然战略抉择。

正是在这样的背景下，海南省第四次党代会围绕加快海南特区发展，提高人民群众生活水平这个主题，把继续实施“科教兴琼”战略作为必须积极实施的四大战略选择之一。笔者认为，加快科技教育发展，强化科技教育效果，对海南特区来讲更具有紧迫性，应当成为海南经济特区实施“科教兴琼”战略的首要选择和突破口，成为海南各级党委政府责无旁贷的重大而紧迫的历史任务。对此，我们可以从其他国家大力发展科技教育的成功经验中，获取有益的启发和借鉴。

美国把加强科技教育作为战后教育改革的着力点

美国在科学技术和教育方面成为当今世界无可争议的大国和强国，而支撑其大国强国地位的基础，则是美国二次大战后掀起的一场场声势浩荡的教育改革以及积累起来的丰硕成果。他们的教育改革把加强科学技术教育作为发展教育事业的着力点，始终强调教育政策应适应国内经济和科技发展的需要，强化智力训练，努力培养现代科学和工业社会所需要的现代人。

美国战后第一场教育改革始自美国原哈佛大学校长科南特 1958 年发表的调查报告《今日美国中学》。科南特的报告强调，美国中学必须把英语、社会研究、数学和自然科学作为所有学生必修课程的核心，占到学校所有课时总量的一半。《今日美国中学》的发表掀起了全美教育改革。改革的主要措施有两个方面：一是通过立法改革联邦政府的教育拨款机制，增加教育投入，并以此来引导整个教育改革和科技教育改革的方向。在科技教育的改革上突出“英才教育”，政府向在科学、数学、工程和现代外语方面有优异才能的大学本科生、研究生或毕业后立志从事中小学教育工作的大学生，提供优惠贷款，着力培育科技拔尖人才；二是加强课程改革，增加必修课，缩减选修课，尤其把科学技术课程摆在突出地位，规定自然科学同数学、英语、社会研究和外语一起为必修课，特别强调要为学生奠定良好的文化科学知识基础。改革后的新教材突出科学课程内容的现代化，增加自然科学的授课时间，强调课程的理论性、体系性。

美国 20 世纪 80 年代以后又兴起了一场全面的、综合化的教育改革，科技教育的重点由突出“英才教育”逐步转向全面的“科技素质教育”，以求全面提高公民的科技素养。美国政府指出，数学是人类思维的基本模式，是许多学科领域发展的基础。因此“科技素质教育”特别强调英语、数学、自然科学、社会科学以及计算机科学的基础训练，重视智力发展和创造力的培养。科技教育改革的具体措施集中体现在以下四个方面：一是把自然科学以及计算机科学等课程列为核心课程，进一步巩固和提高科技教育的地位；二是丰富和拓展科技教育的内涵，增强科技教育的危机感；三是注重科技教育与其他方面教育的相互促进作用，更新科技教育观念；四是把科技教育改革放在整个教育改革的系统之内，通过全面改革、全面提高学校教育的质量，达到提高科技教育质量的目标。

美国在20世纪90年代继续推进教育改革，其目的是要建立21世纪的美国教育新体系，全面提高美国教育质量，期望以世界第一流水平的教育来培养世界第一流水平的劳动力，确保美国科技领先和世界头号强国的地位。因此，这次改革明显突出“面向21世纪的美国教育”这个主题，更加注重加强联邦政府对教育改革的组织、领导和干预作用。1999年4月，布什总统签署的全美教育改革文件《美国2000年：教育战略》，提出了美国教育改革的四大“教育战略”和六项“国家教育目标”，进一步强化科学课程在中小学课程体系中的核心地位，将科技教育与培养合格公民，以及满足未来学习需要和就业准备联系在一起。具体内容包括以下四个方面：第一，强调科学主义与人文主义并重，“文化脱盲”与“科学脱盲”并重；第二，科技教育不仅要适应现实的科技革命的需要，而且要适应21世纪科技发展的未来要求，科技教育的目的重在提高全民的科学素养和科技能力；第三，把科技教育的发展纳入终身教育体系，不仅要加强正规教育的科技教育，而且成年人必须坚持终身学习，不断提高科技素养和科技能力；第四，把科技教育作为整个教育的核心之一，推行全美统一的课程标准，以期提高教育质量。

以色列把科学教育作为国家发展科学事业基础结构的核心

以色列是一个小国，但它却以其明确而强有力的教育与科技立国策略，不断增强自己的竞争力，以持续发展的经济和成功的高科技产业，跻身于世界20个最发达国家之列。究其原因，以色列重视教育事业特别是科技教育的发展，充分发挥科技教育对国民经济增长的基础性作用的经验和做法，给我们以重要启示。

由于以色列几乎没有任何自然资源，因此在以色列深入人心的观念是，只有重视开发人力资源，才能保证国家的持续发展；加之犹太人历来有重教传统，教育子女更是其一生中必须履行的三大义务的第一项，所以在以色列，人们把教育视为社会的一种基本财富，是开创未来的关键。从实际成效看，以色列的教育确实发挥了带动国家经济和社会发展的火车头作用，它不断培养出的大批高质量人才，对经济的持续发展及科技快速进步起到了至关重要的推动和牵引作用。以色列政府十分重视发展教育事业，最直接措施就是保持大比例、高强度的教育投资，并做到逐年增长。几十年来，以色列的教育经费占国内生产总值的比重一直稳定在8.5%水平上（我国尚不到3.2%），从未曾出现经费不足的窘迫。尤为突出的是，以色列特别注重发展科技教育，强调科学教育是国家发展科学事业基础结构的核心。国家确定的科技教育目标是，向学生传授高层次的知识，尤其是传授对国家的持续发展至关重要的科学技术技能。高水平的国民科技教育为以色列发展高科技产业战略，提供了有效的前提和良好的基础。

东盟五国把发展科技教育作为实现现代化的有效途径

新、马、泰、菲、印尼东盟五国，在20世纪60年代开始推行经济现代化后，也开始推进教育现代化，五国教育先后从传统的“读书做官”的办学模式，转向为经济发展服务模式，科技教育呈现出较好的发展势头。70年代后半期以后，东盟五国形成了以发展经济为重点的国策，科技教育因此获得了迅速发展。到80年代末，东盟五国全部实现普及小学免费义务教育，普及率达95%以上，大学在校生占适龄青年10%以上，文盲人数占总人口的7%～10%。90年代以后，东盟五国建立起了多层级、多类型的教育体系，进一步促进科技教育的发展，加大培养中高级技术人才力度，并建立起教育与经济发展的良性互动机制，使教育成为推动经济社会现代化的强大动力。此外，东盟五国还注重借助国外教育模式的示范作用，通过便捷的途径和经济科学的手段，以较短的时间、较低的成本推行教育现代化，有力地推动了经济发展。当然在注重学习发达国家办学经验的同时，他们也注重总结经验教训，根据本国实际对引进的教育模式进行改革创新，使之尽量本土化。

东盟五国十分注重发展科技教育，培养出大批应用性人才。他们采取的具体措施主要有：一是增设科技课程，从小学开始进行科学启蒙教育；二是建立系统的科技教育体系，从幼儿园、小学的科学启蒙，中学的科技课程，到创办中、高等科技院校和专业；三是大力开办职业技术教育；四是大力普及科技和职业技术知识，鼓励私人机构兴办科技企业，创办技术院校。

世界各国注重发展科技教育的措施还包括积极推进课程与教材改革。比如英国增设生态技术课程，德国、印尼和泰国都把生命技术知识引进中学课程之中，日本技术学校更是不断吸收高新科技进展信息，以便使学生将来能够设计出独霸世界市场的新产品。许多国家在探索减轻书包重负途径的同时，努力把教材和教学时间更多地集中于"那些在现在和数十年以后仍然应当知道的、影响重大的内容"，尤其是那些"为人生建造知识大厦的永久基础的那些概念"。这就是说，学校教育必须教给学生一些关于系统、模型、稳定、变化模式、进化、规模等方面的通用概念。德国提出，学生掌握方法比掌握知识更重要，因为在信息时代，只有掌握方法，才能驾驭飞速增加的具体知识。各国普遍认为，智能是21世纪必不可少的资源，为适应科学发展对改革教学方法提出的新要求，应把"解决问题"作为学校教学的核心，这对开发学生思维能力的活跃性和独创性具有普遍意义。

从以上比较分析中可以清楚地看到，在当今世界，积极推进教育改革，大力激发科技创新，提高人才培养质量，通过教育特别是科技教育的发展推动科技研发的提高，通过教育科技与经济发展的紧密结合促进科学转化成技术、技术转化成商品，已经成为世界科技教育发展的主流趋势。各国高度重视科技教育的结果，出现了政府直接干预科技教育、推动各级各类教育系统改革科技教育、促进国际合作全方位加强科技教育的局面，强化对学生传授科学、数学和技术知识，教育学生养成良好的思维习惯，承担起社会发展的责任。

海南特区大力发展科技教育的科学启蒙意义

海南特区加大力度发展科技教育还具有科学启蒙的意义。百年前的世纪之交，中国的先进分子就打出了"民主"与"科学"的旗帜，各方仁人志士追随"德先生"和"赛先生"，以救民族于水火之中，图国家以强盛之势。经过几十年的浴血奋战，我们建立了人民民主专政的社会主义国家，一改积贫积弱的国际形象，国际地位日益提高。改革开放以来，国家积极推进民主法制建设，大力发展民主，努力健全法制，实行依法治国，建设社会主义法治国家，保证人民行使当家作主的权利。党的十六大确定的全面建设小康社会的重要目标，就是要发展社会主义民主政治，使社会主义民主更加完善，社会主义法制更加完备，依法治国基本方略得到全面落实，人民的政治、经济和文化权益得到切实尊重和保障。为此，要着重加强制度建设，实现社会主义民主政治的制度化、规范化和程序化。

无论从已经取得的成就还是从未来发展目标看，我国的民主法制建设已经走上了轨道，成绩斐然，措施可行，目标可期。相比较而言，我国的科学启蒙与普及、科技发展与创新，还有相当长的路要走。世界现代科技史表明，经济的发展有赖于技术的进步，技术的创新有赖于科学的发展，科学的启蒙和普及则有赖于教育的发达。如前所述，大力发展科技教育，是展开这个链条的关键。中国古代曾创造了辉煌的技术文明，“四大发明”在当时令世人所仰慕，在当今仍被国人引以为自豪。但“四大发明”反映的其实只是技术的进步而不是科学的发达。科学的不发达与教育的落后存在着内在因果联系。中国的传统教育可谓源远流长，但它崇尚的是道德的传承，而不屑于对事物(特别是物质世界)演化规律的探究；强调学生的顿悟领会而不求逻辑思辨；教育赖以存在和发展的载体则以私塾为最，直到清末才引进了学堂或学校的现代教育载体。一百多年来，现代教育具有的启迪民智、传播知识、崇尚科学、倡导民主的基本功能，在中华大地散布了些许点滴，远未奠定基石，更未形成规模，不畏险阻而孜孜以求探究真理的科学精神，仅在少数先进分子中有了萌芽，远未在国人的心灵深处生根，成为坚不可摧的坚定信念。中原大陆尚且如此，对偏居南海一隅的海南特区来讲，就更具有加快发展科技教育的紧迫性。

海南经济特区要大力发展科技教育，不仅仅是普及一点科技知识，更为重要的是全力倡导科学精神。科学精神的核心是不畏惧艰难险阻，不迷信书本权威，不断探求规律，敢于坚持真理。为此，海南首先应当把科技教育纳入全省素质教育系统之中，把培养和训导学生的科学精神作为素质教育的核心内容之一。科学精神的启蒙应当从学前教育抓起，对孩子实行文化启蒙与科学启蒙并重。对成年人则应当把科学脱盲放到与文化脱盲同样重要的地位，也就是说，科学不脱盲不算真正脱盲。实际上，在科技飞速发展的当代，科技扫盲的问题也就是终身教育的问题，二者具有了同等含义。其次海南特区应当加快教材改革步伐，不断提高科技教学课时比重。在义务教育阶段，最基本的科技教育课程应当是：数学、自然科学史、社会研究方法、计算机技术和外语。这些课程的教学时数应当占到总教学时数的1/2至2/3。在学前教育阶段，科技教育课程时数也应当在1/3以上。再次海南特区应当加强科技教育立法，用法律的手段推动科技教育的发展，用法律的手段确保对科技教育财政投入的增加。也许可以说，没有海南特区科技教育的发展，就没有海南特区教育事业的振兴；没有海南特区教育事业的全面发展，继续推进“科教兴琼”战略，全面建设小康社会就缺乏坚实的基础。

经济特区要继续走在制度创新的前列

周文彰

经济特区在全国的地位在下降，对资金、技术、人才的吸引力也在下降。这个事实，一方面使我们感到高兴，因为这正是我国改革开放的重大成果，表明全国有吸引力的地方越来越多；另外一方面也使我们经济特区的许多同志感到失落和焦虑。

我们总希望经济特区始终能够令世人瞩目，始终保持对人们的吸引力。因此，近年来，各个经济特区都在思索，想努力创造新的吸引力。比如，深圳提出要率先基本实现现代化，成为建设中国特色社会主义的示范区。我们海南的学者也动了不少心思，比如建议把海南铸成不沉的航空母舰，使之成为南海资源特别是油气资源的开发基地。甚至还有人提出，把海南放开，让它成为赶超台湾、显示社会主义制度优越性的超前实验区。这些探索非常可贵，但是真正地实施起来，并不是一件易事。

党的十六大为我们经济特区指明了方向，十六大报告提出："鼓励经济特区和上海浦东新区在制度创新和扩大开放等方面走在前列。"大家知道，全国重要会议对经济特区只说一句话已经连续几年了，过去常说的话叫作"继续办好经济特区和浦东新区"。今年也是一句话，但是内容变了，这一变值得我们经济特区好好琢磨，充分利用，认真落实。我体会这句话，至少表明了三个重要信息：第一，中央仍然肯定经济特区的存在；第二，中央仍然给经济特区以重要使命——在制度创新和扩大开放方面走在前列；第三，中央仍然赋予经济特区重要的政策，即允许先行先试，鼓励"走在前列"。

经济特区的确要认真解决如何增强吸引力的问题。因为经济特区要靠吸引外部资金，特别是外国资金进行开发建设，特区的发展路子不同于内地，这是第一"特"——发展路子特；要吸引外部资金就要有政策，国家赋予经济特区一系列的优惠政策，这是第二"特"——政策特；为了对外开放，一定要改革传统的体制，允许经济特区实行新的体制，这是第三"特"——体制特。现在，这三个"特"当中，"政策特"已发生了很大的变化，笼统地说"政策优势"在下降是不确切的。我初步分析，经济特区的政策优势一方面在减弱，另一方面也在增强。优势减弱的主要是两项政策：一个是关税减免政策，一个是所得税减免政策。但是另外一方面，我们的政策优势也在增强。比如，在所有制结构方面，过去我们总是遮遮掩掩，现在我们可以大胆发展私营经济，大胆吸引国外资本。再比如，经济特区如深圳、海南，近些年都获得了"落地签证"政策，即外国人不需要事先申办签证，到了深圳、海南，当即办理入境签证，从而大大方便了外国人的旅游和投资。那么，为什么我们感到优势在减弱呢？一是因为经济特区的一些优惠政策被内地纷纷效仿，使经济特区的政策优势相对减弱。另外，在体制方面，从全国开始建立社会主义市场经济体制的进程以来，内地的体制也进行了大量的改革，使内地许多地方不仅政策优惠，而且体制也有了优势。与此同时，我们经济特区的改革劲头却不如当初了。近几年，我们只要留意报刊，就会看到：一些比较大胆、比较有效的改革，不是频频地出现在经济特区，而是在内地。这样，经济特区的优势一方面在绝对地减弱，一方面又在相对地减弱，这样，我们经济特区的优势就不是那么明显了。

政策优势与体制优势相比，在吸引资金、技术、人才方面到底哪一个占的份量更重呢？早就有人做过调查：有两个地方，一个地方政策比较优惠，但是办事效率很低，另一个地方办事效率很高，但是政策没有优惠，问投资者愿意选择哪个地方投资，绝大部分投资者都选择办事效率高而政策不怎么优惠的地方。这说明有优惠政策固然好，但是政策不优惠，只要我们把办事效率提高了，把体制优势保持下去，经济特区还是很有吸引力的。

十六大要我们在制度创新方面走在前面，很值得我们经济特区的理论工作者和实际工作者们好好研究。现在看来，我们经济特区的改革，只能算是个起步，远远没有完成，改革的任务很重。比如，在国有企业方面如何完善法人治理结构，建立健全民主管理制度就值得我们努力。对民间资本放宽准入领域，实行公平竞争，十六大报告也提出来了；从逻辑上讲，凡是允许外资进入的领域，民间资本就可以进入，经济特区完全可以先走一步。再比如，政府如何在宏观管理上充分到位，而在行政审批方面大力削减和加以规范，如何用好经济特区的特许立法权，率先进行保护私人财产的立法等等，在这些方面，如果我们率先改革到位，在全国先走一步，我们的体制优势就会明显，就会大大增加吸引力。这方面我们改革的任务很重，我们也大有可为。

因此，我们经济特区的理论工作者和实际工作者要围绕十六大报告提出的“鼓励经济特区和上海浦东新区在制度创新和扩大开放等方面走在前列”这句话，做好三件事：第一，我们一定要振奋改革精神，特别是要进一步解放思想，把我们的思想认识从那些不合时宜的观念、做法和体制的束缚中解放出来，从对马克思主义的错误的和教条式的理解中解放出来，从主观主义和形而上学的桎梏中解放出来。在体制创新方面我们已经没有当初那些来自外部的舆论压力和思想障碍了，关键倒是我们特区人要振奋改革精神，敢想、敢试、敢闯。第二，政府大力推动。中国的改革是自下而上兴起的，先有安徽凤阳县小岗村18户农民的土地承包改革，但是改革真正全面铺开，创造出新的体制，还是靠自上而下的推动。十六大报告在四、五、六、十等四大部分，提出了许多改革任务，要求改革的力度很大，有的地方几乎一句话就是一个改革任务。我们经济特区的领导层一定要把改革的任务排排队，分分类，认真安排年度改革计划，2003年改革什么、2004年改革什么，至少有个5年的改革年度安排，一件一件地抓落实。第三，用好我们经济特区的特许立法权，围绕改革进行立法，使我们改革一开始就比较规范，有章可循。只要我们在制度创新方面真的走在前面，那么经济特区仍将会保持很强的吸引力。经济特区这些年基础设施已比较完善，对外开放的知名度很高，经济实力大大增强了，经济特区也积聚了一大批人才，加上体制创新这一优势，我们经济特区仍然可以强有力地吸引资金、技术和人才。

新时期的体制改革与汕头经济特区的创新之路

方宁生

在党的十六大报告中，江泽民同志代表党中央提出“鼓励经济特区和上海浦东新区在制度创新和扩大开放等方面走在前列”。世间一切事物的发展，是一个具有继承性的连续过程，党中央对经济特区和上海浦东新区在新世纪新形势下的新发展指明了方向，这里面同时包涵着20世纪最后20年的成功经验，这对于经济特区的建设者和关心经济特区的人们无疑是一大鼓舞。

一、经济特区是创新的代名词，是创新的化身

20世纪70年代末，党中央决定实行基于制度不同的对外开放政策，在具体实施上，决定广东先行一步，同时在广东的深圳、珠海、汕头和福建的厦门选址设置经济特区，作为对外开放的“窗口”。

经济特区作为对外开放的特殊形式，走的是以开放促改革促发展的道路。以现在的观点来看，这是一条创新之路，包括理论创新、制度创新以及由此引起的特区经济、社会、生产、生活各个领域的创新。经济特区的创新，得益于中央给予的试验权。试验就是实践。经济特区在有限的区域范围内，进行着具有中国特色社会主义事业的实践，充当了排头兵的角色。

无论从命名来看，还是从实践看，经济特区本身就是创新的代名词，就是创新的化身。

1. 经济特区最先体现理论创新。经济特区的设置借鉴了二次大战后国外加工出口区的做法，又高于加工出口区；既从列宁关于“租让制”的设想和实践中找到依据，又不生搬硬套，而是以马克思主义的理论勇气，吸取当代人类文明的有益成果，在坚持马克思主义的基本原理的前提下，自觉地从对马克思主义的错误和教条式的理解中，从主观主义和形而上学的桎梏中解放出来，经济特区概念、理论的出现和形成，正是不断解放思想，坚持实事求是的产物，充分体现了在理论、认识上的开创性。

2. 经济特区最先进行制度创新。理论创新推动制度创新。经济特区脱胎于计划经济的母胎，但一出世，就实行市场调节，发展市场经济，在公有制经济、特别是国有经济占绝对统治地位的大环境中，几个类似物理学质点的经济特区，非公有制经济，特别是非国有经济营造了生存和发展的投资环境、法律环境和市场环境；当广大的普区居民仍然遵循着传统的按劳分配理论，单凭自己的劳动获取收入的时候，经济特区已悄悄地推行分配制度革命，让资本、技术、知识、管理等等生产要素，参与剩余价值的分配，不劳而获等于剥削的传统观念和做法没有进入特区，合法的非劳动收入和合法的劳动收入一样，得到承认、保护……这些人们现在所熟悉并生活在其中、为党的十六大所肯定的制度，在20多年前，只在经济特区中进行试验。

3. 经济特区最先推进工业化和城市化创新。在对外开放前的30年间，我国社会主义工业化，受制于当时国内外形势，无缘战后国际产业资本转移的机遇，仅依靠自身的积累，没能发挥社会发展基本动力的作用，中国大陆仍然处于农业经济阶段。在这个阶段设置的经济特区，或选在边陲小镇，或选在城市郊区，或选在海岛，其共同点都是工业尚未发展，工业化当然地成为经济特区发展的基本动力。经济特区在对外开放政策指引下，大力发展外向型经济，大量引进境外加工工业资本，分享当代国际分工的成果，迅速走上工业化道路。工业化带动城市化，"一夜之城"、"花园城市"等新型城市的出现令世人瞩目。经济特区成为最先富起来的那部份地区，特区人成为最先富起来的那部分人，经济特区率先从落后地区进入小康社会的地区。

4. 经济特区最先从事文化创新。经济特区在创建新型城市的同时，不依人们意志为转移地创造一种崭新的社会生活方式，营造崭新的城市文化。在经济特区发展的初期，经济特区文化创新的实践，很快地就上升为观念，"效率就是生命，时间就是金钱"，高度概括了经济特区的文化精神，当时每个进入特区的人，都深深地为特区生活的快节奏所感染，朝气勃勃，奋发有为，争时间，抢速度，充分体现了时代色彩的特区社会生活。企业文化，社区文化，城市文化等等已进入特区，推动着特区文化创新的实践。

以开放促改革促发展的实践没有止境，创新也没有止境。创新是经济特区的生命线，坚持创新，经济特区就会继续成为全国的排头兵、走在全国前列，这是经济特区能够与时俱进而"特"起来的力量源泉。

二、我国进入重要战略机遇期与经济特区的创新

本世纪头20年是我国社会主义事业发展的重要战略机遇期。我国已进入这样的重要战略机遇期。在这个历史发展时期，我国要全面建设小康社会，"这是实现现代化建设第三步战略目标必经的承上启下的发展阶段，也是完善社会主义市场经济体制和扩大对外开放的关键阶段。"全面建设小康社会，必须坚持以经济建设为中心，必须发展社会主义政治，建设社会主义政治文明，必须大力发展社会主义文化，建设社会主义精神文明，为此就必须进行包括经济体制、政治体制和文化体制在内的体制改革。20多年来的实践证明，开放、改革是我国发展的成功之路。进入新世纪，在头20年，我国要扩大对外开放，要进行全面体制改革，曾经在开放、改革、发展中充当全国排头兵的经济特区必须与时俱进，不断解放思想，不断开拓创新，才能继续走在全国前列。

我国的对外开放，可以说是从设置经济特区开始，由点到线到面到全方位对外开放，我国花了20年时间，让世界了解中国。进入新世纪第一年，我国加入世贸组织，中国开始融入世界，对外开放进入新阶段。在我国进入对外开放的新阶段，"世界多极化和经济全球化趋势的发展，给世界的和平和发展带来了机遇和有利条件"，这将可以为我国全面建设小康社会提供较长时期的和平国际环境和良好的周边环境。新世纪新阶段有利的国际环境呼唤着经济特区扩大对外开放。

扩大对外开放，意味着经济特区必须主动去适应经济全球化和世贸组织的游戏规则，迅速地转变政府职能，在更大范围、更宽领域和更高层次上参与国际分工，提高国际经济技术合作与竞争的本领，实施"走出去"战略，以对外投资带动对外贸易，发展和壮大特区跨国企业，增创名牌，以更快速度发展特区生产力。

对外开放与工业化关系密切，扩大对外开放有利于推进新型工业化。我国基本实现工业

化，大约需要70年的时间，包括20世纪后50年和本世纪头20年，分3个阶段，第一阶段对外开放前30年，那是在闭关自守的环境下的工业化，第二阶段20世纪最后20年，在对外开放的环境中，走的是传统工业化道路，第三阶段本世纪头20年，对外开放进入新阶段，将走新型工业化道路，最后实现基本工业化。进入工业化第三阶段，世界经济发展重心已转移到中国，中国正在发展成为世界工厂。目前，世界工厂实际集中于包括深圳、珠海两特区在内的珠三角和包括上海浦东新区在内的长三角两个地区。世界工厂集中的地区呼唤着上述3个经济特区必须走在新型工业化道路的前列。处于珠三角和长三角之间，包括汕头、厦门两特区在内的闽粤赣经济特区以及海南特区，需要进一步发展外向型经济，发展高新技术产业和高附加值加工制造业，加快工业化和城市化进程。经济特区扩大对外开放，要把利用外资和产业结构调整结合起来，在这一点上，特区的优势十分明显。据有关报道，美国“9·11”事件以后，世界各国投资者看好中国大陆市场，有约2万亿美元的资本屯集香港，而台湾由于岛内投资环境恶化，也有约2百亿美元资本有望出岛。经济特区完全可以放开手脚，进一步吸引外商直接投资，进一步通过多种方式利用中长期国外投资，闯出新型工业化的路子。

开放是创新的动力。新世纪新阶段经济特区扩大开放，就是增强创新的动力。自20世纪90年代中期，国家给予经济特区各种优惠政策退出历史舞台以后，经济特区的“特”，不再靠政策倾斜，而是要靠创新。经济特区要抓住本世纪头20年的重要战略机遇，更要靠创新，特别是制度创新。

传统体制不利于开放，束缚甚至破坏生产力的发展，因此，经济特区必须坚决废除一切妨碍开放，阻碍生产力发展的体制弊端。经济特区的体制改革，和全国其他地区没有什么不同，但经济特区必须在体制改革中，进行更多的创新，这是“与众不同”，是“特”的所在。

经济特区要在体制改革中创新，就要不断地解放思想，不断地从那些不合时宜的观念、做法和体制的束缚中解放出来，才能不断拓展新视野，形成既体现时代性，又符合规律性，更富于开创性的特区观念、做法和体制。

三、汕头经济特区的创新之路

汕头市在我国近代史上是对外开放最早的港口城市之一，是全国著名侨乡，在港、澳、台拥有众多的同胞，20世纪70年代末80年代初，得对外开放之先，设置经济特区，自那时以来，实行全方位、多层次、宽领域的对外开放，经济社会大步前进。特别是汕头经济特区扩大到全市之后，投入了200多亿元，进行港口、交通、通讯、水、电等大型基础工程建设，已基本形成海、陆、空配套的立体交通网络，5万吨轮已可靠泊，铁路已并入全国铁路网，公路通村率已达100%，亚欧、中美、亚太三大国际海底电缆在汕登陆，汕头已成为国际信息高速公路重要节点。1992年以来，汕头被评为“全国城市综合实力50强”、“首批投资环境40优”、“国家卫生城市”、“国家环境保护模范城市”、“中国优秀旅游城市”等。

党的十六大提出全面建设小康社会的奋斗目标，不仅追求物质生活的提高，更要追求精神生活的提高以及生活环境的优化等等。据汕头市统计局的资料显示，2000年汕头人均GDP10509元，（全国6902元）；城镇人均纯收入8707元（全国6280元），农村人均纯收入4343元（全国2253元）；城镇人均消费性支出7494元（全国4998元），农村人均消费性支出3643元（全国1670元）。从物质生活看，可以说汕头目前已超越了总体小康的水平，这是汕头经济特区全面建设小康社会的起点。经过20年的发展，汕头经济特区已进入小康的行列，今后20年理所当然地应该走在全面建设小康的前列。

汕头经济特区要继续走在全国前列，就必须加快发展，为此必须扩大开放，深化改革。以开放促改革促发展，关键在于创新，重点在制度创新，具体地说要转变政府职能，提高行政管理效率，不断解放思想，不断拓宽视野，真正做到发展有新思路，改革有新突破，开放有新局面，每项工作有新举措。

和其他经济特区比较起来，汕头经济特区在新世纪新阶段的创新，可能更为任重道远，但创新是汕头经济特区加快发展的惟一选择，其创新之路，应包括如下几个要点：

1. 实施“尽快赶上再跨越”的发展战略。近几年由于个别地方，少数企业的信用严重缺失，损害了汕头经济特区的形象，阻碍了全市经济的发展，导致2001年GDP负增长1.9%，信用成为汕头经济发展的“瓶颈”。自去年以来，经过“重树信用、重塑形象”的努力，汕头的软环境逐步改善，今年GDP出现恢复性增长，预计可达到5%以上。从实际出发，在今后20年，汕头经济特区要走在前列，要率先基本实现现代化，必须实施“尽快赶上再跨越”的发展战略。要尽快赶上全省的平均水平，快，指的是发展速度，是时间，汕头经济特区必须在我国入世后的过渡时期内，从现在算起，以4年左右的时间赶上全省平均水平，再在此后的15年左右的时间里，实施跨越式发展。

2. 有侧重地发展新型工业。汕头经济特区的工业化进程已从轻纺工业向重化工业发展。目前汕头经济特区规划建设高新技术石油化学工业区，规划在2010年前总投资达到300亿元，用地7000亩，建成后每年可生产近150万吨石化产品。汕头经济特区扩大到汕头市区后，汕头港成为特区港。港市一体，市因港兴，港因市旺，这是汕头港与汕头市的特殊关系。省委省政府对汕头的发展进行定位，指出汕头要利用优良的港口条件，上大石化项目。在汕头经济特区区域内规划建设石化工业区，引进国际大跨国公司资本，生产高技术含量、高附加值、高效益的产品，有侧重地发展汕头经济特区的新型工业，将有利于实施“尽快赶上再跨越”的发展战略。

3. 积极探索与粤赣闽三省交界地区经济联动发展的关系。经济特区是全国的经济特区，离不开全国的支援，更要服务于全国。服务全国，首先必须服务周边地区。汕头市开埠141年来，早已成为粤东和赣南、闽西南等地区的门户。自20世纪90年代中期以后，随着广梅汕铁路铺通并与京九铁路接轨，随着梅坎铁路投入运营，汕头经济特区作为粤东赣南闽西南等地区进出的门户的地位比前增强，因此，汕头经济特区不仅要建成粤东中心城市，更要建成粤东赣南闽西南三省交界地区中心城市，充分发挥中心城市的服务功能，为粤赣闽交界的边、老、山区的工业化、现代化的实现提供大通道。汕头经济特区将培育腹地，与腹地经济的联动发展，同样有利于实施“尽快赶上再跨越”的发展战略。

加强内地与香港两地民商事司法协助，促进香港与内地经济的共同繁荣

董立坤

在论及香港与内地的经济合作时，有一个问题应受到香港与内地政府的充分重视，即根据《中英联合声明》和《香港特别行政区基本法》，香港实行与内地完全不同的法律，香港与内地是中国领域内两个相互平行的法域，香港法院的判决不能在内地执行，内地法院的判决也不能在香港执行，香港与内地这种相互独立的法律与法律制度在一定程度上阻碍了香港与内地的经济交流。要大力加强香港与内地的经济合作，要建立紧密的经贸关系，就一定要加强相互间的司法互助，建立通畅的民商事司法协助关系。

一、内地与香港两地的有关《文书送达安排》和《执行仲裁裁决安排》，有效推动了中、港两地的经贸关系

司法协助是指有关国家或不同法域间或是通过缔结条约，或是通过外交途径安排临时性的协议，互相委托对方法院代为履行某些诉讼行为，如代为送达诉讼文件，代为调查证据，互相承认和执行对方法院或仲裁机构的判决或裁决的国家间或法域间互相委托对方法院采取的司法行动。如这种司法协助行为发生在国家间的就是国际司法协助；发生在一个国家不同法域之间的，就是区际司法互助。内地与香港特别行政区的司法互助由《基本法》第95条予以规定：香港特别行政区可与全国其他地区的司法机关通过协商依法进行司法方面的联系和相互提供协助。

在1986年12月前，香港作为英国的殖民地，与我国内地几乎不存在司法协助关系，香港与大陆近在咫尺，相互之间不能送达文书，不能相互执行对方法院的判决，任何一方的司法人员是不能到对方调查取证的。但是，在1986年12月2日中国加入了联合国《承认和执行外国仲裁裁决公约》(即《纽约公约》)，根据《纽约公约》的规定，中国内地仲裁裁决可在中国香港申请承认和执行，香港仲裁中心的裁决亦可依《纽约公约》在内地法院申请承认和执行。到1997年7月1日香港回归之前，香港共执行了内地仲裁裁决250件，内地执行了香港仲裁中心的裁决13件。自1997年7月1日始，因中国恢复对香港行使主权，内地与香港相互间依据《纽约公约》执行对方仲裁裁决的程序中止，直到1999年6月21日，最高人民法院与香港特别行政区政府代表在深圳签署了《关于内地与香港特别行政区相互执行仲裁裁决的安排》(简称《仲裁执行安排》)始，内地与香港双方才又根据《安排》恢复相互执行对方仲裁机构的裁决。

关于诉讼文书的送达。在香港回归以前，也是在双方共同参加的国际条约框架下进行的。1970年7月19日，英国政府发表声明，将海牙国际私法会议的《关于向国外送达民事或商事司法文书和司法外文书公约》(以下简称《海牙送达公约》)适用于香港。我国于1991年3月2日加入该公约，并从1992年1月1日始，海牙送达公约对我国生效。1997年7月15日，最

高人民法院发出了《关于〈送达公约〉适用于香港的通知》，自此，内地与香港的司法文书的送达主要依据《海牙送达公约》的规定进行。同样，在 1997 年 7 月 1 日中国恢复对香港恢复行使主权之后，依据《海牙送达公约》程序进行送达的协助终止。1998 年 12 月 30 日，最高人民法院审判委员会第 1038 次会议通过了香港回归后第一个两地司法协助的司法解释：《关于内地与香港特别行政区法院相互委托送达民商事司法文书的安排》(简称《送达安排》)，并于 1999 年 3 月 30 日予以公布实行。据不完全统计，截至 2002 年 5 月，内地法院委托香港高等法院送达司法文件 1410 件，香港高等法院委托内地法院送达司法文件 165 件，大大推动了中、港两地民商事关系。

二、应重视解决内地、香港民商事判决的承认与执行问题

《仲裁执行安排》与《送达安排》是中国恢复对香港行使主权后，经两年多的协商、讨论和探索所寻找出的内地与香港特别行政区进行司法协助最佳方式，曾引起内地与香港两地法学界广泛重视，内地与香港两地应根据两个《安排》的模式进一步推动内地与香港两地其他领域司法协助。但是，三年多时间过去了，内地与香港没有再签订新的民商事司法协助的协议，相反，大陆与台湾地区、大陆与澳门地区的司法协助有了新的发展。1992 年台湾地区公布和施行的经多次修改、增订的《台湾地区与大陆地区人民关系条例》规定，在大陆地区作成民事确定裁判、民事仲裁判断“可在台湾申请‘法院裁定认可’，经台湾法院裁定认可之判决或判断以给付为内容者得为执行名义”。最高人民法院于 1998 年 1 月 15 日通过了一项司法解释《关于人民法院认可台湾地区有关法院民事判决的规定》，对承认和执行台湾地区法院的民事判决也作出了规定，并从 1998 年 5 月 11 日起施行。大陆法院和台湾地区法院民商事判决都已按照相关规定在对方得到承认和执行。内地与澳门特别行政区也已于 2001 年 8 月 15 日签署了《关于内地与澳门特别行政区法院对民商事案件相互委托送达司法文书和调查取证的安排》，这是澳门回归后与内地达成的第一个司法合作协议，由于协议的内容包括了调查取证，使得内地与澳门的司法合作走到了内地与香港地区司法合作的前面。

内地与香港两地民商事关系的发展要求内地与香港两地进行更紧密的司法合作关系，尤其要求在内地与香港两地就相互承认和执行法院的判决作出规定。在香港回归以后，无论内地与香港民事和商事交往都在迅猛发展。据统计，在内地法院受理的涉外民事案件中，有近 80% 为涉港案件，由于内地与香港两地的法院不能相互承认和执行对方法院的民商事判决，致使内地与香港两地法院民商事判决不能得到有效执行而大大阻碍内地与香港两地建立更紧密的经济关系。内地与香港两地的法学界、工商界人士都已作出强烈的呼吁，香港特别行政区政府与内地有关部门已为相互承认和执行对方法院的判决进行了长期的磋商，但因种种原因，致使迄今还不能达成一致的意见。其中，尤其在关于承认和执行判决的范围，内地与香港两地有不同的认识。

香港特别行政区行政司向香港特别行政区立法会司法及法律委员会主席提交的《香港特区与内地间就商业事务交互执行判决事宜》的文件中主张：两地相互对对方法院的判决仅包括商业事项，排除了民事事项的判决。香港特别行政区有关官员解释是：“因为内地与香港特区之间仍存在着一定的法律差距，两地在司法合作和协助上需要磨合的地方仍多，故此两地之间的司法合作可采取先易后难的原则进行。”有建议安排暂时可局限于特定的个案中适用，而非全面的民商事判决。具体安排仅局限于具有以下各项特点的判决：(1)有关的判决是一项金钱上的判决；(2)有关的判决是一项商业的合约纠纷；(3)合约当事人中先已有书面

明示的规定，纠纷由作出判决的法院解决；(4)判决是最终判决。这种仅局限于执行某些特殊商事事项的判决，而非是全面的相互承认和执行内地和香港地区民商事判决的办法，受到内地法学界广泛的质疑。

第一，从国际上看，承认和执行法院的判决是相互关连的，有的判决仅需承认其效力，而无须予以执行。例如婚姻判决；有的判决先要承认其效力，然后才予以执行，如金钱债务的判决。香港特区的建议大纲仅规定执行事项，不包括承认事项，这是不完整的，在实际执行中也难以操作。

第二，执行判决的事项范围狭窄，仅限于商事事项的涉及金钱的判决，或是解决一项商业的合约纠纷，且此项合约判决的法院是由当事人协议选择的法院。这不仅排除民事事项，也排除了大部分商事事项，如合资、合作、企业的收购与合并，特别重要的是，即使被列入执行的商事判决，也必须是由双方当事人协议选择的法院作出的判决，换句话说，如果当事人没有选择法院，而是根据中国内地民事诉讼法规定的管辖法院作出的判决也不能予以执行。这使执行的范围非常狭窄，因为现在大部分民商事案件都是法定管辖，而不是由当事人选择的法院管辖的。

第三，执行的条件不够规范。根据香港提出的方案，香港特区法院可基于以下任何一个理由，拒绝执行内地法院的判决：

(1)该判决是在违反自然公正的原则下取得的；

(2)该判决是以欺诈手段取得的；

(3)强制执行违背香港特区的公共政策；

(4)该判决并非终局判决。

这个条件并非符合国际通行的有关承认与执行判决的有关条件。例如，1968年欧共体订立《民商事管辖权及判决执行公约》(简称《布鲁塞尔公约》)，不但为广大的欧盟国家所执行，其有关承认与执行缔约国法院的条件也为世界许多国家所采用。《布鲁塞尔公约》规定：(1)外国判决案件的管辖权根据原判决国的法律予以确定；(2)执行国在任何情况下，不能对外国判决的实质性问题加以审查；(3)《公约》规定，只有在下列情况下，缔约国的判决才有可能被拒绝承认和执行：如果这种承认和执行违背被请求国的公共政策者；如果被告由于未及时收到有关起诉文件，使他不能有充分的时间安排辩护而作出的缺席判决；如果该判决与被请求承认国就同一当事人之间的争端作出判决不能调和者；以及其他某种情况。2000年海牙国际私法会议《关于民商事案件管辖权及判决执行公约》(简称《海牙公约》)对判决执行的条件较之1968年的《布鲁塞尔公约》规定得更为宽松，《海牙公约》规定可申请承认和执行的判决，只要是符合本公约有关管辖权的规定，由任何原审国作出具有执行力的判决都可在缔约他国申请承认和执行；《海牙公约》特别强调：被申请法院应该核实原审法院的管辖权，但在核实原审法院管辖权时，被申请法院应受原审法院作为其管辖权依据的事实调查结果的约束，除非有关判决是缺席判决。《海牙公约》第8条规定：可被拒绝承认和执行的判决：只有在被申请国法院正在处理相同当事人之间具有相同标的诉讼，且该法院按照本公约的有关规定已受理在先；或该判决与被申请国或另一国已先作出判决相符；或作出的判决不符合被申请国的基本程序规则，各方当事人未得到公正的，独立的法院听讯的权利；未向被告以合法的方式送达提起诉讼的文书或者同等文件致使被告没有足够的时间安排答辩的；或判决通过程序欺诈获得的；或承认或执行该判决与被申请国的公共政策明显相悖的。由此可见，香港所提出的执行内地法院判决的条件大大严于《布鲁塞尔公约》和《海牙公约》的规定，这同国际上有关放宽承认和执行外国判决的条件相悖。

应当特别指出，香港作为中华人民共和国的一个特别行政区，应该比不同国家间的相互承认和执行对方法院的判决更为宽松，更不应动辄以公共政策排除承认和执行对方法域法院的判决。在国际上，公共政策主要指违背国家根本利益，违反社会公序良俗的内容，在内地与香港同属一个国家情况下，国家的利益是完全一致的，相互之间也不存在完全相抵触的公序良俗的标准。

香港还以违反"自然公正"的原则作为拒绝执行内地法院的判决的理由，这也是不适宜的。自然公正原则是一个很具弹性的原则。根据香港法律的解释，自然公正原则由两个基本原素构成：(1)没有人可以担任自己讼案的法官(防止偏见原则)。这个原则规定，有关决定必须按照个案的是非曲直诚实地作出，而非按照或看来切合判决者的利益作出。这个原则所应用的验证标准，是"合理的怀疑"或"实在可能"存有偏见。其实在中国民事诉讼中，有回避制度，任何一件案件，如果审判者同其审理案件有利害关系，或是同案件当事人有某种利益上的联系，或有可能影响到案件的公正审判，当事人都可以要求相关审判人员回避，如果我们采用香港的自然公正原则，以"合理的怀疑"或"实在可能"存有偏见，那就放弃了一个可予以遵循的客观标准，而以审查者的主观臆断代替了客观标准。

自然公正第二个原则：获得公平聆讯的权利的原则。这个原则预设了聆听受影响的人士的职责，以及该人应该受影响人士的职责，以及该人应该获告知任何不利他的事实或意见，并给他机会反驳或质疑有关事实或意见的可信性。这个原则实际上是一个程序上的规定，根据相关国际公约和有关国家法律规定：判决必须在符合法定程序，应按法律规定向被告送达司法文书，并给被告以充分的答辩机会，判决不是通过程序方面的欺诈获得的，这种具体规定较之含糊不清的原则性规定更具有可操作性。

香港特区关于拒绝承认和执行内地法院判决的另一个条件，就是"该判决并非终局性的判决"，这就使得内地法院的任何一项民商事判决都可在香港被裁定为"非终局性判决"而不予执行。因为香港法院认为，中国法院存在申诉和抗诉制度，任何一项判决都因申诉或抗诉成功成非终局性判决。香港高等法院已经以此理由拒绝承认由福建省高级人民法院和广东东莞市中级人民法院作出终审判决为非终局性判决。依此理论和条件，即使内地与香港特区政府达成有关相互执行对方民商事判决的安排，结果此《安排》形同虚设，内地法院的判决仍不能在香港得到有效执行。

由于香港提出的相互执行内地与香港法院判决的条件同国际上遵行的条件不相一致，在一定程序上含有对内地司法制度的不信任，致使两地就相互承认和执行法院民商事判决意见不能协调一致，内地、香港两地法院的民商事判决自然不能被承认和执行。这种情况极大地影响了内地、香港两地更紧密的经贸关系的建立，许多人利用内地、香港两地不能相互承认和执行对方法院判决这一事实，恶意地挑选法院，逃避债务，使本来应予解决的经济纠纷不能得到解决，损害合法投资人的利益，也阻碍了内地、香港两地经济关系的发展，这不能不引起内地、香港两地决策者的重视。

笔者认为，内地与香港地区虽然是一个国家内两个平行法域，这两个法域同两个国家有重大的区别。中国已与世界上三十多个国家订立了司法协助协定，就相互承认和执行法院的民商事判决作出了规定，内地与香港地区关系密切，有大量的民商事关系，更需要就相互承认和执行对方民商事判决作出规定。大陆和台湾地区相互承认和执行对方法院民商事判决的规定可作为内地、香港两地相互承认和执行对方法律民商事判决的参考。具体地说：内地与香港两地的民商事判决的相互承认和执行可依以下的条件予以设计：

1. 在形式上可采用内地与香港两地已采用的关于《仲裁裁决执行安排》和《送达安排》的模式：由内地最高法院和香港特别行政区政府部门达成一个《关于内地和香港特别行政区相互承认和执行民商事判决的安排》，然后，由内地最高人民法院以司法解释的方式予以公布，香港特别行政区立法会根据《安排》的规定制定法律予以实行。

2. 相互承认和执行判决包括民事和商事的全部事项，在现行国际上民事和商事事项很难分立，无论内地法律或香港法律也是民商法律不分，人为区分民事法律和商事法律不符合内地法律和香港法律的传统。

3. 应一并规定承认与执行民商事判决的程序和条件。在国际上承认和执行外国民商事判决从来是相互关联的，即使在执行程序中，也首先有个审查对方法院判决效力的过程，只有确认了对方法院判决的效力，才可根据本法域法律的规定程序予以承认和执行。人为地将承认和执行的程序相割裂不符合国际惯例也不合国情民意。

4. 关于相互承认和执行内地与香港两地民商事判决的条件，可参照内地承认和执行台湾地区法院的条件规定规定之。1998 年 1 月 15 日，最高人民法院《关于人民法院认可台湾地区有关法院民事判决的规定》规定了台湾地区有关法院的民事判决具有下列情形之一的裁定不予认可：

（1）申请认可的民事判决的效力不确定的；

（2）申请认可的民事判决，是在被告缺席又未经合法传唤或在被告无诉讼行为能力又未得到适当代理的情况下作出的；

（3）案件是人民法院专属管辖的；

（4）案件的双方当事人订有仲裁协议的；

（5）案件中人民法院已作出判决，或境外地区法院作出判决或境外仲裁机构作出仲裁裁决已为人民法院所承认的；

（6）申请认可的民事判决具有违反国家法律的基本原则，或损害社会公共利益的情形的。

人民法院审查申请后，对于台湾地区有关法院民事判决不具有以上情形的，裁定认可其效力，被认可的台湾地区有关法院民事判决需要执行的，依照《中华人民共和国民事诉讼法》规定的程序办理。

《最高人民法院关于认可台湾地区有关法院民商事判决的规定》体现了当前国际上普遍遵行的有关承认和执行外法域法院判决的条件，同台湾地区的《两岸人民关系条例》中的有关规定相吻合，此《规定》公布施行之后，得到台湾地区司法界的普遍赞同。大陆地区的民商事判决和台湾地区有关法院的民商事判决已可在台湾地区和大陆地区得到承认和执行，大大推动了大陆地区和台湾地区民商事关系的发展。内地、香港两地相互承认和执行民商事判决的安排可参照《最高人民法院关于认可台湾地区有关法院的民商事判决的规定》中规定的承认和执行台湾地区有关法院判决的规定的条件，根据香港为我国一个特别行政区的事实，考虑到香港现行的承认和执行外国法院判决的制度作出规定，应能为内地和香港地区所接受，也一定会推动内地与香港两地民商事关系发展，有助于内地与香港两地建立更紧密的经贸关系。

三、应尽快建立内地与香港相互委托调查民商事证据的司法合作关系

在涉外民商事案件中，由于案件涉及到本法域以外的人和事，为了保证正常审判的程序，

境外的调查取证是个不可缺少的国际司法协助的内容。目前内地法院和香港地区法院审理到互涉内地和香港的案件，常因案件的当事人或同案件有关的证据在香港或内地，由于缺乏到对方调查取证合法有效的途径，使案件无法审理下去，致使相关法院不能依据当地法律有效保护有关当事人的合法权益，也大大地妨碍了两地的正常经济交往。国际上为解决涉外民商事案件取证问题，1970 年海牙国际私法会议制定了一个《关于民商事案件国外取证公约》，这是目前世界上最完整的关于代为搜集涉外民事证据的国际协助条约，它受到各国的重视。我国内地亦已参加该公约，该公约也已适用于香港地区。

1970 年《关于民商事案件国外取证公约》规定，从国外获取证据可以通过两个途径进行，一个是通过司法委托，由受托国的专门机构取得，一个是由委托国的外交或领事人员或特派员获得证据。

2001 年 8 月 27 日，最高人民法院《关于内地与澳门特别行政区法院就民商事案件相互送达司法文书和调取证据的安排》与 1970 年海牙会议《关于民商事案件国外取证公约》的规定不同的是，《安排》仅规定了相互委托代为取证的方式，没有规定可由委托方的外交或领事人员或特派人员取证。《安排》还强调：委托方法院请求调取的证据只能用于与诉讼有关的证据。代为调取证据的范围包括：代为询问当事人、证人和鉴定人，代为进行鉴定和司法勘验，调取其他与诉讼有关的证据。

《安排》没有规定可由委托方的特派员独立获取证据，但《安排》规定：受托方法院在执行委托调取证据时，根据委托方法院的请求，可以允许委托方法院派司法人员出席，必要时，经受托方允许，委托方法院的司法人员可以向证人、鉴定人等发问。

《安排》还特别规定：受托方法院可以根据委托方法院的请求，并经证人、鉴定人同意，协助安排其辖区的证人、鉴定人到对方辖区法院出庭作证。证人、鉴定人在委托方地域内滞留期间，不能因在其离开受托方地域之前，在受托方境内所实施的行为或针对所作的裁决而被刑事起诉、羁押，或者为履行刑罚或其他处罚而被剥夺财产或扣留身份证件，或以任何方式对其人身自由加以限制。

可见，内地与澳门特别行政区就民商事案件相互委托调查取证的安排是合理的，既保证委托方法院在审理相关民商事案件时，在受托方法院的协助下，可以正当地合法地取得诉讼所需要的证据，使司法审判得以顺利进行。同时，也保护了受托方境内的相关证人、鉴定人的人身自由，使他们在不受任何压力的情况下自由作证。

由于内地有关民事证据制度同香港民事证据制度的巨大差异，两地区还不能就取证问题进行协商，并取得一致意见，这是很不利于内地和香港地区法院审理互涉两地民商事案件的。其实，根据《海牙取证公约》和内地与澳门特别行政区的取证《安排》来看，要达到两地证据制度一致或相似，再订立相关相互取证的协议是不可能的。在相互委托取证的制度中，调取证据主要是受托方的司法人员，在充分保证证人和鉴定人人身自由的情况下，委托取证并不会损害任何一方的利益，也不会伤及一方证人、鉴定人的人身自由。香港法律界某些人认为香港与内地难以在相互取证方面作出安排是没有理由的。相反，长期拖延就相互取证作出安排，会大大损害两地司法效力，无助于两地对双方当事人提供有效司法保护。内地与香港两地有关方面应尽快就两地相互委托调取证据作出安排，推动内地、香港两地民商事关系的发展，促进两地的经济繁荣。

科学发展观与浦东的可持续发展

朱 斌

一、浦东开发开放的探索

浦东开发开放作为一项国家战略，中央要求浦东在体制创新、产业升级、扩大开放等方面走在全国前面。14年的开发建设，无不为全国的改革开放和现代化建设发挥着示范、辐射和带动作用。

1. 在经济体制改革上，以推进全要素市场化，建设市场体系，培育现代企业制度为突破口，在经济体制市场化、经济运行与国际接轨等方面进行了积极的探索。

2. 在行政管理体制改革上，积极探索"小政府、大社会"的管理模式，并在实践中不断加以发展和完善。

3. 在开发小区启动模式上，探索了土地资源市场化利用的方式，创造了四大重点开发区以开发公司为主体的商业性开发，由政府进行宏观调控的"政企合一"的开发模式。

4. 在筹融资体制改革上，积极探索了中外合资、中外合作、外资独资等多种利用外资的方式，成功地利用资本市场、银行和社会资本进行开发建设的途径，形成全方位、国际化、多元化、多渠道的招商引资格局和投融资体制。

5. 在城市形态建设和功能提升上，强化规划先行，高标准地创建"国家园林城区"，积极探索经济、社会、人口、资源、环境协调发展，实现了经济效益、社会效益和环境效益的有机统一。

6. 在城郊体制改革上，坚持区镇联动、城郊一体、共同发展的道路，从总体规划，经营发展，经济管理到组织建设上都根据城郊一体的原则统筹安排。

7. 在人才资源开发利用上，构建了以市场配置为基础的人才资源流动机制，打破户籍、隶属关系和个人身份界限，引进各类高层次人才。

总结浦东前十年的经验是，观念创新是先导，体制创新是前提，开发创新是载体，外向创新是捷径，市场创新是出路，人事创新是源泉，管理创新是保证。

然而，浦东在总结开发建设的成就的同时，也应清醒地认识到在前进中的困难和不足。

二、浦东在前进中的困难和挑战

进入21世纪之初，面对国内外经济形势的变化，浦东能否继续保持良好的战略态势，参与经济全球化，率先实现现代化，在前进中也面临着许多困难和挑战。

1. 入世后，政策优势减弱。我国经济技术开发区的发展起源于1979年后设立的经济特区，作为改革开放的"试验区"和"排头兵"，在特殊优惠政策的支持下发挥了其体制创新的功能，在利用外资、引进技术和管理、进口贸易、产业结构调整等方面，不断尝试和探索各种超前改革和试验，推出了区域经济的持续高速发展。入世后，特殊的优惠性政策逐渐淡化，财政部宣布，中国将逐步统一内外资企业的所得税。这就意味着开发区不能再握有与非开发区相异的特权。在政策均等或普惠的趋势下，势必影响到开发区的招商引资，产业集群。

2. 商务成本居高不下。开发区的发展根据不同的时间阶段，级差地租呈梯度上升的趋势。目前浦东经过前一轮的发展，城市化推进的速度在加快，要素成本居高不下，尤其是土地成本将会影响到新一轮的开发和建设，需要在新的形势下进行研究和探索。

3. 开发体制和机制没有完全摆脱传统的束缚。开发区的特色在于：体制新、观念新、机构简、人员精、包袱轻、效率高的比较优势。但目前的开发区管理体制和运作机制还没有完全突破政府主导型模式下的诸多弊端，政策依赖性强而灵活性不够，创新动力、发展后劲不足。如何营造符合国际惯例的运行规则，充分发挥市场机制的作用有待努力。

4. 产业发展上重技术引进轻消化吸收。开发开放以来，通过引进国外先进技术，提高了开发区的产业技术水平，“以市场换技术”的发展模式在短缺经济形态下是积极有效的。但缺乏凝聚企业和科研单位对引进技术进行消化、吸收与创新的体制，加上对引进技术的研发与创新的投入不足，使高新技术的二次开发，特别是原创型的开发和产业化发展仍显不足。长此以往，在产业技术发展上难以逾越发达国家的知识产权构筑的壁垒，市场实现的空间十分有限，必须花大力气推进科技创新和孵化创业。

三、以科学发展观促进浦东可持续发展

浦东新一轮的发展，必须在科学发展观的指导下，制定和实施新的发展战略。

1. *走集约型内涵式发展之路*。内涵式发展道路，要求浦东做到统筹发展，在两点上要引起足够的重视：其一是土地的节约和有效利用。开发区土地要依靠“科学、合理、依法、节约”的原则，合理利用、滚动开发，严禁土地闲置和浪费；其二是实现产业的集聚发展。产业集聚不仅可以拉长产业链，使产业迅速成长壮大，而且能够使开发区具有明显的特色，能增加企业的凝聚力和稳定性。注意引进产业带动力强的龙头企业，创造加快产业集群发展的环境，引导和培育企业协作配套关系，是浦东新一轮发展的方向所在。

2. *在扩大开放的内容上要有新的突破*。要从制造业的外向型向服务业的外向型拓展，也就是要抓住我国入世后服务贸易领域逐步开放的机遇，把开发区从生产基地向生产和服务基地转型。长江三角洲城市群经济的快速崛起、组团发展，使浦东能够考虑并且实施在与周边地区的联动中提升经济功能。浦东新区在新一轮发展中要从为长江三角洲经济服务中赢得发展的新动力。这种服务不是依靠计划经济的行政手段，而是依靠服务经济的大规模集聚，以企业的投资、协作、组团、互动为主要方式，形成产业分工和优势互补的共同发展格局，因此，浦东在新一轮发展中要更加注重引进具有服务功能的跨国公司地区总部和各种所有制的国内大企业大集团，发展现代物流功能，培育要素市场，引进专业服务机构和人才，开拓离岸金融、跨国采购中心、分拨中心、会展旅游等功能，持续组织这些功能的聚合与辐射。

3. *在产业结构的调整上，继续实施转型提升*。经济发展要从投资拉动型转向投资、生产和科技进步、技术创新并举型。浦东新区在新一轮产业升级中要坚持“有所为，有所不为”，更加注重构成投融资、研发、生产、物流和销售的完整产业链，形成有特色、有竞争力的支柱产业。要着眼于促进创新、研发与高科技制造业的结合，更多地引进知识型、服务型和创新型的机构和人才；促使资本市场、产业基金、风险投资向产业发展的前沿渗透；创建政府、企业、社会多元协作的社会服务环境，推动开发区现有企业的技术更新和产品升级，通过企

业的竞争力提升来形成区域竞争力的提升。

4. 在城市功能的再造上，要从发挥集聚功能转向发挥枢纽、服务和辐射功能。浦东作为上海的一个新区，不能满足于自我发展，更要在发展过程中与周边地区相配合，依托上海市和长江三角洲地区的经济优势，形成组团发展，从中提高和促进浦东新一轮的建设。这就必须致力于市场服务中心、资本运作中心、信息集散中心、技术创新中心和交通运输枢纽等城市辐射功能的战略性发展。

5. 在发展目标上，要从主要着眼于经济的增长速度和形态的变化，转向注重发展质量和可持续性，发挥经济和社会同步发展的乘数效应。开发区的可持续发展问题要与全球的可持续发展相结合，坚持经济和社会的同步增长，坚持以人为本。浦东新区要在今后的发展中更加重视环境建设，使天更蓝、地更绿、水更清、居更佳。

6. 在政府服务环境上，要从着眼于政策优惠转向政策优势和体制优势的结合，要从政府主导开发建设和招商引资转向优化政府服务，改善综合环境。变无限政府为有限政府，变审批经济为服务经济，变组织投资为构筑透明、公开、公平、公正的市场经济平台。浦东新区的行政审批制度改革取得了一定进展，简化审批事项，在放宽企业主体的市场准入、改善政府规划和建设管理、实现“一门式”年检、认定、收费等方面都进行了改革探索，目前正深化行政审批制度改革，尽可能地向国际先进水平和办事效率看齐。当然，改革的目标不仅是为了方便企业、促进投资，而且是为了建立适应国际化和市场化的政府管理新体制和运作机制，使体制创新成为促进可持续发展的重要动力，从而促进浦东率先基本实现现代化。

科学发展观与厦门行政区划体制创新

郑剑飞　刘　平　李　忠

改革开放以来，厦门经济社会事业取得了举世瞩目的成就，成长为福建省龙头城市和我国东南沿海重要中心城市。时至今日，单纯作为改革开放的“窗口”和“实验场”的角色已经不能完全适应海峡西岸经济区经济发展和祖国统一大业的新要求。十六届三中全会提出的“五个统筹”的科学发展观要求厦门跳出自身发展的狭隘视野，从区域经济社会发展角度，从平衡东部经济发展格局角度和新形势下祖国统一大业的需要出发，审时度势，顺时应机而为，创新厦门行政区划管理体制，扩张厦门发展空间，做大城市规模和经济总量，把厦门建设成为海峡西岸经济区具有强大辐射带动作用的中心城市，携领海峡西岸经济区早日起飞。

一、调整行政区划，实现科学发展

(一)厦门行政区划调整的动因

改革开放以来，厦门原有各区经济社会事业取得了有目共睹的成就，但再发展遇到了严重的体制性障碍；这种障碍涉及政治体制和行政管理体制，尤其是传统的行政区划管理体制造成厦门调整前各区管理幅度相对不合理，影响了资源的优化配置和行政管理成本的降低；加剧了城乡之间、各区之间的相互差距。这种局面的存在与延续既严重影响到岛内经济发达各区的经济集聚规模、辐射范围与可持续发展能力，又极大地制约着岛外各区城市化和工业化的水平。

历史唯物主义要求上层建筑适应经济基础的客观需要；不适应就要加以调整，以促进生产力的发展，推动社会的全面进步，通过调整改进、创新执政方式。

创新行政区划管理体制，不仅是完善社会主义市场经济体制、政治体制改革和行政管理体制改革的客观要求，而且对于建设政治文明有重要意义。适时进行区划调整，科学设置行政区，合理划分各级政府的管理权限，是世界各国普遍遵循的规律；发达国家的经验表明，行政区划过大或过小不利于政权的巩固和发展，不利于资源的优化配置与区域经济统筹发展。2003 年行政区划调整，是厦门市政府以科学发展观为指导，提高执政能力，建设政治文明，实现经济社会可持续发展和统筹发展的一项重大举措。

采取均衡增长战略可以实现区域公平，采取非均衡增长战略可以提高区域效率；如果把“均衡增长论”与“非均衡增长论”协调起来，既可以提高效率，又可以兼顾公平。按照唯物辩证法的观点，区域经济发展由均衡到非均衡再到均衡，这是事物波浪式前进的规律，厦门改革开放发展的历程符合这一规律。

改革开放前，厦门岛内外差距不大，相对均衡。改革开放后，厦门渐渐形成三个经济政策梯度和三种发展速度：第一层面是厦门岛和鼓浪屿，实行的是可以实施自由港某些政策的经济特区；第二层面是海沧、杏林、集美三个台商投资区，这实际是经济特区政策的某种延伸；第三个层面是同安(含今翔安)实行我国沿海开放县政策。改革开放后政策的梯度倾斜打破了原有相对均衡的经济格局，逐渐形成了非均衡的经济发展局面。经济效益指标和产业布局显示：岛内外经济社会发展水平呈梯度式差异。在经济发展的一定阶段，这种“不均衡发展”是必要的和不可避免的；如果没有岛内的先行先试和优先发展，没有特区的示范和带动效应，就不可能形成集聚效应，形成厦门岛及厦门的强大辐射带动作用。因此，从厦门改革开放20多年的历史来看，“非均衡发展”有利于提高资源配置效率和实现经济起飞。

在经济发展过程中，由于历史的、地理的、政策的因素，厦门原有各区的自然禀赋、获得性禀赋都存在明显差距，出现了失衡现象。从调整前各区情况看，有的区太大，管理鞭长莫及，如同安区(土地面积为1079平方公里)是鼓浪屿区(土地面积为1.79平方公里)的606倍，同安区的一个镇的面积和厦门岛的面积差不多，但同安区2002年国内生产总值仅占全市的12.5%，财政总收入只占全市的4.9%；有的区太小，在发展中手脚都放不开，尤其是思明区，调整前面积只有20多平方公里，仅山体就占去了9平方公里，招商引资遭遇了严重瓶颈，出现了有项目无地摆的尴尬局面；有的区农业产值占GDP总量很小，但农村人口比重过大，大量劳动力滞留在农业与农村，城乡居民收入水平、消费水平和生活质量差距明显，如原杏林区；有的工业化进程较快，城市化却跟不上，如集美区；有的发展新型工业的进程太慢，一直靠劳动生产率较低的传统农业，经济上不去，如同安区。这种生产力要素分布的严重失衡导致调整前各区经济总量普遍偏小，缺少经济发展后劲。面对各区经济社会发展水平和生产力布局的“失衡”，既要正视发展水平差异的存在，看到这是发展中的问题，更要脚踏实地自觉运用科学发展观逐步解决各区间资源配置不当和经济社会发展失衡问题。

解决失衡问题需要坚持市场取向，通过竞争机制激发经济发展。但是单纯依靠市场机制不可能自发地完成区际间经济协调统筹发展，需要创新行政区划管理体制，优化各类生产要素的优化配置，适应经济社会发展需要。调整行政区划，体现了社会主义市场经济条件下的效益优先、兼顾公平和统筹发展的原则。

(二)厦门行政区划调整的主要内容及效果

根据2003年4月《国务院关于同意福建省调整厦门市部分行政区划的批复》和厦门市委《关于实施行政区划调整，加快区级经济发展的若干意见》，厦门市于2003年10月按计划完成区划调整：(1)思明区、鼓浪屿区和开元区合并为思明区，原三区的行政区划归思明区管辖。(2)将杏林区的杏林街道办事处和杏林镇划归集美区管辖。杏林区更名为海沧区。(3)设立翔安区，将同安区所辖新店、新圩、马巷、内厝、大嶝5个镇划归翔安区管辖。行政区划调整后，厦门市辖思明、湖里、集美、海沧、同安、翔安6区。

厦门市行政区划图

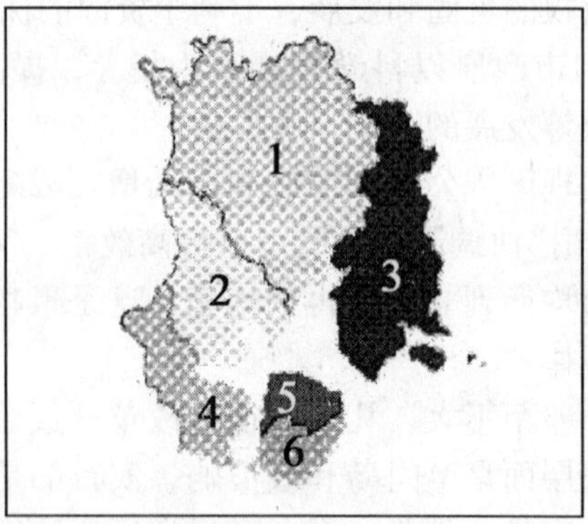

注：1. 同安区；2. 翔安区；3. 集美区；4. 海沧区；5. 湖里区；6. 思明区。

区划调整后六个行政区概况

	思明区	湖里区	海沧区	集美区	同安区	翔安区
面积	76.35 平方公里	61.41 平方公里	180 平方公里	275.79 多平方公里	657.59 多平方公里	351.75 多平方公里
人口	常住人口约73.64万(其中户籍人口46.74万)	常住人口51万	常住人口13.4万多	常住人口30.07万多	常住人口29.4万	户籍人口25.79万

资料来源：《2004年厦门经济特区年鉴》

随着时间推移，区划调整对厦门市经济社会发展的促进作用日益显现。厦门城市综合竞争力排名由2002年的19位上升到2003年的13位。2004年前三季度各项主要指标快速增长，国民经济生产总值646.3亿元，增长15.8%；财政总收入127.5亿元，增长23%；其中地方级财政收入57.7亿元，增长25.3%；城镇居民人均可支配收入11041元，增长13.3%；各项经济社会主要指标执行情况普遍好于上年同期，实现速度、效益和质量同步协调发展。从新建项目和利用外资看，前三季度新批外资项目318个，合同利用外资7.66亿美元，增长近50%，实际利用外资4.76亿美元，增长23.4%，提前完成全年任务；投资洽谈会新签项目75项，利用外资25.2亿美元，其中千万美元以上项目46项。

区级经济增幅加快，全市6个区生产总值平均增幅19%，超过全市增幅水平3.2%；“三农”工作力度加大，岛外投资86亿元，增长49.9%，实现农村劳动力转移就业2.37万人，完成全年任务的157.9%；社会事业协调发展，完成社会事业投资11.1亿元，增长92%，获得2004年度“联合国人居奖”。

2004年5月，国家民政部有关司的负责人在厦门调研时这样评价：厦门区划调整成功，一是有一个好的方案；二是方案实施是好的，领导重视，细致周密，结合体制创新的效果是好的；三是对下一步发展，要从战略上考虑，落实科学发展观。厦门区划调整给其他地区行政区划调整带了个好头。

二、厦门区划调整的启示

回顾2003年厦门行政区划调整的历程，可以从中看出：

区划调整应以科学发展观为指导，符合科学发展观的内在要求。在市场经济发育的初期阶段，在市场力量的作用下，劳动、技术、资本等生产要素加速向发达地区流动，从而扩大(而不是缩小)区域间的发展差距。对此，政府有必要在适当的时候通过行政手段加以调控，在改变各种资源空间布局和实现资源配置最优的同时，实现城乡统筹发展、区级间经济社会协调发展。研究、掌握和运用市场经济发展规律，在市场经济条件下正确处理政府行政与市场经济两者之间的关系是新时期加强执政能力建设的重要内容之一。

成功的区划调整加以相应的事权下放可以激发人们的积极性，促进竞争与合作。

改革发展思路、制度设计、管理体制创新需要观念更新，而体制、机制的创新对于发挥特区的领先优势来说，显得十分重要。

总之，在经济全球化和区域一体化的格局下，只有遵循科学发展观的要求，解决好生产力和生产关系在新形势下的各种矛盾关系，使生产关系与生产力相适应，上层建筑与经济基础相适应，冲破传统行政区划对特区经济规模扩张的限制，创新行政区划管理体制，营造合理的生产力布局空间，特区经济才能在新的资源配置空间下得到发展壮大，在区域经济发展中更好地发挥特区辐射带动作用，落实“五个”统筹发展。

2003 年厦门区划调整固然在一定程度上适应了厦门及其各区经济社会发展的需要，但远不能满足厦门实现经济社会可持续发展的要求，无助于从根本上解决制约厦门发展的资源性问题，不利于厦门充分发挥海峡西岸经济区中心城市和中国东南沿海重要中心城市的作用。

随着厦门经济发展和产业升级，厦门土地资源、水资源严重匮乏，经济发展腹地过于狭隘等问题严重妨碍着厦门城市与经济规模做大做强，致使厦门无力在海峡西岸经济区充分发挥其龙头带动与辐射作用，影响了海峡西岸经济区资源整合和产业集聚，削弱了海峡西岸经济区承接台湾产业转移的能力和对台工作的区位优势。面对两岸关系困局，面对海峡西岸经济区亟待崛起，冲破传统行政区划，扩大厦门行政辖区，实现海峡西岸经济区经济社会的统筹发展，是一个既关系厦门发展，又涉及福建崛起和中华民族长远利益的重大问题，亟须研究。多年前一些有识之识曾经提出整合厦漳泉；但随着自身经济发展，泉州于近年明确提出淡出闽东南的发展战略，厦门向南北两翼扩展腹地的努力受阻。目前，随着厦漳双方经济社会日益融合，创新行政区划管理体制，调整厦漳行政区划，扩大厦门行政辖区，当是实现厦漳两地、福建省和国家三方共赢的“一举多得”之策，符合科学发展观的内在要求。

三、以科学发展观为指导，扩大厦门行政区划，实现更大范围的统筹发展

(一)扩大厦门行政辖区的必要性

1. *调整厦漳行政区划是建设海峡西岸经济区的需要。*为贯彻落实党的十六届三中全会精神，实践科学发展观，以加快福建经济建设，繁荣福建社会事业，促进祖国统一，福建省委省政府做出了建设海峡西岸经济区的重大战略决策。然而，作为福建经济发展龙头的厦门市，由于土地供给有限和传统行政区划等因素的束缚，越来越多的外商投资项目难以在厦门找到“容身之地”，厦门各种政策优势无法外延，厦门经济总量和城市规模始终难以做大，影响了厦门经济社会的可持续发展和厦门对区域经济的辐射带动作用，滞缓了海峡西岸经济区整体城市化水平、城乡协调发展程度及本区域内的统筹发展。

作为福建省惟一的副省级城市，2003 年厦门国内生产总值只有福州(1300 亿元)和泉州(1350 亿元)的二分之一强，不到广州(国内生产总值为 3466 亿元)的四分之一、深圳(国内生产总值为 2860 亿元)的三分之一、南京(国内生产总值 1576 亿元)的二分之一。缺少核心辐射源和名副其实的龙头城市导致福建整体竞争力、区域经济发展水平和城市化进程长期落后于长三角和珠三角地区。因此，打破传统行政区划，扩大厦门行政辖区，做大做强厦门经济，消除行政区划对各种生产要素在空间布局上的限制，是实践科学发展观和落实福建省委省政府加快海峡西岸经济区建设战略的重要举措，对于海峡西岸经济区与中国东部沿海其他经济区实现区域间统筹发展具有重大意义。

2. *扩大行政辖区是厦门实现经济社会可持续发展的需要。*厦门市现有土地面积 1565 平方公里(居全国 15 个副省级城市之尾)，在扣除 700 多平方公里的山林、水域等面积后，仅余约 800 平方公里的可用土地；其中，基本农田保护区面积高达 247.87 平方公里(合 37.18 万亩)，加上农田配套的渠、林、路等用地，实际占用土地面积约在 370 平方公里左右，占 46%，几近一半；能用于建设用地的土地仅 321.28 平方公里，占 40%。就厦门岛内而言，建

设用地83.33平方公里，占岛内土地面积56.5%；目前未利用土地面积仅存20.99平方公里，且分布零散，开发难度大，成本高。研究显示：到2010年厦门可增加建设用地总量为120.19平方公里，如今已批准土地用量67.06平方公里，仅余53平方公里。由此可见，土地资源稀缺和缺乏腹地已成为厦门经济发展的重大制约因素。如果调整厦漳行政区划，扩大厦门行政辖区，使拥有1.26万平方公里土地的漳州真正成为厦门腹地，可以从根本上解决制约厦门发展的土地问题、水资源问题和劳动力问题等，在做大城市规模的同时实现厦门经济社会的可持续发展。

3. 调整厦漳行政区划是厦漳城乡协调发展和统筹发展的需要。漳州目前工业化和城市化水平较低。2002年，一产占国内生产总值的22.2%，二产占37.4%，城市化水平仅有35%左右，低于全国城市人口39.1%的水平。2000年后，漳州确立了"工业立市"经济发展战略，迫切希望抓住厦门建设海湾型城市和拓展腹地的有利时机，借助厦门特区政策、人才、信息等优势，积极承接厦门辐射。对厦门而言，漳州有着厦门可持续发展急需的土地、廉价劳动力、水资源等。调整厦漳行政区划后，可将厦门劳动力密集型、高能耗企业转移至漳州，在推进厦门产业升级同时，推动漳州工业化和城市化进程。今天，厦漳之间正努力通过建设厦门湾组合港、厦漳跨海大桥、龙—漳—厦铁路，共同治理九龙江，开放商贸和旅游市场，文教合作等各种方式和方法加快两地经济社会融合与市场统一，在合作、竞争中实现共同繁荣与发展。

4. 调整厦漳行政区划是厦漳实现人与自然和谐发展的需要。长期以来，厦门湾分属厦门与漳州两个行政区，在区域建设与产业发展规划等方面各自为政，缺少紧密的协调与合作，各种外部性问题对两地经济社会及人民群众的生活影响日益显现，龙其是河流与海域治理问题直接关系到两地经济社会的和谐健康发展。

由于规划与管理政出多门，九龙江流域及厦门湾海域开发和保护缺乏有效的综合管理。据统计，流域内漳州段的水土流失面积达11.79万公顷，加大了河流输沙量；近20年，九龙江河水泥沙沉积线向厦门西海域推进了5公里左右。长此以往，将严重影响厦门港、漳州港港口安全及功能的发挥。

另外，随着经济发展，两地海岸工程建设不断，导致海域纳潮面积大大缩小，水动力条件改变，威胁到主航道对水深的要求，破坏了潮间带植物、动物的生态环境(如红树林的毁损)，海洋的环境容量降低，海水水质呈下降趋势。在港口开发建设过程中，由于港池和航道疏浚、填海造地等工程，产生的疏浚悬浮物也对海洋环境造成污染和生态损失。

因此，调整厦漳行政区划，扩大厦门行政辖区，既有利于解决厦门急需的水源问题和港口资源问题，又有利于解决影响两地发展的环境保护问题，实现经济社会统筹发展和人与自然的和谐发展。

5. 调整厦漳行政区划是新形势下统筹对台工作和改革开放的需要。完成祖国统一大业是新世纪中国共产党和中华民族的三大历史任务之一。然而，随着台湾政局的变化和"台独"势力的发展，"一个中国"原则和祖国统一大业正面临着前所未有的考验；在新形势下，创新对台工作，抑制"台独"逆流，统筹经济发展与对台工作是一个关系国家根本利益的亟待解决的重大课题。

厦门和漳州是大陆距台湾最近的两个城市，自古与台湾联系密切；厦门距高雄165海里，距台中136海里，历史上有"台郡与厦门如鸟之两翼，土俗谓厦即台，台即厦"之说；漳州与高雄相距170海里，漳州东山岛距澎湖列岛98海里；35%的台湾居民祖籍漳州，漳州的闽南语与台湾的闽南语"言同声，书同文"；两市的厦门港和招银港同时成为两岸首批试点直航口岸。因此，充分发挥厦漳两市对台工作前沿这一独特区位优势，整合两地对台自然地理、人文历史、经济社会资源，使辖区扩大后的厦门成为对台具有强大吸引力和竞争力的区域性经济中心和两岸人员往来、文化交流中心，有助于进一步提高两岸间相互开放程度和经济社会的融合程度，有益于破解目前两岸关系困局，有利于祖国统一大业早日完成。

(二)扩大厦门行政辖区的可行性

1. 两地自然地理一脉、人文风俗同宗同源。厦漳具有相同的自然地理条件、人文特征和历史渊源，地理交通和各种资源等难以分割。两地同住厦门湾，同饮九龙江水，共与台湾隔海相望；气候条件同为亚热带季风性气候。漳州的秀美山川、旖旎风光和众多的历史文化遗产与厦门丰富的自然及人文资源相得益彰。自古以来，两地语言、民俗相同，血缘相亲，经济社会联系紧密，有着强烈的归属感和认同感。

2. 两地经济互补与融合程度日趋加强。经过20多年改革开放，厦门目前拥有了扩张城市的实力和内在需求，辐射范围日益扩大；尤其是随着厦漳高速公路和海沧大桥等基础设施的投入使用，厦漳经济社会融合程度加深。厦门市2003年国内生产总值达到760亿元，地方级财政收入73亿元，集装箱吞吐量超过230万标箱，区域性中心城市地位基本形成。但厦门土地存量有限，商务成本较高，水资源严重匮乏，越来越多的国内外投资者希望在依托厦门特区的基础上，在漳州开辟生产基地，利用特区的信息流、资金流和物流等优势，降低生产成本。把工厂设在漳州，把总部和贸易放在厦门，"吃两边露水"，享用两地优势资源现已成为不少企业的投资战略。如奥瑞水产品有限公司在漳州龙海东园工业区建起了6000多平方米的专业厂房，公司产品通过厦门出口，可以尽快得到出口退税，减少资金占用量；灿坤公司总部在厦门，新建厂房设在漳州等地。

从漳州而言，目前已具备一定的基础设施和交通通讯网络条件，配套能力不断增强，具备了承接灿坤电器等重大项目的环境和能力。随着经济社会交往日趋紧密，越来越多的厦门企业落户漳州，长泰兴泰开发区很多公司由厦门投资；同时漳州的企业也在往厦门走。厦漳旅游、教育等合作项目逐年增多，厦大漳州分校建设规模已超过本部；漳州人节假日来厦旅游、购物已是家常便饭，越来越多的漳州人在厦门投资置业。

3. 两地城市定位和发展战略指向相依相生。厦门与漳州新时期城市定位与政策取向具有极强的互补性、兼容性和相生作用。为夯实厦门龙头地位和扩大城市经济总量，厦门市委市政府提出了"提升本岛、拓展海湾、对接周边、扩充腹地"的发展战略，实质就是要通过发展空间的扩大，实现经济总量的扩张、经济腹地的延伸、经济结构和城市布局的优化，增强城市聚集辐射能力和综合竞争力。

针对厦门特区的发展态势和自身的发展需要，2000年东山会议后，漳州适时制定了"工业立市"发展战略，希望借此更好地承接厦门产业转移和融入厦门经济圈，明确提出"积极承接厦门特区经济辐射"发展战略。两地在城市发展定位、发展战略与政策、法规方面的互补性和共享性为调整厦漳行政区划提供了极为有利的基础和环境。

4. 调整厦漳行政区划众望所归，大势所趋。在漳州，政府和民间希望厦漳合一的呼声很高。漳州市领导表示漳州要主动对接厦门，实现良性互动、谋求共同发展。漳州干部认为厦门建设海湾型城市，应把漳州考虑进出，统筹规划厦门湾，否则厦门只能是残缺不全的"海边型"城市，建议尽快对厦漳港口资源进行整合以实现资源配置的最优化；众多漳州百姓与机关干部认为厦漳合作的最好形式是调整厦漳行政区划，期盼区划调整之情溢于言表。调整厦漳行政区划民心所向。

5. 调整厦漳行政区划有经验可供借鉴。近几年来，云南昆明、广东佛山、海南海口等国内许多城市纷纷借助各种形式各种层次的行政区划变更整合经济与体制资源，解决原有行政区划束缚生产力发展的体制问题，促进了区域统筹发展和可持续发展，极大地促进了中心城市的发展；厦门亦在 2003 年通过行政区划调整积累了宝贵经验。因而，福建省委省政府和厦漳两地政府可以充分借鉴国内各种经验措施，妥善处理厦漳行政区划调整过程中可能遇到的各种问题，做到平稳有序。

调整厦门行政区划，特别是扩大厦门行政辖区是科学发展观五个统筹的体现。科学发展观的本质是发展，但发展要充分考虑发展路径、发展方式、发展战略的合理性与可持续性。通过调整厦漳行政区划，扩大厦门行政辖区的目的正是为了更好地实现厦漳乃至海峡西岸经济区的区域统筹发展、城乡统筹发展、经济社会统筹发展、人与自然和谐发展、区域发展和对外开放，尤其是促进祖国统一统筹兼顾。可以说，厦门独特的区位优势、经济社会发展水平与新的发展需求、在海峡经济西岸和两岸关系中所扮演的角色，决定了调整厦漳行政区划，扩大厦门行政辖区成为现实的选择；而产业结构升级和经济结构调整则是推动厦门行政区划调整，尤其是扩大厦门行政辖区的直接的和根本的经济因素。

总之，按照生产力和生产关系、经济基础和上层建筑的辩证关系，解放传统行政区划对生产力和市场经济发展的束缚，顺应市场经济规律的要求，调整厦门行政区划和进一步扩大厦门行政辖区，创新行政区划管理体制和行政管理体制，是对科学发展观的创造性运用。

汕头特区经济发展环境与产业结构调整

卢　博

产业结构调整是汕头特区实现经济持续良性发展的一项根本任务，而经济发展环境是确定产业结构调整的方向、目标及政策的重要因素。本文试图从科学发展的观点出发，阐述汕头特区在当前的经济发展环境下进行产业结构调整的一些关系问题。

一、汕头特区经济发展环境的特点

汕头市位于广东东部，韩江、榕江、练江的出海口，西距香港195海里，东距台湾高雄214海里，是广东省距台湾最近的城市。在人缘与地缘方面，它与台湾的联系仅次于福建。但汕头比之于厦门对台湾，深圳靠香港，珠海依澳门，在接受更高一级城市的辐射方面，汕头区位明显逊色。从全国东南沿海城市分布和经济发展现状分析，汕头处于长江三角洲和珠江三角洲中间，区域位置相对独立，经济发展处于两大三角洲的低谷地带，有比较独立的发展空间和区域腹地，经济发展环境特点十分突出。

(一)具有悠久的商贸传统和侨乡优势

汕头外向型经济和商贸传统由来已久。汕头市于1861年正式开埠，是近代中国最早对外开放的港口城市之一，商贸历来比较发达。20世纪30年代，汕头港口吞吐量曾居全国第3位，商业之盛居全国第7位，是粤东、闽西南、赣东南的交通枢纽、进出港口和商品集散地。

汕头是全国著名侨乡，也是近代中国最大的移民口岸之一，海内外社会网络发达，资本和外向市场潜力巨大。目前在海外的华侨、华人和港澳台同胞335万人，遍布世界40多个国家和地区，归侨侨眷和港澳台同胞家属200多万人。与海外交往的独特人缘、地缘、亲缘优势，使汕头在对外开放方面具有特殊的优越条件和巨大潜力。

(二)农业、海洋和港口资源丰富，但水土资源紧缺

汕头地处低纬度，濒临南海，土地肥沃，有韩江、榕江、练江等大小河流数十条，江河资源丰富。全市海(岛)岸线289公里，绵长的海岸线和优越的自然环境为汕头市港口的建设与发展创造了足够的外部条件。北回归线横贯全境，冬无严寒，夏无酷暑，属亚热带海洋气候。同时，汕头水源水质良好，饮用水源各项指标历年均达到国家Ⅲ类标准，城市空气质量优良，2003年达到国家Ⅰ级标准天数达214，其余为Ⅱ级标准。

汕头市区现有土地和水资源不足，严重制约汕头城市发展。汕头市是全国人口密度最大、人均耕地最少的地区之一。2002年底，人口密度达到2323人/平方公里，远高于广东省410人/平方公里的平均水平；人均耕地仅0.16亩，人多地少的矛盾突出。同时，汕头的水资源也显得不足，人均占有量493立方米，仅为全国人均占有量的20%、全省人均的17%左右。

(三)劳动密集型产业特征明显

汕头的经济增长主要依靠低成本劳动力与高资金投入的组合，在低技术和低附加值的产

业结构基础上实现经济规模的扩大。汕头市现有工业主导产业仍然是食品、纺织服装、机械行业等传统的、低加工度为主的行业，工业产业中劳动密集型产业的贡献率具有上升的总体趋势。2002 年劳动密集型产业产值占全市比重仍达 65.81%，劳动密集型产业在整个经济体系中优势地位明显。

(四)民营经济占主导地位

汕头民营经济在国民经济中占据重要地位。2002 年民营经济实现工业产值 279.45 亿元，占全市工业总产值的 51%；出口创汇 10.27 亿美元，占全市出口总额的 29.8%。民营经济存在的问题主要是规模化程度不够，现代化的企业管理意识薄弱，还有一定数量的“隐性经济”或“地下经济”成分。要促进汕头经济健康稳定发展，民营经济的发展尤为重要。

(五)劳动力资源丰富，但中高级人才比较匮乏

汕头市劳动力资源丰富，是全国人口最密集的地区之一，每平方公里聚集的人口数超过了 2000 人，不仅远远高于广东省平均水平，比人口最密集的长江三角洲地区的人口密度也大了许多。

汕头科研技术力量比较薄弱，人才供应后备力量严重不足。同时，潮汕地区地理上相对封闭，衍生的潮汕传统文化有部分封闭、排外的意识，导致了汕头对外来文化兼容并蓄能力较弱，影响了汕头对外来人才吸引力。汕头市人口素质许多指标不仅低于广州、深圳等城市，而且低于广东省平均水平。

(六)区域性大型基础设施建设初具规模

汕头在经过“八五”、“九五”时期的大投入，基础设施建设成就明显。汕头港已经发展成为粤东第一商贸港口，建成了国际集装箱码头、广澳深水港等港口；市域内已经形成以沿海 324 国道、深汕高速公路、汕汾高速公路以及与赣南联系的 205 国道并东接联系闽西南的 206 国道为骨架的丁字形公路网络结构；广梅汕铁路的建成通车改变了汕头没有铁路的历史；除了改造后的汕头外砂机场外，还将在揭阳规划兴建潮汕民用机场。目前的主要问题是如何充分发挥这些基础设施的效益，推动城市更快发展。

(七)具备充分的经济调控法律手段

1996 年，国家授予汕头特区制定法规和规章的权力。特区立法权的授予为汕头实现依法治市、促进制度创新、优化投资软环境等提供了有利条件。在产业调整中，运用法律手段实行宏观调控具有一定优势，但联系汕头社会经济发展，用活、用足地方立法权还有不少差距。

(八)对周边区域辐射能力不足

汕头特区经济腹地广阔，周边闽粤赣三省的厦门、漳州、泉州、龙岩、三明、赣州、抚州、鹰潭、潮州、揭阳、梅州、汕尾等十二个城市历来是汕头的间接腹地，汕头的直接经济腹地为粤东地区，传统上包括潮州、揭阳、梅州、汕尾四市，共拥有土地面积 31492 平方公里。然而从现状看，汕头作为中心城市的辐射能力偏弱，范围偏小。

二、汕头特区产业结构调整的方向

汕头特区城市发展的主要目标是：巩固和强化汕头在粤东地区中心城市的职能，进一步扩大在闽粤赣地区的作用，2008 年率先基本实现现代化；将汕头建设成为经济繁荣、生态环境优良、优美宜人的园林式海滨城市；争取成为具有较强竞争能力和一定区域性国际影响的港口和特区城市。围绕这个目标，汕头产业结构调整的主要方向是：以发展和提高现代信息产业、加工产业、外贸产业和海洋产业为重点，壮大优化第二产业，拓展提升第三产业，切实加强第一产业，按照"二、三、一"的产业发展方针，构建具有汕头特色的产业体系。

（一）发展支撑可持续发展的高新科技产业。汕头工业化的任务远未完成，工业化仍然是今后经济发展的一个战略重点。要牢固确立"工业强市"的思想，充分认识加快工业发展的特殊重要性，根据实际，依托海陆空港和信息港，发展无污染、少占地、应用高新技术和先进适用技术、高附加值的现代工业，构建具有汕头特色、比较优势和较强竞争力的新型工业体系。大力发展临港工业、石化工业、海洋产业等事关汕头长远发展的战略产业，扶持发展制造业特别是装备制造业、信息制造业和船舶制造业。继续发展劳动密集型工业、轻型加工业，引进和发展高新技术产业和先进工业，改造、提升、壮大传统优势产业。做大做强支柱产业，培植一批有影响力的特色行业，推进纺织服装、工艺玩具、音像材料产业基地建设。工业产业结构的调整优化要走工业化与信息化结合、发展高新技术产业与改造传统产业并举的路子，进一步发挥重点工业企业和高新技术企业在全市工业发展中的支撑作用。推动中小企业更快更好发展，构建和完善以大企业为主导、大中小企业专业化分工、产业化协作的产业组织体系。积极扶持引导企业创名牌产品。市中心城区要以高新区和高科技园区为依托，发展高新技术产业，推动优势传统产业上新水平，努力形成以电子信息产业为先导的高新技术产业；重点推进优势电子基础产品的发展。积极引进国内外知名IT生产企业，迅速提升我市信息产品制造业的规模和实力。突出软件业的发展地位，争取利用外来力量推进软件园的超常规建设，积极推动软件产业与传统产业的结合和软件技术成果商品化，在全市信息产业发展中发挥辐射、带动作用。要用足国家赋予的特殊政策，充分发挥保税区出口加工、转口贸易、保税仓储的功能。潮阳、潮南和澄海两翼要着力推进服装、塑料、玩具、化工、食品等优势行业的升级换代，加速产业化、基地化，扩张总量，提高质量。

（二）推进辐射粤东经济区域的第三产业。粤东是广东省发展的重要一翼，包括汕头、潮州、揭阳、梅州、汕尾五市，是一个在人文历史、经济结构方面具有一定同质性和互补性跨行政属地的经济区域。从国家赋予汕头经济特区的历史使命和汕头的经济实力出发，汕头理应成为粤东地区"龙头"城市，起到辐射和带动周边地区经济发展的责任，这也是粤东地区长期的多赢发展战略，因此，汕头必须以强化服务、扩大辐射为重点，立足于提升区域性中心城市的综合服务功能，优化第三产业结构。积极发展现代服务业，提高服务水平和技术含量，大力发展信息咨询、金融保险、中介、广告和法律服务等行业。改组改造传统服务业，发挥"百载商埠"优势，着重发展现代商贸流通、交通运输等行业，大力发展连锁、超市、代理、配送、网上销售等新型经营业态和营销方式，建设具有汕头特色的商业网络，培育物流业作为新的经济增长点。巩固创建"中国优秀旅游城市"的成果，加快发展旅游产业，开发和保护旅游资源，改善旅游设施，优化旅游环境，塑造潮、侨、海特色旅游品牌，使旅游业成为新的经济增长点和重要支柱产业。出台扶持会展业的政策措施，争取和组织各种类型的展览，加快发展会展产业。加快发展社区服务业，提供便民利民服务。发展和完善粤东区域综合交通运输网络：以汕头为中心，通过深汕、汕汾、汕揭梅高速公路，以及规划中的汕潮、揭潮快速路组成粤东高速公路网，使汕头2小时公路通达范围覆盖粤东五市，积极筹备建设沿海铁路及广澳港疏港专用线与广梅汕铁路形成铁路网；挖掘汕头机场运输潜力，筹备建设面向整个粤东地区的潮汕民用机场；发挥国际海缆汕头登陆站的优势，加强网络基础设施和汕头信息港建设，形成区域网络服务和信息中心。实施全方位对外开放，建设面向区域的生产和新兴产业综合服务中心，形成产业发展的磁力效应。在体制创新、产业升级和对生产性服务业方面形成新的优势；继续构建区域性商贸及旅游中心，使之成为粤东区域资金流、信息流、商品流、技术流的集聚和扩散中心；特别应重视住宅区发展、教育文化、体育休闲、社区服务等新兴产业的区域性服务功能的培育。

（三）振兴作为全国沿海枢纽港的港口产业。汕头港面向南海，位于太平洋西海岸国际航线和我国南北航线之航运要冲，具备参与国际航运市场竞争的条件，有良好的城市依托以及腹地经济的发展潜力，已被国家交通部列为全国沿海20个枢纽港之一，是我国东南沿海对外贸易的一个重要口岸。同时汕头港是粤东、闽西南、赣南的水陆交通枢纽，地理位置重要，深水航道已形成，陆路交通畅通，内河集疏运条件优越。振兴汕头港已成为当务之急：一是要以粤东以及闽粤赣地区为腹地，将汕头港建设成为以能源、外贸运输为主，客货运兼有的综合性商港；顺应国际海运趋势，积极发展集装箱运输、港口服务业和港口工业。二是要重振汕头港。加大对港口建设的投入，重点建设广澳港区使之成为综合性大型深水中转枢纽港区。将粤东、闽西南、赣南地区经济发展与汕头港口的繁荣密切联系在一起，不断提高港口的能力，完善港口的功能，提升港口的服务水准。三是要优化港口布局，停止中小泊位建设，通过用地置换，搬迁梅溪河两岸大部分企业码头，调整西堤老港区的使用功能；配套建设珠池和马山港，对航道进一步整治，提高过港船舶吨位，提升港口规模效益和生产效率，保持货物运输量增长。

（四）建设产业化的现代生态农业。以强化综合生产能力、提高效益、增加农民收入为中心，切实巩固和加强农业的基础地位。大力调整农业和农村经济结构，加快发展乡镇企业，全面提高农业产业化、市场化和现代化的水平。拓宽农民增收领域，切实减轻农民负担。重视扶持山区、老区建设和开发。大力推广现代农业先进实用技术，发展高质、高产、高效农业和生态农业、出口创汇农业。大力扶持农业龙头企业发展，巩固粮食、蔬菜、水产、果茶、畜牧、花卉等支柱产业，努力提高农业科技水平，推进农业现代化示范点工程建设。建立健全农业社会化服务体系和农产品储藏、加工、流通体系，实现专业化生产、社会化服务、企业化管理、品牌化经营。深化农村改革，加快农村土地制度法制化建设。进一步建立健全农业保护机制、粮食储备和风险基金制度。

三、营造有利于优化产业结构的经济环境

（一）强化政府产业政策的导向作用。设置产业引进最低“底线”，在保障无污染的前提下，降低产业入汕门槛，促使新兴主导产业的尽快形成，即鼓励以资金密集和技术密集的产业，同时也不排斥劳动密集型产业的继续发展。近期产业的主攻方向是增强现代加工制造能力，逐渐优化工业产业结构；通过贸易加强汕头与腹地的联系，以及与国际市场的联系，提高产品外向度；中远期重点是向高科技产业方向发展，实现汕头整个产业结构全面的提升。政府应从过多地重视宏观投资优惠政策转移到以空间布局优化来促进企业竞争力上来，在产业空间布局上，应打破各区域狭隘的本位竞争模式，避免竞相降价，恶性竞争，防止低水平、低效益的遍地开花方式的建设。对市区范围内的各项工业用地进行全面整合，加强设施配套，在具备相对成熟开发条件的工业园区集中发展，最大限度地促进企业专业化协作和规模经济的提高；对各类分散的村镇工业用地进行调整或撤销，降低开发商间接成本，提高企业效益，集约国有土地资源，降低环境污染，培育产业规模。

（二）优化产业投资软环境。加快改革，创新体制，探索建立面向中小民营企业的民间投资担保基金和融资资本市场。设立高新技术风险投资基金，积极培育本地资本市场，引导民营企业产权重组，鼓励企业上市，走专业化和规模化的发展道路。规范经济秩序、健全市场

体系，增强生产要素和产品的集散功能。规范和发展市场中介组织，加强知识产权的管理和保护。加强和改善宏观管理，深化投融资管理体制改革。加快转变政府职能，依法管理经济和社会；减少政府对经济事务的行政性审批，建立健全政府政务公开制度。加大法制建设力度，全面推进依法治市进程。营造良好法制环境。用好经济特区立法权和地方性法规制定权，优先安排产业促进、体制和科技教育创新立法，加强城镇规划和建设、可持续发展、社会保障和社会治安综合治理等法规建设，保障全市国民经济持续、稳定、健康发展。

(三)建设一支高素质人才队伍。努力培养、引进和用好现代化建设急需的各类专业人才，千方百计留住人才，构筑汕头人才资源高地，真正形成尊重知识、尊重人才的机制和社会环境。积极引进和吸纳国内外人才，为他们创造良好的生活和工作条件。完善人才市场体系，促进人才资源的合理配置。努力建设一支政治思想好和业务能力强，精干、高效、廉洁的国家公务员队伍，培养一支数量众多、专业结构合理、掌握现代化科技知识、创新能力强的科技带头人和专业技术人员队伍，造就一支会经营、善管理、复合型的企业家和经营管理人员队伍。高度重视领导人才队伍建设，努力培养造就一批经过实践考验的政治素质好、业务能力强的年轻领导人才。

(四)完善现代城市的基本功能。要坚持高起点规划，高标准建设，高效能管理，加快区域性中心城市建设，建设一批中心城镇。提高城市品位。修编城市建设总体规划，逐步扩大市区规模，明确区域功能，完善设施配套，优化综合环境，形成以人为本、可持续发展的现代化城市格局。合理安排南北岸建设布局，突出抓好融山、水、桥、现代化城市景观于一体的环汕头湾城市核心带建设。把对旧城区历史风貌保护区的建设和危房改造工程有机结合起来，把推进旧城改造与消化空置商品房结合起来。加大力度整治“城中村”，着力解决“城中村”的突出问题。逐步推广智能化住宅小区。进一步加快南区和西区的建设步伐。优先发展城市公共交通，逐步形成方便、完整、快捷的公共交通网络。理顺市区管理体制，全面加强城市管理和社区建设，形成环境优雅、管理规范、功能完善的现代化社区。

(五)强化具有滨海园林特色的生态环境。汕头作为粤东中心城市应逐步向区域综合服务性城市转变，建设滨海园林城市环境体现了城市发展战略的重要转变，也是城市环境提高的重要突破口之一，必须通过滨海园林城市环境的建设，使汕头成为东南沿海最适宜创业和居住的城市之一：一是要以创建“国家级园林城市”为契机，在绿化人均指标达标的基础上，进一步提高绿化的特色和质量。逐步优化城市公共绿地的空间格局，突出亚热带滨海特色。二是要加强生态绿地的保护，严格控制山体的开挖，恢复桑浦山、南岸笔架山破坏山体的植被。筹建牛田洋湿地保护区和外砂河口的红树林保护区。三是要加快滨海滨河绿地的规划建设，以梅溪河的岸线整治为突破口，逐步整治濠江、大港河、西港河、新津河两岸的绿化。内海岸线结合中心区南北两岸的开发建设和旧城的改造，加强滨水区的绿化。同时要通过道路绿化，特别是城市步行系统的绿化，推行绿色交通工程。将金砂路、中山东路、海滨路、南滨路等主要城市交通干道规划建设为富有特色的林荫大道。

二、国际化与特区发展

“国际化城市”：一个值得冷静思考的命题

詹长智

最近深圳市政府和学术界正在就建设“国际化城市”展开深入细致的研究，这表明作为我国经济特区排头兵的深圳对城市的发展和经济特区历史使命的认识正在不断地深化和提升。研究一座现代城市的发展方向不仅对于这座城市本身具有重大的理论和实践意义，而且将影响到我国未来的城市发展道路。尤其值得注意的是，在我国社会主义建设的历史上，示范很容易变成简单的模仿。在一个“跟风”盛行的社会，开创者的风格和思维模式具有极大的导向性(有学者统计，近年来国内有不下40座城市提出了“建设国际化大都市”的概念甚至规划)。所以，我们十分关注深圳对国际化城市的研究成果，尤其关注人们对“国际化城市”定义和标准的认知以及所秉持的价值取向。

一、把“国际化城市”作为刻意的追求，还是作为城市发展的自然结果？

一座城市，本质上就是生活在这里的居民的一个共同的“家园”。首先应该考虑它是否让自己的市民感到方便、实用，是否对所有的居民，尤其是其中的弱者体现了细致入微的人文关怀，然后，才能强调它外形的美观和格调的高雅，使它的市民感受到自豪和荣耀。在这样的价值标准之下，一座城市到底够不够国际化，国际化到什么样的程度，其实并不是最重要的考量，最重要的是让生活在这里的人首先感到亲切和舒适。当然，一座对市民有亲和力的城市必然对外面的人有吸引力，也就更容易实现国际化。因此，国际化不是一种刻意的追求，而是一座城市走向更高文明的自然结果。

当然，提升城市的文明程度与推进城市的国际化在一定意义上并不矛盾，甚至具有本质的一致性。问题的关键在于，城市建设的出发点和立足点是以市民的实际需要为中心，还是以一系列预先设定的国际化指标为中心？是把国际化作为一座城市不断发展的自然结果，还是把它作为城市建设的核心目标？如果不把这些基本的问题理清的话，就容易出现盲目追求“大而全”或“高而美”，按照某些已经过时的理念或不切实际的条件和标准生搬硬套，以牺牲纳税人的利益为代价，搞出许多大而无当的工程或发展计划，这样只会增加城市与市民的疏离感，降低城市的美誉度，最终降低它的国际化程度。

没有人怀疑国际化对一座城市的意义，国际化是一座城市的活力、实力、吸引力及其知名度和美誉度的集中体现。但是，这一切都建立在生活在这座城市的市民的价值判断之上。“以人为本”中的“人”指的是现实中的市民，而不是脱离现实的虚幻中的国际人。

在我国的城市建设中，曾经有过，并且正在发生着本末倒置的错误。地方政府为了搞“形象工程”而大兴土木，结果弄得民不聊生，怨声载道，其结果与初衷正好相反——极大地损害了这个地方的形象。近日正在大众媒体上广泛讨论的巫山神女像就是一个典型事例。巫山县当政者的初衷是要创造一个“世界第一”吸引人们的眼球，刺激本地旅游业的发展。殊不知，人们对“巫山神女”的向往，意在叹服大自然的鬼斧神工。如果今后某一天耸立在人们面前的“巫山神女”是人工雕塑出来的，而且是花了全县1/3人口一年的口粮钱，谁还会感到兴味盎然呢？

鉴于以上的思考，我认为，可以将国际化水平作为衡量一座城市现代化程度的一项重要指标，而不必作为它的建设规划。城市建设的出发点和立足点应该永远地放在为现有的市民提供最优质的服务，一切服从于现有的市民最现实的需求。意大利的威尼斯数百年来累积建设的401座桥梁完全只是为了满足分散地居住在118座小岛上的居民日常交通的需要，而今却成为这座城市旅游经济的命脉。同样地，佛罗伦萨的全部魅力难道说不是因为这座城市对文艺复兴“三杰”所敞开的最宽厚的胸怀！有心栽花不如无心插柳，其中的哲理又何尝只限于用来喻意爱情的玄妙呢！

二、国际化城市不必有统一的标准，个性化才是城市的真正魅力

有专家指出，国际化是现代化城市的重要标志，早在1915年，苏格兰城市规划家格迪斯就提出了相关的概念。从20世纪60年代起，国际上取得了很多有关国际化城市的研究成果，同时也提出了各种衡量国际化城市的标准。比如，这一领域的代表性学者彼德·霍尔1984年在《世界城市》一书中就提出了衡量世界城市的7条标准。其中包括经济、社会和文化的各种内容。我国学者在综合国内外关于国际化城市标准的基础上，概括出国际化城市的主要标志是：国际主要的金融中心和制造业中心、国际性机构的集中地、第三产业高度发达、世界重要的交通枢纽、城市人口达到一定规模、较高的经济自由度和国际交往度，人流、物流和资金流达到相当的规模，等等。

一座国际化的城市真的需要如此包罗万象和高不可攀的发展指标吗？不断提高城市量级是城市国际化发展的惟一途径吗？这是我们在城市建设中不能不认真对待的一个问题。

没有人怀疑法国的尼斯和戛纳是两个国际化的城市。尼斯是世界性的旅游胜地，黄金海岸闻名遐迩。戛纳电影节蜚声国际，“金棕榈奖”是世界公认的影坛盛事。然而，这两座年代久远而又青春勃发的历史名城并没有强大的经济实力，也没有宏大的人口规模。有的只是丰厚的文化内涵和建立在悠久传统之上又不断创新的城市魅力。

1860年重归法国版图的地中海名城尼斯面积约73平方公里，人口总数34万。而尼斯的姊妹城戛纳则是真正的袖珍小城，至今人口不足7万。50年电影节的流金岁月没有使戛纳膨胀成一个中国的青岛或者大连。

应该说，不同类型的城市，它的国际化可以有完全不同的标准和不同的途径，恰恰需要避免的，正是千城一面，千篇一律，消灭个性特征的大而无当。当然，判断一座城市的国际化水平，还是需要一些相对客观的标准，对于一个国际化城市的建设，也需要一些指导性的方针和原则。但是，这些标准或原则大部份应该是抽象的，比如，我们可以规定国际化城市必须具有以下三个共同的特征：第一，必须在全球城市体系里占据重要位置；第二，必须有一个国际交流平台；第三，必须具备国际化的影响。当然，在城市管理的技术层面，我们也可以对国际化城市规定一些非常具体的建设标准。比如，需有多种文字的路牌，市民可以操多种语言，等等。其实，这是所有进入现代化的城市都应该达到的标准。

按照上面的观点，建设一座国际化城市，不必要求每一座城市在发展的过程中都做到全面出击，面面俱到：既有强大的经济实力，又有庞大的人口规模，还有发达的社会文化；既

是金融中心，又是交通枢纽，等等。除了极少数基础条件和历史机遇特别好的城市之外，要十分全面地做到这一点往往是不可能的。因此，正确的做法是充分发挥自己的优势，发挥特色，以自己的“一招鲜”立于世界城市之林。

在这样的指导思想之下，深圳也许应该充分发挥自己的区位优势和人才优势，发展高新技术产业，成为世界性的制造中心和研发中心。海口可以依靠自己的气候条件优势发展成为国际性休闲疗养基地。博鳌完全有可能发展成为国际性的会展中心和中国民间外交基地。而三亚，一个正在举行世界小姐决赛的城市，完全具备发展成为国际化旅游城市的潜力。

三、民族化与国际化：不能在发展中出现文化的断裂

在城市建设中，民族化与国际化是辩证统一的两面。正如人们经常提起的一句名言“民族化就是国际化”。然而，在城市建设的实践中要真正处理好两者之间的关系并非易事。在全球经济一体化的背景下，建设国际化城市的浪潮，容易导致许多城市着意于追逐当今世界的流行时尚，而使自己的民族风格尽失。长此以往，中国的民族文化在我们这一代人或几代人手中消失殆尽，出现的将是一批毫无特色，缺乏竞争力的“都市恐龙”。

在全球经济一体化时代，文化因素具有核心的竞争力。因为文化需要长时间的积累，文化标识一旦形成即具有相当的稳定性和持久的影响力。如果特定民族的各种文化因子的物质表征和信息符号在国际化的浪潮中，随着城市的大规模建设而消失在人们的视野，就会出现文化的断裂，造成不可弥补的损失。北京3500多条胡同中的大多数在城市改造的过程中已经永远地失去，至今剩下不足1000条。历史名城北京，也许除了留下了一些供人参观的历史文化标本之外，几乎与任何一座历史短暂的新兴城市没有任何差异了。天津，这是中国北方有着悠久传统的商业城市，在它的最具特色的“估衣街”在近年的旧城改造中即将毁于一旦的时候，曾经引起了以冯骥才为代表的文化人深切关注。上海的弄堂文化同样使这座曾经的远东第一都市打上了深刻的民族烙印，当它在城市的国际化过程中完全消失的时候，上海也许就成了纽约或东京在中国的复制品。

大量的新兴城市在自己最有代表性的地段建了许多“巴黎街”、“伦敦街”，惟独没有本民族的真实的文化信息。越来越多的城市习惯于将外民族的东西作为主体，而以民族文化为点缀，这种“中西结合”其实是对国际化的误读。对民族文化的深刻和准确的理解和表达本身就是国际化。

毫无疑问，在当今中国，如火如荼的城市建设一方面使高楼大厦和仿效外民族的文化标识物不断崛起，同时也使无数伴随中国历史步伐的文化见证彻底地告别人类。一座座现代城市成了世界文化赝品的博物馆，而作为历史最悠久民族根基的中华文化恰恰正在一天天消失。

当前我国某些城市在实施国际化的过程中所采取的民族虚无主义价值取向已经造成中国文化基因不断消失的严重后果。它不仅降低了城市的持续竞争力，更将使得中国城市的现代化建设迷失方向。因此，在推进城市国际化建设的过程中保持民族特色，尤其保持民间文化特色，而不是一味地模仿西方城市的一些表面东西，不是以西方的文化作为城市国际化的主要标志，是中国城市化建设的一条重要原则。

四、城市国际化与深层的人文精神

当前我国城市建设的另一个重要缺陷是缺乏深层的人文关怀。在城市国际化的过程中，

一些物质层面、技术层面的东西相对容易做到，而更深层次的人文关怀则往往被忽视。

我国沿海开放地区一些率先向国际化发展的城市已经开始注意到城市的文化建设和体现必要的人文关怀，不仅在城市的文化设施(图书馆、博物馆、歌影剧院)建设方面已经取得令人瞩目的成绩，而且在城市建设中注意到给普通市民，尤其是弱者带来方便和一定的关爱，比如，多数城市已经开始注重公共休闲场地和无障碍设施的建设，对于特殊困难群体一定的生活补助，等等。但是，这些还只是浅层次的，或者物质层面的。而更深层次的人文关怀依然缺乏，与一个真正国际化城市的要求相差甚远。

人文关怀主要指人的基本需求的满足和对人的尊重。这里的“人”是指人类的每一个成员，不分社会阶层，不论社会身份，不分人种，不分国籍，只要是人，就应该得到关爱和尊重。对人的关爱更多是物质层面的以及出于同情所采取的精神和物质的施予，这种层次的人文关怀在经济发展到一定水平之后一般是不难做到的。而更深层的人文关怀是对人的尊重，这是我国的城市建设和城市发展中尤其需要关注和重视的。

中国没有经历文艺复兴的陶冶，也没有经历法治社会的洗礼，直接从一个以皇权为核心的封建社会直接过渡到社会主义社会，法治精神和人文关怀尚十分贫乏。体现在城市建设中，表现为市民的参与性很低，权势左右市民生活的意识很强，不能体现市民真正成为城市的主人。甚至在一些被认为是当今中国城市发展楷模的现代化城市中，大量的弱势群体遭到的公然歧视，甚至是以法律形式或者制度和政策形式的歧视。在这样的背景下，推进国际化城市建设首先要关注的问题也许不是物质条件的改善，而是法治精神的张扬和市民社会的建设。

从城市的文化标识来看，中国的城市在体现对人的尊重方面同样存在很大的缺陷。在泛政治化的文化氛围中，人们往往以所谓政治立场和意识形态划线，对所有的历史人物做出政治化的评价，反映在城市建设中，使我们的城市历史文化显得十分苍白。在众多的知名城市里，除了少数统治者、领袖人物和个别历史名人之外，人们难以见到在这座城市的发展中做出过贡献或者有过文化创造的人的任何历史遗迹。许多城市里的雕像作品，除了抽象的形象之外，就是动物。在当下中国正在兴起的国际化城市建设的浪潮中，我们看到更多的是各种物质指标，难以看到的恰恰是一种深刻的人文关怀。

建设国际化城市是中国城市化理论和实践的一次新的探索，标志着中国的现代化和城市化进入了一个新的阶段，我们期待着在“百花齐放，百家争鸣”的氛围中出现许多真知灼见，产生许多有价值的研究成果。

经济特区城市国际化的考察

方宁生　刘芳华　方　玫

中国经济特区在基本建成综合性特区之后，特区城市国际化就突出地提上特区发展的议事日程上。10 多年来，特区城市国际化已有了十分明显的变化，对这种变化进行考察，无论从特区理论研究还是从特区建设实践的角度来看都是必要的。

一、经济特区与设区市合一加速特区城市化进程

20 世纪 80 年代初至 90 年代初的 10 年间，中国在东南沿海先后设置了 6 个经济特区，一般简称为“5 +1”，指 5 个经济特区加上 1 个不叫特区的特区。这 6 个特区，起步有不同：一是在深圳、珠海、汕头、厦门、上海 5 市各划出一定的区域范围办经济特区，一是海南岛建省同步办经济特区。

中国经济特区借鉴了、又高于二次大战后世界盛行的出口加工区，这是经济特区理论研究中的共识。所谓高于出口加工区，是指在经济特区内不仅发展出口加工业，而且商业、农业、牧业、房地产业、旅游业等多种行业都获得发展。从产业结构这个角度看，经济特区不同于、高于出口加工区之处，就在于一起步就确立多种行业的综合发展。“综合性”是人们谈论得最多的一个方面。其实，中国经济特区还有一个大异于世界出口加工区的特点，这就是“区市合一”，即经济特区和设区市合为一体，成为经济特区市。随着综合性特区基本成型，这一点日益成为中国经济特区发展的决定性因素。

“区市合一”有 4 种“合”法：其一，一起步就合为一体。“区市合一”是深圳特区的创造。在 20 世纪 80 年代初设置的 4 个特区中，中国政府要把深圳建成综合性特区。深圳市划了 327.5 平方公里兴办特区，市政府就设在特区内，深圳特区不设管委会。深圳特区一起步就实行经济特区与深圳市合二为一的管理体制。同时期恢复宝安县建制，深圳经济特区市管辖一个非特区的宝安县。“区市合一”，体现了深圳经济特区体制的创新，为其他 3 个同时期建立的特区树立了发展的样板，显示了中国经济特区高于世界盛行的出口加工区的发展道路。

深圳特区起步后即着手进行社会经济发展规划，在空间布局、结构功能上，既从建设综合性特区的要求出发，又从建设现代化城市的目标考虑，在 110 平方公里的建设用地中，规划了工业、仓储、居民住宅、公共建筑、公共绿化、道路广场、文教科研、对外交通、公共事业、旅游等的用地比例，从而使综合性特区和特区城市同步发展。

其二，特区开发到一定程度时扩大到设区市。随着特区实践的扩大和深入，“区市合一”这一创新模式的优越性，日益吸引着其他几个特区。按规定在珠海、汕头、厦门 3 市划出一定区域面积兴办经济特区，都以设区市为依托，区市分开，不可避免地要产生体制上的碰撞。当时特区所依托的都是中小城市，特区的经济审批权大于所依托城市，而行政级别低于后者。为了促进特区和所依托城市的发展，解决这种体制上的矛盾，最可行的做法，就是仿效深圳，

把区市分开转为"区市合一"。

在中国政府的最初决策中，珠海和深圳一样要建成综合性特区，但珠海市仅在靠近澳门的地方划了3块互不相连的海滩洼地一共6.81平方公里作为特区，显然不能满足综合性特区发展的要求。1983年6月珠海特区区域范围扩大到市区，面积达15.16平方公里，珠海经济特区市管辖一个非特区的斗门县。1998年4月珠海经济特区区域面积再扩大，达121平方公里。珠海特区扩大到市区后，开始走上综合性发展的道路，同时也更着力于建设一个环境优美的海滨花园城市，并且实施大型基础设施超前发展的战略。

与深圳、珠海不同，厦门、汕头两特区最初被定位于出口加工区，区域面积都划得小。厦门的湖里出口加工区2.5平方公里，汕头的龙湖出口加工区仅1.6平方公里。由于出口加工区不可能肩负中国经济特区功能的多样性和艰巨性，因此，厦门、汕头经济特区很快转向综合性特区，并使特区范围扩大到市区。1984年5月厦门经济特区扩大到厦门全岛(即厦门市区)，面积131平方公里，实行自由港的某些政策。厦门特区市同样管辖一个非特区的同安县。同年11月，汕头经济特区也扩大区域面积，达到52.6平方公里，1991年4月汕头特区第二次扩大区域范围，这次扩大到市区，面积达234平方公里。汕头特区市管辖非特区的潮阳、澄海、南澳3县。厦门、汕头都是老港口城市，传统的轻工业比较多，因此，这两个特区都肩负着改造市区老工业的任务。

其三，特区发展起来后转为设区市的一个新城区。"区市合一"是我国经济特区的创新模式，被称为不叫特区的特区——浦东新区也沿着这一模式迅速发展。1990年4月中国政府宣布开发开放浦东新区，1993年1月成立浦东新区管委会，作为上海市派出机构，2000年8月，浦东新区举行第1届人代会，选举产生区人民政府，代替管委会，从此，浦东新区成为上海市的一个城区。

其四，建省办特区从一起步就实行"区省合一"，成为"区市合一"的扩大形式。1987年底1988年初，海南岛撤自治州建省，同时成立经济特区，面积达3.4万平方公里，经济特区省辖岛内19个市、县和南中国海西、南、中沙群岛办事处。特区省的开发开放最终要落实到特区省内的市，按照《海南岛综合开发规划》，海南岛要重点开发海口、三亚两市，逐步形成若干城市为中心的各具特色的经济区。海南特区省内的市成为特区优惠政策的出发点和归宿点，"区省合一"实际是"区市合一"的扩大。

"区市合一"，大大加速了经济特区的城市化进程。深圳以不到10年的时间，就从一个边陲小镇，拔地而起，成为一座拥有百万人口的现代大工商业城市，令世人大开眼界而誉之为"一夜之城"。"一夜之城"是对经济特区高速度城市化的形象概括，在其他特区的发展轨迹中都可得到印证。

二、特区城市国际化发展的逻辑

在中国决定设置经济特区的那个时候，整个国家仍处于封闭、半封闭的农业经济阶段，工业化仍然是社会发展的基本动力。20世纪80年代设置的5个经济特区都选择在海防、边防城市的海滩、沙丘和海岛，这是一些连传统农业都不发达的落后地区，工业化更是经济发展的动力。经济特区借鉴出口加工区的成功做法，利用外资、发展地方工业、工业品以国外为市场，这是开发落后地区的基本手段。

由于认识不足，也由于经验不足，特区确立以国外为特区工业市场的工业化路线是付出了代价的。在特区初创时期，要不要以工业为主，特别是特区工业市场如何定位，都成为理论和实践的焦点。1985 年底 1986 年初召开的“全国特区工作会议”，从战略方向、战略路线上解决了这个问题。会议纪要提出：特区应努力建立以工业为主、工贸结合的外向型经济，其要点是逐步建立有本特区特色、结构合理的外向型工业，作为特区产业结构的主体，而工业投资应以外资为主，工业产品以出口为主，并且规定了工业制成品 60% 的外销比例，为此特区就必须积极开拓国际市场。

从 1986 年以后，特区执行外向型工业路线，推动特区经济国际化。具体来说：第一，外向型工业路线的确立，使特区能够不失时机地抓住二次大战后世界产业结构第三次大规模重组和调整的机遇，吸收从“亚洲四小龙”等新兴工业化国家和地区劳动密集型和一般技术密集型产业的转移，发展特区的制造业、加工业和装配业，尽管大部分为低端产品，但已进入现代国际分工体系。第二，外向型工业路线的确立，使特区能够集中力量去吸引国际工业资本的直接投资，而伴随着国际工业资本而来的还有其设备、技术、管理、人才，特别是其产品市场，从而使特区的生产、流通、消费的整个再生产过程进入国际轨道。第三，外向型工业路线的确立，使特区能够日益广泛地发展为出口工业服务的国际贸易、国际航运、国际结算、国际认证等服务业，不断推动着特区参与国际经济活动。

国际资本不断直接进入特区投资设厂，特区产品不断输往国际市场，这是特区经济国际化的两大特征。特区经济国际化，表现为一个发展过程，到综合性特区基本建成时，各个特区都获得或大或小的国际发展空间，这就为特区城市国际化发展提供了基础性条件。

经济特区是中国对外开放的一种特殊形式，是中国对外经济特殊政策的产物，其特殊之处就在于中央政府赋予经济特区的各项优惠政策。然而所有优惠政策都有时效性，因此，经济特区的发展有个生命周期问题。当特区的优惠政策到期失效，就意味着特区完成了一个生命周期。在这一点上和出口加工区有相同之处，但从周期长度来看，经济特区较之出口加工区略长些。外国学者认为出口加工区的生命周期“约为 8—10 年”。中国经济特区，大约为 10—15 年(个别优惠政策可能更长一点)。由于经济特区的起步有先后，时间差 8—10 年，因此特区的周期呈现交叉。当深、珠、汕、厦 4 个特区进入其第 1 个生命周期的后期时，海南、浦东才起步。

20 世纪 80 年代初大致同时起步的深、珠、汕、厦 4 个特区，经过 10 年的开发开放和建设，到 80 年代末 90 年代初，大部分特区的优惠政策因到期而退出历史舞台，而这 4 个特区也大致同时基本建成综合性特区，“特区不特”、“特区普区化，普区特区化”已成大趋势，特区哪里去，摆上历史议程。

上面我们说到经济特区和出口加工区同样有一个生命周期，但在完成一个生命周期之后，两者的发展路向是截然不同的。出口加工区在完成一个生命周期之后，大体有两个去向：一是使其消亡，一是给予更优惠政策促进其转型。

实际上，中国经济特区具有极大的弹性。因为特区范围划得很大，特别是“区市合一”，“区省合一”，小者 100 多平方公里，大者 3 万多平方公里，世界上盛行的形形色色的经济自由区，都可在特区城市内举办。各个特区城市内不仅举办了为数不少的出口加工区，而且举办了科技工业园、保税区(被译为自由贸易区)等等，成为特区城市内的一个个具有特殊功能的城区。当最先成立的 4 个特区很快就要完成一个生命周期进入另一个生命周期时，特区城市的今后发展，是不可能由市内某一个特殊城区来决定的。但是特区城市内这些特殊的城区，其经济国际化程度很高，却是经济特区从国内城市转向国际城市发展的基础性条件，也是经济特区在其新的生命周期中能够“特”起来的决定性因素。所以经济特区的发展，不应在自由港、自由贸易区等经济自由区中绕圈子，应在城市这个层面上，努力使特区从国内城市转向国际城市。外国研究中国经济特区的学者已注意到这方面问题。1989 年美国哈佛大学傅高义教授就提出：“在深圳像香港一样发展成为一个全球性的城市时，珠海利用自己的国际联系成为地区经济中心。”当时综合性特区尚未基本建成，做出这样的判断，不能不说极具预见性。

特区城市国际化目标的确立，不仅是特区内在的逻辑发展，而且还有国内、国际条件。从国内看，到了20 世纪 80 年代末，我国对外开放大局已出现了质的飞跃，即从落后地区的开发开放，转向发达地区的开发开放，浦东新区的开发开放，就是新一轮对外大开放的标志。新一轮对外大开放，要重塑上海的国际形象，以期在未来世界经济发展中形成新的重心，这无疑给经济特区一个启示：必须摒弃传统观念，以更加开放的姿态，在更高的层次上展示经济特区的国际形象。从国际看，经济全球化、区域经济集团化加速发展，二次大战后世界产业结构第三次重组和调整以更快的速度更为深入地展开，经济特区必须与时俱进地以新的姿态去获取更大的国际发展空间。所以，在经济特区基本建成综合性特区之时，走特区城市国际化的道路，是一个合乎逻辑的选择。

综合各方面的信息，自 20 世纪 90 年代以来，各个经济特区都提出了建设国际城市的发展目标：1991 年深圳提出要建成“国际性城市”，1993 年汕头提出要建成“现代化国际港口城市”，1994 年厦门提出要建成“社会主义现代化国际性港口风景城市”，2000 年珠海提出要建成“国际休闲度假、会议、会展、旅游城市”，2001 年海南省三亚市提出要建成“世界知名的滨海旅游城市”。比较来说，浦东新区的开发开放，气势更为恢宏，1992 年中国共产党的十四大提出要以浦东新区为龙头“尽快把上海建成国际经济、金融、贸易中心之一”。不难看出，特区城市国际化目标有综合性的，也有专业性的；有全球性的，也有区域性的，在城市国际化这一点上，发展路向却是一致的。

三、特区城市国际化进程的分野

西方有句谚语：“罗马不是一日建成的。”要实现特区城市国际化目标，也不是一蹴而就，所谓“化”指的是一个发展过程，要达到目标，要走好长的一段路。如上所述，特区城市国际化目标的提出，不过是近 10 年的事，迄今为止，特区城市仍然是国内城市，可以肯定，在特区城市国际化目标实现之前的特区城市也仍然是国内城市。

特区城市作为国内城市的建设，十分引人注目。概括来说有 3 条：第一，速度快。仅 10 年的时间，无论深圳还是珠海都从一个默默无闻的边陲小镇建设成为一个国内外有一定知名度的现代工商业城市，无论厦门还是汕头则老枝新发，从一个落后的老港口城市建设成为现代城市，浦东新区把 100 平方公里的农村地区城市化，建设成为现代化的新城区，天涯海角的三亚成为南中国海的明星城，博鳌水城更是横空出世。第二，起点高。特区城市大都从国际城市要求的高度进行规划和建设，大都注重经济、社会、生态的协调发展，所以无论新城区的建设还是旧城区的改造都塑造着现代化的新型城市形象。第三，样板化。从 20 世纪 90 年代初以来，中国城市都从各个不同领域进行创优评选活动，以树立样板，特区城市多有入选者，例如获得“全国城市综合实力 50 强”、“首批投资环境 40 优”、“双拥模范城”、“国家卫生城市”、“国家园林绿化城市”、“国家环境保护模范城市”、“中国优秀旅游城市”等等。珠海于 1999 年还获联合国人居中心颁发的“国际改善居住环境最佳范例奖”，深圳于 2000 年获“国际花园城市”称号，等等。

特区城市的建设，对于中国城市化的发展具有典型意义，被列入中国具有代表性的 50 个城市进行研究。据一份研究报告称，在50个城市发展“真实能力”上，6个特区的排序如下：上海第1名、深圳第3名、厦门第12名、珠海第15名、海口第30名、汕头第39名。特区城市发展“真实能力”略高于工业化水平的排序：上海居工业化水平第1名、深圳第4名、厦门第13名、珠海第20名、汕头第43名、海口第45名。实际说明，特区发展“真实能力”包括比较发达的第三产业。

对外开放，意味着参与国际分工和国际竞争，意味着参与经济全球化和区域经济集团化，意味着经济国际化。中国由点到面的对外开放，使包括特区城市在内的全国城市都或先或后地参与了经济国际化进程。随着中国加入世贸组织，中国城市经济国际化进程的步伐加快，全球化水平成为考察中国城市竞争能力的一个重要指标。上述研究报告关于这个指标构成的设计包括：外商协议投资和实际投资、外商实际投资占外商协议投资比例和外商实际投资占GDP比例，外商工业总产值占GDP比例和外商工业总值与内商工业总产值之比、国际旅游收入占GDP比例等。根据指标汇总结果排序：上海第1名、深圳第4名、厦门第9名、珠海第10名、汕头第22名、海口第40名。特区城市全球化水平较高，有2/3进入前10名，这和特区城市在对外开放中先行一步有关。但是，城市全球化水平指标设计，定格在外商投资，侧重在工业投资和国际旅游业，应该说定得比较窄。在国际经济活动中，投资与贸易是互相推动的，因此，这个指标构成，还有可考虑之处。不过，经济国际化问题已提出，应予肯定。一个城市在某个经济领域参与国际分工和国际竞争可能达到很高的程度，但不意味着这个城市就已经是国际城市。经济国际化仅仅是城市国际化的一部份。近200多年来的世界历史表明，工业化是城市化的动力，但各国出现的大量城市都属于国内城市，只有极少数的国内城市发展成为国际城市。实际上世界上公认的国际城市为数不多，而且没有一个能够进行界定的权威机构。但这并不妨碍人们去努力建设可让世界公认的国际城市。

自从深圳特区首先提出“国际性城市”的发展目标以来的10多年间，包括其他特区和沿海、沿江城市和省会城市在内，纷纷提出城市国际化目标。在中国加入世贸组织之后，更形成为热潮。城市化理论研究，力图从现实的国际城市中概括出可资参照的“国际城市标准”，提供决策参考。国家职能部门也着手对各城市总体规划进行调整，在这一调整中，特区城市的定位发生了变化。

据报道，今年6月初国务院批复珠海最新的城市总体规划，将珠海定位为“珠江三角洲中心城市之一，东南沿海重要的风景旅游城市。”从国际城市的经验来看，任何一个国内城市要发展成为国际城市，首先成为其国内区域中心城市是必由之路，因此，这样的定位，应可以成为珠海实现城市国际化目标的基础。同时，国务院批复汕头城市总体规划，将汕头重新定位为“东南沿海重要港口城市、粤东中心城市。”珠海、汕头都定位为区域中心城市，“都具有生产、流通、服务以及行政管理等多方面的功能。”显然，由于历史的原因和各自的独特区位，珠海城市功能侧重于旅游，汕头侧重于港口交通，如果从这方面看，新的定位和原先的发展目标，从根本上看有一致之处，这将有助于这两个特区市制定实现国际化目标的时间表。

据报道，目前厦门执行的城市总体规划，是2000年11月国务院批准实施的。国务院的批复确定厦门是中国东南沿海重要的中心城市，港口及风景旅游城市。根据国务院批准总体规划的审查规则，今年7月中旬建设部及福建省和厦门市专家对《厦门市城市总体规划》编修纲要进行技术性审查，厦门市域大幅修编，从560平方公里调整为1565平方公里，规划期限从2010年延长至2020年。

深圳自从提出建成“国际性城市”以来，一直受到中央和广东省的肯定。据报道，因应

CEPA的运作，上月底国务院调研小组到了深圳，寻求为深圳重新定位。目前虽然对调研的结论，人们尚一无所知，但关于“深港一体化”的构想再度成为热点。自邓小平提出“内地要造几个香港”的思想以来，“深港一体化”一直便是影响深圳制定发展战略的一大因素，这次重新研究深圳定位，旧话必然重提。深港互靠，共建世界城市(或称世界大都市)，这种设想具有很高的实践品格。有人认为上海可以建设成为“区域性的国际化城市。”据报道，此前，即2002年11月上海已提出要建成“世界级城市”的目标以代替20世纪90年代“国际经济中心”城市的提法。显然，“世界级城市”高于“区域性的国际化城市”。其实我们完全不必囿于美国只有一个纽约、英国只有一个伦敦、日本只有一个东京。谁能规定正在成为当代世界工厂的中国只能建设一个“世界城市”？如果世界工厂集中的地区就要产生世界城市这一点可以成立的话，那么，当代世界工厂最为集中的趋势地区正是中国的珠三角和长三角，因此，港深、上海都有可能建成世界城市。对两者的任何抑扬，在理论上讲不通，在实践上没有什么好处。

特区经济的国际化、市场化和创新的关系

杜月昇

我国经济的国际化主要是实现两个目标，其一是使我国的经济融入现代世界经济发展的大循环中，其二是通过经济发展缩小我国经济与发达国家的差距。

现代世界经济秩序是以市场经济为基础的，经济特区的国际化进程首先取决于特区经济的市场化运作。健全和完善市场经济，就是尽可能使经济按照完全竞争市场的要求来运行，以便有效地配置各种经济资源，使它们得到最有效率的利用。由于国际经济关系以市场经济为主导，因此，只有首先提高特区经济的市场化程度，特区经济的国际化程度才能随之得到提高。中共中央十六届三中全会通过的《中共中央关于完善社会主义市场经济体制若干问题的决定》(以下简称《决定》)提出，要“完善市场体系，规范市场秩序”。并且提出，要“深化涉外经济体制改革，全面提高对外开放水平。”经济特区作为我国改革开放的试点地区，在这个方面走在全国的前面，是责无旁贷的。

未来一段时期，深化涉外经济体质改革的任务首先是，“完善对外开放的制度保障。按照市场经济和世贸组织规则的要求，加快内外贸一体化进程。形成稳定、透明的涉外经济管理体制，创造公平和可预见的法制环境，确保各类企业在对外经济贸易活动中的自主权和平等地位。”

现代国际经济关系是建立在市场经济基础之上的，多年来，世界经济的发展趋势始终是各国经济的市场化、全球经济的一体化，在这种形势下，一个国家或地区，如果不搞市场经济，要想参与国际经济的交流和合作以及世界经济的大循环，实现本国或本地区经济的国际化显然是不可思议的。对于一个国家或地区来说，它的经济究竟会有怎样的国际化程度，在很大程度上取决于经济的市场化程度。市场经济现在在我国已经有了相当的发展，然而，作为一个原来实行高度集中计划经济的国家，如果不能坚持不懈地向着完善市场经济的方向继续迈进，我国的经济要想在更高的层次上融入世界经济一体化的潮流之中，显然是不可能的。经济的国际化和市场化之间的联系，无论是在国际贸易还是国际金融领域里都有突出的表现。在世界市场上，由于我国的劳动力等方面的成本较低，我国出口的一些商品明显地低于发达国家的同类商品。在国际贸易中，美国和欧共体一些国家的企业抱怨我国向这些国家出口的一些商品价格太低，并同时利用我国建立市场经济时间较短这一事实提出，我国产品的价格不是通过竞争性市场形成的，或者说，中国出口商品的价格不是效率价格。这种抱怨已经成为他们“反倾销”和限制从我国进口某些商品的借口。同时，近期他们又进一步提出调高人民币汇率的要求，希望以这样的途径来增强他们的国际竞争力，减少他们在国际贸易上的逆差。一些发达国家在这个方面所提出的要求完全是不切实际的，它们针对我国出口商品所实行的“反倾销”政策，在一定程度上反映了部分发达国家对发展中国家和原计划经济国家的不公平对待和经济领域的排挤。对此，我们不能不持反对态度。他们的“反倾销”作法对于我国的外向型经济的发展有着明显的不利影响，以外向型经济为主导的特区经济也会因此而受到不利

的影响。

这里有一个“效率价格”概念，按照经济学教科书中的定义，市场经济的理想化模型是完全竞争的市场经济，完全竞争市场中的价格就是效率价格，它能够保证所有生产要素被用于最有生产力的用途，保证所有最终产品被分配给那些最需要它的消费者。效率价格并不是在任何情况下都能够形成的，只有在完全竞争条件下，效率价格才能够形成。当然，完全竞争市场只是一个便于经济分析的理论上的虚构，它在现实中并不存在。所谓效率价格也是相对的，它的形成，即使对于不同的发达国家来说，情况也各不相同。我国，作为一个发展中国家，着手建立市场经济刚刚十年，目前要想使全国的经济发展水平普遍达到比较成熟的市场经济标准，显然是做不到的。

尽管如此，我们还是要排除干扰，从我国经济发展的实际情况和改革开放的实际需要出发，深化体制改革，加快改革开放的步伐。《中共中央关于完善社会主义市场经济体制若干问题的决定》提出：要加快建设全国统一市场。将强化市场的统一性，作为建设现代市场体系的重要任务。在全国努力发展市场经济的同时，进一步发挥经济特区作为市场经济的实验场和窗口的作用，是十分必要的。作为经济特区，必须“敢”字当头，大胆尝试，按照成熟市场经济的标准，进一步健全和完善特区的市场经济。那么，就健全和完善市场经济而言，特区应该将主要精力放在哪些方面呢？对照通行的国际标准，我们可以找出特区经济与发达国家市场经济的差距，并由此找到问题的正确答案。

什么是市场经济？概括地说，就是充分利用价格的调节资源配置功能的经济。按照美国的标准，判断一个国家或地区的经济是不是市场经济以及经济的市场化程度究竟如何，应该按以下几个条件进行衡量：(1)一国的货币在多大程度上可以兑换为其他国家的货币。(2)工资水平在多大程度上是由劳动者与管理层之间的自由谈判决定的。(3)其他国家企业在多大程度上被容许兴办合资企业或其他投资。(4)政府在多大程度上控制了资源的分配、价格以及企业的生产决策。(5)政府在多大程度上拥有企业的所有权以及生产方式的控制权(无论是合法的或事实上的)。”除此之外，还有一些其他因素。

用这个标准衡量，即使是一些发达国家也不一定完全能够达到完善的市场经济的要求。其次是澳大利亚的标准，按照澳大利亚的标准，一个“理想”的市场经济模式应该具有以下特征：(1)自由运作的价格机制；(2)所有经济部门在国际贸易领域实行开放政策；(3)在企业进入和退出市场方面没有法律法规上的障碍；(4)政府对于国内经济只是在提供公共产品等很有限的方面起作用；(5)具有以法治为基础的行之有效的制度框架。对比以上标准，我国经济特区的市场经济仍然有着较大的差距。

按照澳大利亚的标准，上述五个条件中的前三个条件属于经济领域本身的条件，相比之下，它们比较容易做到，我国的几个经济特区在这三个方面总的来说也已经取得较大的发展。其中前两个条件是具有自由运作的价格机制和所有经济部门都实行对外开放的贸易政策。发展市场经济，必须充分发挥价格机制的调节作用，将政府的作用限制在最低限度，使价格真正成为效率价格。我国经历了二十多年的价格体制改革，产品市场的发展已趋于稳定，在产品市场上，价格机制已全面调节市场的供求。但是资本市场在我国的发展目前尚不够成熟，经营土地、技术和劳动力买卖的要素市场在一些地区还处于初创阶段，各地要素市场的发展还不平衡。深圳等经济特区的产品市场和要素市场建立得比较早，产品市场目前已经相当成熟，并有着相当高的对外开放的程度，资本、土地、技术和劳动力等要素市场也正在从不成熟走向成熟。就目前的情况而论，经济特区的市场价格已经基本上能够反映市场供求的实际情况，而不存在明显的价格扭曲。并且在这些方面，我国的经济特区与其他市场经济国家的情况已经没有明显的差别。第三个条件是关于企业的自由进出市场。仅就国内的企业而言，深圳等经济特区已经基本上作到了企业的自由进入和自由退出。在外资和外企的进入上，特区的零售业十多年前就已经放开，目前对于外企的限制，主要集中在金融的人民币业务，以及保险、通信等服务业的一些领域。在未来一段时间，中央还会进一步放松这些领域的限制，在更加广泛的领域里，允许外资和外企进入国内市场。总之，从以上三个方面来看，特区的市场经济与发达国家的市场经济已经没有太大的差别。

澳大利亚标准的最后两个条件似乎不太具体或不大容易掌握，对经济特区来说，在短期内，这两个条件也是不容易达到的。其一是，尽量减少政府对于市场经济的干预。要作到这一点，关键在于政府，因为的主动权完全掌握在政府手里。对于我国的经济特区来说，在短时期内，要作到这一点显然是不可能的。因为，这里存在着一个悖论：我国的经济特区本来就是政府政策的产物，它们是政策实验室中的试验品，而不是在社会经济演化过程中自然而然产生的结果。要想让它最大限度地脱离政府的干预，而趋近于完全竞争市场经济，就等于要它离开它所赖以产生和成长的环境。这就像是要把实验室中的试管幼苗，当作大森林中的野生植物来对待，这样做的危害是显而易见的。在短期内，经济特区的市场经济要想最大限度地摆脱政府的干预，结果只能是适得其反。

从长期发展看，按照三个代表的精神，特区作为建立和发展社会主义市场经济的实验场，在率先健全和完善市场经济方面，还是应该有较大的作为。特区应该按照《决定》的精神，率先深化体制改革，进一步完善价格机制，扩大外企进入和退出国内市场的领域，作好政府的经济管理职能的转变，“深化政府行政审批制度改革，切实把政府经济管理职能转到主要为市场主体服务和创造良好发展环境上来。”“继续改革行政管理体制。加快形成行为规范、运转协调、公正透明、廉洁高效的行政管理体制。”“积极发展独立公正、规范运作的专业化市场中介服务机构。”如此坚持下去，特区经济市场化程度必然能够不断地得到提高，价格体系在调节资源配置以实现配置效率的作用必然能够得到进一步的加强。

其二是建立完善的社会法制环境。市场经济是法治经济，市场经济的顺利发展必须建立在法治社会的基础之上。我国的法制始终是不完善的，以“法律至高无上”和“法律面前人人平等”为标志的法治社会环境在我国目前尚未形成，从而我国的市场经济还不是真正意义上的法治经济。要形成完善的法制环境，对于经济特区来说，同样是有困难的，因为，一个地区是否能够有一个健全的法治，并不是它本身所能决定的，法治的形成有赖于一个国家的社会政体和法律制度，特区作为我国的一个局部地区，它必须与中央始终保持一致。如果没有来自中央的政治改革战略决策和法治建设的重大举措，那么经济特区在这个方面就很难有大的作为，即使特区有独立的立法权(如深圳经济特区被中央赋予独立的立法权)，情况也不会有大的改变。从目前的情况看，只能说，在建立完善的法律制度的一些具体方面，经济特区的情况比国内其他地方的情况要稍好一些。特区必须按照《决定》的要求，“全面推进经济法制建设。按照依法治国的基本方略，着眼于确立制度、规范权责、保障权益，加强经济立法。完善市场主体和中介组织法律制度，使各类市场主体真正具有完全的行为能力和责任能力。完善产权法律制度，规范和理顺产权关系，保护各类产权权益。完善市场交易法律制度，保障合同自由和交易安全，维护公平竞争。”这样做，特区便可在经济法制建设的道路上迈出新的步伐。不过，经济特区的市场经济是否能够真正建立在法治的基础之上，最终还是要看中央在政治体制改革上会作怎样的战略部署。

除了这一点，在法治建设的其他方面，特区还是可以有所作为的，例如提高社会的诚信度或社会信用水平。社会法治的形成在一定程度上取决于社会的诚信度，因此，要健全和完善特区的市场经济，就必须加强从业人员的职业道德建设，进一步提高全社会的道德水准。

在"执法难"的情况下，法律的执行成本居高不下，致使社会和个人都无法承担它，从而使法律得不到落实。在法律法规得不到落实的情况下，一个社会即使有了这样的法律条文、法律规定和法律程序，也不能算是真正有了法治。因此，有人将法治与法制加以区分，认为一个拥有了法律条文甚至法律制度的社会并不意味着它就一定有"法治"，只有当法律条文真正能够得到落实、法律真正能够制约一切人(包括掌权者和执法者)的行为时，社会才算是有"法治"。按照严格意义上的法治标准，要建立真正意义上的法治社会和完善的市场经济，在我国，还有相当长的一段路要走。大力惩治腐败、提高社会的道德水准，降低法律执行成本，关系到我国的市场经济发展和社会进步，从而是我国经济社会发展的当务之急。特区市场经济未来发展的关键除了完善价格体制改革之外，还有率先建立健全社会信用体系，形成以道德为支撑、产权为基础、法律为保障的社会信用制度。为增强社会的信用意识，政府、企事业单位和个人都应该像《决定》中所要求的那样，把诚实守信作为基本行为准则，只有这样，特区的市场经济秩序才能变得更加良好。

特区经济的国际化发展不仅依赖于特区经济的市场化程度的提高，而且依赖于特区各界的创造和创新。对于我国的经济特区来说，创造和创新主要分为两个方面。首先是特区政府的制度创新，其次是特区企业的技术创造和企业创新。

特区的制度创新是决定特区改革开放进程的关键性因素。特区的制度创新取决于特区领导者的敢想敢干精神。也许是时代不同了，也许是中央赋予特区的功能已经发生变化，近年来，从特区政府的表现上，政府在制度创新上的"敢于突破"的精神已不如前，人们已经很少能够看到特区创建之初领导者的那种"杀出一条血路"的精神。然而，在我国，创建社会主义市场经济的大业却远未完成，对照完善市场经济的标准，我国的市场经济目前与完善的市场经济还有相当大的差距。在这种情况下，特区实验场所进行的社会主义市场经济实验亦不应该就此结束。仅就经济方面而言，要想充分发挥价格机制调节资源配置以实现经济效率的功能，我国的市场经济迟早也要达到或接近发达国家的市场经济标准，至少在经济社会的基本面上是如此。对于我们这样一个社会主义国家来说，建立市场经济并真正达到完善市场经济所要求的标准，并没有现成的路子可循，改革开放的道路还十分漫长，我们必须从思想上作好打持久战的准备，改革开放实验场中的实验还必须长期坚持做下去，因此，经济特区应该继续发挥的"制度实验场"的作用，将改革开放和经济社会制度的实验进行到底。要这样做，中央就必须首先允许特区政府在制度实验上进行大胆的创造和创新，特区的领导者和全体人民群众也应该继承和发扬特区草创时期开拓者大无畏的精神，大胆地进行制度创造和创新。按照经济社会发展的实际要求，在政治改革上迈出新的步子。只有这样做，特区经济的市场化程度才可能不断地得到提高，特区经济的国际化进程才能不断地取得新的进展。

技术创造和企业创新与特区经济的市场化进程既有联系，又有区别。提高特区经济的国际化程度就要进一步发展特区的对外贸易，发展对外贸易首先要增加出口。出口的意义不仅在于它能够为进口提供资金，还在于它能够提高经济体的运行效率，提高产品的国际竞争力。提高出口靠的是高质量的新产品和良好的品牌形象，这些都依赖于先进的生产技术和技术创新。《决定》提出，要"结合国内产业结构调整升级，更多地引进先进技术、管理经验和高素质人才，注重引进技术的消化吸收和创新提高。""鼓励国内企业充分利用扩大开放的有利时机，增强开拓市场、技术创新和培育自主品牌的能力。提高出口产品质量、档次和附加值，扩大高新技术产品出口，发展服务贸易，全面提高出口竞争力。”①这是一个关于技术和人才的引进和技术创新的总的战略性要求，它为特区外向型经济的发展指出了进一步前进的方向。

在20世纪60和70年代，亚洲的一些国家和地区在外向性经济的发展中都经历了进口替代和出口导向两个阶段，我国借鉴这些国家和地区的经验，结合我国的经济社会发展实际，选择了一种跳跃式的发展战略，即以贸易为导向的技术进步战略。这个战略的实施结果究竟如何，国际上的一些专家至今还抱着一种怀疑的态度，对此，我们也不宜过早地下结论。不过，在这个方面，有一点是明确的，这就是对于一个经济落后的国家或地区来说，要赶超经济发达国家，单靠技术引进是不行的。我国作为一个发展中国家，受资金的限制，能够用于购买国外先进技术的资金始终是有限的。并且，即使有了钱，也很难从国外买到最新的技术，因为，在一般的情况下，任何企业也不肯将自己的最新技术卖给别人。核心技术只能依靠企业本身的创造和创新，而不能依靠从企业外部的引进。同时，即使能够买到先进技术，若不在此基础上进行再次创造和创新，也很难达到技术引进的目的。因为，任何技术和管理经验的引进都是有限度的，在技术和管理经验的引进上，所能引进的只是它们的显性部分，而它们的隐性部分是无法引进的。技术和管理经验中的隐性部分或模糊部分只能由企业依靠自己的力量来创造。因此，企业不仅要注重先进技术和管理经验的引进，而且要注重对引进技术和管理经验的消化吸收和创新提高，最终形成自己独有的一套隐性技术和管理秘诀。后者对于一个企业来说才是最为重要的，也是最难做到的。

由此可见，经济特区要取得长期的发展，仅仅依靠引进和模仿是不行的，经济发展最终还是要靠本地企业在技术引进基础上的技术创造和创新。特区的企业必须把功夫更多地花在技术创造、自身管理和产品的创新上，利用一切可利用的条件和机会，创造出更多的新产品和优质产品，创造出自己特有的良好品牌形象。用过得硬的拳头产品和良好的品牌形象在日趋激烈的国际竞争中争得自己的一席之地。特区一些成功企业（如深圳的电子和家用电器行业中的成功企业）的经验证明，依靠自身的技术创造和创新，国内企业在某些领域里达到世界领先水平是完全有可能的。因此，我们不仅要大力引进先进技术，而且要特别注重在引进基础上的创造和创新。在这个方面，特区作为市场经济和外向型经济的实验场，责无旁贷，应该走在全国的前面。

---

① 《中共中央关于完善社会主义市场经济体制若干问题的决定》第八条。

经济全球化背景下的中国经济特区发展

张亦春　许文彬

经济全球化是现代经济发展和市场经济组织形式发展的必然趋势，也是目前我国面临的一个客观事实：随着我国顺利加入 WTO，如何合理应对经济全球化趋势，调整原有发展战略，适应国际市场规则，提高国际竞争地位，已成为我国目前亟须解决的重大课题。其中，如何合理调整经济特区发展战略，充分发挥经济特区固有优势，使其在一个更广阔的开放背景下继续起到开放窗口和发展前瞻的作用，成为广受关注的一个问题。

一、经济全球化：市场经济发展的逻辑必然

所谓市场经济，简单地说就是市场机制成为规制交易的决定性因素的一种经济组织形式。具体而言，市场经济有如下与传统经济组织形式根本差异的地方：(1)非人格化交易形式占据主要地位。所谓人格化交易，系指“建立在个人之间相互了解基础上的”交易，而非人格化交易则反之，它不要求交易双方存在私人关系，交易能否发生取决于契约能否顺利订立。市场经济的一个主要特点是非人格化交易成为主要的交易形式，这使其得以摆脱人格化交易的市场半径上限限制，具有无限扩展其秩序的潜力。(2)价格机制及其他市场机制成为左右资源流向的主要依据。在非人格化交易成为交易主要形式的前提下，所有市场交易者本质无差别，这构成统一市场的基础；所有本质上无差别的交易信息汇总，即形成统一的价格信息。价格信息的变动反映市场供求关系的变动，从而直接影响着资源流向的变动。而以数目形式表现出来的价格信息，也使市场的扩展成为可能。(3)法制规范成为契约得到实现的外在保证。市场经济是法制经济。在契约缔结之前，首先必须存在的是社会群体对契约规定有效性和最终仲裁性的普遍默认，这就需要外在的法律系统为之提供保证。法律系统为交易双方提供同等的保障，并作为最终仲裁标准影响着交易者所据以进行决策的成本—收益函数。如我们所知，法律系统是非人格化的，视一切交易者本质无区别的，这正与非人格化交易特点相适应。(4)市场半径不断扩大，并且具有“不断地进行秩序的扩展”的特征。这是市场经济的一个最主要的特征，也是其固有特点决定的存在逻辑：非人格化交易使市场半径的无限扩大成为逻辑可能；价格机制使一切市场信息反映为数字形式，从而使市场的扩大具备技术可能；而法律系统的约束和规范以及不同法律系统之间的交汇融合最终使上述可能成为现实。简言之，市场经济的一个重要特征是不断扩展其秩序，在形成全国统一市场之后，经济的全球化就成为逻辑发展的必然。

经济全球化指的是专业分工和资源流动在世界范围内展开，全球统一价格逐渐形成，全球性交易规则逐渐成型的过程。如上所述，经济的全球化是市场经济发展的必然，这一过程早在主要发达国家完成其国内统一市场后即已开始。早期的经济全球化推进采取的是野蛮的殖民化方式，将发达国家单边制定的国际分工秩序以强制的方式强加在不发达国家身上，这

一分工秩序对当前的国际分工格局仍有很大的影响。二战后，武力支撑的秩序扩展被证明是有悖于人类文明的进步，从而从根本上不利于市场秩序的扩展和经济全球化的可持续推进。于是，在和平和发展成为世界主题的前提下，经济全球化走上双边互利、共同发展的道路。主要体现在以下几方面：(1)跨国公司迅猛发展。据联合国有关统计，目前全世界跨国公司约有4.5万家，海外子公司共28万余家，遍及160多个国家和地区，对外投资总额在1万亿美元以上，在全世界各地有雇员7500多万人，经济实力约占发达国家国民生产总值的40%，贸易量占其贸易总量的50%，技术转让占75%，技术开发经费占90%，在海外销售总额超过55000亿美元，远远超过世界各国商品出口总额(4000亿美元)。目前，作为经济全球化的微观体现，跨国公司已渗透全球几乎所有经济领域和产业部门，成为国家之间、地区之间经济联系的重要纽带和主要渠道。(2)世界资本市场的形成。资本是流动性最强的生产要素，目前，数十万亿美元的国际流动资本在全球各地寻找投资机会，使潜在的投资价值能被迅速地发现并发掘出来。(3)计算机和通讯技术的发展为经济全球化提供了充足的技术支持。互联网的发展使跨国信息交流的速度和数量都大大提高，以往需要花费大量时间成本去寻找的交易对方现在往往能迅速地获得，从而极大地减小了交易费用(降低搜索成本)，提高了交易效率。值得指出的是，以中国为代表的不发达国家对外开放步伐的加快成为促进世界经济一体化的重要因素。

二、经济特区：对外开放和体制改革的前哨

我国的经济体制改革和对外开放是我国经济体制转轨的两个相辅相成的组成侧面。一般说来，对外开放是为了吸引外资及国外先进的生产技术与管理经验，从而为经济体制改革政策的制定提供可以借鉴的经验、为微观经济主体的搞活提供可供参考的样本。与我国体制改革的渐进特征相适应，我国的对外开放也采取了稳步渐进，先试点后推广的模式。经济特区的建立和发展正是这一模式的产物。

所谓经济特区，是指在一个国家或地区中，政府为刺激经济发展而提供特殊的经济政策、制度环境和物质环境的行政区域。经济特区的种类很多，如自由港、自由贸易区、保税区、工业开发区、自由工业区、边境贸易区、出口加工区等。它们大体上可以分为三类：以发展出口加工工业为主的出口加工区，以从事对外贸易为主的自由贸易区和综合性的经济开发区。这些经济特区享受政府所给予的一系列特殊制度和优惠政策，如特殊的贸易制度、审批制度、管理制度、人事制度、分配制度等，优惠的投资政策、土地政策、外汇政策、税收政策、融资政策等。与其他国家的经济特区相比，我国的经济特区具备如下特点：(1)具有更大的综合性。中国的经济特区不是单纯的出口加工区、自由港或自由贸易区，但上述这几类特区的功能在中国的经济特区中又不同程度地同时存在。(2)吸引外资和对外合作的要求比其他国家和地区的经济特区要更严格。中国政府特别注意特区企业的所有制性质，在合资企业中严格控制外国资本的比例，外资一般都限定在50%以下。(3)特别注重外资的科技含量，这是因为中国的经济特区是在高科技所引发的经济全球化背景下建设起来的，对科技含量的重视自特区开创以来就成为一个重要特点。

我国经济特区的建设始于1980年，正是经济体制改革正式展开的年份。此时在深圳、珠海、厦门、汕头等地设立经济特区，一方面固然是出于为经济体制改革提供先进国外经验的目的，另一方面也有在这些区域试验市场经济的动机。我们知道，中国经济体制转轨的一个重要特色是不断在试验中求证，市场经济这种组织形式(或用当时的话说，资本主义生产方

式）到底能不能为社会主义国家所使用，这一问题的求解直接导致了经济特区的建立。

在长期与世界经济隔绝、国门刚刚打开的时候，经济特区作为特殊窗口，发挥了难以替代的作用：国外（境外）先进的生产技术、管理经验、市场机制、组织形式、乃至资本，通过这一窗口流入我国，使我国的市场取向化改革有了一个可兹借鉴的参照系；另一方面，我国的技术、产品、尤其是改革开放的决心和实际进度，也以此为桥梁得以让世界了解；——可以说，二十年来，经济特区作为我国对外开放政策的主要标志和成果之一，其发展成为我国经济机体发展和开放程度的一个真实反映。不仅如此，经济特区还作为体制改革的“试验田”存在：从一开始创立，经济特区就被赋予较多的政策自主权力、特殊优惠政策和体制“试验”任务，如一些论者总结的，在特区的发展过程中，“趟过一片旧体制的‘雷区’”，冲破了许多传统意识形态的“禁地”，取得了体制创新的一个个突破，从而为全国体制改革的展开和推进做了先行性示范准备，并把一些失误措施的损失控制在一定范围内，避免付出更大的代价。应该说，经济特区的体制改革实践，是我国经济体制改革工程推进的一个先导，它预示着并体现了我国进一步改革的方向和力度。因此，我国的经济特区不仅是我国对外开放的前哨，同时也是我国经济体制改革的经济结构转轨的前哨。

二十年来，经济特区本身的经济面貌发生了历史性的变化，成为国内经济最发达的几个区域，这是创设经济特区政策获得成功的一个表现，但更值得注意的是，经济特区作为对外开放和体制改革前哨的作用的发挥。在这方面，经济特区可以说成功地完成了自己的历史使命：（1）就对外开放的前哨职能而言，经济特区的成功大大推动了中国的对外开放进程，此后，中国的对外开放逐步由点到线，由线到面地扩展。在1980年代初设立四个特区后，中国政府又于1984年开放14个沿海城市，1985年开放长江、珠江和闽南三角地区，1988年又设立海南经济特区。到2001年，我国正式加入WTO，开始了全面开放的进程。由四个经济特区开端，我国在短短的二十年里完成了完全开放国门任务，这不能不说是一个巨大的成功。而作为对外开放前哨的经济特区也顺利完成了其历史使命。（2）就体制改革的前哨职能而言，经济特区不仅在确立社会主义市场经济体制、吸引外国资本、进口先进技术、引入先进的管理方法、获取信息等方面起到了表率作用，而且在完善市场经济的法律框架、提高政府行政效率、改革分配体制等方面也同样是表率。国外研究者据此断定，经济特区不仅是中国对外开放的窗口，也是国内改革的窗口。如果说作为对外开放前哨的经济特区，其历史使命已顺利完成了的话，则作为改革窗口的经济特区，在我国社会主义市场经济体制仍未建成的前提下，仍大有可为，这一职能将可能成为经济特区今后发展的一个主要着眼点。

三、模式转换：新形势下经济特区的发展思路探讨

在新的历史时期，经济特区面临着新的机遇和挑战。

据WTO协议规定，WTO规则在整个关税领域统一实施，这意味着就法律意义上讲，我国各地区的可开放度将被置于平等的地位，经济特区失去其开放窗口的定位。可以说，在WTO规则付诸实施后，政策层面上的经济特区将不复存在，“经济特区”这一称呼也将逐渐成为历史名词。

在丧失其开放窗口政策定位的条件下，如上文所述，更好地发挥经济特区的固有优势，充分发挥其改革和体制转轨前哨的职能将成为经济特区进一步发展的契机。

特区不特并不意味着特区原有的优势丧失已尽，尽管在政策上的优惠将逐渐消失，但经济特区仍在以下两方面存在显著优势：1. 先发优势。经过二十年的发展，经济特区“先行一

步”，已基本建立起比较规范的市场运作范式和市场秩序；奠定了较好的与外资合资合作的基础；经济实力已有相当的积累；区域建设和人民生活水准也已初具现代化的雏形。对比内地，特区的经济体制和市场机制与 WTO 要求的差距不大，可以更快、更好地适应 WTO 带来的冲击和影响，更及时、更敏锐地抓住 WTO 提供的良好的发展机遇。2. 区位优势。当年设置经济特区，关键的一点就是它们具有明显的区位优势，便于发挥对外窗口这一职能；目前，窗口的政治定位诚然已经消失了，但区位优势不会改变，凭借所处的有利地理位置以及与香港、澳门、台湾乃至东南亚经济体间深厚的地缘、人缘、亲缘、血缘乃至深层次的文化渊源，各特区在实际上仍可继续发挥其沟通内外的桥梁作用。

如果说以前经济特区的发展更多地是依靠政策优惠支撑的话，那么，WTO 规则的执行对特区提出的第一个要求就是发展定位的转变：对外开放“排头兵”的角色定位显然已经过时，在一个机会均等的宏观框架下，只有充分发掘本地区特点和固有优势，并积极寻找新的发展途径和经济增长点，才有可能在日渐激烈的国内国际竞争中立于不败之地。——就这个意义看，特区不特对特区的长远可持续发展而言倒是一件好事，它迫使特区最终抛开政策倾斜这一拐杖，直面来自世界范围的挑战。而特区二十年来积攒的先发优势和市场经济运作的宝贵经验也使其比全国绝大部分地区更容易适应国际经济秩序，从而使经济特区在今后一段较长的时期里继续发挥经济改革和体制转轨的前哨作用。正如有的论者所说的，我国加入 WTO 标志着经济特区作为一个区域经济体发展的新的阶段的开始。

特区发展思路应实现哪几方面的转变以适应新形势的要求呢？笔者认为可从以下几方面着手：

1. *充分发挥区位优势*。如上所述，经济特区的区位优势比较明显，在今后的发展中，这一优势应得到更充分的重视和更大限度的利用。具体而言，(1)深圳应进一步加强同香港在经济、金融、科技等方面的合作与交流，促进两地资金、人员、资源和技术的充分流动和取长补短，以期逐步形成深港良性互动、互相促进的发展态势；特别是在金融领域，作为国际金融中心的香港和作为国内金融中心的深圳，其合作的空间是十分广阔的；(2)珠海应进一步利用毗邻澳门的优势，促进两地技术、知识密集型产业与旅游业的结合与发展；(3)厦门应充分利用与台湾密切的地缘、血缘和文化渊源联系，加强闽南厦漳泉三角区域的区内联系，建设好特区腹地，并形成对台吸引的合力，借三通直航的东风，使自己的经济实力和经济地位再上一个台阶；(4)汕头可进一步把自己发展成为粤东、闽西南、赣南地区和京九线南端的出海口，进而以此为依托扩大港口的辐射面；(5)海南则可充分利用大特区亚热带气候和自然条件，发挥农业、旅游业优势，加强同中国台湾、中国香港、越南、泰国等地区和东南亚国家的经济、金融、科技、旅游等方面的合作。区位优势是经济特区之所以能成为经济特区的一个重要的因素，今后，它作为这五个地区的一个最显著的特点，对其经济的发展和现代化的实现仍有很大的潜力可挖；并且，这一优势在加入 WTO 后更加凸显：中国入世后，厦门与台湾的合作会更加密切，深圳通过香港、珠海通过澳门，可以获得内地难以得到的信息、资金、人才，可以开辟更广阔的市场。另外，特区在国际联系便利条件方面也有着内地无法比拟的优势。

2. *充分利用先发优势*。如上所述，经济特区的先发优势是比较明显的，有了二十年优惠政策的扶持和市场化体制的潜移默化，应该说，经济特区已经初步具备了融入世界经济机体，接受世界范围挑战的条件。在今后的发展中，应充分利用这一良好基础，继续在先字上做出做好文章。由于我国各地发展开放程度不一，因此在加入 WTO 后还有一个长达五年的过渡期，在这个阶段，占据了先行优势的经济特区完全可以再先行一步，提前完成过渡期任务，建立起比较完善的地方性市场和社会结构体系。当然，一些宏观性、全局性的开放措施必须全国统一步调（如人民币的资本项目放开）才能实现，但在一些地方性较强的领域，特区还是能够凭借其已有的基础达到先行一步的目的的，譬如在地方性立法上予以适当支持，推动比较完善的生产资料市场、金融市场、科技市场和房地产市场的形成，率先建立起完整、合理、规范的市场秩序，并以此吸引国内外资源、资本和人才，进一步巩固在市场建设和市场规范方面的先发优势；又如在社会保障体系领域，也可通过适当的地方立法，率先解决这个长期困扰着中央政府和地方各级政府的难题，并为国有企业的转机建制改革推向深化消除后顾之忧。另外在政府职能转变、现代企业制度构建、高新技术开发、国际性城市建设等各方面，特区都可充分利用先发优势，并结合其特殊的区位优势，先行一步，为嗣后的全国性改革开放树立楷模、充当示范。

3. 充分利用、继续加强人才优势。如我们所知道的，经济特区的飞速发展在很大程度上可以说得益于"漏斗效应"：由于这几个地区政策较活，市场氛围较浓厚，因此逐步形成一套比较合理的人才激励报酬机制，这就吸引了全国各地的优秀人才，——深圳本来是一个小渔村，二十年后的今天发展成为具有一定国际影响的大都市，其中外来人才的贡献是最关键的。目前，由于多年的积累，各经济特区都已沉淀下一大批专门性人才，这是经济特区对比其他地区的一个重要优势。如何充分利用、继续加强这一优势，留住人才、并进一步吸引更多的人才，无疑是特区发展的关键。根据特区经济现状，笔者认为应在制度建设上着手，建立起完善合理的人才激励报酬机制和人才流动机制，具体而言可包括：参照国外经验，建立合理的人才考核评价机制，并以此为基础逐步建立起涵盖各行业的人才大市场；适当提高、拉大不同层次人才的报酬水准，以期逐步建立起报酬和贡献相对称的人才激励机制；充分开发、利用资本市场上的各种金融工具如股票期权、优先认购权等，以便更好地将对人才的激励和其长期（而非短期）贡献相结合，防止其短期化行为倾向；进一步强化人才的流动机制并予以大范围推广，以扩大个人的再选择余地，减少人才因用非所长导致的事实上的人才流失。如果说对一个即将步入知识经济的时代而言，经济的竞争在本质上就是人才的竞争的话，那么，无论在吸引人才和使用人才方面投入多大的关注都是不为过的。

4. 继续保持敢于创新、勇于创新的特点。敢于创新、勇于创新是特区取得巨大成就的一个最重要的原因，深圳市委书记张高丽曾对深圳市率先进行的体制创新做过一个概括："深圳敲响了土地使用权拍卖的第一槌，拉开了土地利用市场化的序幕；发行了改革开放后的第一支股票，吹响了我国发展股份制企业和资本市场的前奏；率先引进外资、发展混合所有制经济，奏响了公有制实现形式多样化和多种经济成分共同发展的序曲；率先推行招聘录用、竞争上岗、合同用工，开了劳动力商品化的先河；率先构建以企业为主体、以市场需求为导向的技术创新体系，打开了科技成果转化为生产力的一条新路。"这一系列创新为特区的发展扫清了体制上的障碍，成为特区经济乃至整体社会层次不断跃进的主要动力，可以说，创新是特区发展的精髓。我国加入 WTO 后，特区原来的政策优惠消失了，但作为其发展动力的敢于创新、勇于创新的精神不会、也不应随之消失，而应发挥更重要的作用。具体而言，在新的历史条件下，特区政府应把体制创新和技术创新放在同等重要的地位：在体制创新方面，特区已拥有相当大的先发优势，今后在没有优惠政策作为后盾的条件下应充分使用地方政府的地方立法权，对已处于实际试验中的新体制和新做法及时、合理地总结经验并适时推广，形成民间试点和政府推广的相互促进的正反馈机制，——这当然又涉及到在体制创新领域由政府主导型向民间自发试验主导型转变的问题，这也是特区在体制创新机制方面亟须进行的一个根本性转变；在技术创新方面，应继续“跟踪世界高科技发展的前沿，着力增强核心技术和重要应用技术的创新能力”，形成较深厚的科技积淀，以期能在今后的知识经济和信息经济时代保持先机，——当然，作为地方政府而言，更主要的是为科技的创新提供一个良好的宏观环境，并为之提供比较完整的专利保护和比较完善的激励机制，放水养鱼，造林招鸟，而不在于直接插手科技开发的实际过程。

5. 抓住历史机遇，变劣势为优势。我国加入 WTO，对经济特区而言，其原先独有的政策优势消失了，这似乎对特区今后的发展是一个负面因素。但如我们所知，任何事物都有正反两面，中国加入 WTO 也不例外；诚然，这一事件使特区的发展失去政策方面的优势，但它使我国的开放程度提高了一个层次，必将吸引更多的外资和外商进入中国，而广大的内地区域限于经验积累、市场建设和信息、技术等各方面的不足，单靠自己的资源劳动力优势将很难吸引外资做大规模的投入，在信息不对称、体制、观念等各方面存在较大距离的状况下，经济特区作为在市场化改造先行一步，与外资外商合作已积累了较多经验的特殊区域，应该、也必须继续发挥其独特的沟通内外的桥梁作用，——就这个角度看，特区的“特”并没有消失，它们仍将发挥独特的作用。而以此为契机，特区可以通过与外商更加频繁的接触和交往，更多地吸收借鉴其先进的资本运营模式和生产经营方式，完善自身的市场规范和组织形式，并促进自己高新技术产业和信息工程产业的发展，从而为将来经济结构的转型和知识经济的到来先期作好准备。另外，我国加入世贸组织后，同各国之间的经贸联系将大大增加，频繁的经贸商务活动也将为特区的旅游业提供极好的发展商机，尤其是厦门、海南等地，这一机遇显然不容忽视。总之，加入 WTO 对经济特区来说可说利弊并存，如何去弊兴利，化劣势为优势，则取决于特区地方政府的审时度势、扬长避短的适当作为。

总的说来，加入 WTO 对经济特区而言堪称机遇与挑战并存。在没有了特殊优惠政策支持、“特区不特”了的条件下实现定位和发展模式的转变，从而继续充当中国经济发展的“排头兵”，经济特区面临着自身发展的一个重大转折点；如能顺利实现上述转变，则笔者坚信，如江泽民同志在深圳经济特区建立二十周年庆祝大会上的讲话所预言的：“展望新的世纪，中国人民将继续坚定不移地沿着邓小平同志开创的建设有中国特色社会主义道路奋勇前进，我国经济特区也必将迎来更加美好的未来。”

深圳与纽约城市文化比较

黄发玉

深圳与纽约的城市文化对比，有两点需要首先说明，一是深圳与纽约不是处于一个数量级的城市，从某种程度上看，二者实际上缺乏可比性；二是由于各种原因，没有形成一一对应的数据，无法进行真正意义上的对比。因此这里的比较，主要是一种表征意义上的对比。通过这种对比，相信有助于我们了解深圳文化与纽约文化的相同和不同之处，有助于我们认识深圳城市文化建设以及我国城市文化建设方面存在的差距。

一、城市概况比较

纽约，人口800万(2000年全国人口普查数据)，面积824平方公里。纽约行政上分为五个区，即曼哈顿、布朗克斯、布鲁克林、昆斯和斯塔滕岛。纽约并没有行政意义上的郊区，从纽约五个区来看，曼哈顿区是市中心，但其他几个区也是城区，其中的布鲁克林区在1898年划为纽约市之前，已经是美国第四大城市。人们常说的纽约的郊区，实际上是指毗邻纽约市的地区，包括纽约州和康涅狄格州的南部地区、新泽西州的东北部地区。这些地区加上纽约市本身，构成了纽约大都市区，人口2010万，超过澳大利亚全国的人口，是美国第一大都市区，也是世界上少有的特大都市区。深圳，人口700万(2000年全国人口普查数据)，面积2020平方公里，其中特区面积327.5平方公里。深圳行政上分为六个区，即特区内的罗湖区、福田区、南山区、盐田区以及特区外的宝安区和龙岗区。深圳的市中心是罗湖和福田两个区，盐田、南山两区属次中心，特区外的宝安、龙岗两区属郊区性质。

作为两个城市，深圳与纽约有诸多相同之处：

城市发展都创造了世界奇迹。与欧洲国家城市如巴黎、伦敦等相比，纽约是一个年轻的城市。纽约的历史虽然可以追溯到很远，但是纽约的真正发展只不过是19世纪的事。1664年，英国殖民者占领了曼哈顿这块地方，取名为“纽约”。在此后英国统治的119年中，纽约的发展速度并不是很快，与当时的波士顿和费城等城市比，有很大差距。从19世纪开始，纽约进入一个高速发展时期，到1850年，跃居为美国第一大都市。纽约用了几十年的时间由一个小城市变成一个近代都市，创造了当时的世界奇迹。深圳也是如此。20多年前，这里只是一个贫穷落后的边陲小县。兴办经济特区以来，深圳发生了翻天覆地的变化，今天已经成为一座初具规模的现代化都市，被世人称为“一夜城”，同样创造了世界奇迹。

同样是经济中心城市。纽约是美国第一大城市，2002年全市国民生产总值4292亿美元，占全国4.49%。纽约是一个以第三产业为主特别是以金融、贸易、旅游为主的城市，是从事商业的首选之地，2000年被评为北美最佳商业城市。纽约也曾被评为美国最佳科技城和世界第五大科技城。纽约是名副其实的世界经济中心，不仅对美国以至对整个世界的经济都有着很大的影响。深圳城市综合竞争实力位居全国大中城市前列，2002年国内生产总值2239亿元，居第4位，占全国的2.2%，财政收入居第3位，人均收入居第1位。深圳商贸发达，外贸进出口居全国大中城市第1位，外贸出口额占全国的1/7。深圳是我国高新技术产业重要生产基地和高新技术产品交易中心。深圳正日益显示区域经济中心城市的作用，深圳的改革与开放对全国的经济发展起着重要的作用。

区位优势相似。纽约是美国与欧洲相距最近的城市之一，当时是北美接受欧洲先进生产力最早和最便利的地区之一。深圳毗邻香港，直接受惠于香港的经济、贸易以及管理方式，同时香港是深圳走向世界的重要通道。纽约港是世界最大的良港之一，纽约就是以此生存和发展起来的。深圳也拥有天然良港，港口吞吐量已跃居世界五大港口行列，它的开发和利用将会极大地推动深圳的发展。纽约处于一个大都市带的中心，这里人口稠密，经济繁荣，交通发达，为纽约的发展提供了广阔的背景。深圳处于珠三角地区，这里是全国经济最发达的地区之一。

都是移民城市。美国本是移民国家，但纽约是进入美国的最重要的关口，是移民特征最显著的城市。在纽约人口结构中，国外出生的人口占总人口的35.9%（全国平均为11.1%）。纽约市居民的种族成分非常复杂，其中非西裔白人（由于西班牙裔人包含各个种族，故美国人口统计以是否西班牙裔为限定）占35%，非西裔黑人占24.5%，非西裔亚洲人和太平洋岛屿人占9.8%，非西裔美洲印第安人和阿拉斯加人占0.2%，其他种族人占3.5%，西班牙裔人占27%。纽约人来自230个民族、120个国家，讲115种语言。深圳是中国最典型的移民城市，全市700万人口中，本地居民只有30多万，其余600多万居民来自于全国各省市自治区，汉语的各种方言在这里都可以听到。深圳拥有全国56个民族，其中人数超过1000人的少数民族有17个，超过10000人的有4个。在深圳居住的外国人有15000人，深圳有国际村、国际街，还有国际学校。

深圳与纽约相比，在城市背景上又有诸多不同之处。最大的不同在于两个城市经济实力、生产力发展水平和城市发育程度不在同一个层次，纽约是最发达国家经济实力最强的城市，而深圳只是发展中国家的一个经济实力较强的城市。纽约已经实现了现代化，深圳的目标是在2005年基本实现现代化。纽约已经是一个发育成熟的城市，而深圳只是一个刚刚诞生的新兴城市。纽约的城市管理处于比较高的层次，而深圳的城市管理尚处于探索阶段。

两个城市的诸多相同和不同之处，为我们把握两个城市的文化及其特征提供了社会历史背景。

二、文化精神比较

文化精神是人们的生产和生活过程中所体现的价值取向、思维方式和行为方式，它是人们之间在文化上得以相互区别的根本标志。在文化精神方面，深圳是我国与纽约最为接近的城市。其根本原因在于深圳与纽约存在的上述诸多相同之处，特别是两个城市都是移民中心（移民城市），都是经济中心，这两大因素赋予了纽约和深圳这两座城市最基本的文化底色和文化内涵。深圳与纽约两个城市文化精神最大的共同点表现在两个方面，一是勇于创新，二是海纳百川。

勇于创新。作为美国以及世界上最大的经济中心和文化中心，纽约创造了很多美国第一和世界第一。如在商业上敢于开创世界先河，在艺术上敢于领导世界潮流，在科学上敢攀世界高峰，甚至在建筑上也多次建造世界第一高楼。在商业方面，早在19世纪就以首创班轮服务和商品批发业而树立了纽约的领袖形象。在艺术方面，纽约早已成为西方世界的领头羊。

很多前卫的思想、新潮的艺术都从这里诞生。纽约很多艺术馆，都以展示前卫艺术为己任。纽约建造的布鲁克林大桥，是当时世界上最长、而且是第一次使用钢铁悬索的桥梁，被一些人称为世界第八大奇迹。纽约是一个充满生机与活力的城市，如果说纽约有什么不变的话，那就是它的千变万化。正因为如此，美国人曾经惊呼：“最聪明、最能干的人都到纽约去了。”

勇于创新是深圳文化精神的主要特征，深圳精神中的“开拓、创新”四字并不是人们的一种主观愿望，而是经济特区20多年发展史的真实写照。从经济特区成立之初率先走市场取向的道路，到先后在诸多领域进行的改革探索，深圳不仅在经济社会各方面得到迅猛的发展，而且也为全国的改革开放起到了探路的作用。深圳经济特区20多年的历史，就是一部拓荒史，一部不断创新的历史。这种开拓创新的精神使人的主体性得到了弘扬，人的价值得到了应有的体现。

深圳的创新精神来源于两个方面的动因，一是政治方面的动因。作为中国的经济特区，受命于危难之中，天降大任于斯，深圳要发挥试验场和窗口的作用，要为全国的改革开放和现代化建设“杀出一条血路”。因此只有不断开拓，不断创新，才能不辱使命，不负重托。另一方面是社会心理方面的动因。深圳是移民城市，勇于创新不仅是移民的一种基本品格，更是移民的一种内在要求。中国古语有云：金窝银窝，不如自己的穷窝；千好万好，不如在家好。既然要移民，就必须舍弃原有的东西，就必须面对新的环境。以移民为主体的深圳人有着一种不满足于现状、敢于开拓新的生活的内在动因。正是因为有了这两个动因，深圳才处于一种不断的变化和不断的创新之中。

二是海纳百川。由于是移民城市，人们来自于不同的种族，具有不同的文化背景和宗教信仰，这使纽约城市呈现出一种多元文化的格局。纽约注重各种不同种族文化的存在和发展，肯定各种文化在社会和经济发展中的作用和地位。有为各个不同民族而建造的文化设施，博物馆藏有各个不同民族的文化艺术成果，图书馆提供多语种服务，各个民族的食品、服饰比比皆是。政府每年举办各个少数族裔的文化节，开展一系列与该民族有关的文化活动，表彰少数族裔有突出贡献的个人和团体。各个不同民族或不同国家的移民，也经常举办自己的传统文化活动。具有多元文化背景的纽约人具有一种十分豁达的宽容心理和包容心态，尊重他人，理解他人，见怪不怪。

如同纽约一样，深圳的多元文化也表现得十分突出。深圳移民带来了多种文化，我国内地的东北文化、燕赵文化、齐鲁文化、江浙文化、荆楚文化、湖湘文化以及西方文化等，加上深圳原有的岭南文化，这些文化既相互融合，又表现出相对独立的个性，从而使深圳文化呈现出一派百花齐放、色彩斑斓的景象。与此同时，深圳又是我国最早实行对外开放的地区，加之毗邻港澳，与境外交流便捷，人员与信息渠道畅通，因而与其他地区相比，深圳人更多更早地接受多元文化，深圳人对多种文化现象具有更宽容的心态。多元文化的人文环境使移民在深圳没有像在其他某些城市那里的文化上的陌生感，从而移民不仅成为这个城市经济活动的主体，而且成为文化活动的主体，在文化上显现出自身存在的价值。世界之窗、锦绣中华、民俗文化村，不仅是深圳的旅游景点，同时也是深圳多元文化的象征，是深圳兼收并蓄中国文化和西方文化的窗口。

除上述两个方面外，深圳与纽约的文化精神在其他很多方面有相同之处。由于都是商业城市，两个城市的商业意识十分浓厚；由于深圳较早发展市场经济，因此同纽约一样，深圳人又有着强烈的平等竞争意识；等等。有关专家曾对我国城市的文化竞争力（其内涵是“文化精神")进行的研究结果表明：深圳的文化竞争力，在全国47个大中城市中居第1位，其中：(一)价值取向指数1分，排名第1(包括重商意识1分，排名第1；赚钱欲望0.947分，排名第4；消费倾向1分，排名第1)；(二)创业精神指数1分，排名第1(包括辛劳精神0.9分，排名第4；闯荡意识0.973分，排名第2；竞争心理1分，排名第1)；(三)创新氛围指数1分，排名第1(包括求新意识1分，排名第1；平等观念0.909分，排名第4；兼容心理0.944分，排名第3)；(四)交往操守指数0.738分，排名第13(包括诚信意识0.629分，排名第31；法制观念0.657分，排名第17；协作精神0.906分，排名第3)。

这些指标以量的方式反映了深圳人的文化精神，这种精神与纽约的文化精神总体一致。但诚信意识和法治观念得分并不是很高，在全国城市中排名较差，这表明深圳不仅与西方城市相比，诚信意识和法治观念淡薄，而且与中国其他城市相比，也还有一定的差距。诚信意识和法治观念得分较低表明，深圳与全国一样，还没有建立起健全的市场经济体系，经济的运行机制及其所体现的观念离市场经济还有相当的距离。

三、文化设施比较

与纽约相比，深圳的文化基础设施存在巨大差距。一是数量太少。纽约是美国文化设施最多和最集中的城市，全市有150多家博物馆，200多家公共图书馆，260多家电影院，390多家剧院，400多家艺术画廊，500多家书店，1500多个公园和游乐场所。纽约所拥有的大的艺术中心占全国的14%，专业剧院占全国的17%。纽约三大公共图书馆总藏量5500万册(件)，每年的图书资料流通量是4000万件，相当于纽约市民人均5.5件。

深圳各类文化设施300多个，包括57个影剧院、73个文化广场和文化活动中心，52个文化馆(站)，包括市群众艺术馆、6个区文化馆以及45个街道(镇)文化站，323个公共图书馆(室)，包括市属2个、区属6个、街道(镇)图书馆39个，社区(村)图书室276个，总藏书623万册，全市图书馆日均读者量超过1.5万人次。(根据市统计局2002国民经济和社会发展统计公报，全市共有公共图书馆10座，博物馆、纪念馆16座。公共图书馆总藏量295万册(件)，总流通量401万人次)

深圳的文化设施不仅与纽约相比，差距很大，而且也比不上国内很多城市。比如，深圳的影剧院有57家，而上海影剧院有504家(纽约有650家)。上海每5.4万人有一家影院，每67个人有一个座位；天津每6.6万人一个影院，64个人一个座位。而深圳每7万人才有一个影剧院，每90人才有一个座位。纽约每2万人拥有一家剧院，3万人拥有一家电影院。

与纽约相比，深圳尤其缺乏大的有影响的文化设施，如纽约的三大公共图书馆系统的藏书量分别列美国第1、第3和第8；纽约大都会艺术博物馆为世界四大博物馆之一，被誉为"五千年艺术史的百科全书"，每年接待观众540万人次；纽约的林肯艺术中心是世界上最大的文化艺术中心之一，其大都会剧院是世界上最大的歌剧院之一，等等。深圳的大剧院是全国较大的剧院之一，此外深圳到目前为止，其他文化设施尚乏善可陈，深圳没有在全国更不用说在世界上有一定影响的大型文化设施。

二是种类不多。纽约的文化设施种类繁多。如公共图书馆有综合图书馆，有分门别类的图书馆。有经济图书馆、艺术图书馆、黑人研究图书馆、儿童图书馆等；有研究图书馆、阅览图书馆等。纽约的博物馆更是应有尽有，从学科看，有历史类、社会类、文学类、科学类、种族文化类、手工艺类等。从社会活动层面看，有财经博物馆、交通博物馆、警察博物馆、儿童博物馆(纽约是世界上第一个建儿童博物馆的城市)、电视广播博物馆、军事博物馆等。

种类最多的是艺术博物馆，除综合艺术博物馆外，还有分门别类的博物馆如现代艺术博物馆、民间艺术博物馆、设计艺术博物馆等。而深圳的图书馆基本上都是小而不全的综合性馆；深圳的博物馆（艺术馆）已有分门别类的雏形，如以个人命名的或专门的博物馆（艺术馆），但为数还极少。深圳最应该有的科技博物馆（深圳是以科技为主要发展动力的城市）、青少年博物馆（深圳是一个人口年龄非常年轻的城市）以及反映不同移民文化的民俗博物馆（深圳是一个移民城市）还没有。

三是缺乏标志性建筑（或设施）。标志性建筑，特别是标志性文化建筑，是一个城市文化内涵的外在表达，它凝聚了人们对城市的感情，反映了城市的历史，代表着城市的品格，是城市文化的象征。纽约有很多著名的标志性建筑，例如自由女神像、帝国大厦、布鲁克林大桥、大都会艺术博物馆以及被毁的世贸大厦等，这些建筑有着丰富的文化内涵，看到或者谈到这些建筑或设施，人们就自然想起纽约。深圳有几座建筑在不同的时期曾为人们所关注，如国贸大厦、帝王大厦，曾被一些人认为是深圳的标志性建筑，但谈不上是具有深厚文化内涵的标志性建筑。在建的市民中心、文化中心（音乐厅和中心图书馆）等几大重要设施，能否成为未来深圳的标志性建筑，还有待人们去评说。

四、文化活动比较

与纽约相比，深圳文化活动的经常化、社会化、大型化程度差。一是经常化问题。在纽约无论白天晚上、无论工作日节假日、无论淡季旺季、无论室内文化场所还是公园、广场，文化活动无时不有。特别是著名的百老汇剧院、林肯中心等文化场所，不仅有夜场，而且有日场。纽约市有180多个音乐和歌剧团体、近100个舞蹈团体，这些团体是纽约文化活动的主体。很多图书馆和博物馆除正常的接待和展出外，还开展很多文化活动，如大都会艺术博物馆，每年举办音乐会100多场，文化专题讲座160多场。很多广场和公园，都有定期的文化体育活动。深圳专业艺术团体很少、群众艺术团体也只有十多个。深圳的文化活动大多以群众性业余形式出现，包括社区文化、广场文化、大家乐文化等。近年来，深圳开展各类送文化进社区、下基层活动平均每年超过500场（次）。2001年全市各文化广场举行各类群众文化活动2190场（次），演艺团体共进行营利性演出1300多场。与纽约相比，深圳高雅文化活动的频度要差。

二是社会化问题。如果说经常化问题指文化活动的频度的话，那么社会化问题就是指文化活动的广度问题。纽约的文化活动参与面很广，文化场所的参与人数多，人均参加文化活动的次数多，文化场所开放的程度高。2000年纽约仅到市属34个非营利文化机构参加各类文化活动的人数为1950多万人次，百老汇本部的观众为1100多万人次。同年纽约18岁以上的成人有66%的人看过电影（其中62%的人看4次以上），49%的人看过音乐表演（23%的人看4次以上），48%的人去过图书馆（31%的人去4次以上），43%的人看过艺术表演或参观过博物馆（18%的人看4次以上），36%的人去过剧院看戏（12%的人看4次以上）。同时，更多的人在家里从事过文化艺术活动，有93%的人在家里听过音乐，63%的人有过休闲性阅读，55%的人从事过创造性艺术活动。纽约市民每年每户平均购书20本以上，使用图书馆的比例比全国高出10%。深圳文化活动的社会化程度如何，没有集中的调查数据，但从被调查者常去的公共文化娱乐场所看：图书馆为42.7%，新华书店35.4%，文化公园和旅游景点26.7%，影剧院20.9%，文化活动中心16%，大家乐、文化广场12.1%，博物馆和美术馆的比例最小。这从一个侧面反映了深圳人的文化参与行为，即倾向于到公益性、知识性和消遣性的地方，而专业性很强的地方则少有人问津。(据苏伟光主编:《深圳文化发展战略思考》，海天出版社 1997 年版)从观赏文艺演出的支出方面看，被调查者年消费额在 50 元以下、51—100 元、101—200 元和 201—300 元的人分别占 19%、21%、20% 和 19%(《深圳市演出市场及市民文化消费状况调查》课题报告)。这表明，深圳市民参与文化活动的频度较小，文化消费水平较低。

三是大型化问题。纽约经常举办大型文化活动包括种类繁多的文化节、艺术节、大型赛事、大型户外(公园、广场)演出等，如著名的纽约电影节、格莱美奖、林肯中心艺术节、后浪节(Next Wave Festival)、国际马拉松赛、国际网球公开赛等，有的活动持续几天、一两周甚至几个月，有的活动参加的人数几千上万人，有时甚至几万人，这些活动不仅使纽约成为世界著名的文化交流中心，而且使整个城市的文化氛围十分浓郁，成为吸引旅游者的重要因素。深圳已经开办了一些大型文化活动如"大剧院艺术节"、"鹏城金秋艺术节"、"大家乐"等，取得了比较好的社会效益，但是层次还不是很高，规模也不算太大，尤其是具有国际性影响的经常性的大型文化活动还没有，目前深圳正就这方面的问题进行研究。

五、文化产业比较

纽约文化发展的特点，不仅在于其非营利文化或公益性文化丰富多彩，而且其营利文化(在美国，所有的文化都理解为产业，包括非营利文化产业和营利文化产业两部分，而在我国，一般只把营利文化理解为文化产业)十分发达。二者形成合力，对纽约的经济和社会发展产生着十分重要的影响。

纽约的文化产业主要包括广播电视业、新闻出版业、百老汇表演艺术业等。纽约在众多文化艺术领域承担着美国最大的生产量，美国的出版物品、音像制品、舞台节目(包括歌舞剧、音乐剧)、绘画摄影等，其最大的生产基地差不多都在纽约。纽约是北美第二大影视产品制作中心，有 145 个制作间和舞台、74 万平方英尺的拍摄场地、3900 多家影视制作配套服务企业。全国所有独立的电影生产有 1/3 在纽约，80 多种全国性电视节目在纽约制作，包括 18 个"脱口秀"、13 个新闻杂志。2001 年度纽约生产的影视产品共有 8053 个，包括 211 部故事片，448 部电视片等。美国 3 大广播网(即美国广播公司 ABC、哥伦比亚广播公司 CBS 和全国广播公司 NBS)和 25 家主要的有线电视网的总部都在纽约。纽约有 35 家地方广播电台和 100 多家区域性广播电台。纽约是美国最大的出版中心，350 家消费性杂志(全国 10 大杂志中就有 6 大杂志)的总部设在纽约，包括《时代周刊》(Time)，《新闻周刊》(Newsweek)，《财富》(Fortune)、《福布斯》(Forbes)和《商业周刊》(Business)。有 4 家日报(包括世界著名的《纽约时报》)、2000 种周报和月报。全国 5 大音像制品公司有 3 个总部在纽约。著名的纽约百老汇文化产业每年有 30 多个新剧目推出，每年的观众(含本部和巡回演出)2300 万人次，票房收入 12 亿美元。

纽约文化(仅包括影视剧节目制作、非营利艺术、商业性剧院、画廊、拍卖行等，不含广播电视业、新闻出版业和旅游业等)，对纽约经济的贡献达到 110 亿美元，提供就业机会 13.5 万个。文化产业在纽约被认为是"低风险、高回报、机会多"的产业。

深圳是全国文化产业发展较早和最为迅速的城市之一，目前已初步形成了以大众传媒、印刷制作、文艺演出、文化旅游为重点的产业群体。2002 年全市拥有电台 1 座，电视台 2 座，广播电视站 22 个，公开发行报纸 17 家，公共发行期刊 39 家，图书出版社 1 家，音像出版社 3 家，印刷企业 1375 家。全年出版报纸约为 5.6 亿份，杂志约 2530 万册，图书 500 余种。深圳主要文化产业的年产值(不计旅游业)达到180亿元，增加值55亿元，占全市国内生产总值的2.5%。深圳文化产业产值在国内不算低，但与纽约相比，相去甚远，据有关统计数据表明，美国文化产业占国内生产总值比重最保守的口径(仅计娱乐、出版、音像、音乐和影视产品)为5.68%，最乐观的口径为25%。纽约没有这一数据，但理应高于全国的比例。纽约的文化已是一个重要的产业，而且是一个战略性的支柱产业，而深圳的文化产业才初露端倪。

由于文化产业的发达，纽约每年吸引旅游人数多达3500万，其中有1800万被称为文化旅游者(文化旅游者平均比一般旅游者多待一天，花费多50%左右)。旅客消费145亿美元，旅游业每年对纽约的经济贡献为200亿美元，提供直接或间接就业人员24.4万人，为市政府增加税收7.5亿美元，为州政府增加税收7.2亿美元。深圳的旅游业是其文化产业最为发达的部门，2002年接待过夜旅客1522万人次，其中海外旅客449万人次，旅游业总收入已达360亿元，占全市国内生产总值的15%。纽约被评为世界10个最好的商务旅游城市第6名(美国第1名)，深圳被评为中国10大商务旅游城市第4名。

六、文化管理比较

在文化管理方面，我国与美国有很大的不同。因此深圳与纽约自然也相去甚远。美国对于文化艺术采取松散的、间接的管理方式，联邦政府没有一个全面、综合、统一主管文化事业的部门，也就是说没有一个文化部。联邦政府仅设全国人文艺术基金会，对全国的人文社会科学和非营利艺术进行资助；州一级的文化管理部门也与联邦政府大同小异，纽约州设州艺术委员会。而纽约市文化管理部门与联邦和州政府不完全相同。市文化局的职责是“规划、发展、组织和监管全市的文化活动”，其目标是“保持和促进纽约的文化生活，通过文化活动促进纽约的经济发展。”这与我国政府的文化行政管理部门的职能比较接近。

美国把文化分为营利文化和非营利文化两大类，政府文化管理部门只负责非营利文化的管理。纽约市文化局把自己定位为代表和服务于全市2000个非营利文化部门或团体。而纽约市文化局的日常工作主要是服务这些部门或团体，包括资金、信息、物质等方面的服务。营利文化实体如新闻、出版、广播、电视以及大部分表演艺术(如绝大部分百老汇剧院均属营利性质)，原则上与私人企业无异，没有专门的行政管理部门，而由政府制定相应的行政法规对其行为进行约束(如联邦通讯委员会对全国通讯行业包括广播电视的管理)。除文化局外，纽约还在市长办公室下设电影、戏剧和广播电视办公室，其职责是制定有关政策法规，为各地来纽约制作广播、影视和戏剧产品的团体和个人提供服务。纽约的公共图书馆独立于文化局，直接由政府资助和协调，这与我国也是不同的。

我国的文化管理体制是：党委宣传部门负责宣传文化思想工作的宏观指导和协调工作，文化局、新闻出版局、广播电视局(有些城市如深圳是三局合一)是文化的行政管理部门，我国对文化的管理范围包括新闻出版、广播电视、文化艺术。我国对非营利文化和营利文化尚未作明确的划分(近年将文化划分为公益性文化事业和经营性文化产业)。在文化的管理问题上，政企不分、企事不分的现象仍然相当严重，这不仅不利于政府职能的有效发挥，同时也阻碍了文化事业和文化产业的发展。

在政府与文化的关系上，我们是政府办文化。因此在文化的投入上，主要是政府财政的投入，随着人们精神文化需求的增长，政府的财政负担越来越重。而在美国，文化不仅有政府的财政投入，而且有社会各个层面的投入包括非营利基金、企业和个人，形成了全民办文化的格局，其中政府的投入只占较少的部分，因此政府负担较轻。从纽约非营利文化机构的资金来源看，政府投入仅为1/4。社会投入包括非营利基金、企业和个人的赞助占3/4。营利文化则更是由私人投资，政府一般不会投入。从投入的绝对额来看，纽约每年对非营利文化投入的“行政事业经费”每年为3亿多美元(1999年为3.1亿，2000年3.3亿)，投入的基建经费每年为1亿美元(2001年至2004年)，后者占市政府总投资的1.5%。深圳市政府的文化事业经费和基建经费每年为3亿元左右(1999年为29688万元，2000年为32807万元)，两项合计占市政府地方预算内财政支出的1.4%(1999年为1.40%，2000年为1.45%)。

在体制运作上，我们仍然以政府办文化为主，尚未转到以管文化为主的方式；在管理方式上，我们以行政手段为主，虽然近些年强调法治，但文化立法远远落后于经济立法，远远落后于文化发展的客观要求，基本上还是以人治为主。而美国这样的发达国家是以法治文，政府根据法律和法规管理文化、服务文化。与此同时，其管理职能有相当一部分由中介服务组织来承担，政府主要是政策的制定和资金的分配。拥有800万人口和几千个文化团体的纽约，作为世界文化中心城市的纽约，其文化局只有35个编制。而在我们国家，文化的中介机构不发达，文化管理部门的任务相当繁重。

七、教育和人文素质比较

教育和人文素质是文化发展的基础条件。在这方面，深圳与纽约相比，同样存在着巨大的差距。在纽约市的25岁以上的人口中，高中毕业及大学肄业者381.4万人，占全市总人口(800万)的47.67%，大学毕业及以上者144.68万人，占18.07%，其中学士学位获得者83.46万人，占10.42%。在深圳市的劳动力资源中(男16—59岁，女16—54岁)，受过小学及以下教育程度的占总数(620万，非全市总人口数)的9.37%，受过初中教育程度的占57.15%，受过高中教育程度的占18.28%，受过中专教育程度的占6.5%，受过大专以上教育程度的占8.71%(56.4万人)。虽然统计口径不同，但不难看出，深圳的人口素质远远低于纽约。

纽约市教育局是全国最大的教育局，全市拥有110万学生，1198所公立学校，79924名教师。有大专院校100所，其中48所能进行研究生学历教育。深圳市各级各类学校1211所，在校学生73万人，教职工46600人。有普通高校3所。纽约十分注重对教育的投入，为文化及整个社会经济的发展提供充足的人力资源。纽约的教育投入占财政预算的31%，是其财政预算的最大部分。深圳财政预算内教育经费占财政支出的比例为11.93%。深圳要想增强文化发展后劲，不仅要继续加大对基础教育的投入，更应该大力发展高等教育事业。

文化人才是文化的主要资源。纽约是全国文化人才汇集的地方，全市有75000多名高素质的演艺人才，艺术家和导演占全国的1/5以上。全国每万人中有艺术家7人，纽约每万人中有艺术家13.34人，这一数字远远高于全国十大都市区平均每万人有艺术家10人的比例。深圳市宣传文化系统所属的文化、艺术、社科、新闻、广播、电视、出版方面的人才总数为4334人，其中文化局和文联所属的“文化艺术”类人才1807人。全市有文化艺术协会(学会)11个，会员人数2800名，其中国家级会员360名。深圳具有藏艺于民的特点，民间有很多文化艺术人才，但没有一个比较准确的数字，这些人对深圳文化艺术的发展起着十分重要的作用。与纽约相比，深圳的文化人才极为缺乏，文化经营和文化管理人才尤其缺乏。

总之，纽约是全国乃至世界的文化中心，纽约文化已处于完善和提高阶段，在国际上已确立了自己的地位，已产生广泛的影响。而深圳文化尚处于创建和形成阶段，迄今，深圳文化还不能说已形成自己的发展模式和特点，虽然某些方面在国内已产生一定的影响，但从整体来看，这种影响还很小，在国际上更谈不上什么影响。纽约既是文化生产中心，又是文化的交流和消费中心；而深圳已经提出用十五年或者更长一点的时间，建设现代文化名城，即把深圳建设成为"中外文化交流的窗口，文化精品和优秀文化人才荟萃的中心，现代文化艺术产品生产基地，文化艺术商品交易的市场"。纽约通俗文化和高雅文化比翼齐飞，不仅是大众文化中心，也是高雅文化中心；深圳大众文化比较发达，而高雅文化相对缺乏。"纽约不仅是高科技的竞技场，又是新思想的拍卖行"，不仅科学技术发达，而且也是美国甚至西方世界出思想、出文化成果、出文化人才的地方；深圳科技比较发达，而人文学术相对滞后。深圳已提出文化立市的战略，相信经过若干年的努力，深圳文化会发生较大的变化。

论深圳高新技术产业国际化的战略转型与路径选择

魏达志

科技产业正在成为世界经济发展的主导力量，它不断地改变着全球经济的内涵并拉动着全球经济向前发展，特别是高新技术产业的战略转型与结构提升将对国家或区域经济的发展带来革命性的影响，深圳是我国最快、最直接地感受这种影响的前沿城市之一。

由于深圳以建设国际化高科技城市为发展目标，国际化与高科技两个内涵的叠加加速了深圳市高新技术产业的战略转型与国际化发展，突出了开展国际科技合作的地位与重要性。随着CEPA的出台与实施，加速推进深港经济一体化和深圳城市国际化再一次提上了议事日程，深圳又将获得新一轮的发展机遇。因此，能否以科学发展观为指导，更加广泛深入地开展国际科技合作、推进深圳高新技术产业的国际化发展，并通过高新技术产业战略转型推进城市经济的总量增长、质量增长、协调增长和可持续增长，就成为我们面对新格局、把握新机遇的一次战略抉择。

一、深圳高新技术产业国际化战略转型的依据

1. *当前科技革命的强劲推动*。科技革命进一步推动了国际分工的深化，使得科学技术的创造方式、传播方式和共享方式发生了革命性的变化，特别是信息技术的革命，使得企业内部跨地区的信息处理和交流能力大大增强。那些地处不同国家和地区以科研、生产为中心业务的企业通过网络可迅速获得一定的信息来源，从而有利于从事高质量的制造活动。这种变化使得掌握先进技术的跨国公司进一步发挥其技术优势，在全球范围内分布制造企业，促进了高新技术产业在全球展开布局。因此科技革命成为推动高新技术产业国际化、进而高级化的重要力量。

由于高新技术产业一开始就存在着国际化合作与发展的内在要求。当国内难以提供产业继续发展所需资源、技术，或者获取代价太高，而国外能够满足其需求时，这种产业国际化的趋势就成为可能。同时，由于现代高新技术的高度交叉与复合性，使研发越来越具有合作的性质。近十几年来高新技术产业的发展得到了世界各国的普遍重视，不少国家有重点、有选择地发展对本国最有利、最有战略意义的高新技术产业的不同行业与部门，形成了各具特色的高新技术产业发展格局。因而必须通过广泛而充分的国际合作与分工来实现高新技术产业持续发展，产业国际化战略也就成为各国政府制定高新技术产业政策的必然选择。

2. *未来更高层面的竞争需求*。尽管关于竞争力的解释不同，但决定国家、地区竞争力或经济发展命运的关键仍然是产业竞争优势，而高新技术产业又是体现产业竞争优势的重中之重。同时，任何产业能力的发展，必然过渡到国家、区域竞争力与国际竞争力的提升，因此重视产业竞争力就是重视国家、区域竞争力和国际竞争力。

经济全球化中体现的经济增长方式，更加突出了高新技术产业及其产品的垄断性在世界经济增长中的作用力和影响力，这种产业和产品的垄断性加剧了高新技术产业内的角逐性竞争，使得这种竞争更加惨烈，更不容许任何国家和地区忽视这种更高层面的竞争方式和要求。

高新技术产业的国际化已经成为当今世界经济发展的一个重要动向，无论是内向型国际化还是外向型国际化，都必须促进高新技术成果的商品化、商品的产业化和产业的国际化，从而形成一个动态的流通系统。高新技术成果要成为商品、实现规模生产并使这一产业获得高度良性循环，就必须实现大范围国际资源配置，并积极参与当前与未来的国际经济竞争。应当进一步推进深圳高新技术产业体系由相对封闭性向更加开放性的转变，最大限度地发挥产业在国际层面的比较优势和竞争优势，从而稳步实现高新技术产业的国际化。

3. *高新技术产业国际化内容所决定*。高新技术产业的国际化，使得高新技术产业及其产品的更新换代，支撑着现代经济在世界范围的生产、消费、应用和知识信息的交流与传播，并直接影响着人类社会的经济增长和文明进步。

因此，高新技术产业国际化的内涵是十分丰富的，主要表现为：

一是经济发展信息、国际市场信息和科学技术信息等国际化传递，从而为高新技术产业国际化提供网络化的信息操作平台；

二是科学技术的跨国转移等国际化交流合作，通过技术输入以吸收外来技术以弥补空缺、节省研制费用并缩短开发周期，通过技术输出则不仅可以赢得利润，而且可以成为技术更替、技术转移和技术扩散的重要途径；

三是高新技术产业组织形成的国际化趋势，跨国公司成为国际化生产经营的重要组织形式，成为高新技术产业国际化的重要载体。

这些国际化的重要内容、方式与因素，将有力地推动深圳高新技术产业适应未来世界新的交往方式、竞争手段和利益格局，并实现高新技术产业的战略调整与升级。

4. *适应城市发展定位与战略转型需要*。根据中共深圳市委、市政府的战略部署，深圳正在加快建设国际化城市的步伐。深圳建设国际化城市，是一次新的历史跨越、新的伟大实践，也是一项更加艰巨的系统工程，并对建设国际化、高科技城市提出了更高的要求。

无论深圳的产业结构做怎样的调整，高新技术产业都是深圳最大的特色产业和第一经济增长点，是制造业中的主导产业，因为深圳高新技术产品产值已经占有工业总产值的半壁江山。作为国际化的高科技城市，发展高新技术产业、进一步提升拥有自主知识产权的产品品牌，仍然是当前与未来工作之中的关键与重中之重，因此，高新技术产业必须适应城市发展定位与战略转型的需要，从这点意义上来说，也必然推进深圳的高新技术产业进入国际化发展新阶段，从而也有利于深圳在面对未来的国际竞争中，能够从发达国家建立的以“中心——边缘”为特征的不平衡的国际分工体系和国际产业链中打开一个缺口。

5. *高新技术产业发展的自身要求*。深圳作为在全国大中城市进出口总额连续十一年排名第一的城市，其中高新技术产品的出口功不可没，高新技术产品的出口不仅实现了历年大跨度提升的良好格局，也有效地拉动了深圳的经济增长，已经成为深圳经济增长中的亮点。2001 年，深圳高新技术产品出口达到 110.21 亿美元，比上年增长 32.21%，2002 年，高新技术产品出口更是达到 156.86 亿美元，比上年增长 37.9%。

深圳高新技术产业发展自身提出了对国际化的更高要求，这里不仅包括产品市场、经营市场的国际化，而且包括技术交易、科技合作、人才应用、资源配置等的国际化，从而实现深圳高新技术产业在研发方式、高端技术、前道工序、产业链圈在国际化方位上的高位嫁接。

而促进深圳高新技术产业国际化的重要手段之一，就是在更大的范围开展更加广泛的国际科技合作。

二、深圳高新技术产业国际化的主要内涵

1. 高新技术产业开始进入国际化发展新阶段。经济全球化的竞争方式给技术创新、产业转型与经济增长不断地提供新的动力。深圳的高新技术产业经过十余年的发展，一方面经历了经济全球化的洗礼，另一方面亦取得了举世瞩目的巨大成就，其发展大致可以划分为三个阶段：

第一阶段：20 世纪 80 年代到 1992 年是深圳传统制造业向高新技术产业的转型阶段。这一阶段产生了第一批高新技术企业，1990 年，深圳制定了 2000 年社会经济发展规划，确立了“以科技进步为动力，大力发展高新技术产业和第三产业”的战略方针；1991 年 5 月，又颁布了《关于加快高新技术及其产业发展的暂行规定》。市委、市政府明确提出“把发展科技放在经济和社会发展的首要位置”的战略思想。

这一阶段的重要标志和特点是初步形成了包括计算机及其软件、通信、微电子及基础元器件、新材料、生物工程、机电一体化等六大领域的高新技术产业群，1988 年高新技术产品产值 4.5 亿元，约占全市工业总产值的 4.5%，到 1992 年，猛增到 47.3 亿元，占全市工业总产值的 12.7%，约比同期全国高出 7 个百分点。在这期间，工业总产值增长 4 倍，高新技术产品产值则增长 10 倍以上。

第二阶段：1992 年到 2003 年是深圳高新技术产业的做强做大阶段。1992 年邓小平南方谈话发表以后，深圳的高新技术产业迅猛发展，异军突起，引起全国关注。

这一阶段的重要标志和特点：一是高新技术产业的若干重要经济指标不断上升；二是崛起了一批具有一定规模的高新技术产业组织；三是成功建立了高新技术产业园区；四是初步形成了高新技术产业集群和大中小企业的配套系统和产业链。如 1993——1997 年，深圳高新技术产品产值年均增长 57.6%，1998 年又比 1997 年增长 38.1%，达 655 亿元，占全市工业总产值的 38.7%，1999 年比 1998 年增长 25%，达 819.79 亿元，占全市工业总产值的 40.5%，成为深圳经济的第一增长点；深圳的电子信息设备制造业也发展迅速，1998 年达 967.2 亿元，占全省 48%。深圳生产类和消费类一些主要产品，在全国都占有重要位置。与此同时，深圳崛起了一批如华为、中兴、创维、比亚迪等具有相当规模的高新技术企业及其配套的产业群。

第三阶段：2003 年深圳开始进入高新技术产业国际化和全面开展国际科技合作阶段。由于已经经历并正在从事高新技术产业的做强做大，使高新技术产品产值大幅递增，2001 年达到 1321.36 亿元，2002 年达到 1709.92 亿元，与此同时，高新技术产业拥有自主知识产权的高新技术产品产值呈现历年递增的态势，2001 年达到 697.96 亿元，比 2000 年增长 30.57%，占全部高新技术产品产值的 52.82%；2002 年达到 954.48 亿元，比 2001 年增长 31%，占全部高新技术产品产值的 55.82%。高新技术产业的发展自身提出了对国际化和国际科技合作的更高要求。

这一阶段的重要标志和特点是深圳的高新技术产业将围绕深圳建设国际化城市的目标，实现产业结构不断协调化和高度化发展，以自主创新和合作创新作为两大战略手段，以提升产业的核心竞争力和国际化水平，使得深圳高新技术产业不断实现研究发展国际化、产品市场国际化、人才应用国际化、资源配置国际化。

2. 国际化要求发展理念与操作重点的转变。就在深圳高新技术产业迅猛发展的同时，深圳的高新技术产业存在两大致命弱点，一是对深圳当前高新技术产业的技术水平、技术结构和产品结构的科技含量要有清醒的认识，不能估计过高，因为相当一部分核心技术还掌握在别人手里；二是深圳的高新技术产业缺乏知识创新和技术创新的有力支撑，深圳的区域创新体系正在建设之中，深圳还没有自己的研究密集型高校和高校群，缺乏支撑高新技术产业发展的重点科研院所。

由于深圳不能拥有广泛而有效的知识源、技术源并提供充足的、相应的技术供给，因此不仅导致了深圳发展高新技术产业的高成本和低效益，而且形成了一个发展高新技术产业的制约瓶颈。

虽然深圳已经形成了以市场为导向、以企业为主体、产学研相结合的研究开发机制，虽然已经尝到了和国内外进行科技合作的甜头，但是距离产业国际化的要求还有相当大的差距，因此，观念意识的转变将带来操作重点的转变，深圳在未来的时代应当以更大的力度、更大的投入致力于高新技术产业的国际化发展并致力于开展全方位的国际科技合作。

3. 国际化发展与提升产业核心竞争力。如果没有产业结构的调整、升级与战略转型，经济的进步与飞跃是不可想像的。特别是在高新技术产业领域，如果没有技术革命和新兴产业的出现，没有制度创新、技术创新、发展战略提升和组织行为创新的推动，经济的有效增长和可持续增长亦是不可能的。

深圳高新技术产业发展的第三阶段即国际化阶段，应该力求战略导向清晰，发展目标明确，做到政府推动、科学决策、制定规划、加大投入、配备人才、企业主体、形成机制，在努力建设区域创新体系的同时，通过国际科技合作推进高新技术产业的国际化，在使深圳融入世界经济全球化和一体化、建设国际化城市的进程中，不断提升高新技术产业的核心竞争力和城市的综合竞争力。

三、深圳高新技术产业国际化的方式与路径

由于科技革命以及诸多因素的推动，深圳开始进入高新技术产业国际化发展新阶段。如何面对并适应高新技术产业国际化这样一个世界性的经济科技发展新潮流，深圳以建设国际化、高科技城市为目标进行了一系列的实践与探索。

1. 创建国际品牌——成功举办六届高交会。高交会是由中国对外经济合作部、科学技术部、信息产业部、中国科学院和深圳市人民政府在深圳共同举办的一个对外科技合作与交流的会展品牌，亦是一个从事技术交易、技术吸收与辐射的国际舞台。

1999 年 10 月第一届高交会期间，共有 2856 家中外知名企业和机构、4150 项高新技术成果参加了展示和交易，来自美国、加拿大等 26 个国家的 402 家高科技企业、大学、研究所、金融机构、国际风险投资机构等齐聚深圳，使深圳第一次聚集了世界科技界的目光。这次高交会，参观人数达 30 万人次，成交项目达 1459 项，成交金额 64.94 亿美元。

2000 年第二届高交会的国际化水平程度进一步提高，吸引了更多的外国政府和高科技跨国公司，44 家从事高新技术产业的跨国公司到会参展，近 500 个海外留学生项目报名参展或参加交易，第二届高交会成交项目 1046 项，成交金额 85.4 亿美元，比首届高交会增长 31.4%。

2001 年第三届高交会，国家计委成为主办单位之一，其专业展览面积比上届增加 45.3%，总面积达 21000 平方米，参展的各类高科技项目达到 15404 个，成交金额 104.18 亿

美元。

2002年第四届高交会，由“高新技术成果交易”、“高新技术专业产品展”、“中国高新技术论坛”和“不落幕交易”四大部分组成，其规模、档次和国际化水平均超过前三届，来自40个国家和地区的88个团组、3691家参展商、42家跨国公司参加了高交会，参与展示与交易的项目高达7749个，成交金额121.6亿美元。

2003年第五届高交会，由于前4年的努力，高交会作为中国最重要的高新技术展会的地位已经得到国际社会的多方认可，甚至评价为“世界上最重要的展会之一”，这次高交会成交总额达128.38亿美元，并首次设立律师服务团，促进高交会的服务内容与服务水平，逐步实现与国际接轨，高交会已经成为深圳对外经济科技合作的一张名片。

2004年第六届高交会，参展国家和参展跨国公司的数量均创历史新高，本届高教会首次推出了“高新技术人才与智力交流会”，“中国高新技术论坛”升格为“世界科技与经济论坛”，并且启用了占地220，000平方米的深圳会议展览中心，本届大会展览的实际面积达到135，500平方米，比上届增加近3倍，九大展览馆各具特色，使得本届高交会亮点频出，更具新意。

2. *注重政策导向——完善区域经济创新体系*。2004年1月18日，中共深圳市委、市政府出台一号文件《关于完善区域经济创新体系推动高新技术产业持续快速发展的决定》，提出加快高新技术产业发展的54条具体措施，开宗明义提出了深圳市发展高新技术产业主要从依靠优惠政策向营造创新环境转变，使人文生态、产业生态和环境生态获得统一；强调企业的技术创新主体地位；高度重视人才在区域创新体系中的核心作用；并建立有深圳特色的公共技术平台，整合研发资源为中小企业服务。尽管关于国家与区域创新体系的理论流行已久，但据有关媒体报道，这是中国第一次出台有关区域创新体系的地方政策。

中共深圳市委、市政府试图通过产业结构的调整与提升，继而影响并改造城市的发展规划与布局，再进一步影响冲击城市的人口结构和经济结构，不仅明智，而且科学。

3. *加大政府投入——加强政府资助并划拨国际合作经费*。一是政府出钱资助留学人员归国创业，深圳市财政每年安排1000万元用于海归人员来深创业前期费用的补贴，从2001年至2003年10月，已先后对五批186个留学人员创业项目发放前期费用补贴，累计资助总额为1666万元。至今累计引进海外留学人员已超过5000人，其中七成具有硕士以上学位，全市海归企业已达400多家，投资总额超过20多亿元，产值近40亿元。

二是2004年1月，中共深圳市委、深圳市人民政府发布《关于完善区域创新体系推动高新技术产业持续快速发展的决定》，其中，2004年安排专项经费1.5亿元，支持软件产业发展；对经认定的国家级和省市级技术研究开发机构分别予以500万元和300万元资助，国家工程中心、国家重点实验室到我市设立分支机构，经认定予以300万元资助；经市科技主管部门认定的科技企业孵化器予以最高300万元的资助；从2004年起连续3年，每年在市科技发展资金中安排1000万元专项经费，重点资助企业、行业组织等研制结合自主知识产权的国际标准、国家标准和行业标准；在科技发展资金中每年安排专项经费300万元，用于市知识产权主管部门宣传培训、建立预警机制、资助企业境外维权等与科技相关的知识产权保护工作；市政府每年安排3000万元用于资助出国留学人员来我市从事高新技术项目的研究开发，并出资建设市留学生创业大厦。

三是考虑到国际科技合作在提升深圳高新技术产业国际化水平的重要性，又考虑到深圳市在国际科技合作方面政府支持力度与周边省市的差距，深圳于2004年首次划拨国际科技合作专项经费人民币1000万元，将一举改变对国际科技合作政府支持不力的局面，促进高新技术产业从事国际科技合作再登新台阶。

4. 建立合作平台——高新区国际科技合作商务机构。深圳高新区是国家重点支持的五大高新技术产业园区之一，是国际科技园协会（IASP）成员、中国亚太经合组织（APEC）科技工业园区和中国高新技术产品出口基地。已经形成了由通信产业群、软件产业群、生物工程产业群、新材料产业群组成的深圳高新技术产业密集区。高新区已经成为联络海内外的科技合作平台，有42所海内外著名院校组成的虚拟大学园，有200多家创业企业的留学生创业园，还有美、英、法、德、日和加拿大等国投资的各类高新技术企业。

特别是在深圳高新区设立了专门的“深圳国际科技商务平台”，形成设施齐全的办公、会议、商务、休闲等场所和专门的服务机构，通过这个专业平台，促进深圳与海外机构科技商务的交流与合作，为海外驻深圳发展提供更好的服务，并构筑适合海外机构发展的人文环境和工作氛围。截至2003年12月，已有七国九家机构申请入驻，如已经入驻的有“加拿大加中贸易理事会”、“美国广东美国商会”、“美国评质公司”、“美联CEO深圳有限公司”、“意大利商会”、“韩国电子部品研究院”、“奥地利微电子技术转移中心”和“香港生产力促进中心”。“深圳国际科技商务平台”已经成为重要的国际科技合作商务平台，必将在深圳未来对外经济科技合作方面做出积极的贡献。

5. 引进海归人才——建立留学生创业园区。根据有关统计，我国近25年来共有58万多人出国留学，分布在世界100多个国家和地区，而留学回国人员则达到16万人，成为我国吸引外来人才、引进人力资源的一个重要渠道。

深圳市人民政府鉴于上述情况，非常重视引进海归人才，注重建立留学生创业园。2001年，龙岗区政府投资6000万元建设深圳市留学生人员（龙岗）创业园，龙岗区率先建设了占地2.7万平方米的留学生创业一园，此后，又兴建占地1.2万平方米的创业二园，经过两年的精心打造，吸引了分别来自美、英、日、加等国的90家留学生企业入驻、孵化、创业，并引来6亿元投资，涉及电子信息、生物医药、光机电一体化、新能源、新材料等高新技术领域。入园企业中，有民科企业26家，高新技术企业1家，高新技术项目22项，其中承担国家火炬计划项目2项，目前已有30多家企业的产品走俏市场，有5家企业的年销售额超过2000万元，成为全国同类型园区中发达速度最快、成功率最高的创业园区之一。

6. 扩大软件出口——建立京广软件出口基地。罗湖区委、区政府在营造一流科技环境，建设现代服务强区的过程中，高度重视用高新技术武装、提升第三产业，将盘活楼宇作为发展物业经济、引进总部经济、优化环境经济的强力“助推器”。为此，罗湖区采取了“政府引导、专家管理、市场推动、企业运作”的模式，充分整合社会资源，利用罗湖区在人才、资本、市场和地缘上的比较优势，于2003年7月18日建立深圳京广软件出口基地并正式开园，作为一个国际化合作的软件出口平台，注重引进跨国软件集团和国内软件龙头企业进驻，形成聚集优势，以离岸软件工程外包为突破口，真正建成一个国际化的软件出口基地和软件产业化基地。当深圳京广软件出口基地引进全球最大网上外汇及金融产品交易公司之一的英国CMC集团进驻园区，以及“深圳京广软件出口基地理事会”的成立，标志着深圳软件航母将在罗湖崛起。

京广软件出口基地的目标是，2008年聚集软件企业300家左右，其中大中型软件企业30—50家，跨国软件集团设立的分支机构20家以上，基地的软件总产值达到50亿元，软件出口达20亿元，软件从业人员将达到5000人。

7. 促进成果转化——建立科技创业孵化基地。宝安区在位于西乡镇铁岗水库下游建成面积近 30 万平方米的宝安区桃花源科技创新园，作为宝安区的科技创业孵化基地和高新技术产业研发中心，现有 14 幢造型新颖的建筑，其中 10 幢为别墅式的研发中心、1 幢为孵化主楼。园内设有宝安区科技创业服务中心，其中科技创业发展部负责洽谈引进项目，协助入驻企业办理工商注册和税务登记手续，科技计划项目申报等；科技交流培训部，负责组织开展多种形式的学术交流和新产品展示活动，促进企业的科技成果转化和技术交流。

目前，入驻科技创新园的各类高科技企业已达 30 多家，其中包括翰宇生物工程公司、格林美新材料公司等一批国家“863”重点项目。一批科技水准在国际上处于前瞻地位的企业竞相入驻，进一步奠定了园区作为国内一流孵化基地的坚实地位，一批科技精英和归国学子带着国际领先的项目纷纷落户，也使园区迈开了科技研发与国际接轨的坚实步伐。目前的入驻企业已涵盖了诸多领域，其中包括生物、新材料、软件、环保、电子、精密仪器等领域。

内地与香港金融合作：以“融”为主　以“管”为重

曹龙骐

香港回归后，内地和香港的合作，关系到两地的稳定和发展，意义非常重大。

内地与香港如何合作？抽象地说，内地应依借香港拥有的“最自由市场环境”优势，其主要因为香港已具有成熟的市场经济体制，法制健全、开放度大、机制灵活、核心竞争力依然存在。特别近二年，香港经济展现强劲复苏势头，无论在强度、广度和深度上都进入一个新的发展阶段。而香港则应充分利用好“内地因素”，即中央政府的全力支持、广阔的地域支撑和丰厚的市场资源。

内地与香港合作的重心在何处？随着内地改革开放政策和香港经济转型，两地的合作已逐渐成为互惠互利的紧密关系，由于服务业(包括金融、贸易、物流、旅游等行业)是世界主要国家规模最大的产业，也是中国经济全面开放的重要环节，对有效“整合”制造业和加工业起到先导和带动作用。特别在2003年6月实施CEPA框架下，服务业的融合已成为两地合作的首要选择。

金融作为现代经济的核心，世纪之交金融功能的历史性变革，使它已从一般的第三产业向产业化、工程化和信息化为主要特征的龙头产业发展。事实证明：内地与香港无论在经贸、物流、资讯以及人才、文化等方面的合作关系，都离不开货币资金的互动和金融市场的依托。可见，内地与香港的合作重心在服务业，而两地金融合作又是重中之重。几年来的实践证明，如何将两地金融合作推向一个更高的水平，这是一个紧迫、繁难而又重大的课题。笔者认为，如何进一步深化内地与香港金融合作，主要从以下两个方面着手。

以“融”为主——进一步扩大两地金融合作面，努力创新金融体制和金融产品，创建两地货币资金流通新渠道，在融合中获取双赢

应该说，内地与香港金融合作在金融机构的互设、业务经营的渗透、支付结算的联通、金融市场的衔接、两种货币的流通等方面已进行了全方位且又成效的合作。但是依据内地和香港经济快速发展的要求，为适应全球经济和国际金融市场的变化，还需将两地的合作推向一个更高的层次。就目前看，主要有以下几个方面：

1. *挖掘金融合作潜力，促进两地业务经营渗透。*在这方面，两地具有全方位、深层次的合作途径。一是内地可借助香港金融界组织银团贷款、联合贷款、项目贷款、发行境外债券等引入资金，也可通过资金拆借及转让业务、开办外币兑换、进出口押汇、租赁、基金等多种业务，加速两地货币资金的融通。二是通过开办离岸业务、设立境外人民币业务、实施基金企业开放、创办合资基金管理公司以及互用金融创新工具等，强化两地金融业务的渗透。三是可在保险业务上，按CEPA规定条件，实现香港居民在内地执业、组团进入内地保险市

场、参股内地保险公司等。同时，在再保险方面，因香港对离岸再保险征税率比内地低，内地一般将再保险业务的基地设于香港，公司仍设在内地，具体负责业务联系和处理，这有利于降低再保险成本。

2. *建立跨境金融服务系统，提升两地金融服务水平*。按习惯做法，跨境金融服务的前提条件是金融机构的互设，即一方面内地加强对外或境外金融机构的引进，另一方面内地金融机构到海外设立金融机构。而在现有 CEPA 框架下，两地服务业可在对方设立公司或分公司，同时香港服务业企业可直接到内地接洽有关公司和业务。这样做，有利于提高两地服务业进入市场的方便度。银行业在服务业中占重要地位，也是受惠最多的行业，但现时香港银行要申请到内地新设或增设分行营业，最快要到 2006 年，要申请经营人民币业务更要等到 2008 年。建立金融跨境服务系统，不仅通过“有形”也可通过“无形”通道，快速完成业务交易，有利于提升两地金融服务的水平。

3. *拓展金融市场融合途径，实现两地良性互动*。由金融市场所具有的要素特点所决定，两地金融市场的衔接应是全方位和相互渗透的。前几年在货币市场、证券市场和外汇市场上的衔接已做了不少工作，并取得一定成效。目前的重点应该是：(1)融合两地的债券市场。内地改革开放以来，债券市场基本上是在封闭的环境中发展和成长，尤其是企业债券市场长期处于压抑状态。而香港虽是全球最具有活力的金融中心之一，但其债券市场在全球和亚洲地区优势并不明显。其实，一些发达国家发展资本市场大多以发展债券市场为先导，且其规模亦大。如美国 1999 年企业债券发行超过 2500 亿美元，是同期股票发行量的 5.8 倍。到 2000 年，美国有 199 家企业通过发行股票融资，而 1592 家企业则通过发行债券融资总额高达 5066 亿美元，为同期股票融资总额的 16 倍。又如日本的债券市场规模是香港的 78 倍。当然，以上国内外数据对比并不确切，国外的公司债券大多指民营企业和私营企业发债，发债主体以自己的资产做担保，我国企业债多半是国有企业债，但尽管如此，国外重视企业债券市场的作用仍可值得借鉴。内地政府和国有金融机构可利用香港优良的金融基础设施在香港发行债券，还可通过中央政府发行外币债券；香港方面也可根据自身需要在内地发行债券，还可通过 QFⅡ(合格境外机构投资者)和 QDⅡ(合格境内机构投资者)投资两地的债券市场。这样做对完善两地证券市场结构、提升香港金融竞争力和国际金融中心地位都具有重要的战略意义。(2)增强内地企业在港创业板上市的吸引力。香港创业板市场于 1999 年 11 月 25 日建立以来，主要是全球科技股市场行情逆转，几经周折，一度市值从最高峰 250 亿美元滑落到 80 ~90 亿美元。但“风雨过后是彩虹”，香港创业板已面临新的转折。内地现有 800 万家企业，其中全国高新技术开发区的企业有 1.8 万家，具有丰富的创业资源。以民企为主的内地企业在香港创业板上市，不仅有力地支持香港建立起一个新的融资平台，更重要的是通过这一平台的规范运作，促使内地民企优化企业结构、规范财会制度和加快拓展海外市场。(3)外汇市场的衔接。香港外汇市场交易名列亚洲第三位，内地可以利用香港优质高效的金融基础设施进行外汇操作，利用香港外汇市场进行外汇储备管理，还可以考虑把香港发展为人民币远期交易市场的“中心”。这样做，既有利于强化香港金融中心的地位，又能利用香港外汇市场进行灵活运作以对冲人民币交易风险。

4. *拓展人民币个人业务，完善人民币回流机制*。据初步估算，现时人民币在港一年的流量约达 700 亿元之多，人民币已成为仅次于港币的第二大交易货币。随着 CEPA 的实施，内地到香港的人民币流量将大幅增长。到 2005 年底其流量有可能达 1500 亿元。可见，两地的密切交往关系而造成的货币过界流通和相互兑换，这既是两地货币流通的客观要求，也是两地经济联系日趋加强的自然延伸。根据中国人民银行发布的公告，于2004年起在香港银行试办理个人人民币业务，其范围包括人民币存款、兑换、汇款和银行卡业务四类。这一举措不仅开启了内地与香港之间人民币通过银行体系流动的新渠道，也将越来越多的在港流通的人民币纳入“体内循环”。更重要的，对拓展香港银行兑换和存款综合业务的发展空间，促进两地经济金融的进一步融合，巩固香港国际金融中心的地位均具有重要意义。与此同时，随着金融全球化的趋势，各国金融机构从事本国货币之外的其他外币存贷款业务逐渐兴起，一些发展较好国家的金融机构成为各种外币存贷款中心，这种活动统称为离岸金融，它是金融市场全球化、国际化的高级形式。当然，开办人民币个人业务不涉及人民币贷款和投融资业务，它与开设人民币离岸中心不是一回事，但至少会提供一些前期性配套性尝试。在香港开设人民币离岸金融业务，使它拥有无穷无尽的源头活水，有利于人民币资金的高效便捷回流，这为内地资金走向国际，为两地的持久融合和发展，将产生重要影响和深远意义。关键问题是，内地应积极为香港创建人民币个人业务回流机制和做好清算安排，创造条件加快人民币在资本项目下的可兑换，那么，在香港开设人民币离岸业务也是水到渠成之事。

5. 疏通两地货币流通渠道，建立“清算高速公路”。事实证明，随着内地和香港两地经贸、金融、物流的日趋密切和不断拓展，实施有效的支付结算，能使金融产品交易以稳妥、迅速及具成本效益的方式完成。就大珠三角区域看，粤港之间、深港之间已开通粤深“外币实时支付系统”与香港“港元即时支付系统”，成功实现联网，中国银联开办内地“银联”人民币卡在香港地区使用业务。这意味着粤、深、港之间企业和个人可以通过这条“清算高速公路”，实现港币结算“即时到账”，使粤深港之间形成了票据(支票、汇票)、银行卡和港币实时支付系统三位一体的结算体系。今后还应努力实现清算网络的全球化，建立电子汇兑结算系统，构筑“直通车”式账户清算渠道，实现现代支付结算系统的联机操作，以更有效快速处理双方债权债务关系，提高资金使用效率。

从以上5个方面的分析得出，内地与香港金融合作以“融”为主，才能产生规模巨大的和可持续发展的效应。但需要说明的是，在世界经济一体化和金融全球化背景下，由金融业本身具有粘合性、扩散性和连接性的特征，以及香港作为国际金融中心起着“内地——香港——世界”的“中介人”地位所决定，内地与香港的金融合作看来都体现两地双向互动的关系，但实际上也体现与全球经济的密切联系。所以，两地合作决不能就合作谈合作，必须正视香港作为“中介人”的重要地位。在两地金融合作中一定要联系和顾及世界经济金融发展动向和环境变化，及时分析双方合作的内外条件，把握两地金融业发展趋势。事实证明，在此基础上的合作才是符合实际的，因而也是科学的。

以“管”为重——正视金融业具有高风险的特征，客观承认两地金融体制和管理水平的差距和差异，切实采取有效的监管措施，实现两地金融合作的稳定发展

香港与内地金融合作以“融”为主，它是两地合作的前提条件。但必须正视，金融业特别是现代金融业具有的高风险特征，同时两地的金融体制、业务经营、监管水平以及法律制度等方面既有差距也有差异。如何在“一国两制”框架下，在“管”字上下功夫，确保两地金融合作的稳定和有效，确是一个不容忽视的大问题。以笔者看，主要有以下几个方面:

1. 借鉴香港监管经验，增强监管理念。香港金融业之所以取得辉煌成就，其重要原因之

一是得益于健全的金融监管制度。香港金融监管以法治为根基，分别拟定适用于银行业、证券业、保险业的法律制度，建立两个各司其职的金融监管机构，即金融管理局(金管局)和证券及期货事务监察委员会(证监会)。香港的金融监管，主要依托由政府部门为主、同业公会配合的合作监管体制，以此架构起一个公平、合理、严格、缜密的金融监管体系。香港金融业着重金融基础设施如法律体系、会计制度、审计制度、信息披露机制、交易与结算系统的建设，且根据变化的情况适时进行修订。如近几年由香港立法会通过新修改的《银行业条例》、《证券与期货条例草案》等，体现了港府不断变革创新的高远策略。香港银行业监管制度的主要内容包括银行牌照或注册的有关规定，本地和海外分行(办事处)及认可机构的资料披露，认可机构的所有权及管理，认可机构贷款和投资的限制，资本充足性、流动资金比率以及对认可机构的查账、审计、接管等规定。香港对金融衍生工具交易的监管也有一套新的风险识别和质量评估方法，对应付金融突发事件的能力也较强。内地应多借鉴香港经验，加强两地金融监管机关和证交所高层主管的接触，逐步建立起有效的信息和风险管理系统，积极推进两地金融监管部门的协调配合和正常运转。

2. *高度重视人民币境内外流通的管理，维护人民币的良好形象。*人民币与港币分别作为两地的法定货币，两种货币当然应服从于其所隶属的货币管理当局的发行和管理。香港人民币业务已经开始，人民币在香港市场上的流量也在不断增加。但必须看到，两地利率市场化存有差距，且香港与全球金融市场整合为一，如果两地货币流通处理不当或产生问题，一方面有可能被大规模套利行为所利用，另一方面会影响中央银行货币政策的独立性、调控力和采取应急措施的有效性。当务之急一是要考虑如何将其纳入金融统计监测的框架，完善货币统计，全面、及时、准确地把握人民币境内通流的流量、存量和渠道变化。二是尽快建立人民币清算体系，以堵截大量人民币经地下钱庄等手段回流内地，以抑制对内地商业银行产生的冲击。三是要进一步加强人民银行与香港金管局在反洗钱和打击人民币假币之间的合作，加强两地钞票印制和防伪性能方面的技术交流，以维护法定货币的信用和形象。以防范腐败分子和不法商人将香港作为侵吞国有资产和公众财产、资本外逃和转嫁风险的“中转站”。

3. *处理好金融开放和金融监管的关系，实现两地货币资金流动的互补和配套。*随着内地与香港经济金融的日趋融合，由于两地经济金融体制和管理水平客观存在的差距和差异，两地金融市场对接和货币资金交易中会随时出现一些新情况和新问题。例如：(1)内地居民赴港炒股问题。随着“个人游”的启动，加上规定内地出境携带现钞和外币标准提高，内地银行又开办“境外消费、境内人民币还款”业务提供方便等，且港股吸引力大，由此赴港开户炒股的内地居民大有人在。据了解，这些股民大多以炒期货为最，其次是六合彩，甚至是变相赌博等，而港股没有涨跌幅度限制，中长线股票投资“天高皇帝远”，入股风险甚大。就法规来说，内地居民赴港炒股还涉嫌违反外汇管理规定，也有与洗黑钱、私募基金、地下钱庄等有联系，这关系到国家金融安全问题。(2)“地下保单”问题。CEPA 框架下，内地放宽到港旅游，不少内地居民通过“自由行”的方式前往香港购买保险，即所谓“地下保单”，购买者多为有相当经济实力的客户，其种类主要是返还型的投资分红险、年金、保障型和医疗型险种，如继续扩大，务必使内地资金大量流失，也会影响两地金融秩序和金融稳定。

由此看出，两地的“融合”果然重要，也会产生双赢的效率。但在“融合”背后，因为两地体制和环境方面的诸多不同，客观上存在有复杂性和困难性，这就要求我们在“一国两制”理论指引下，在 CEPA 框架下，处理好两地金融合作中的摩擦和问题，共同维护金融体系的稳定。

4. 加强两地金融监管机构的联系，逐步建立起有效的信息和风险管理系统。内地和香港两地金融合作的基本条件，一是要使市场有足够的货币资金流通量，二是要确保市场监管达到国际水准。这两个条件缺一不可，相辅相成。没有流通量的监管，监管就没有必要和失去意义；而没有监管的流通量，必然有巨大风险。香港的经验说明，金融立法、自由流通和严密监管，是成就其国际金融中心的三大法宝。目前重要的是要加强两地监管机关的常规性接触，加强在金融业和金融产品创新方面的交流和合作，加强对市场跟踪监测，逐步建立起有效的信息和风险管理系统，积极促进两地金融监管部门间的协调配合，确保监管机制的正常运转。

5. 创造有效监管的前提条件，营造有效监管的良好环境。实践证明，金融监管理念的转变和金融监管措施的实施，是促进金融业稳健发展的重要因素，但单靠金融监管是难以达到预期目标的。重要的还要创造有效监管的前提条件，如稳健且可持续的宏观经济政策、完善的公共金融设施、有效的市场约束、高效率解决金融问题的程序以及提供适当的系统性保护（或公共安全网）机制等。与此同时，营造良好的内外环境也十分重要，如两地金融人才的培训和提高、两地政府的经常接触和协调配合、保持经济发展的稳健态势、重视两地金融法律与制度的对接、建立完善的社会信用体系等。只有这样，监管才能真正有效和达到预定目标。

总之，在全球经济一体化和金融全球化的21世纪，内地与香港的合作已展示出势不可挡的广阔前景。这种合作应是优势互补的合作，是在市场竞争中的合作，也是互赢互利的合作。由此，两地的金融合作既要坚持以"融"为主，又要坚持以"管"为重。只有这样，内地与香港才能真正为共求合作、共同促进、共创繁荣做出贡献！

国际金融中心与深沪两地金融发展的经济学分析

陈建华

20世纪90年代后期以来，国际金融领域虽呈现出较大的波动，但国际金融形势总体上仍保持平稳，市场运作有序。我国国内金融市场健康平稳地运作，有力地促进了多项金融政策的实施和国民经济的发展。本文运用经济中的基本原理地对深沪两地金融发展的现状及其发展前景进行了分析。

一、国际金融中心发展的理论基础

当一个区域或城市的金融市场发展到一定的高度与深度时，就有了逐步成为国际金融中心的潜在可能。一些西方经济理论从不同的侧面分析了现代金融中心形成的必要条件。其中，产业区位论，规模经济论，金融深化论可以分别作为我国建设国际金融中心的借鉴理论。

1. 韦伯的"产业区位论"与国际金融中心定位

德国经济学家韦伯提出的产业区位论原本是一种工业布局理论。这一理论指出：每一产业所在的地理位置，是由多种因素所决定的，例如自然禀赋条件、交通通讯基础以及其他因素在经济上的合理性等。韦伯称这些因素为区位因子，包括自然因子、运输因子、劳动因子、市场因子、聚集因子、社会因子等。

该理论的适用范围为工业，其后延伸出中心城市理论，适用于研究现代金融中心城市的形成。金融产业由于其特殊性，自然因子、运输因子和劳动因子重要性相对降低，反之，市场因子、聚集因子和社会因子重要性则相对增高，其中具体表现为：①金融产业作为一种服务业，其市场是贸易、投资及其相关的或派生的各类金融服务活动。因此，必然选择市场广泛、经济活动密集的现代大城市为其中心。从这个意义上说，金融中心、贸易和经济中心往往存在着共生现象。②聚集因子在金融产业中尤其重要。像银行这样的金融机构只有聚集在同一地点才能为业务发展创造便利，同类金融业务之间又有相互的关系，而且不同类型的金融业务之间也存在着依存关系。这一原理决定了金融产业相对集中的要求。尽管现代通讯技术正在使传统的金融业务方式发生翻天覆地的变化，但仍然不会改变这一规律。③金融机构向中心城市聚集又是其企业社会形象需求的结果，是企业拓展业务的重要条件。因此，社会因子同样具有重要的作用。

其实，劳动因子在某种意义上也是金融中心的一个重要因子。这是因为现代金融产业需要一大批高素质的雇员，包括经济学家和金融专家，这也使金融必然落户于现代大城市。由此看来，以韦伯的理论可以论证区位因子在金融中心城市的形成中起到了重要的作用。

2. 马歇尔的"规模经济论"与国际金融中心定位

十九世纪末英国经济学家马歇尔提出的规模经济论也说明了国际金融中心形成的另一个

必要条件。规模经济理论认为：全部生产要素的同时变动会引起生产规模的扩大而使得产出量增加，单位产品的成本降低。在技术水平不变的情况下，某一种生产要素的变动对产量造成的影响会呈边际效益递减。而所有生产要素同时增加对产量的影响会呈现出规模收益递增，即生产规模扩大后收益增加的幅度大于规模扩大的幅度。因此，一个地区的金融业发展，不仅为各类金融机构提供了高效便捷的经营环境，而且由于金融业的内部关联，会使这一产业本身不断扩大和发展。金融业在一个金融中心城市的集中发展是金融业规模经济实现的必要条件。

3. 爱德华·肖和麦金农的“金融深化论”与国际金融中心的定位

二十世纪70年代初由爱德花·肖和R.I. 麦金农提出的金融深化论是关于发展中国家的金融发展理论。他们曾在出版的几部重要著作中提到“金融深化”和“金融抑制”的新概念，并且进一步提出了金融在现代市场经济中的作用，说明了后进国家有建立自己金融中心的必要性。

综上所述，学者们认为国际金融中心会在区位因子聚集化较高的金融中心城市中产生。同时，我国及其他发展中国家有必要大力建设本国的国际金融中心城市，目前我国的深圳与上海已基本具备国际金融中心的条件。

二、深沪两地金融地位与现状分析

1. 深沪两地历史及现代的金融地位比较

在历史上，深圳和上海这两个地区的金融地位可谓是天壤之别：民国时期，上海是全国最大的金融中心，是远东国际金融中心之一，拥有庞大的金融体系和辐射到各地的金融网络，它聚集了大量的社会货币资本，据1946年统计，其银行、钱庄的存款额占全国银行钱庄存款总额的43.5%。巨额在这里集散、吞吐，全国借贷利率和外汇汇率也在这里形成。而同一时期的深圳只是一个无名的边陲小镇，当地的原居民是一些渔民，这里毫无任何金融可言。

二十世纪90年代，以北京、上海、深圳、大连为首的多个城市曾提出建立区域性金融中心的目标。那时深圳和上海金融市场同时起步，蓬勃发展，股票市场火爆，外汇市场交易活跃，期货交易频繁。

2. 深沪两地金融现状的详细对比

斗转星移，在后来的十年中我国的宏观经济、金融情况发生了显著变化。一方面，上海自1992年提出建立国际金融中心的宏伟规划后，便加速金融业的改革和发展步伐，经过努力已成为全国金融业国际化和市场化程度最高的城市。据1997年的调查统计显示：上海有中资银行总行、分行18家，中资保险公司6家，非银行金融机构18家；营业性外资金融机构51家，代表处163家；金融网点3000家，从业人员50，000人，是内地金融机构最密集的城市。设在上海的中国外汇交易中心已与全国37个重要中心城市联网交易，共有成员交易所411家，上海成为人民币汇率的生成地。上海金融体系不断扩大，功能和作用也不断增加。另一方面，深圳自建立经济特区以来，金融业得到快速发展。1998年末，深圳商业银行资产总量达到5273亿元，金融机构本外币存、贷款余额分别达到3605亿元和2639亿元，营业性外资金融机构31家，代表处21家，银行机构网点数量达到1058家，金融从业人员达到2.4万人。

同时，两地金融发展速度均较快。由于金融机构的存贷余额及其增长幅度可以反映一个地区的经济规模、发展状况、资金总实力，等等。从1992—1999年深沪两地主要金融指标表

(见下表)中，可以看到：①上海金融机构存贷款余额增长稳定，在原有的基础上翻几番，一直保持着龙头地位，随着特区建设和发展，深圳从一个无名小镇发展成为一个全国举足轻重的城市，其金融机构存贷款余额迅速增加，现今存款余额稳居全国大中城市第4位，贷款余额居第5位，在经历了20世纪80年代与90年代上半期的大幅度增长后，进入了一个相对平缓的增长时期。但比较其绝对数值，与上海有相当大的差距。②深圳是中国改革开放的窗口，利用外资及对外出口始终是深圳经济发展的重要支持力量。虽然从实际利用外资的总量上看两地基本接近，但考虑到深圳城市规模较小，人口总数也不及上海，其吸引外资的能力及重要意义也就格外突出。相反，上海吸引外资的能力明显下降，连续几年出现了较大的负增长。

1992—1999 年深沪两地主要金融指标表

地区	年份	金融机构存款总额(亿元)	比上年增长(%)	平均增长速度(%)	金融机构贷款余额(亿元)	比上年增长(%)	平均增长速度(%)	实际利用外资(亿美元)	比上年增长(%)	平均增长速度(%)
上海	92	1051	36.5		1213	20.3		9	200	
	94	2248	64.3		1967	30.2		26	-18.8	
	98	6631	6.9		4813	15.6		36	-21.7	
	99	7097	12.3	31.4	5425	12.7	23.9	31	-16.2	19.3
深圳	92	550	82.7		371	32.5		7	23.4	
	94	933	42		642	27.9		17	21.4	
	98	2238	22.8		1550	28.8		26	-10.3	
	99	2559	14.4	22.6	1848	19.3	25.8	28	7.9	21.9

资料来源：《深圳与京沪穗经济统计数据比较分析》

20世纪90年代初，深圳、上海先后建立了全国仅有的两家证券交易所。此后股票指数不断创历史新高。2000年，沪市综合指数月末收盘8次创历史最高水平，显示出股市价格趋升的强势特征。2000年12月末，上证综合指数收于2073.5点，比1999年末增长51.7%；深证综合指数收于4752.8，增长58.1%。股市成交量大幅增加。2000年，深、沪股市累计成交额60,827亿元，共增长94%；虽然近两年两市处于低潮，但相信确系黎明前景象。

从以上分析中可以看出两地的金融发展有着不同的特点。上海的各项指标都充分地显示出其巨大的经济规模，雄厚的金融实力，呈现出“经济带动金融”的运行模式。相对的，深圳就展现出它的青春活力，金融指标增长速度之快为众人所惊讶，其金融模式为“金融带动经济”。

三、深沪两地金融优势的深层比较

目前，深圳与上海的金融运行现状各有特色，各有优势。他们的优势具体表现在以下几方面：

1. 上海金融业发展优势

(1)地理条件。上海地理条件得天独厚，交通通讯设施先进。上海地处太平洋西海岸中部，是连接我国与国际间的交通要道。另外，上海的交通通讯设施在中国也是处于领先地位。

(2)历史借鉴。上海曾经是远东金融中心。1842年上海被开放为通商口岸，设有国外银行分行，成为我国有史以来的第一家银行，1897年，中国自办的第一家银行在上海开业。作为东亚最大的城市，上海吸引了当时国内众多金融机构和投资者。抗日战争结束后，上海有中外银行、钱庄、保险公司、信托公司等四百多家。国内银行的总行三分之一设在上海，保险公司的总部几乎全部在上海。上海金融业集中了全国百分之四十以上的社会货币资本。其金融业务量、资本库存现金、存放款额均为远东都市之首，利率、汇率和金银市价左右着远东各地区金融市场价格，其地位远远超过当时的香港、东京、孟买，是名副其实的远东金融中心。

(3)经济基础。上海在我国经济发展中地位举足轻重。以上海为中心的长江三角洲地区是我国重要的经济区，其城市化、工业化水平比较高，形成了门类多样的工业体系，城市综合效益高于全国平均水平两倍。中国作为亚太地区的大国，需要一个国际金融中心作为国内外经济中心的桥梁和枢纽。上海是我国重要的商品集散和国际货运中转中心。因此，中国在金融方面要取得国际地位首先要靠上海。改革开放以来，上海金融业发展很快。具体表现在各种金融机构和从业人员的数量增长较快，服务业内容增长迅速，市场具有一定规模。金融电子化水平较高。银行体制改革进行顺利。有学者分析近年来上海金融发展迅速主要有两方面的原因：一方面，"八十年代的改革没有给上海太多的特殊条件，以财政分权为中心的改革要求上海继续承担较大的财政功能"。也就是说，上海不可能像其他地方那样在财政上得到较多的优惠条件。这就迫使上海走金融的道路，从金融这一渠道获得发展的资金来源。另一方面，90年代起全国的改革进入了全面建设社会主义市场经济体制阶段，这一历史背景要求一个金融中心城市的崛起。与此相应的是浦东的开发开放，给了上海全方位的发展机遇，尤其是金融业的发展机遇。

(4)人才优势。上海拥有大量的人才，经济理论基础也相对坚实。以复旦大学、上海财经大学为首的高等院校不断培养出一批又一批的专业人才。上海也吸引了许多外来人士共同发展城市金融。上海市为了加快发展高新技术和支柱产业，积极开展"引智工程"。引进外国专家、坚持"高定位"，是上海利用"外智"的一个显著特点。有报道指出：近年来，上海将引进外国专家的定位放在能够带动一个产业科学发展的高层次人才上。突出重点产业、重大项目和重点学科引进人才的主体地位，增强人才引进的高质量和实效性。据了解，国家与上海市为引进智力提供专项资助700多万元，其中70%以上项目取得显著的经济效益和社会效益。所以，现行的经济竞争也是人才、智力的竞争。

2. 深圳金融业发展优势

(1)地缘优势。深圳毗邻香港，具有良好的地缘优势。众所周知，香港是国际金融中心，是巨额国际资本集散地，每年约有10，000亿港元的流动资金可用于投资。深圳与香港山水相连，两地金融合作的条件得天独厚。深圳借助香港的金融地位，成为一个外向型为主的国际金融中介地，包括：一方面将国内对国际市场的需求引导过来，同香港联手开拓业务，扩大香港国际金融市场的腹地；另一方面引入国际金融市场的经营管理模式，成为对内地具有吸引力的资金集散地。

(2)外贸优势。深圳作为沿海经济特区城市，其进出口贸易方面有着比较优势。1999年，深圳进出口总额达504亿美元，较上海高出120亿美元。这个优势主要归结于地缘优势：以"寸土寸金"而出名的香港在市场不断发展的同时面临生产成本、劳动成本不断增加的问题。正逢此时，深圳被定为改革开放窗口城市，国家对外资企业给予了大量的优惠政策。于是，港商在此投资建厂，雇佣当地劳工，红红火火地办起“三来一补”企业——这就形成了近十年“前店后厂”格局。深圳的进出口产业也就因此而被带动起来。

(3)资金优势。深圳资金流动市场发展迅速，成为国家境外资金流入的窗口。据统计，每年近千亿的资金于深圳集中，其中外汇占一半左右；而在这部分外汇中有80%来自香港。这又进一步说明了深圳与香港在金融发展方面的联动关系。那么，这些优势是否有利于深、沪两地建立国际金融中心呢？结合本文第一部分的国际金融中心发展理论，我们可以得出如下推论：根据产业区位理论分析，在市场因子与聚集因子方面，上海有相当大的比较优势，深圳金融的市场密集度与聚集程度都较上海同期有相当大的差距。上海由于其所处的地理优势以及辐射能力，有必要且有可能成为国际、国内金融中心。而深圳在地理位置上濒临香港这个已具有雄厚实力和完善体制的国际金融中心。纵观世界经济现状，还没有如同深圳与香港这样两个邻近的城市均成为国际金融中心的先例。所以，将深圳建成为国际金融中心的动力也就没有上海那么足了。再考虑到经济规模，上海拥有充分的条件优先成为国际金融中心，深圳则需要进一步的积累。

四、深沪两地金融发展的互动模式

虽然深圳难以与上海同期成为同等规模和深度的国际金融中心，但是两者之间的经济、金融联系将不断深化，互动将不断加深，这是全球经济一体化的必然结果。那么两者之间的互动模式将趋于何种态势呢？

1. 模型一：深沪两地涉外金融定位互动模型

在探索两地金融互动模式之前，我们需要做两个假设。现行的城市规划中，把上海建成国际金融中心这个目标已被明确。所以第一个假设是：上海已真正建设成为国际金融中心。第二个假设是：深圳在国际经济定位中和香港息息相关，连为一体。当以上两个假设成立时，中国将有两个国际金融中心区。这就存在两败俱伤的潜在可能。为保证国家和地区经济长期稳定、繁荣发展。我们认为上海与深圳应进行分工合作。下面的模型为：深沪两地涉外金融定位互动模型。

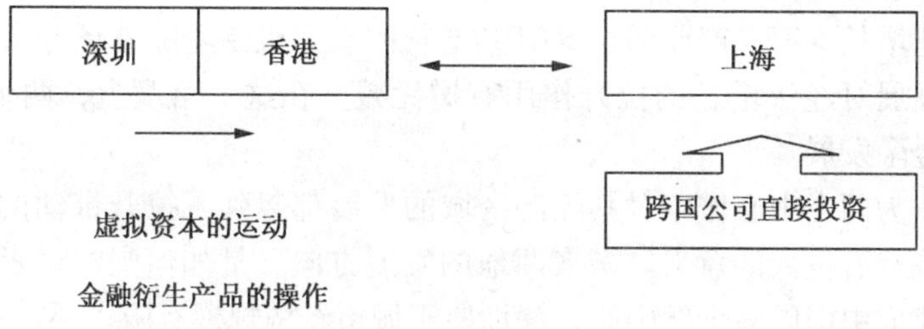

（模型一：两地涉外金融定位互动模型）

在模型一中，深沪两地的关系是分工合作。模型中根据两地不同的优势做出如下设想：上海的国际业务将主要面向跨国公司的直接投资，并为其提供与生产、贸易等实体经济活动有关的金融服务；而与实体经济无关的虚拟资本运行，如保值、套利、避险有关的金融衍生产品的操作等，易于产生因短期资本流动性过大而引起市场宽幅波动，对资本市场的国际化、自由化程度以及金融监管的水平要求更高，而且要求有一个更加开放的金融市场包括资本项目的自由兑换。毗邻深圳的香港在这方面具有明显优势。模型中认为深港两地的金融机构可以相互延伸、相互渗透、连为一体。这样，一方面深圳为香港金融业拓展了发展空间，另一方面香港为深圳金融业扩充了实力，实现了国际化。在具体操作中，深圳方面要积极引进香港大的金融机构在深圳设立分支机构，放宽港资中小银行在深圳设立分行、办事处的限制；鼓励深圳金融机构在香港设立分支机构。同时考虑到香港写字楼租金和劳动成本昂贵，深圳金融业又有一定基础，香港金融业务部分作业可以转移到深圳。

2. 模型二：深沪两地国内金融定位互动模型

模型一所涉及的是深沪两地在香港的基础上所产生的间接互动模式，而且是对未来发展做出的一种可能性的设计。但提及到两地在国内金融定位的互动，模型如下：

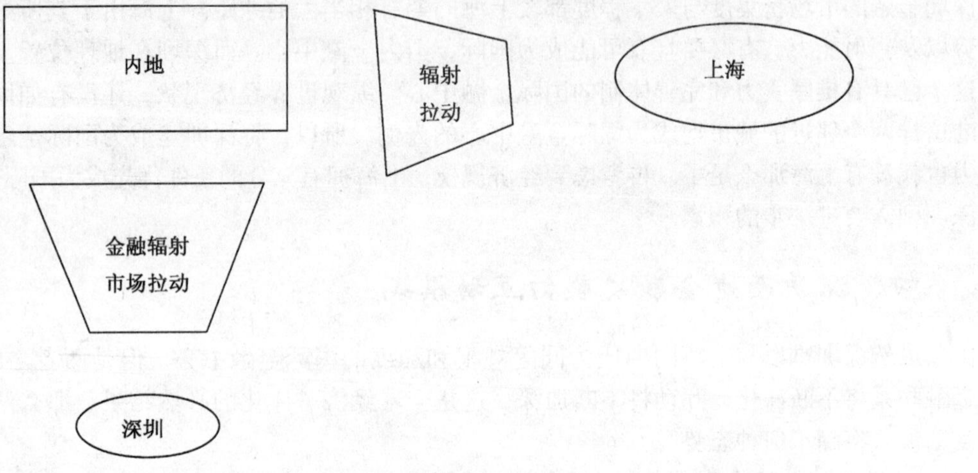

（模型二：两地国内金融定位互动模型）

模型二中，深圳与上海在地域上相距较远，金融市场建设的规模、能量、社会聚集程度都有相当大的差别，所以不考虑两者的经济融合。而设计两地从祖国的南方与东方一起对内地市场进行金融辐射和市场拉动。两个城市之间存在借鉴与参考的关系。这其中最为典型的例子是深沪两地的证券市场。随着信息时代的到来，通讯科技的大大提高，通讯手段日新月异，从网络上可以方便了解两地最新的证券市场行情，并加以分析比较，使两个市场每天的走势基本吻合。有学者曾调查指出：近期经济增长的内在逻辑构架存在着股市增长＞证券业增长＞金融保险业增长＞第三产业增长＞GDP 增长的动力机制。随着证券市场双向扩容的不断发展，证券业发展对经济增长的拉升作用有增无减。在这一角度上，两地可以联合互动，共同带动全国的金融发展。

深圳和上海作为两个中心城市对其经济区域的发展都起到了拉升带动的作用，它们的繁荣发展对中国经济有着重大的意义。未来两地的发展方向又是如何呢？笔者认为，上海有许多优势可以早日建成中国国际金融中心；深圳鉴于城市经济规模有限，还需和香港密切合作，继续积累经济实力。

香港人民币离岸市场发展路径与深港金融合作

刘　群

近来，一些专家建议，允许指定在港银行收取人民币存款，将存款回流到中国人民银行，并按储备利率支付利息，使香港成为人民币离岸中心。由此产生的如何在香港建立人民币离岸金融中心的问题，就成为内地金融界与香港金融界共同关心的一个重要问题。在内地与香港关于建立更紧密经贸关系安排(CEPA)的框架下，香港银行在港试办人民币离岸业务，可谓是又为CEPA增添了新的内容。

一

香港的人民币离岸中心可以有狭义和广义之分。狭义的人民币离岸中心是指香港金融机构只在中国大陆以外的地区从事人民币存、贷款及其他业务；广义的人民币离岸中心是指香港金融机构除在香港以及海外地区从事人民币业务外，还可以向中国内地提供人民币服务。但是，香港金融机构向内地提供人民币服务时，必须得到内地货币当局的批准。

企业是金融市场上最为活跃的资金使用者。目前，许多进入中国市场的香港企业或者一些跨国公司为了避免货币错配风险，在大幅减少借入外汇贷款的同时，却对人民币资金保持了相当旺盛的需求。

边贸以其独特的形式在推动着人民币的国际化。据调查，在中国的边贸中，人民币已经成为相当有影响力的货币，边贸活动的活跃无疑会累积相当比例的人民币。在中国与亚洲各国的贸易中，目前的计价货币主要是美元，这一方面有历史的因素，另外也可能是商品最终需要出口到美国市场。随着中国经济的发展，中国与亚洲各国的贸易中，会有更大比重的商品是亚洲各国出口到中国市场的，因此，对于这部分商品贸易用人民币计价，可以导致对人民币资金需求的增加。近年来，由于人民币币值稳定且呈上升状态，汇率风险小，加上一些边贸地区外汇储备短缺，外币结算困难，这些地区开始了以人民币计价结算的方式对我国进行双边贸易。目前，除了缅甸和老挝政府规定人民币不能进入其边境地区20公里以外，其他国家如蒙古、俄罗斯、朝鲜、越南、柬埔寨等对人民币在其境内流通一般不加限制。人民币由于币值稳定，购买力强，尤其是在亚洲金融危机中花费了巨大成本树立起来的信誉更使得人民币已经成为上述地区的主要货币，并被上述地区的边民用来储藏作为保值的工具。毫无疑问，随着中国整体经济实力的增长，对外经贸和旅游业的推进，人民币将越来越“国际化”，流出的数量将越来越大，并将自然而然产生一定的人民币离岸业务。而在人民币仍不能完全自由兑换、资本流动仍受控制条件下，散落在亚洲各地区的人民币难以循正常途径回流内地。因此，如果香港银行开办人民币业务，滞留在各地的人民币就可能被吸引至香港金融体系，这既有助于当局对人民币流向的监管，又可促使香港成为全球的离岸人民币中心。

在各种形成境外人民币供给的渠道中，人民币现钞携带出境是一个较为易于观测和估计的渠道。实际上，人民币在香港的流通和现钞兑换由来已久，但具规模且具统计意义的却是在1993年允许境内外居民出入境时，每次可携带6000元以下人民币现钞规定之后。据统计，目前在香港的人民币一年的流量大概在700亿元左右，另据测算，在1996年到2001年之间，香港共接待了内地游客1890万人次，假定2002年由于取消访港游客数量限制的原因内地游客增长50%，随后假定每年增长15%，并且这些游客将法定可携带的6000元人民币中的一半花在香港，则2005年香港市场的人民币流量规模会达到1570亿元。如果这些游客把法定所携带的人民币全部花在香港，则2005年香港市场上的人民币流量会达到3130亿元的规模。今天，随着CEPA的签署，个人旅游计划的实施，访港旅客的不断增加，香港流通的人民币数量已经越来越多。如何为庞大且不断增长的滞港人民币存量建立安全和有效的回流机制，已是不容回避的现实，亦是香港和内地经济进一步密切交往的前提。

由于缺乏固定渠道，在香港流通的人民币难以循正规途径回流内地金融体系。然而正是因为滞留在香港的这笔庞大的人民币存量，也为其自身创造了各种人民币需求业务，如兑换、汇款等，但这些业务的主流非由银行经营，而是由找换店、钱庄甚至非法地下渠道经营。例如，据统计，香港宝生银行每年兑出人民币大概为2亿元，按香港经营人民币兑换业务的银行为八九家推算，估计每年由香港银行兑出的人民币约为12亿—18亿元；而其他方面的香港人民币资金需求主要由香港100多家人民币找换店或其分店通过非正规渠道流出的人民币资金来解决。如果以每间找换店铺平均每月维持生存最低需要5万港元（租金加生活费）的收入计，全港以200间找换店铺推算，全年双边人民币买卖额至少应达1270亿元（1200亿港元），单边人民币资金需求至少为636亿元，可见香港市场人民币资金需求相当大。

滞留在香港的这笔庞大的人民币存量基础上衍生的各种需求可以归纳为两类。

第一类是港人到内地旅游、消费、探亲、公干等小额资金需求。据统计，进入20世纪90年代以来，香港居民回内地人数就达千万人次，是内地游港人次的数倍以上，特别是近年，香港经济不景气，财富缩水，北上消费大幅增加。虽然港人可以通过旅行支票、信用卡、提款卡或外币到内地兑换人民币，甚至在广东一带亦可直接用港币消费，但出于安全和方便考虑，港人一般都在离港前兑换所需人民币。在人民币没有放款出路的情况下，香港人民币的主要需求也只能是各类回内地活动的人员，他们日益扩大的需求，为银行和找换店的兑换业务提供了不断扩展的空间。据报道，2001年10月，中国人民银行深圳市中心支行曾委托深圳海关作过连续3天的抽样调查，结果数据表明：通过深圳口岸入境的非居民当中，携带人民币的占91.7%，人均携带人民币1231.9元。

第二类是金融资产及实业投资的大额资金需求。部分港人在内地买楼、投资A股、以及进行实业投资皆需要部分人民币资金。

尽管人民币不能自由兑换，进出境受数量控制，香港银行也没有诱因开展人民币业务。但由于香港沉淀了庞大的人民币存量，随着两地的密切交往，客观上产生了对人民币的各种需求，衍生出各式人民币业务。而在制度限制及缺乏利诱下，香港银行未能主导各项人民币业务，却由找换店、钱庄及其他非主流渠道扮演主角。这不仅不利于当局掌握人民币流向，而且为地下渠道利用监管漏洞图利提供了条件。因此，如果香港银行从事人民币业务，则人民币资金活动就有可能由地下转入银行体系。这样，一方面银行可满足港人旅游、探亲、公干、消费等小额人民币资金的需求；另一方面，可通过兑换、汇款和信用卡业务满足港人到内地进行贸易和投资等大额人民币需求。这不仅可以把香港客观存在的人民币业务纳入经济体系，而且还可以进一步推动香港银行业的发展。

二

如果按照现状维持当前的人民币在香港流动的半地下格局，那么，要准确掌握人民币在境外流通的规模几乎是不可能的，因为人民币在香港的流通基本上是商业银行体系之外的，中央银行难以对其进行监控。

对于中国内地的金融改革来说，人民币离岸市场的积极意义主要表现在：

首先，监管当局便于掌握人民币境外流动规模的变动，从而相应采取措施。

其次，人民币离岸市场在香港的发展可以形成一个完全市场化的人民币利率指标。目前，中国的利率市场化推进已经有了长足进展，但是，考虑到内地国有银行的承受能力，以及主要借款者国有企业的承受能力，目前的利率市场化推进幅度还相当有限。但是，中国金融市场的发展又必须要有一个在市场化基础上形成的利率指标来作为各项金融决策的参考。因此，如果能够充分利用香港的市场条件，通过吸收境外流通的人民币，在香港形成一个市场化的利率指标，对于中国的人民币利率市场化和金融市场发展应该是有参考价值的，因为在自由市场形成的人民币离岸存款利率或其他利率，能较好地反映商业风险。

第三，人民币离岸市场的发展也可以为中国内地的外汇市场调节提供参照。尽管中国在加入世贸组织之后并未承诺放松资本项目管制，但随着金融服务业的发展，继续保持对资本项目的管制对于经济金融发展必然形成阻碍。再加之由于目前中国内地的外汇市场并不发达，也缺乏回避外汇风险的足够的金融工具，没有外汇市场的各种指标作为参考，中央银行的外汇政策调整也缺乏足够的市场依据，而人民币离岸市场的发展则可为此提供一个参照。

第四，人民币离岸市场在香港的发展还能够带动中国与亚太地区经济合作的深度。中国政府正在倡议在亚洲推行区域性的自由贸易区架构，在自由贸易区的框架下，区内各国经济联系会趋于紧密，如果人民币具有足够的国际化程度，那么，原来区内各国作为以美元计价的、向发达国家争夺出口市场的竞争对手，可以转化为以人民币计价、向中国市场出口的更为紧密的经济联系。

第五，在当前的国际环境下，在国际贸易中更多使用人民币结算，还可以舒缓人民币升值的压力。放开人民币使用限制，意味着更多人民币将流出境外，客观上要求设立人民币离岸市场处理境外人民币的汇兑、存储、结算及回流业务。香港办理人民币业务，逐步形成离岸中心，可以充分利用香港完善、高效的银行体系获取市场运作经验，推进人民币国际化进程。

总之，香港试办人民币业务的意义，在于它通过建立和强化香港的金融基础设施而为日后香港成为人民币离岸中心，开展全面广泛的人民币离岸业务提供基础和平台。随着中国经济金融实力的增强，人民币的强势已现端倪，目前已是亚洲地区的主要货币。随着中国经济快速增长，市场逐步开放，国际经济及投资活动日益频繁，人民币离岸业务将不断增加及深化，以人民币为基础的金融产品将持续得到开发，市场容量及业务机会将随之扩大。例如，随着海外上市(主要是香港)以及海外投资活动的增加，内地企业对人民币离岸资金的需求将上升；同样，投资中国的外国公司人民币贷款需求亦会增加；而金融投资市场的发展，也会促使以人民币为基础的金融工具的大量涌现，等等，这一切都会大大提高离岸人民币的交易量，为香港从事人民币的各种离岸或国际业务活动提供大量商机。

香港如果能成为人民币离岸中心，将是相当长时期国际上惟一的人民币离岸中心，它不仅可为香港增添独特优势，还可巩固香港现有国际金融中心地位，香港极有机会借助人民币离岸中心的建立，迎来金融业发展的新高潮。

三

可以说，香港建立人民币离岸中心需要有内地金融界的支持，更需要深圳金融界的支持。其理由是，其一，香港银行在本港开办人民币业务后，轧平头寸需要中国人民银行帮助解决。其二，允许香港的银行将吸收的人民币现钞存放深圳人民银行或商业银行得以获息。其三，人民币离岸业务的发展，自然会要求内地和香港之间开通人民币结算，这必须得到中国人民银行的首肯。如果有这几方面的支持，香港银行就可以大胆地在本港从事人民币业务了，香港的人民币市场就会由目前的找换店所主导转为由银行来主导。

深圳、香港的金融合作重点是避免香港人民币市场对国内金融市场构成大的冲击。其合作内容应当包括：

第一，共同打击人民币走私和洗钱。双方应当建立定期的信息交流制度，对于大额的人民币交易实行监控，同时，对两地资本流动（尤其是以人民币形式出现的资本流动）进行监测，防止香港成为人民币洗钱中心。

第二，做好香港市场人民币头寸的平衡。当香港市场人民币出现严重短缺时，允许香港银行向深圳的银行拆借。当香港人民币出现多头时，可允许香港银行将人民币头寸拆放给深圳的商业银行（含外资银行在深圳的分支机构）。

第三，当条件许可时，允许香港银行向深圳的客户发放人民币贷款，但香港银行不得在深圳从事人民币的存款。

第四，由于香港市场人民币汇率是由市场决定，内地不得进行汇率限定，因此，当香港市场人民币汇率与内地市场出现较大差异时，深圳和香港的银行可以进行联合市场干预，以避免其冲击国内市场的人民币汇率。

第五，由于香港市场人民币利率不受中央银行的管制，因此，当内地与香港市场的人民币利率出现较大的差异时，经过香港金融管理局的许可和中国人民银行的授权，深圳人民银行可以借助“市场自动调节机制”，通过向香港注入或回收人民币的形式，调节香港市场的人民币利率。

总之，通过深圳、香港的金融合作，可以循序渐进、稳步地发展香港的人民币离岸业务，可以解决香港人民币市场发展中所出现的问题，并使其影响限制在深、港两地而不会影响到全国的金融大局。并在香港人民币市场的发展对国内金融市场不会构成大的冲击的情况下，还可以逐步放松香港银行从事“在岸”人民币业务的口子，使香港不仅成为一个重要的国际金融中心，也成为一个重要的国内金融中心。

深圳发展国际化城市面临的金融问题

国世平

一、金融业对深圳市的国际性城市发展有重要作用

从中央决定在深圳建立经济特区并将两个证券交易所之一放在深圳开始，深圳就具备了建立区域性金融中心的重要条件。目前金融业与高新技术产业和物流业一道成为深圳三大支柱性产业。经过二十余年的飞速发展，深圳已初步建成以银行、证券、保险为主体，其他多种类型金融机构并存的现代化金融体系，已经具备了相当的实力和基础。2000 年金融保险证券业增加值 213.2 亿元，是第三产业中的第一大行业。从金融业对经济增长的贡献来看，2000 年深圳金融保险业对经济增长的贡献率为 6.7%。目前深圳银行、证券、保险业机构密度、外资金融机构数量以及从业人员比例均居全国前列，国内主要金融机构在深均设有分支机构，现有国内金融机构 55 家，外资金融机构 49 家，与境外 180 多个国家地区 300 多家金融机构建立业务代理关系。到 2000 年底，拥有金融机构网点 1400 多个，金融从业人员 4 万多人，创造的增加值约占全市的 13%。2000 年末全市金融机构各项存款余额 3169 亿元，比年初增长 23.9%；全市金融机构各项贷款余额 2292 亿元，按可比口径计算比年初增长 28.2%。2000 年，深圳金融机构各项存、贷款余额均居全国大中城市第 4 位，信贷投放创下历史新高。金融存量超过全市 GDP 的 3.5 倍。

在区域性金融中心的七大条件中，深圳目前至少具备五个条件。

第一，政治、经济、社会环境安定。目前深圳特区仍然是举世瞩目的焦点。政府给予深圳的政策优惠和特别扶持，尽管因为普及全国而逐步丧失了优势，但是深圳作为目前中国开发和建设得最好的一个特区，政府的各种支持还是没有变。如今的深圳拥有中央给予的特别立法权，其政府的精简和行政效率在全国都是最高的。中央对深圳充分发挥四个窗口的作用，大胆尝试、大胆创新也给予充分的肯定和支持。深圳在经济上取得的成就和相对完善的投资环境，正吸引了全世界的目光。深圳良好的城市规划和城市环境，使深圳被评为“国际花园城市”，空气指数也一直居优，这也使得深圳不仅是投资创业的好地方，也是居家生活的好去处。深圳民警之多，执法之严格和规范，再加上特区关口的设立，对深圳减少各种形式的违法犯罪，做出了巨大的贡献。目前深圳是中国法制化程度最高的城市之一，市民的法律意识在整个中国来说也是最强的。

第二，金融工具种类繁多，二级市场交易量大。深圳是最早打破四大专业银行垄断局面的城市。它最早引进外资金融机构，积极发展股份制银行、商业银行、证券交易所和保险公司，其金融种类齐全，为数众多。拥有金融机构和网点数千家。深圳初步建立了多元化的金融市场体系。有外汇市场，同业拆借市场和票据贴现市场、保险市场、金银饰品市场、证券市场和期货市场等。其中证券市场是全国性证券市场之一，上市证券品种多达 500 多种，形

成了以A股、B股股票证券为主，企业债券、国债、可转换债券、基金等各类投资品种并存的市场格局。目前深交所拥有会员600余家，遍及全国所有省市自治区，拥有开户股民2000多万人，并创造过日成交400多亿元的纪录。2000年深圳证券市场交投活跃，全年深圳证券交易所总成交金额33143.78亿元，比上年增长103.2%。其中股票总成交金额29452.79亿元，增长105.2%。深圳证券交易所是我国两大证券交易市场之一，深圳也成为全国券商数量最多的城市。券商的业务总量等主要指标约占全国的25%。期货市场也开展外汇期货、国债期货等业务，黄金珠宝饰品年产值在200亿元左右，占全国的一半以上。

第三，拥有大量的优秀金融人才及迅速、便捷的交通、通讯设施。作为中国两个证券交易所之一的所在地和中国最多的证券商聚集地，以及招商银行、民生银行、深圳发展银行的总部所在地，自然也是中国金融人才的聚集地。到2000年底，深圳拥有金融机构网点1400多个，金融从业人员4万多人，深交所还建有博士后工作站。目前深圳正提供优厚条件，大力从世界各地，特别是香港地区和海外留学人员中大量引进高素质的金融人才。

深圳的交通和通讯等基础设施建设，在全国长期居于领先地位。

深圳交通包括海、陆、空交通网。陆地有京九铁路、广深铁路、广深高速公路、107国道等重要干线。城区内深南大道和滨海大道横贯东西，深南大道素有中华第一道之称，其道路设计的前瞻性(中国最早建有8车道的大道)、科学性，以及道路环境建设，至今都成为深圳的一道靓丽的风景线。滨海大道是耗资144亿元人民币填海建设而成的，有10车道，其道路之平之顺畅，也堪称中国之最。另外深圳地铁也在建立之中，深圳地铁建成之后，对深圳交通又提供更多的便利。在海上交通方面，深圳有盐田港、蛇口港等重要港口，盐田港是目前亚洲第二大港口。在空中交通方面，目前深圳的黄田机场有数十条航线，通往全国各重要城市；深圳机场还成为中国最重要的国际货运机场之一，深港的直升机航线的开通，使深港之间的航程缩短到了十五分钟。目前深港正在筹建中的西部通道和港深穗高速铁路开通后，深圳和香港之间的联系将更加紧密。

在通讯基础设施方面，深圳是中国目前高新技术产业的产值占GDP比重最高的城市。而深圳的高新技术产业又主要是信息产业。以华为、中兴通讯、长城、康佳和深圳TCL为代表的国家重点通讯企业，以及以EPSON、菲利浦、三星、三洋等国际著名通讯跨国公司在深圳的分公司和生产基地，支撑了整个深圳通讯信息业的迅猛发展，对整个中国的通讯业也有相当的影响。

第四，深圳背靠香港，地理位置优越。深圳的崛起与背靠香港密切相关。可以说如果不是深圳背靠香港，也就不可能会在深圳建立经济特区，也就不会有深圳的今天。深圳毗邻香港的地缘优势是全国任何一个城市无法比拟的。

目前香港是远东的国际金融中心，其金融市场为全世界提供服务。其回归之后尽管是中华人民共和国的一个特别行政区，但是在经济上，大陆仍然将港资列为外资，在大陆很多领域的投资，港资与外国资本一样受到严格的限制。如今香港经济发展趋于困境，如果没有大陆作为香港进一步的腹地，香港经济的发展前景将缺乏后劲。

目前在香港有货币发行权的三大银行中，中国银行就是其中的一家。香港的创业板自1999年设立以后，至今只有121家公司在此挂牌上市，与美国的纳斯达克相比有相当的差距。而香港自制造业内迁之后，能够在香港创业板上市的本地公司资源明显不足，而目前的国际金融中心的业务竞争又非常激烈，香港金融市场要扩大运营规模，关键还得依靠具有巨大市场潜力的大陆市场。当前中国经济正处于持续、快速、稳定发展时期，大批企业需要从资本市场获取直接融资，特别是随着中国企业快速融入国际市场，也急需从国际金融市场获取直接融资。但是，就直接融资来说，一则中国证券市场的证券发行还刚由审批制变为核准制，对国内公司上市有较高要求。且能够在深、沪两市上市的国内公司还主要局限于国有企业，大批效益好、规模较大的民营企业和外资企业，限于此还无法从国内资本市场获取直接融资。二则一些需要开拓国际市场的大陆企业，更希望能够直接从国际资本市场上获取直接融资，而在这方面中国除在国际金融市场多次发行债券外，在大陆以外的上市公司除了四家网络公司和亚信在美国纳斯达克挂牌上市外，绝大多数都是在香港的主板市场和创业板市场上市融资的。并在香港联交所形成了“红筹股”、“H股”板块。三则内地各地方政府都在大力推动发展高新技术产业，一大批民营企业、高新技术企业和中小型企业都急需改制，规范化经营，并获取直接融资以迅速壮大提升自身的竞争力，但苦于国内的二板市场迟迟得不到推出，而无法实现，构造条件到香港创业板上市无疑是其当前重要出路。

目前香港的金融业急需向中国大陆地区扩展市场，但限于当前内地与香港之间的制度壁垒，因而需要一个合作伙伴予以辅助。而内地企业又希望通过香港进入国际资本市场，而少于经验且面临政策限制，也急需一个通往香港和国际资本市场的桥头堡。这一合作伙伴和桥头堡的选择，无疑是深圳最优。一则深圳是中国发展得最好的经济特区，任何改革开放政策的试点和创新都大多从深圳开始。深圳是最早打破四大专业银行垄断局面的城市，它最早引进外资金融机构，积极发展股份制银行、商业银行、证券交易所和保险公司。随着深圳金融业的进一步发展，深圳必将成为中国金融开放程度最高和金融制度最完备的城市。二则深圳的金融市场对中国来说已经相当完备，各种金融工具和金融产品市场都初具规模。再加上中国政府已经决定将未来的二板市场建立在深圳，这使得深圳金融市场更具有发展产量。三则深圳和香港的金融合作和衔接历史悠久，层次也相当高，再加上深圳经济一直是种外向型经济，对港澳台以及国际市场都相当熟悉。这些条件都有利于深圳金融市场成为连接内地与香港金融市场及国际金融市场的区域性金融市场和纽带。

第五，深圳金融的营业范围偏向区域性。对外主要是作为香港金融市场的补充，对内来说，近年来，深圳一些重要的金融机构在积极拓展本地业务的同时，还积极将触角伸到全国各地。如发展银行、招商银行、平安保险公司已在北京、上海、新疆、海南、广州、大连、珠海等地设立了分支机构或办事处，积极开拓异地业务。目前深圳金融与内地金融的资金融通日益增加。深圳市场货币流通量的70%来自异地。这表明深圳已经发挥聚集资金的功能，真正成为国内资金的重要集散地，并形成以深圳为中心，货币在区际间流动的新格局，深圳已逐步形成区域性金融中心的雏形。

二、深圳金融作为国际化城市的配套存在的不足

当然，就目前深圳金融业的基础和现状来说，要发展成为一个与国际化城市相配套的区域性金融中心还存在一些不足和困难。

第一，国际化程度不高。深圳目前虽然拥有数十家外资金融机构，其资产总额超过数十亿美元，仅次于上海，列全国第二，但离国际化的区域性金融中心的要求尚有很大差距。而且目前国内中外资金融机构业务单调，没有真正形成良性竞争。外资机构由于从事境内业务受到诸多限制，其主要精力只能放在境外和离岸业务方面；而国内金融机构对境外业务和离岸业务不甚熟悉，同时缺乏经验，所以一直以境内及人民币业务为主。而外汇存贷款业务量较小，分别占总存贷款的26.73%和29.61%。只有招商银行这一家国内银行开展离岸业务，

业务量可谓是微不足道。

第二，外汇管制使深圳缺乏一个资金自由流通的环境。自深圳经济特区成立之日起，港币就成为深圳的流通货币之一。迄今在大陆流通的港币约占其发行总量的1/4。后来海关又放宽了港币进入深圳的限额。但实行外汇制度改革后，反而禁止港币在深圳流通。目前香港许多金店、商店已经收受人民币，人民币在香港已部分流通，而深圳却禁止港币流通，这给深港经济带来了不利影响。此外，实行结售汇制度，国内企业取消外汇留成，也会对企业向海外拓展业务造成某些不利影响。

第三，金融立法进展缓慢，严重滞后于金融发展的需要。迄今，中国立法机关全国人大或人大常委会尚未颁布过一部完整的金融法律，而只有一些国务院颁布的行政性条例，深圳尽管有省级立法权，但也没有超出过中央关于金融业和各项立法的影响范围。

第四，国有银行尚未真正建立起现代企业制度。目前，深圳的国有金融机构与内地并无多大区别，仍然是政企合一的混合体，更多地带有行政机关的性质，尚未明晰产权，未能真正成为自主经营、自负盈亏的独立法人实体。中央银行对金融的管理仍然以行政手段为主，专业银行在发放贷款时没有充分的自主权，往往要受政府干预，没有真正成为商业银行。

第五，对金融机构缺乏有效的监管。目前央行采取用信贷规模、比例管理和资本充足率对各专业银行进行直接管理，这种管理方式有时对政策性业务和商业性业务难以界定。许多非银行金融机构的经营往往超过业务许可证的界定。而且对证券、保险、再保险等监管力度不够，经常造成金融活动、金融秩序的混乱，如“利率大战、储蓄搬家”时有发生。

第六，商业银行规避风险能力不强。目前深圳企业的产权成份日趋复杂，许多企业历史短、规模小、流动性大，给银行判断贷款风险增加了难度。同时，我国实行有管理的浮动汇率和弹性利率制，使商业银行不得不面对汇率和利率波动无常造成的风险，并力争从价格杠杆的间接调节中得到好处。无纸化国债、外汇市场的兴起，使得商业银行的资产负债表呈现出多元化，债权债务结构和期限结构也发生了较大变化，这给资产负债管理，特别是流动性管理提出了新问题。而国有商业银行大多尚未脱离行政化管理的模式，很难适应这一系列新的转化，因而缺乏很强的规避风险的能力。

第七，金融竞争不太规范。深圳目前金融机构与人数之比为1∶3571，金融从业人员与总人口数之比为1∶138。银行及非银行金融机构数量众多，为了牟取高额利润，展开不正当竞争，擅自或变相提高存款利率、违章拆借资金、非金融性公司私下融资等现象时有发生。

三、深圳市金融作为国际化城市配套所锁定的目标

深圳金融要实现其与国际化城市配套，便需要实现“现代化、多功能、开放型的区域性金融中心”的目标。深圳未来必须进一步改革，并充分发挥深港金融的互补优势，首先使深圳成为一个区域性的金融中心，并以此推动深港共同成为亚太区域性的国际金融中心。

第一，建立和完善金融市场体系。一是要积极培育货币市场，拓展同业拆借业务。早在1984年，深港就开展了资金拆借业务，取得了一些成效。但这个市场很不成熟，而且仍然受到计划经济的严格控制。甚至在资金需要从紧时，政府仍对其进行规模控制。对拆借市场要引入市场机制加以改造，使它真正市场化。香港金融业资金很充裕，而深圳却相对缺乏，深港两地应该在货币市场方面加强合作，进一步扩大同业拆借业务，同时应该让深圳的外资银行参加人民币市场的拆借业务，这不但有利于搞活人民币和外汇资金，而且是实行深圳金融国际化的重要一环。此外可以考虑让香港的金融机构代理发行短期债券，以解决深圳企业资

金不足的困难。二是要借鉴香港经验发展外汇市场。深圳外汇市场建立于1985年11月。10多年来，经过不断努力，已初具规模，但仍不能满足深圳经济发展的需要，可考虑借鉴香港的先进经验，进一步扩大外汇买卖业务。发展深圳外汇市场要按照国际惯例办事。这需要提高国有金融机构的整体素质，如切实加强金融机构办理外汇买卖业务的管理；培训外汇交易人员，提高他们的业务水平；提高企业的风险意识，引导它们主动防范外汇风险；放宽外汇管制，在特区内尽快地实现人民币自由兑换和外汇自由出入。在建立市场架构方面，可采取香港建立无形外汇市场的模式，这种模式不但可以节省交易费用，而且快捷简便，可由各银行的外汇部门、外汇经营银行和企业共同参与，通过电话和专线电话机连接起来的交易网络进行交易。三是要建立国际化、开放型的证券市场。深圳证券市场经过几年的发展，目前已成为具有一定规模的开放性的全国市场。但是由于规模的扩大，现行的管理架构已日益不适应深圳证券市场的迅速发展，因此需要建立一个高效的证券市场管理机构——深圳证券监管委员会，它可作为隶属于深圳市政府的常设机构。其职责主要为：一是制定本市证券市场的总体规划；二是根据证券市场的实际需要拟出有关证券法规草案交人大讨论审批；三是对证券发行和上市进行审批；四是依据法规监督和管理证券经营部门和上市公司证券交易行为；五是纠正和依法惩处证券交易中的违法行为。从国际范围来看，成立证券监管委员会对证券市场进行统一监管已被许多国家证明是发展证券市场的成功经验。香港也开始向监管模式靠拢。因此成立证券监管委员会有利于深圳证券市场的健康发展。

第二，建立高度市场化的金融体制。(一)推进专业银行体制改革，实行专业银行商业化。一是解除政策性贷款业务，使其实现“功能归位”，这是改革专业银行的起点和基础；二是排除地方政府的行政干预，为专业银行转化为商业银行创造有利条件；三是完善中央银行的宏观间接调控方式，促使专业银行转换经营机制；四是推进现代企业制度改革，把国家专业银行改造为国家银行控股、地方金融机构和企业参股的股份制商业银行，并实行董事长领导下的行长(经理)负责制，实行“自主经营、自负盈亏、自我约束、自我发展”的经营管理体制。(二)积极进行资金管理体制改革，实行资金商品化。银行是经营货币资金的特殊企业，货币资金是银行经营的特殊商品，专业银行向现代商业银行转化，必然要求资金商品化。为此，要积极改革资金管理体制，实现银行自主经营。但从目前深圳金融机构的情况来看，总体上仍未跳出计划经济体制。至今仍在推行资金规模管理办法。这种管理办法严重束缚银行的自主经营权，造成资金的大量闲置。而且它不符合国际惯例，因此银行应按照经济规律、市场资金供求状况进行自主经营，资金自求平衡，严禁人为的行政干预，确保银行的安全性、周转性和效益性。(三)努力推进利率体制改革，逐步实现利率市场化。目前，深圳存在“利率多轨化”现象，有民间自发的借贷利率，也有国家规定的利率。虽然深圳有制定利率的自主权，但仍受到国家规定利率的很大影响。这种计划利率既不能灵敏地反映供求关系，也不能反映资本运用的成本和利润。针对这种状况，实行利率市场化应从银行间的资金拆借开始，央行完全取消对拆借利率的直接行政管理，并通过组织有形的资金市场，吞吐央行融资券，进行间接调控。其他利率可在拆借利率完全市场化后，根据经济、物价和资金市场的变化适时调整，从而提高利率的弹性和灵敏度，充分发挥利率对经济的调节作用，以逐步实现利率市场化。

第三，推进深圳金融国际化。金融国际化的具体含义，一是在适当引进外资金融机构的同时，本国、本地区的金融机构也应主动地向外扩展和延伸；二是金融业务应遵循国际惯例，逐步与国际金融接轨和融合；三是金融服务方式、种类应适应国际经济交往的需要；四是根据国际经济状况和本国、本地区经济实际而为经济活动提供必要的防范风险的保障经济秩序的措施。深圳在大力引进外资银行的同时，要逐步放宽金融政策，为外资银行在深圳的发展创造一个良好的软硬环境。深圳应对外资银行开放境内业务，扩大外资银行的业务经营范围。如逐步适度地放开人民币业务，允许外资银行增设营业网点，为外资银行提供平等竞争的机会。这需要帮助外资银行解决好人民币贷款业务过程中所需人民币资本金来源问题。外资银行的人民币资本金来源，一是从其总行调入外汇，向深圳市人民银行办理抵押人民币贷款；二是允许将调入的外汇资金到特区外汇调剂中心用市场调剂价兑换成人民币。

第四，完善特区金融业宏观管理机制。深圳必须改变目前的信贷"笼子"，建立起由准备金、再贷款、再贴现等组成的间接调控体系。根据深圳实际情况，其主要工作一是要完善资产风险管理，同时逐步放开以限额指标为主的宏观直接调控，积极探索公开市场操作业务，逐步过渡到以宏观间接调控为主的管理模式；二是加强宏观经济金融的综合分析研究，以制定正确的宏观间接调控政策；三是切实加强金融监管，保证金融活动稳定有序地运作。

第五，建立国际化的金融法律体系。深圳的金融立法目前仍然是一个十分薄弱的环节，深圳应该充分利用中央赋予的立法权，并参照国际惯例，制定一套系统的金融法规。如用法律明确银行和非银行金融机构的法律地位，规范它们的行为，同时完善管理制度，确保它们能公平竞争，健康发展。另外需要对证券市场进行立法，参照国际惯例，制定有关法律，如《公司法》、《银行法》、《外资银行法》、《票据法》、《投资法》等，使金融管理有法可依，为深圳金融与香港金融实现法律上的衔接，使深圳成为现代化、多功能、开放型的区域性金融中心创造一个良好的法律环境。

特区产业结构国际化取向探讨

——对深圳的关注与思考

高兴民

伴随着中国改革开放历史进程的推进，经历了20多年的曲折发展历程，经济特区不断地发展壮大着，为实现中国的改革战略可谓功勋卓著，对中国乃至世界的发展产生着多方面的影响。而深圳经济特区又是其中成功的典范。

然而，随着世界经济格局的变化，今天，加入WTO已两年的中国，它的经济特区命运将何去何从？当然，我们仔细研读WTO规则，得知世贸组织框架与原则从来没有不允许各种特定形式的经济特区的存在；从未否定其成员国的政策创新行为，更未禁止其成员国在特定地区实行特殊的经济政策。而我们也必须清醒地意识到：在新的历史时期，经济特区已完成了其原来意义上的使命。随着改革开放的进一步深化，中国市场经济体制的全面建立与完善，经济特区必然又被赋予了新的使命与内涵：加入WTO后的中国的进一步对外开放，既非齐步走又不可能一步到位，体制改革与完善尚未全部完成，区域经济非均衡发展战略将继续实施，所有这些为经济特区必然继续存在提供了依据。而为完成新的使命，结合中国的具体国情，实施方兴未艾的产业结构调整，与国际通行规则接轨，促进优势产业发展，才是理性选择。此时的深圳必将再次挺立潮头。

一、特区产业优势所在

20多年的时间在人类社会历史上可谓短暂的一瞬。但就是在这20多年的时间里，中国的经济特区建设却完成了从传统的农业社会，向现代工业化阶段的跳跃式发展。深圳，昔日的南疆小渔村，今以现代化、国际化都市风貌，向人们展示着特区理论实践成果的魅力。《深圳商报》2003年9月15日讯，广东省社会科学院有关专家主持的一项评估研究表明，经严密论证的国际化城市26项指标体系中，以2002年为基数，深圳已有7项达到，5项接近。作为本文侧重关注的产业结构，深圳特区的优势主要集中在以下几方面：

1. 科技水平领先。深圳自建立特区以来，产业结构所发生的变化人们有目共睹：随着第二产业飞速发展，第三产业稳步增长，第一产业所占比重越来越小，第二产业所占比重越来越大，第三产业所占比重平稳发展，稳中有升。这一变化趋势是以科技水平的提高为先导实现的。我们知道，珠三角地区的高新技术产业带，在目前中国可谓规模最大，发展速度最快，产品出口比重最高，深圳是其中重要组成部分。由于深圳这些年在IT产业、医药生物工程、新型材料产业，特别是IT产业，已经形成了比较好的产业基础、产业链条，以致国际上一些高科技跨国公司纷纷把高科技制造业转移到深圳。全球著名投资银行高盛公司去年曾发表预测认为，下一个硅谷将诞生在中国，很可能就在广东。而深圳本身更有决心在未来5年里，奠定“中国硅谷”的基础。

2. 资金实力雄厚。在近年统计分析中，深圳金融部门称深圳市的资金流量在全国各大中城市位居前列，具有了越来越强大的资金吞吐功能；全国多家商业银行的总行均把深圳作为信贷投资的重点地区，一旦有效益好的项目启动就采取总分行联动的方式发放贷款，资金打破地域和规模的限制。即使在近几年全球经济出现衰退的困难时期，外商投资依然是深圳经济增长的亮点。十几年前港币通过深圳渗透到内地，现如今人民币也通过深圳流向香港，人民币逐步向世界强势货币靠拢：毗邻国际金融中心香港，随着人民币的国际化，深圳资金集散地的地位和作用将更醒目。这种良性的互动发展，从根本上得益于深圳市场经济体制环境因素的灵活与完善，毫无疑问，雄厚的资金实力对地区经济发展的推动作用，将是其他不具备地区望其项背而又不能企及的。

3. 制度与人才保障。我们知道，深圳作为改革开放的"试验田"或曰"排头兵"，它最早进行了市场经济体制建设的探索，较早地实现了与国际惯例的对接；各项法制、法规比较健全，市场经济发育比较成熟、完备，秩序良好；政府依法行政，廉洁、高效地服务于企业，民主管理理念深入人心，创造了良好的投资发展环境；市政规划建设起点高，创造了良好的生态环境，是世界公认的适合人类居住城市；高度重视知识产权保护工作，经过多年的不懈努力成效显著……这些因素综合作用，加上深圳现存人口的绝大部分是近十多年的新移民，这些人中的大部分受教育程度高，专业技术水平高，年富力强，他们的聚集，使得特区的人才结构合理互补，同时又充满着竞争，活力四溢，创新不断。这种人才优势的存在，在特区迈向国际化城市过程中，形成了最基本的同时又是最强有力的人力资源保障。

上述一切，表明经济特区在创新中发展，形成了自身的产业发展优势。但事物总是在曲折中前进的，我们必须以一种忧患意识来审视现如今的特区产业。

二、特区产业发展的问题所在

《中华工商时报》2003 年 9 月 16 日一则消息：高成本运营困扰深圳楼盘会所，84% 处于亏损状态。报道说，楼盘、小区会所这种经营方式在中国最早出现于香港。然后在 20 世纪 90 年代初，再从香港引入深圳、广州。其目的主要是方便业主健身、娱乐、休闲和招待亲朋好友，举行家庭活动等等。在深圳，会所受到开发商和购房者的高度重视，买房人考察楼盘时，在注重房子价格、位置、交通、户型的同时，小区或楼盘的会所已经成为一个不可忽视的硬件。但楼盘、小区开发、销售完毕后，会所的日常经营却普遍亏损，又成了开发商或物业公司的"烫手山芋"。这说明虽然某些国际通行的做法，但由于国情的差异及经营方式的单一及僵化，在中国也会出现"水土不服"。会所普遍亏损即是特区蓬勃发展的房地产业中的不和谐音符。只不过，其他行业的问题表现形式各异罢了。概括论述，有以下几个主要方面：

1. 特区得到外商直接投资的分散与转移。加入 WTO 后，特区原来所享受的一些特殊优惠政策，正逐步被国民待遇规则所取代。特别是香港地区近年自身经济发展压力增大，直接导致了珠三角地区外资来源的变化。据有关研究表明，今后日资和欧美资本将成为中国外资的主要来源，而且世界各地跨国公司在中国投资的重点地域将从珠三角向长三角转移，投资领域的重点则会放在生产服务业。值得一提的是，国家积极推动的西部大开发战略，振兴东北老工业基地战略，这必然会使这些地区成为新一轮外商投资的重点地区，并直接对经济特区的投资力度构成冲击。

2. 国内城市间竞争加剧。与北京、上海、广州等大城市相比，深圳的优势侧重于经济活力。但近年以打造国际大都会为目标的上海，在城市经营上稳扎稳打，2010 年世博会的申办成功，甚至是海峡两岸三通的逐步推进，都会加强长三角在吸收外资上的竞争力，而上海无疑首先受惠。北京为一国之都，占尽政治、经济、文化、外交之利，成为跨国公司中国总部的首选之地，同时成为国内各行业公关代理机构的俱乐部。而作为环渤海经济圈中的次龙头，天津近年的发展也十分迅猛，目前包括微软、戴尔、西门子、三星等公司的中国总部都在这一经济圈安营扎寨。2008 年奥运期间将成为这些跨国公司在中国最为活跃的时期，他们在利用这一契机更深入地介入北京、天津市场的同时，对这些地区的发展促进作用也不容置疑。面对这些特大城市的激烈角逐，深圳在 20 世纪 80—90 年代作为中国开放最前沿的地位正在逐渐被淡化。

3. *品牌战略意识淡薄*。从全球来看，近 30 万个"三资企业"中有 90% 以上企业使用外方商标。如服装生产行业、日化行业、饮料行业等大部分都在使用外国品牌生产。这种现象在特区产业中更是有过之而无不及。2002 年末，由北京品牌资产评估有限公司发布的年度"中国最有价值品牌报告"显示，广东省的知名品牌中，除 TCL 以 187 亿元列第六，美的以 117 亿元的品牌价值仍然居于榜单第八以外，其他曾经上榜的品牌如康佳、科龙、容声等都已被挤出前 20 位。这不仅仅是一简单数字排序。没有过硬的品牌，意味着在相关的产业中，没有自主的知识产权蕴涵于产品中，虽然也可能生产了数量庞大的产品，但由于不具备核心竞争力，企业只能依附于别人品牌下生产加工，甚至无奈地接受一些跨国公司恶意转移的工业化不良后果。在低技术含量、无品牌支撑的恶性竞争中，没有自己的研发与创新，这样的产业谈何发展壮大?

4. *经济安全意识亟待提高*。现代科技的发展，特别是现代化的电子信息、电子通讯业的发展，全人类几十亿人生存的地球正在演变为"地球村"，这是人类社会历史发展的进步。以现代科技支撑着的金融业，在今天的经济生活中往往又是一柄"双刃剑"。我们日常生活中体验的是它的方便与快捷，可是近年我们同时也耳闻目睹了大量的现金货币、电子货币的不规则、不规范流动，乃至大量资本外逃……前面我们曾提到，深圳特区近几年的资金流动量就非常庞大，这一方面表明特区资金吞吐功能越来越强，但与成熟、规范的市场经济国家或地区相比，它的异常庞大也是我们必须承认的客观事实。如何加强监督与管理，则是十分严肃的课题。

三、特区已具备产业升级条件

理论和实践证明，非均衡增长是经济发展的普遍规律。20 多年前国家在少部分地区实施的经济特区发展战略，如今已经取得了骄人的业绩。特别是深圳，这座充满生机与活力的现代化城市，正在接受着新的历史挑战：受国务院等部门委托，多部门、多学科的数十位专家学者，近期为深圳今后的发展取向把脉，其结论是既不脱离现实，又要具有一定的超前意识，深圳的历史定位将是建设国际化的大都市，这让我们深切地感受到任重而道远。

将深圳今后的发展定位于国际化大都市，这说明目前的深圳已具备了一个现代化城市的特征与功能。而作为动态发展着的产业结构，依托于现代化城市，无疑会有条件地升级换代。我认为，深圳目前已具备了产业升级所需条件。

1. *深圳已具备发展高、精、尖工业和服务业的条件*。在现代市场经济的运行过程中，以创新为经济发展和产业结构升级的内在推动力，深圳市已具备发达的信息系统，完善的基础设施，高素质的人力资源，这些条件对于城市功能创新，对于促进科技成果向生产力转化，既是必要的，又是充分的。经验表明，城市具有了相当规模，人均技术发明的数量才会越多，并且技术发明成果的采用也越迅速，即技术进步与城市规模正相关。城市人口密度达到一定水平，又有利于人们之间的相互交往，从而促进信息流通。城市流动的多样性，加速着技术的流通与普及。教育活动在城市被集中起来，甚至于产业化运作，为创新提供源源不断的人力资本。在这样一个大的系统中，通常运行的必然是现代化产业。

2. 现代化城市中技术进步使生产工艺、经营管理和控制手段都发生了不同以往的变化。信息和金融系统在社会生活中越来越重要，直接影响国民经济的运行和企业的经营活动，改变着城市经济功能，传统意义上的城市为工业生产中心的功能下降，使之逐渐成为以市场为中心，蕴涵着相当高技术的第三产业为基础的经济中心地位。许多传统的工业生产将逐渐向周边小城镇转移，信息产业和金融业等成为大城市的主导产业。幸运的是，20 多年的发展历史虽短暂，但同时也使深圳避开了短缺经济时代的城市功能面面俱到又缺乏特色的弊端，并且是站在较高的起点上，较早地建设发展了现代信息产业，还有多种所有制并存的、经营机制灵活的现代金融业。

3. 在市场经济中，竞争机制可谓功不可没。对产业升级而言，竞争机制的优胜劣汰作用仍然是一把尚方宝剑。深圳特区在其建设的初始阶段，就在实践中引入了竞争机制，并结合特区建设的实际完善运用，它给深圳人带来的影响至今也是深刻而明晰的。

4. 深圳目前具备的优势产业及合理布局，是下一步产业结构调整的基础。经过 20 多年的发展，深圳的经济水平已跨入我国发达地区行列，其产业结构相对其他地区也更合理一些。

四、特区产业应面向国际化发展

已经加入 WTO 的中国，面临的是世界范围内正在进行的产业结构调整，以适应经济合理化发展的大趋势。随着深圳经济规模的扩大和国内外竞争的加剧，深圳经济的速度优势将会逐渐减弱。进行产业结构调整，转变经济增长的重点，把现有国内竞争优势提升为国际竞争优势，加快地区性大都市圈的形成与发展，培育具有国际竞争力的企业和产品，在激烈的国际市场竞争中赢得主动，可使深圳真正成为具有国际竞争力的国际性大都市。

1. 引进、吸收真正具有世界先进水平的科学技术，加大对现有产业的改造力度。深圳现有的二、三产业布局，基本上是在特区成立后形成的。出口加工区模式的选择，使深圳从建立经济特区初始，第二产业就占据了产业结构中的主导地位。由于深圳原有的工业基础十分薄弱，因此，在第二产业结构内部，一方面较发达的现代工业如光电子元器件、通讯设备甚至超大规模集成电路等，已显示出强劲的发展势头，另一方面传统工业在承接香港等地产业的转移过程中也得到了迅速发展，如房地产业、服装生产、食品加工等，目前在深圳总的工业产值中占据了相当大的比重。但在这类产业中不乏发达国家所淘汰的（主要是劳动密集型产业），在今后的发展中不可能承担起国际化大都市主导产业的重任。如果我们立即对其采取全面淘汰的手段，也是十分不现实的。其出路是在现有基础上，利用先进技术对其生产设备、工艺、流程进行改造，加大从业人员的技术与技能培训，提高其素质，进而提高其产品的科技含量和附加值，使传统产业获得新发展，这样一来可较快改变目前产业结构的不合理，另一方面还可为将来新兴产业的开发奠定深厚的基础。

2. 明确高新技术产业为特区主导产业，大力推进高科技开发进程。在新的时期、新的环境下，要想获得经济高速、持续、稳定的发展，必须要对主导产业进行新的定位。深圳作为经济特区，得中国改革开放先行之优势，其经济发展水平领先于其他地区，若要继续保持在国内的领先地位，并能够参与新经济条件下的国际竞争，就必须在科技产业化与高新技术产业发展方面跟上当代世界新技术革命的节拍，借助世界发达国家和地区的创新成果，实现产业结构调整的历史性跨越。

在最近的十几年发展中，深圳的高新技术产业已成为经济增长的动力源之一，高新技术产值在工业中的比重快速提升，高新技术产业在深圳经济发展中的战略地位已被“十五”规划所明确。深圳的高科技发展之路应对以下两个方面具备清醒的认识：其一，继续将特区作为国际先进企业实现全球化生产与协作的一个组成部分。事实上，深圳的高新技术企业（包括研发与生产）中的大多数都在特区内，特区具备高新技术产业发育所需要的良好的客观基础。将高新技术生产环节更多地吸纳进经济特区，使特区切实成长为世界性高新技术产品的生产、加工基地，影响将是深远的。其二，利用国际资本及其便捷、经济的现代化信息手段，通过组织以市场为导向的科研攻关和开展国际化的科技协作，致力发展有自主知识产权的高科技产品，将是高新技术产业发展的制胜法宝。换言之，靠低成本劳动力所从事的劳动密集型加工、组装，亦即“贴牌性”的电子与家电生产，不可能成为特区国际化产业链条中充满活力的有机组成部分。况且，在全国各地都把高新技术发展作为重点来抓的今天，特区的观念优势、体制优势、环境优势等，更是真正到了进一步放光彩的时刻。

*3. 扩大开放，将高新技术注入第三产业，使之快速成为21世纪特区的支柱产业。*当代新技术革命不仅促进了工业内部结构的变化，而且使整个产业结构正在发生重大改观。深圳的产业结构成长应当顺应世界产业发展趋势，遵循产业结构演变规律，立足现实，着眼未来，加快第三产业发展，充分发挥第三产业的支柱作用。

当然，这里所讲的第三产业，也不是一概而论，没有选择，没有重点，齐头并进，那样的话，将是大家都不会前进。深圳特区的第三产业中金融业和旅游业基础好，发展势头旺盛，具有行业特色，值得给予重视。

为了确保国家经济安全，对于一些不宜在全国范围内完全开放的行业领域，经济特区可以先行试验，让特区继续作为新时期的试验田，成功后再在全国范围内推广，金融业即可如此。例如，加快特区内部结构调整，加快金融体制改革，实现特区内部资本流动的国民待遇，建立起高效、稳健的金融体系。加快银行、保险、证券以及与之相关的中介服务业的全面改革；率先引入和创造多样的金融衍生工具，开发股指期货，实现利率自由化和金融零售业的全面开放，实现特区金融和资本市场与国际市场的接轨，取得经验后向全国范围推广。这些设想在理论上成立的，再辅之以电子信息业的技术支持，探索实践中的可操作性，则是特区人的光荣使命。

作为世界公认的朝阳产业的旅游业，在深圳虽然历史不长，客观上相对缺乏名山大川，人文古迹也不多，但它的发展起点高，这其中包括人们对旅游业的高度重视，先进理念的思想影响，灵活经营、现代投入的行为方式，自然景观的合理开发，高新技术对人造景观的烘托，使得如今深圳的旅游业蓬勃向上，并推动了相关行业的发展，在促进经济增长、增加就业以及外汇增收等方面发挥了积极巨大的作用。但不可满足于现状。作为陆路连通香港的惟一通道，地缘优势决定了深圳的旅游业一定应与香港紧密联系，从经济合作的基础出发，尊重市场规律，发挥两地比较优势，互动发展，开拓旅游业发展的国际化思路，最终将深圳的旅游业融入国际化行列。值得一提的是，深圳的酒店业设施先进，档次分布合理，可以说，深圳的酒店业在硬件方面已达到或超过国际同等城市水平，价格方面与香港比，具有明显的竞争优势。但深圳酒店入住率不高的客观现实，则让我们深思。近期CEPA的签署，从宏观上讲，是政府基于内地与香港建立更紧密的经贸关系的战略设想，那深圳酒店业这一微观领域，应该借此东风，顺势行船，搭上这班快车，最终完全可能成为深圳旅游业进一步融入国际化的突破口。

根据国际惯例，加入WTO的中国，逐步解除第三产业进入限制，不断扩大服务贸易开放领域势在必行。而我国的第三产业发展与优化内部结构已属当务之急，扩大开放，是引进外资、技术与管理经验，尽快改变我国第三产业技术与经济基础薄弱的现状，乃至提高国际竞争力的有效途径。随着特区经济向知识经济的转变，深圳的第三产业在国民经济中的比重必将越来越高，并在不久的将来，取代第三产业而位居榜首。

总之，过去的20多年，经济特区风雨兼程。而今历史再一次选择了深圳。国际化大都市的产业结构就应该向着国际化方向迈进。

从人口角度谈深圳建设国际化城市

杨中新

一、在全球人口急速都市化过程中，深圳人口规模不要超过千万

据最新版《泰晤士世界地图集》的估计，全球有越来越多的大都市人口，可能在2005年以前突破千万大关。如果按此估算，全球最大城市东京人口将接近2700万人，巴西的圣保罗则有望接近2000万，墨西哥市人口将为1900万人。世界还将有16个城市人口会超过千万。其中，包括印度孟买的1800万人和孟加拉达卡的1500万人。非洲尼日利亚的拉哥斯和埃及首都开罗也将跻身超级都市之列。超级大都市剧增，其实是全球人口急速都市化的表现。目前，全球有接近50%的人口居住在都市中，到2007年，全球都市人口首次超过农村人口。应该说《泰晤士世界地图集》的说法是正确的。近几十年来，该地图集把全球超级大都市的兴起，作为地图集的显著特色之一。比如，地图集早在1950年，就标志出美国纽约是全球当时惟一人口超过千万的大都市。到1975年时，地图集标志出人口千万的大都市已增至5个。它又预测，到2015年时，世界超级大都市可达到21个。据人口专家分析，这一趋势，主要是由亚洲带的头，因为在2000年之前，亚洲就已有10个超级都市，北美却只有纽约和洛杉矶两座大城市。

目前，深圳人口包括户籍人口与常住人口之和已接近800万，如果超过1000万，我们参照世界大都市目前的状况，可能会进一步加剧都市人口生活的贫富悬殊。在联合国人类住区规划署发表的《世界人居年度报告：2003》中指出，急剧都市化的结果，使都市内的贫民窟大幅增加，将对人类生存构成巨大挑战，发展中国家更不能掉以轻心。对此，联合国秘书长安南在年度报告的前言中说："贫困正向城市袭来，贫民窟是城市贫困化和不平等的象征。"安南呼吁，各国政府、社区，以及急剧向大城市进军的城市首脑，要与国际社会相协调，共同抗击城市贫困化，及早使城市贫困线以下人口，早日过上尊严、富足、平和的生活。当然，联合国的这份报告，并没有专指中国或深圳。但报告强调，在现有居住在城市恶劣条件中的人口大约有10亿，已占世界城市人口的32%。撒哈拉沙漠以南的非洲地区的城市人口中，已有71.9%的人居住在贫民窟，亚洲就有6亿城市人口在贫穷中度日。

为此，深圳需要敲起警钟。根据深圳市第五次全国人口普查主要数据公报中记载：1、深圳人口密度全国第一。已达到2079人／平方公里，特区内高达4855人／平方公里。福田区达到9000人／平方公里。比全国(港澳台除外)高出15倍，比日本高出6倍，比广州还高出5倍之多。2、深圳流动人口增长比例第一。仅2002年全市新增户籍人口中，机械增长的人口为5.6万人，占新增人口的69.6%。而以常住人口计算，2002年末增加335.49万，比上年增长7.6%。3、深圳人口性别比失调排在全国前列。国际正常性别比为1：1.05—1.08，而深圳为97.89：100，说明深圳女多男少，性别比例失调将会给深圳建设，婚姻家庭和社会

治安带来负面影响。

二、建设国际化城市需要民族的多样化和种族的多元化

第五次人口普查证明，深圳已成为广东省少数民族人口最多的城市。截至2002年10月，全国56个少数民族都有在深圳落户。据了解，建设经济特区前，深圳少数民族人口为106人，目前已达到20多万人。少数民族人口增长了2000倍。据说，我国台湾省尚有9个少数民族，即阿美族、泰亚族、排湾族、布农族、鲁凯族、卑南族、邵族、赛夏族、雅美族等。每个民族人数尚不清楚。如果此说成立，我国不是56个民族，而是65个民族。城市中的民族的多样化，一方面反映出社会主义国家各民族一律平等；另一方面，各民族将自己的丰富多彩的民族文明，移植到一个新兴的城市中，将会使深圳这个现代化城市更加绚丽多姿。

同时，作为一个国际化城市，不仅有黄皮肤、黑头发的中国人，更要有白人、黑人参杂其中，通过种族之间的交往，带动经济的全球化。伦敦、巴黎、东京、悉尼、奥克兰，特别是美国的华盛顿城区，由于人口迁入和迁出的频繁性，使种族呈现多元化趋势。根据美国人口调查署最近的统计，截至2002年7月，华盛顿城区的人口减少了1161人，从57.2万多人(2002年)降至57.08万人。但华盛顿郊区几个郡的人口却增加了，其中蒙哥马利郡位列第一，增加了3.68万多人，总人口升至91万人。而这些增加的人口，多是西裔(西班牙)、亚裔或其他一些以前在华盛顿相对数目较少的种族。从种族种类看，西裔人口增加最多，其次是亚裔。再从地域上看，菲尔菲克斯郡增加的西裔和亚裔人口最多，其中西裔人口增加了1.5万多人，使西裔总数达到12.23万人；亚裔人口增加了2万人，达到了14.6万多人。弗吉尼亚大学韦尔登·库珀中心(University of Virginia’s Weldon Cooper Center)的人口统计学科主管朱莉娅·马丁(Julia Martin)表示，该郡的这股人口流动势头，尤其是西裔人口，始于20世纪90年代，并预计此趋势还将继续下去。美国人口调查署的人口统计学家凯瑟琳·康登(Katherire Condon)女士指出，像华盛顿郡和菲尔菲克斯郡的种族群体的扩展，将会对协调经济发展和推进政府工作奠定基础。即使某些种族的社会、经济和文化属于滞后开发地区，也要一视同仁地作好迁移人口的安排。美国的费尔菲克斯郡，它是全美迁入印弟安人和阿拉斯加土著民族比例增长最快的地方，从最近的统计数字上看，增加了5%，达到了184人。

值得一提的是，日本学者曾对东京是否是真正的国际化城市作了深层次的探讨。一些日本学者指出，从人口的社会结构上看，外国人在东京的比例已达到30%左右，但仅从结构比例理解国际化是远远不够的，还必须使东京人，要有“无国界”的观念，还要清除轻视亚洲人的思想。这位学者还说，外国人“等于白皮肤、蓝眼睛、高鼻梁、金头发”的认识是表层的，东京人对外国人在东京的态度是，既不能拒绝接纳，也不能对在东京的外国人分等级，只有这样，才能在观念上得以全面的认识。

三、低年龄人口就业比例越高，其距离国际化城市标准的要求越远

根据联合国劳工调查组报告显示，经济发展最快速度的国家，其低年龄人口就业率，必须压缩到20%以下。因为这一比例，一方面可以窥视现代国际城市的劳动力技术和技能的高低；另一方面说明，这个城市正在学习和深造的人就越多。我们说的低年龄，一般是指15—19岁。下面仅就深圳与上海、香港、台湾、新加坡、韩国作一比较：

表一：15—19 岁年龄组的人口就业率　　单位：%

	深圳	上海	香港	台湾	新加坡	韩国	国际
就业率	34.2	28.8	28.5	24.4	29.2	12.9	20
资料年份	1990	1990	1991	1990	1991	1990	1992

资料来源：杨中新：《深圳国际化城市社会条件的论证》，载1993年全国中青年人口学讨论会文集。

上表说明，深圳低年龄人口就业与国际标准比高出14.2个百分点，与韩国比高出21.3个百分点。看来，这些数字资料虽然较早，但它反映出在20世纪末，深圳的发展速度虽然很快，而就其综合社会经济发展水平而言并不高。尤其是在深圳这里，许多蓝领人员不爱学习，或无钱学习的现象仍具有普遍性。一位美国学者曾经分析过，日本经济起飞，极大程度上，是由于日本的蓝领工人能解析高等数学，爱阅读报纸和有从事复杂劳动的能力，比美国蓝领工人强得多，这个分析也令深圳人深省。与日本东京和英国伦敦等国际上读书风气最浓的大城市相比较，我们坐在深圳的公共汽车里，我们在观看文艺演出前等待的时间里，我们在商店柜台附近休息片刻的时候，何曾看过有多少人读书？我们不否认深圳地区接受国际市场信息量大，但与国内外大城市比较一下学习氛围仍有一定距离：

表二：深圳与国外大城市年平均每人图书馆阅读次数

城市	深圳	上海	广州	纽约	伦敦	东京	大阪	国际标准
次　数	0.62	0.58	0.59	1.65	8.82	4.26	2.22	>1
资料年份	1990	1991	1985	1985	1991	1991	1991	至今

资料来源：同上。

在社会历史发展的进程中，人口年龄的变化是研究国际化城市中的经济、文化、教育、医疗卫生及消费情况的重要依据，也是引发产业结构变化的物质因素。观察按国际惯例呈现出的人口年龄结构图形，一般不是“金字塔形”而是“炮筒形”，即上部是一个圆锥，下部是一个近似圆柱的形状，或者说，除了超高年龄段人数逐步减少外，其他年龄段人数大体相当时，说明该城市的国际化水平已日趋成熟。对此，香港、新加坡等正由人口年龄“金字塔形”向“炮筒形”过渡，而深圳尚显得零乱，无秩序。

四、勤劳、勇敢、善良的人口素质，已根本无法应对深圳面临的一场新的生产力革命

“神舟5号”升天，是中国航天史上划时代的里程碑。当我们惊叹于科技神奇的同时，千万不要忘记自己的存在，而长久沉醉于自豪与安适之中。需知，科学普及路程尚很遥远。据中国科普研究所关于“中国公众对科学态度的抽样调查”，在反映公众科学素养的四项指标中，我国理解科学知识的公众为30.19%，美国为35.3%；理解科学过程的公众为2.6%，美国为13.2%；理解科技对社会影响的公众为1.9%，美国为26.4%；同时满足以上三个条件即具备科学素养的公众为0.3%，仅相当于美国的1/23。在传统的“夕阳工业”逐步由旭日东升的“朝阳工业”取代之际，美国联邦政府就曾宣称：“我们的国家处于险境，我国一度在商业、工业、科学和技术上创造发明无异议地处于领先地位，而现在正被世界各国的竞争者赶上”。连美国都有危机感，何况中国，何况深圳！前些年沈阳市对各系统35岁以下职工进行

测试，受过初中教育而达不到初中文化程度的竟占调查总数的93.3%，以初中教学内容的下限水平命题进行抽测，结果是语文、数学、物理、化学四科合格人数仅占考试人数的8.58%，其中矿务、轻纺、公用事业系统的青年合格人数竟低至1%—3%。这个数字虽然是外城市的数字，但它也提醒我们，如此的科学文化知识，如何能应付现实的科技水平？现代科学技术的无所不能、无坚不摧和科学产品的无奇不有和无处不在，迫切需要高科技人才，但只有高科技人才，缺少支配科学的人的人文素质，就会发生科学主义与人文精神的矛盾，就会导致一系列的精神危机。所以，在建设国际化城市中，培育深圳人的科技文化素质迫在眉睫。英国的贝尔纳在《科学的社会功能》中说：“智慧的最高成果，又是最有希望的物质福利源泉。”德国的恩斯特·卡西尔在《人论》中也说：“科学是人的智力发展中的最后一步，并且可以被看作是人类文化最独特的成就”。深圳改革开放20多年，科技成果巨大，转化为生产力的成果已达到数百个亿。2000年，中共深圳市委三届一次会议明确提出了深圳市新的城市功能定位，其中作为高科技城市，要求深圳以高新技术产业为龙头，第三产业为支柱，实现传统经济向知识经济的转型。为适应产业升级，就必须不断优化人口结构。

五、深圳人应珍惜自己的精神田园

前一个时期，电台、报纸就深圳笔架山里应不应该摆设盆景展开了热烈地讨论。笔者认为，不管赞成还是反对，都反映出人们不愿意远离大自然的本土，愿与天生的花草树木结伴同生的精神世界。树立新的发展观，诸如可持续发展观、社会整体性发展观、人的全面发展观等，已成为人们的共识。

1979年8月，由联合国教科文组织召开的“研究综合发展观专家会议”，在厄瓜多尔的基多举行。会议的重要成果——发展问题专家费朗索瓦·佩鲁的《新发展观》一书，总结了二战后许多国家在发展中的经验教训，批评了“经济主义”的片面发展观，明确提出了社会发展不要偏执于经济增长的速度和比例，沿用一系列表征物质财富的经济数字，来衡量一个社会的发展水平，编织经济化的社会发展图景。这种见物不见人的经济学说，来源于20世纪50—60年代的刘易斯二元经济论和罗斯托的经济成长阶段论。正是出于对“经济主义”的警觉，以人的全面发展为核心的整体发展观问世。正如弗朗索瓦·佩鲁所言：社会的发展在于人而不在于物，发展同作为主体和行为者的人有关，发展是为一切人的发展和人的全面发展。中共深圳市委，解决了对深圳经济发展与人的发展的认识，指出，要特别强调以人为本的问题，应该把经济发展的指导思想，从单纯追求经济增长，转向追求社会的整体发展，尤其是要转向以人为本的发展。只要是有利于人的发展，有利于人民群众的健康和安全，有时即使是牺牲一些经济利益，牺牲一些发展速度，多花些钱，也是完全应该的。”

综上所述，从人口的角度，探讨一下作为国际化城市的深圳，应该把握哪些人口规律呢？首先，是人口自然增长规律。其次，深圳是个移民城市，建设国际化城市就必须把握好人口迁移规律。再次，紧紧抓好适度人口规律，在宏观掌握现代适度人口规模理论的基础上，把可持续发展为主的适度人口规模理论，作为制定人口规划的依据。最后，对人口质量规律的作用绝不能低估。作为具有中国特色、中国气派和中国风格的深圳，要把大视野中的科学文化素质摆在重要地位，要建立人口质量系统工程，将深圳人的精神素质系统、能力素质系统和健康质量系统有机结合起来，在发展经济的同时，全面地推进社会的进步和深圳人的整体素质的提高。

经济全球化下加工贸易的发展趋势及对深圳的影响

——深圳国际化战略的一个产业思路

陈红泉

一、世界主要国家加工贸易发展的经验总结

世界上各国加工贸易几十年的发展历程为我们提供了良好的成功经验，可以归纳为以下四点。

1. *加工贸易是在经济基础较差的条件下发展起来的，并促进了经济发展*

众所周知，韩国、我国台湾甚至包括日本在内，在经济落后、资源贫乏、人口众多的情况下，充分发挥劳动力资源优势，进行加工贸易，走外向型道路，从而扩大就业，增加外汇收入，刺激经济增长，逐渐完成工业化。传统的劳动密集型的加工贸易在东亚国家经济起飞初期发挥了巨大的作用。

2. *在亚洲新兴工业国家和地区，传统的劳动密集型加工贸易不断调整*

加工贸易在新兴工业国家和地区发展初期达到了经济发展和工业化的目的，但由于成本因素和产业升级等经济形势发生变化，传统的劳动密集型加工贸易不断调整。

1980年代开始，随着韩国政府明确提出必须从贸易立国向科技立国转变，加工贸易也从简单劳动密集型向熟练劳动密集型方向发展，以多工序，多环节，深加工为主流，出口商品结构实现了向高附加值的转变。

在日本，加工贸易有三个方面的调整：一是技术含量和附加值提高，1980年代以来，随着日本产品的质量和服务享誉国际市场，日本企业加工装配的产品，不再是劳动密集型的轻纺产品，而是技术含量和附加值比较高的波音飞机机身等产品；二是加工贸易作用下降，逐渐萎缩，这是因为日本关税总水平不断降低的结果，近年已降到3%左右；三是加工贸易由对外加工装配转向委托境外加工，加工贸易企业壮大成跨国公司，1985年日元不断升值后，日本政府调整了外贸政策，由过去鼓励出口改为扩大内需放宽进口的方针，并引导日本的加工贸易业务步入“向国际发展的时代”，日本企业逐渐改变经营战略，积极到海外投资办厂，进行跨国经营，利用他国廉价劳动力或资源，进行加工贸易生产，产品源源不断地返销日本并销往其他国家市场。

在我国台湾地区，由于劳动密集型产品逐步丧失了优势，台湾当局在1970年采取“调整工业结构，促进经济升级”的战略，台湾产业开始由劳动密集型向资本技术密集型工业升级，加工贸易也开始由传统劳动密集型向资金、技术密集型转变。

3. *在加工贸易的发展和调整过程中，政府发挥了主导作用*

无论是加工贸易发展初期还是加工贸易调整过程中，亚洲新兴国家和地区的当局政府一

直都发挥了至关重要的主导作用，这体现在其战略调整和具体措施上，当然，政府战略与措施的主导作用必须与具体经济形势相适应。

如在我国台湾地区，为适应“调整工业结构，促进经济升级”战略，台湾当局为配合产业升级，对加工贸易政策进行了调整，从1979年起，只有符合政府“鼓励工业”规定标准的加工区企业才能享受5年免征所得税的优惠，因而资金、技术密集型加工贸易不断发展，这为台湾20世纪90年代末期开始成为世界信息产业和半导体产业重要的加工生产基地奠定了基础，信息产业和半导体产业产值已分别居世界第三位、第四位。

4. 劳动密集型和技术资金密集型的加工贸易在全球范围内同时存在

无论是发达国家还是发展中国家，加工贸易都有不同程度的生命力。在美国，设有外贸加工区从事加工贸易；在欧盟，也有进境加工制度。

在东南亚，1990年代以来，印尼在西部苏门答腊东海岸地区建立了新加坡—柔佛（马来西亚）—廖内（印度尼西亚）金三角，主要从事加工贸易。此外，印尼政府将邻近新加坡的巴潭（BATAM）辟为经济开发区，全岛享有保税特权，货物进口可免缴进口税（除非转运至印度尼西亚内地）。从事加工贸易的产品包括电子产品、电力组件、汽车组件，玻璃、手表、化工及儿童玩具等。

在墨西哥，由于其邻国美国拥有雄厚的资本和先进技术，但是地价昂贵、劳力紧张且工资高；而墨西哥国土辽阔，人力充裕且工资低，可是资金不足，工业基础薄弱。1965年墨西哥政府提出了有名的“边界工业化计划”，30多年来，墨西哥的加工贸易发展迅速，其规模已超过新加坡、韩国等地而位于世界各国的前列，成为其对外贸易业务的重要组成部分。

二、经济全球化下的加工贸易

经济全球化的主要特点是生产的全球化，本质上是一场以发达国家为主导，跨国公司为主要动力的世界范围的产业结构调整。这一次产业调整，不仅反映到一些产业的整体转移，而且更重要的影响是同一产业的部分生产环节的转移。

1. 经济全球化趋势下，国际贸易不断发展，货物贸易比重稳定，加工贸易是货物贸易的重要形式

根据WTO的统计数据，全球贸易从1991—2001年，国际贸易增长了75.37%，年均增长5.24%；尽管近年来服务贸易增长迅速，并为许多专家预测其增长速度会远远超过货物贸易，

表1：1991—2001年国际贸易总额、服务贸易与货物贸易对比　　（单元：亿美元）

	1991	1992	1993	1994	1995	1996	1997	1998	1999	2000	2001
全球国际贸易总额	43411	46914	47194	53324	63126	66659	69014	68309	70794	78951	76132
全球服务贸易总额	8261	9244	9424	10394	11906	12759	13264	13409	13794	14651	14582
全球货物贸易总额	35150	37670	37770	42930	51220	53900	55750	54900	57000	64300	61550
货物贸易比重%	80.97	80.3	80.03	80.51	80.14	80.86	80.78	80.37	80.52	81.44	80.85

资料来源：WTO官方网站，经整理。

但数据显示，货物贸易一直是国家贸易中的主流，过去十多年来，货物贸易占国际贸易的比重始终保持在80%以上(见表1)。而货物贸易中，其中有相当部分是加工贸易。因此，随着国际贸易的发展，加工贸易也会不断增长。

2. 关税水平不断降低，各国资源禀赋的差异，为跨国公司在全球范围内进行资源配置，降低成本，扩大市场，提高竞争力创造了条件

目前国际贸易已经出现了一些新特点，即由于跨国公司的直接投资对国际贸易的影响，使国际贸易出现了内部化现象，以要素禀赋差异为基础的企业内部贸易和产业内部贸易发展迅速，加工贸易是企业内部贸易和产业内部贸易的主要方式。

越来越多的数据和事实显示，跨国公司在世界经济和国际贸易中扮演了举足轻重的地位，跨国公司是经济全球化的主要推动力。例如，根据联合国《1997年投资报告》公布的数据，全世界4.4万家跨国公司母公司和28万家海外子公司和附属企业，控制了全球1/3的生产总值，掌握了全球70%的对外直接投资，2/3的国际贸易，70%以上的专利和其他技术转让。

跨国公司在世界经济中发挥重要作用，其中另一个原因就是在关税水平不断降低的趋势下，目前发达国家的平均关税水平仅为3.8%，因而发达国家的跨国公司利用各国资源禀赋的差异，通过直接投资或全球采购，使企业内贸易和产业内贸易(尤以通过加工贸易方式突出)越来越多，即跨国公司母公司通过向其全球各地的国外子公司或合作伙伴组织原材料和中间品的加工生产，最后将加工的成品销往世界各地。因此，跨国公司在世界经济中发挥重要作用的结果之一是加工贸易将是国际贸易的重要形式。

3. 国际产业结构调整与加工贸易

过去国际分工的主要模式是各国的产业间分工，当代国际分工向产业内部分工和产业间分工并存的模式转变。发达国家与发展中国家不仅存在产业间的垂直分工，也有产业内的水平分工。这是因为，作为国际产业转移的主要路径，跨国公司的直接投资不仅为发展中国家提供了资金与技术，而且在发展中国家产生了示范效应、溢出效应、关联效应和竞争效应等，使发展中国家切入了全球化产业的生产体系，不仅从事传统劳动密集型、低附加值的加工，而且从事技术资金密集型、高附加值的加工。因而，发展中国家的加工贸易产业呈现了劳动密集型和技术资本密集型并重的态势。这在我国过去20多年的加工贸易发展中表现得尤为突出，目前，我国加工贸易中技术和资金型产品已超过了40%。

尽管发展中国家的技术资金密集型产业获得长足的发展，但是由于发展中国家劳动力数量供给庞大和素质相对较低等历史因素，劳动力相对低廉和就业问题将保持相当长的时间，因而劳动密集型产业和加工贸易也将会在相应时期内长期存在。

三、我国加工贸易的发展趋势分析

1. 我国改革开放的特定条件为加工贸易发展提供了广阔的空间，加工贸易在我国经济发展中发挥了巨大作用

我国东南沿海毗邻我国香港、台湾地区的地理优势和侨乡优势，以及相对低廉的劳动力成本优势，在我国改革开放政策的推动下，加工贸易获得了巨大而迅速的发展，加工贸易进出口额由1980年的不到10亿美元增长到2002年的2400多亿美元，增加了240多倍。可以说，加工贸易为我国对外贸易、吸引对外投资、创造就业、积累资金和发展国民经济发挥了巨大作用。

2. 我国加工贸易在不断发展变化

从形式上，改革开放之初，我国加工贸易主要以“三来一补”的来料加工为主。这由当时的特定条件所决定：我国原材料短缺，制造业落后，产品的花色和品种单一、档次不高，因而我国加工贸易主要采取了“外商提供原材料、加工技术及相关设备”中方主要提供“土地和劳动力”的“三来一补”加工为主。

20 世纪 80 年代末 90 年代初以来，经济条件发生了很大变化，我国经济获得了快速发展，技术水平的发展、加工能力的提高，资金短缺的缓解，我国政府适时出台了鼓励进料加工的有关政策，使我国加工贸易的形式中进料加工比重不断增加，而来料加工比重相对下降。

从产业上，我国加工贸易从最初仅仅获得简单的劳动力加工费，不断增加加工环节和加工技术含量，我国加工企业已经融入国际产业分工，合作的范围和层次不断扩大和提高，加工贸易产品的高附加值和高技术含量大大增加。我国加工贸易产业构成已经由劳动密集型为绝对主导逐步向劳动密集与技术、资金密集型产业并重的方向发展；加工贸易企业相互之间的配套程度提高，不少企业使用国产原材料、零部件的比例在不断提高，加工贸易与国内产业的联系加强。

3. 我国加工贸易的未来发展分析

(1)补偿贸易出口在对外贸易的比重已经微乎其微，来料加工地位呈下降趋势，而进料加工的地位保持平稳。

根据我国海关的统计数据，可以发现，自 1997 年以来，补偿贸易无论是在进口总额还是出口总额的比重均未超过 0.1%，补偿贸易这种形式几乎彻底萎缩。简单分析，其原因是，我国制造业和技术已经获得很大发展，从中方来讲，利用补偿贸易形式来发展的动力不足；从外方来讲，由于产品市场竞争的激烈，以补偿贸易形式存在较大的风险。

由于补偿贸易的萎缩，所谓的“三来一补”实际上只剩下“三来”，而“三来”中的来样生产实际上是单边买卖关系的贸易方式，属普通的贸易方式，来料加工和来件装配在海关统计上统称为来料加工装配贸易(简称“来料加工”)，因而目前的“三来一补”与来料加工几乎就是同一名称。

对于加工贸易的未来发展，可以根据近些年的统计数据加以分析。

表 2：我国对外贸易情况表 （单位：亿美元）

		1995	1996	1997	1998	1999	2000	2001	2002	2003.9
出口总额		1487.8	1510.5	1827.9	1838.1	1949.3	2492.0	2662.1	3255.7	3077.0
来料加工	总额	206.6	242.4	294.6	308.4	357.7	411.2	422.5	474.8	390.3
	比重%	13.88	16.05	16.11	16.78	18.35	16.50	15.87	14.58	12.68
进料加工	总额	530.6	600.9	701.9	737.2	751.2	965.3	1052.2	1324.6	1294.7
	比重%	35.66	39.78	38.40	40.10	38.530	38.73	39.52	40.69	42.08
一般贸易	总额	713.6	628.2	780	741.9	791.4	1051.8	1119.1	1362	1296.7
	比重%	47.96	41.59	42.67	40.36	40.60	42.21	42.04	41.83	42.14

（续表）

		1995	1996	1997	1998	1999	2000	2001	2002	2003.9
进口总额		1320.8	1388.3	1423.7	1402.4	1657	2250.9	2435.6	2952	2985.6
来料加工	总额	162.3	178	208.8	199.1	235.5	279.8	288.8	341.8	284.9
	比重%	12.29	12.8	14.6	14.1	14.2	12.4	11.9	11.6	9.54
进料加工	总额	421.3	444.7	493.2	486.9	500.3	645.8	651.3	880.3	864.5
	比重%	31.90	32.0	34.6	34.7	30.1	28.6	26.7	29.8	28.96
一般贸易	总额	433.8	393.6	390.4	436.8	670.4	1000.8	1134.6	1291.2	1386.0
	比重%	32.84	28.3	27.4	31.1	40.4	44.4	46.6	43.7	46.42

数据来源：中国海关统计报告，中国商务部网站。

注1：由于还有其他贸易形式，来料加工、进料加工和一般贸易三者之和不等于进、出口总额，三者所占比重之和也小于100%。

注2：进口中其他贸易形式进口比重较大，如1995年外商投资企业作为投资进口的设备物品进口占总进口额的比重为14.1%，以后连年下降，2000年该比重下降到5.8%。

从表2中，我们可以发现，来料加工贸易的出口和进口比重自1999年以来呈下滑趋势。而进料加工贸易的出口比重保持平稳，而进口比重呈下降趋势。其中原因为什么？

要分析其中原因，首先要了解来料加工和进料加工这两种加工贸易方式的区别。

在原材料使用方面，随着我国技术水平的提高，国内原材料在质量方面不差于国外，但价格远低于国外。来料加工的原材料来自于我国境外，如果采购国内原材料则受政策限制，手续复杂，而且不能享受出口退税政策，这降低了来料加工企业的竞争力。进料加工的原材料则可以来自我国境内，也可以来自境外，而且进料加工出口企业来自于国内的原材料可以享受出口退税等优惠政策。两相比较，如果需要使用国内原材料的加工企业，采取“进料加工”模式则更具有竞争力。

关于原材料采购方面，有一个非常有趣的“复进口”现象说明了来料加工企业在这方面的劣势。深圳不少来料加工企业在使用国内原材料时，通常是先通过大陆出口到香港的原材料，然后再保税进口到深圳，最后加工成品出口。这实际上是使用国内原材料，这些原材料实际经过出口到香港—进口到深圳—在深圳加工再出口的过程，这样增加了来料加工企业的交易成本。那么这个成本由谁来负担呢？在“出口退税政策”下，一般出口商品价格比在国内销售价格较低，如果这个差价高于前面说的交易成本的话，由于来料加工企业采用国内原材料不能享受出口退税，因而他们自然不会直接采用国内原材料，而选择“出口转内销”的原材料。而内地的来料加工企业由于没有香港这个优势，很少采用这种“出口转内销”的方式使用国内原材料。但是，深圳这种模式比起直接进口国内原材料同时享受出口退税政策的进料加工企业来说，增加了交易成本，降低了竞争力。

在市场方面，由于我国国内经济保持快速增长，在各国普遍面临衰退的情况下，我国市场需求相对旺盛。加工贸易主要是面向国际市场出口，如果部分半成品或成品在国内有市场的话，“内销权”可以提高企业的竞争力。进料加工企业由于主要是出口但也可内销，而来料加工只能外销，虽然可以“转厂”，但手续相对烦琐，不规范较多。因此，来料加工企业在这方面的竞争力也相对较弱。

来料加工和进料加工两种模式由于原料采购和市场两个方面的区别，导致来料加工企业竞争力较弱，在我国未来加工贸易中的地位将下降。

(2)来料加工增值率的下降趋势也反映了来料加工形式将在未来我国对外贸易中逐渐淡出，进料加工将作为加工贸易的主流形式。

表3：我国来料加工与进料增殖率变化情况

	1995	1996	1997	1998	1999	2000	2001	2002	2003.9
来料加工增殖率%	27.29	36.18	41.09	54.90	51.89	46.96	46.29	38.91	36.99
进料加工增殖率%	25.94	35.13	42.32	51.41	50.15	45.47	61.55	50.47	66.77

注：加工贸易增殖率=(加工贸易出口额-加工贸易进口额)×100%÷加工贸易进口额，数据来源同表2。

表3说明，1999年以来加工贸易两种形式的加工增殖率呈现两种不同的趋势，来料加工的增殖率不断下降，到今年9月，已经下降到36.99%，而进料加工的增殖率保持在50%以上，到今年9月，甚至上升到66.77%。加工增殖率是加工贸易的产业链条与国内经济关联的一个核心指标，来料加工增殖率近几年下降趋势表明，来料加工与我国要求延长加工链条相背离，与提升我国加工贸易在产业全球化的地位相背离。

来料加工增殖率下降的原因有两个。一是来料加工贸易中有相当一部分是劳动密集型的产品加工，其附加值较低。但这不是最主要的原因，因为在1999年以前，来料加工的增殖率一直是呈现增长态势，而那时的加工产品比现在更多的是劳动密集型。因此，来料加工增殖率下降的更重要原因在于，近年来来料加工在国内加工链条缩短，与国内经济的关联度下降。

因此，从加工增殖率下降反映来料加工与国内经济关联度下降这个意义上来讲，来料加工形式将在未来我国对外贸易中逐渐淡出。由于未来加工贸易仍然是我国参与国际分工，利用劳动力成本优势的重要形式，因此进料加工将作为加工贸易的主流形式。

四、深圳加工贸易的对策

深圳加工贸易一直在我国加工贸易中占有举足轻重的地位，在上述背景下，深圳也需要有清醒认识和充分准备。这里我们对深圳进一步发展加工贸易提出如下建议。

1. 继续大力发展加工贸易

在经济全球化背景下，加工贸易是货物贸易的重要形式，而货物贸易在未来国际贸易中仍然占主导地位。在世界产业调整和国际分工发展新形势下，在跨国公司的主导下，加工贸易仍然是未来国家贸易的重要形式。作为深圳对外贸易的主要形式加工贸易应该获得更大的发展。

2. 在发展加工贸易中，逐步把工作重点由来料加工转向进料加工

在我国来料加工和进料加工出现此消彼长的趋势，来料加工出现相对萎缩，进料加工逐渐成为加工贸易的最主要形式。因此，深圳也需要适应这种形势，重点发展进料加工贸易。

3. 重点发展知识密集型加工贸易，兼顾劳动密集型加工贸易

我国加工贸易产业构成已经由劳动密集型为绝对主导逐步向劳动密集型与技术、资金密集型产业并重的方向发展。在深圳进行产业结构升级和重点发展高科技产业战略下，深圳的加工贸易也需要重点发展资金、技术密集型产业和知识密集型产业。同时，由于我国劳动力成本优势和就业问题将在未来长期存在，因此深圳加工贸易也需要兼顾发展劳动密集型产业。

4. 加强政府引导，帮助加工贸易企业发展壮大

无论是国际上加工贸易的发展规律，还是我国加工贸易的发展过程，都表明政府在加工贸易的发展中起到了相当重要的主导作用，因此，政府需要根据加工贸易的发展规律，帮助有条件的企业调整和提高，调整的主要方向有：一是加工技术含量和附加值提高；二是加工贸易由对外加工装配转向委托境外加工，加工贸易企业扩大成跨国公司。

外部规模经济与深圳城市竞争力分析

赵登峰

一、国内学者城市竞争力研究述评

近几年，城市竞争力的研究引起了不少中国学者的兴趣，其中有代表性的研究主要有：中国社科院财贸经济研究所倪鹏飞主持的中国城市竞争力研究，其研究成果主要是社会科学文献出版社出版的《中国城市竞争力报告 NO.1》(2003)；东南大学经济管理学院徐康宁主持的研究，其主要成果有《中国城市竞争力排行榜》和《中国城市经济发展环境排行榜》；此外，还有上海市社科院对中国十个最具代表性城市进行的比较研究。这些研究成果的主要内容如下：

中国社科院的研究报告认为，城市竞争力主要是指一个城市在竞争和发展过程中与其他城市相比较所具有的吸引、争夺、拥有、控制和转化资源，争夺、占领和控制市场，以创造价值，为其居民提供福利的能力。城市竞争力由"硬"竞争力和"软"竞争力构成，"硬"竞争力包括人才竞争力、资本竞争力、科技竞争力、结构竞争力、区位竞争力、设施竞争力、聚集力和环境竞争力；"软"竞争力包括秩序竞争力、制度竞争力、文化竞争力、管理竞争力和开放竞争力。这 13 种竞争分力可分解为 70 多个指标要素，竞争分力系统及系统内诸要素通过直接和间接两种途径创造城市价值。竞争力可以用与收益价值有关的指标，从不同的方面来反映，用综合市场占有率、经济增长率、劳动生产率和人均 GDP 四个关键指标可以较为准确地表现一个城市竞争力的相对地位。

报告采用了案例、计量、调查三种方式，用 100 多个各类指标，从多种角度对中国 200 个地级以上样本城市的综合竞争力进行了分析和评估，并列出了综合竞争力前 50 名的中国城市排名。综合竞争力前五名分别是香港、上海、深圳、北京和澳门，如果不计算香港和澳门就要补上广州和东莞。报告认为，资本力是中国城市竞争力的第一构成力量，城市拥有资本控制能力比拥有存量资本更重要，制度竞争力中的个人权益保护度在 70 多个要素指标中对城市竞争力的贡献度最高，因此资本和制度是影响中国城市竞争力的最重要因素。报告同时认为，政府应采取促进城市相关产业在空间上群集发展的基本战略，从而实现城市经济的超常规发展和竞争力的不断提升。

东南大学经济管理学院依据城市经济相关理论，并借助专家的调查，把经济发展环境指标体系分解成三个方面，即经济规模、经济素质、经济运行环境三个领域层，然后分别以综合实力、基础设施、产业结构、科技创新、人力资源、影响力和国际化等 28 个具体指标来描述这三个领域的优化程度并进行数据分析。研究结果显示，国内副省级以上城市中竞争力排在前 10 位的分别是上海、北京、深圳、广州、大连、天津、青岛、南京、武汉和厦门。

上海市社科院的研究是从总量、质量、流量三个一级指标出发，下设 14 个二级指标和

79个三级指标，通过定量分析10个中心城市在经济发展中的集聚和扩散功能的强弱，来体现每个城市的综合实力。各城市竞争力的排序依次是：上海、深圳、北京、广州、重庆、苏州、武汉、天津、西安、哈尔滨。研究表明，综合实力排在前三名的上海、深圳、北京在分值上十分相近，上海在GDP总量、城市服务设施、资金流量等方面居于领先地位，而在专利申请数、拥有科技人员数等方面则落后于排在第二位的深圳，深圳每10万人专利申请数、拥有科技人员数均是上海的两倍多；在社会环境方面，主要包括人均绿地面积、人均居住面积、空气质量，上海与其他城市相比也有一定差距；北京在金融实力和科技实力方面排名第一；深圳、广州在信息流量和实物流量居第一。

国内学者对城市竞争力的研究存在如下方面不足：1. 缺乏对竞争力内涵的准确理解，将一些重要的经济与社会发展指标等同于竞争力指标，竞争力等同于城市实力；2. 偏重于测算和排名，测算指标体系缺乏理论基础，没有一个成熟的并被广泛接受的测度城市竞争力的方法及其指标体系，有随意抽取指标的嫌疑；3. 城市竞争力的研究主要集中在竞争力的外在表现形式，缺乏对竞争力产生的内在原因进行系统的理论分析；4. 政策建议缺乏理论支持，中国社科院的报告虽然认识到政府促进产业集群的重要性，但对产业集群和城市竞争力的内在逻辑关系并没有进行令人信服的论证。

二、国外学者对城市竞争力的研究

国外学者大多借鉴国家竞争力的概念来定义城市竞争力。美国哈佛大学教授波特在《国家竞争优势》一书中指出："竞争力在国家水平上仅仅有意义的概念是国家的生产率。"如果推及到城市的话，一个城市竞争力乃是指城市的生产率。他认为：城市竞争力是指城市创造财富、提高收入的能力。城市竞争力的研究重在研究竞争力的构成因素或决定因素，波特认为影响城市产业竞争力的因素有六个方面：包括四大直接因素即生产要素状况、需求状况、相关及辅助产业的状况和企业的经营战略、结构与竞争方式，两大辅助因素即机遇和政府行为。政府通过实施一系列政策可以直接影响企业和产业的国际竞争力，从而影响到国家或地区的竞争力。这六方面相互影响，相互加强，共同构成一个动态的激励创新的竞争环境。他以此建立指标体系，通过收集的统计数据和专家问卷获取的数据使评价指标量化，采用因子分析的方法，构造竞争力指数，通过比较获得竞争力排名。美国巴克内尔大学教授彼得认为：城市竞争力(UC) = f(经济因素、战略因素)。经济因素 = 生产要素 + 基础设施 + 区位 + 经济结构 + 城市环境；战略因素 = 政府效率 + 城市战略 + 公私部门合作 + 制度灵活性。他在分析城市竞争力时，选取了三个指标即零售额、制造增加值和商业值，组成指标体系表现城市竞争力；同时又选取了一些构成指标，采用多指标综合评价的判别式分析法，得出各城市竞争力得分，比较后得出各城市的竞争力排名，并且根据评价结果对城市竞争力进行了历史、结构、区域性的分析。中国社科院的研究报告主要借鉴的是彼得教授的研究方法。

世界其他机构对竞争力的定义还包括：世界经济论坛认为，国家竞争力是一个国家使人均国内生产总值高速增长的能力；美国竞争力委员会认为，国家竞争力是在自由及公平的市场环境下，国家能够在国际市场上提供好的产品、好的服务，同时又能提高本国人民生活水平的能力。前一个定义强调了增长的重要性，不管一国的贸易状况如何，只要人均GDP实现持续增长即为有竞争力。后一个定义强调贸易竞争力的重要性，即一国生产的产品和服务必须经受国际市场的检验，才能证明是否有竞争力。

诺贝尔奖获得者、美国著名经济学家萨缪尔森与波特的观点完全相左，萨缪尔森在其著名的教科书《经济学》(第16版)中指出：竞争力指的是一国商品参与市场竞争的能力，这主要取决于本国和外国产品的相对价格；竞争力明显不同于一国的生产率，后者是以每单位投入的产出量衡量的。他特别强调，一定要牢记关于竞争力的基本要点：正如比较利益原则所证明的，每个国家都不是生来就缺乏竞争力的。他还认为，通向高生产率进而通向高生活水平的必由之路是对贸易、资本和来自最先进国家的思想开放自己的市场，并允许同那些已经使用最先进技术的公司展开强有力的竞争。

综合以上各派观点来看，对竞争力的理解差异主要表现在：竞争力到底是生产率以及由生产率决定的长期增长能力还是一国或一个地区其产品和服务参与市场竞争的能力即贸易竞争力。本文所提及的城市竞争力，其主要内涵拟采用美国竞争力委员会的定义及萨缪尔森对竞争力的理解。理由如下：1. 一个城市吸引、争夺各种资源和要素的能力主要通过市场表现出来，其创造的价值能否实现并最终获得利益也要通过市场交换来检验，贸易竞争力较能准确反映竞争力概念中蕴含的市场参与方的互动内涵；2. 生产率是一个很好的度量经济发展速度和发展水平的综合性指标，却不是一个很好的解释竞争力的指标。生产率高低决定着一个城市经济的长期增长能力，并直接影响到城市居民生活水平的高低，克鲁格曼认为，"生产率不等于一切，但在长期内它几乎意味着一切。一国提高生活水平的能力，几乎完全取决于其改进劳工所使用的技术和资本的能力。"长期来看，虽然竞争力最终可以反映到生产率指标上来，表现为较高生产率的城市有较强的竞争优势，但不能说明为什么较低生产率的城市也有自己较强竞争优势的一面，毕竟生产率本身并不是竞争力，3. 竞争促进了生产率的提高，开放和贸易又进一步促进竞争。麦肯锡全球问题研究所对美国、日本和德国的制造业生产率的分析表明：日本制造业生产率比美国低17%，德国比美国低21%，在引起生产率出现差异的原因中，规模经济和制造技术在一些产业中的作用并不大；劳工的技术和受教育的水平也不重要，三国的情况实质都一样；相同产业部门中，公司之间存在巨大的生产率差异。该研究最惊人的发现是全球化的重要性，全球化意味着同产业部门的世界领先者展开竞争，一国通过利用高生产率国家的直接投资，引进技术和刺激竞争，有助于生产率的急剧提高。

三、城市竞争力形成的原因

本文主要借用国际贸易理论中的比较优势理论和规模经济理论来分析城市竞争力形成的原因。城市竞争力形成的三个重要来源是：比较优势、内部规模经济和外部规模经济，在国际贸易中，比较优势是贸易的主要动因，规模经济是次要的独立动因，而在城市竞争力形成的原因中，相对于比较优势和内部规模经济来讲，外部规模经济起着关键作用。

比较优势是指在规模收益不变、市场充分竞争的条件下，具有不同的技术、要素禀赋和偏好的国家或地区，其产品会具有不同的封闭条件下的相对价格，这种不同的相对价格差引发国际贸易的产生，国际均衡价格处于两国封闭下的相对价格之间，贸易对参与各方均有利益。国家间的差异性越大，则贸易的可能性越大，比较优势原理主要用来解释不同国家进行产业间贸易的原因。

比较优势是解释城市竞争力形成的重要原因之一，这是由于：不同城市要素禀赋中的关键要素——资本的丰缺程度不同，直接导致了城市竞争力的差异，世界上的最具竞争力的城市大多是国际金融中心，中国的香港、上海和深圳也是如此，地理位置(尤其是是否临海、是否靠近国际商业中心)也是影响竞争力的一个重要原因，但是，比较优势不能解释为什么一些最具竞争力的城市其要素价格中的地价也最高、人工也最贵，因此，比较优势解释城市竞争力存在局限性。

以克鲁格曼为代表的经济学家于20世纪80年代提出了新贸易理论，从规模经济的角度说明发达国家之间产业内贸易形成的原因。规模经济是指随着产量的增加，单位产出所需的投入却越少，规模经济可分为内部规模经济和外部规模经济，内部规模经济是指单位产品成本取决于单个厂商规模而非其所在行业规模，厂商的平均成本随其生产规模的扩大而下降，内部规模经济具有收益递增的特征。内部规模经济所面临的市场结构是不完全竞争的市场结构，典型的不完全竞争的市场结构是垄断竞争，每个厂商都生产有别于其他厂商的差异化产品，面对的是向下倾斜的需求曲线，即每个厂商在其差异产品市场上是垄断的，产品的差异性越大，垄断性越强，同时，行业中大量的厂商生产着相似的产品，市场又是竞争的，相似性越大，竞争性越强。在存在内部规模经济的条件下，国际贸易使一国的市场扩大，厂商通过提高产量得以实现规模经济利益，消费者可以得到更低价格的消费品，同时，厂商在寻求差异产品的过程中增加了产品的品种数量，消费者可以有更多的选择。

内部规模经济也是解释城市竞争力的重要原因之一，一个城市中追求企业规模、寻求技术垄断(而非行政性垄断或市场串谋)势力的企业越多，这个城市越有竞争力。熊彼特指出：垄断是资本主义经济技术创新的源泉。企业在追求专利权、版权、商标和知名品牌等垄断势力的同时，加速了企业的创新进程，然后通过扩大规模，进一步增加产量，将创新优势转化为价格竞争优势，从而推动了整个城市竞争力的提升。因此，专利多、名牌产品多、大企业多的城市竞争力强。但是，内部规模经济不能解释为什么这么多大企业和这么多名产品会在特定的城市集群，显然内部规模经济在解释城市整体竞争力时仍然存在局限。

影响城市竞争力的关键因素是城市能否产生强大的外部规模经济。外部规模经济指的是单个厂商的平均成本与其生产规模无关，但与整个行业规模有关，行业规模越大，单个厂商的平均成本越小，外部规模经济中的厂商面对的是一种接近完全竞争状态的市场结构。只有在竞争的市场环境中，垄断才能成为创新的源泉，一旦失去了竞争，垄断只能意味着停滞和腐朽，因此，外部规模经济能够有效地从本质上解释城市竞争力形成的原因。由于城市产业集群是外部规模经济的表现形式，所以在分析外部规模经济如何产生城市竞争力时，可以将外部规模经济理解为城市产业集群。

四、外部规模经济产生竞争优势的理论分析

本文拟从新古典经济学、新制度经济学、新增长理论、产业组织理论和国际贸易新理论来分析外部规模经济是如何产生竞争优势的。

新古典经济学的奠基人马歇尔主要从要素市场的供给与需求分析外部规模经济产生效率的原因，他认为外部规模经济的效率来自于三个方面：1. 厂商的集中能促进专业化设备供应商队伍的形成。在很多行业中，新产品的开发和产品的生产需要使用专门的设备和配套服务，单个厂商不可能提供足够大的服务需求来维持众多供应商的生存，但行业的地区集中确能解决这个问题，大量厂商集中在一起则足以提供一个服务需求极为旺盛的市场，使各种各样的专业化设备供应商得以生存；行业中专业化供应商网络的存在，反过来使厂商更便宜和更容易地获得关键设备的服务，厂商于是把有关业务交给供应商做而集中精力搞好自己终端产品的生产，因此，行业集中地区的厂商比其他地区的厂商拥有更大的竞争优势。2. 厂商的地理集中分布有利余劳动力市场的共享。厂商的集中能为拥有高度专业化技术的工人创造出一个完整的劳动力市场，这个市场不仅有利于厂商也有利于工人，厂商较少面临劳动力短缺的问

题，工人也较少面临失业。3. 厂商的地理集中有助于知识外溢。新发明、新产品、新设计和新思想在厂商集中的地区容易得到迅速的传播，传播的途径是专业技术人员间的信息交流和新知识的相互启发。因此，厂商的集中有利于相互间的技术交流和促进，有利于新技术的普及和广泛应用。

新制度经济学强调交易费用在外部规模经济中的作用。杨小凯认为：所有交易集中在一个地方可以改进交易效率。在市场竞争中人们会尽量减少交易费用，交易的集中程度能不能节省交易费用与分工水平的高低有关，若行业中的分工非常发达，不同行业专家之间的交易次数会很多，则行业专家集中在城市可以节省交易费用。只要这种节省交易费用带来的收益大于城市地价上升产生的成本，行业还会进一步向城市及其周边集中，因此，大城市地价上涨的潜力取决于分工加深的程度。为了促进专业化和分工，降低交易费用，在制度设计的层面上，应有保护私人企业家的剩余权和自由结社的法律制度，鼓励自由创业、自由进入和平等竞争。

新增长理论认为，随着知识的积累，厂商在产品质量提高、产量增加的同时，平均成本在下降，这就是阿罗(1962)的“干中学”效应(如图1所示)。

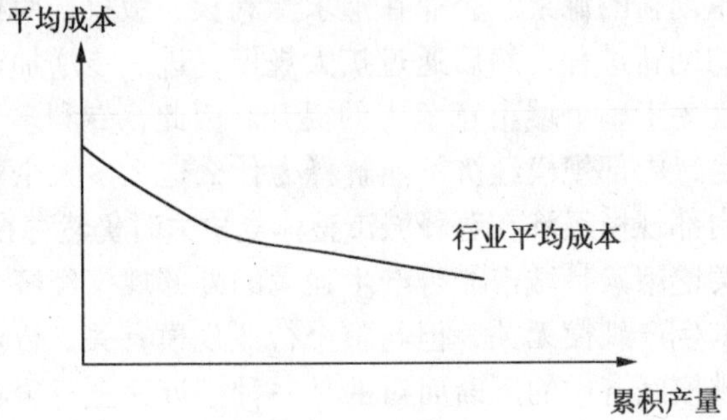

图1

外部规模经济可以通过行业学习曲线表现出来：随着行业整体知识的不断积累，知识的外溢有助于行业中各个厂商生产成本的下降。外部规模经济有动态收益递增的特征，即外部规模经济的获得不是取决于当前的行业产量水平而是取决于积累的行业产量，一个行业的累积产出越大，则行业中各厂商的产品单位成本也就越低，因此，这种规模经济也叫动态外部规模经济。行业的先期进入和初始优势对竞争力的形成有重要意义。

产业组织理论认为，在空间竞争模型中，若厂商的地理位置是给定的，企业竞争主要采用价格竞争的方式，同时寻求产品差异化策略，以缓和价格竞争的压力；若厂商的产品价格是给定的，则如下因素将导致厂商选择相互邻近的地址而产生行业集中：可以共用基础设施和共享商业中心的便利；厂商会集中设址在某一原料产地；厂商集聚有利于降低消费者的寻找成本，刺激行业总需求。

研究产业组织理论的法国经济学家泰勒尔以两个厂商的线性城市模型为例来说明产业集群的原因。假设价格是外在给定的，消费者是均匀分布的，且每个厂商都是在长度为1的线段上选择地址，设厂商1坐落在A点，厂商2坐落在B点，且$0<A<1-B$。由于价格是固定的，厂商利润最大化取决于消费者需求的最大化，若厂商1向B点移动，则其需求为：$A+(1-B-A)/2$，需求随A的移动而增长。同理，厂商2也尽量向A点移动以扩大自己的需求。由于两厂商在争夺它们之间的消费者，这样均衡必定涉及两个一致的选址，当$A=1-B=1/2$，则没有一个厂商愿意移动。因此，两个厂商博弈均衡的惟一解是两个厂商都坐落在城市的

中心。

国际贸易新理论认为，不论何种原因，哪怕是由于历史或偶然的因素，当一国或一个地区取得了外部规模经济后，即使已不再拥有比较优势，该国或该地区仍然能够维持其先期获得的竞争优势地位。克鲁格曼以瑞士和泰国的手表行业为例对外部规模经济产生的竞争优势进行分析。

假定手表生产中的规模经济对于单个厂商来说完全是外部，厂商内部不存在规模经济。图2中两国分别为瑞士和泰国，假定生产每只手表的成本为其年产量的函数，瑞士手表的平均成本用ACs表示，泰国的用ACt表示。D表示世界手表需求，并假定泰国和瑞士均能满足这一需求。由于两国的手表工业均由许多完全竞争的小厂商构成，竞争的结果是手表价格跌至平均成本。

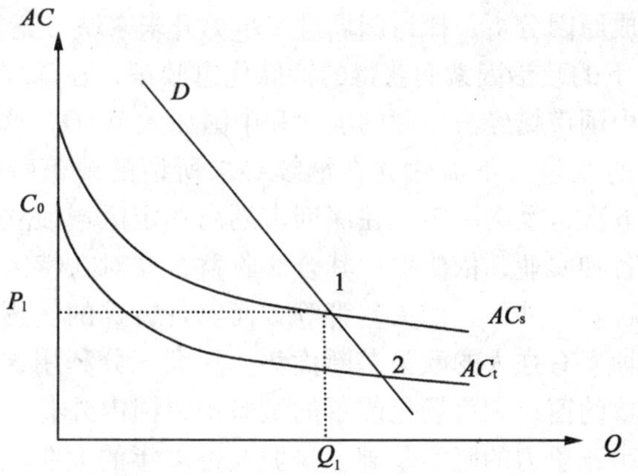

图2

由于泰国的工资比瑞士低，则泰国的成本曲线位于瑞士的成本曲线之下。这就意味着，在任何给定的生产条件之下，泰国总能生产出比瑞士便宜的手表，消费者也希望能买到泰国的便宜手表。但事实并非如此，假设瑞士由于历史原因，首先建立了自己的手表工业，那么世界手表市场的均衡点就会在图中所示的点1上，年产量为Q_1单位，价格为P_1。现在再来看看泰国介入生产的可能性。如图2中所示，如果泰国能够占领世界市场，均衡点就会移向点2，但是，若泰国未曾生产过手表($Q=0$)，那么有意于从事手表生产的泰国厂商就得面临生产成本C_0，而C_0高于瑞士手表的价格P_1。因此，虽然泰国潜在地能够比瑞士生产更廉价的手表，但是，瑞士手表工业的先期建立使它能够维持其优势地位。

从上述案例的分析中可以发现，在决定一国的竞争力时外部规模经济发挥着巨大的潜在作用，即使一国已不再拥有比较优势，因历史因素形成的专业化生产将使其继续保持外部规模经济优势。城市竞争优势的形成与此类似，由于历史或偶然的因素，当一个城市一旦形成了产业集群，拥有了外部规模经济，即使该城市在自然资源、土地价格和劳动力成本等方面失去了比较优势，但仍能保持强有力的竞争力。

综上所述，无论是从要素市场的供给与需求、交易效率的改进、行业知识的积累来看，还是从产业的空间竞争博弈、历史原因形成的专业化生产布局来看，外部规模经济对城市竞争力的形成都起着至关重要的作用，比较优势和内部规模经济的局限性在外部规模经济中得到了很好的解释。本文现拟运用上述城市竞争力的理论分析，探讨深圳城市竞争力形成的原因及深圳培育未来的城市竞争力的政策取向。

五、深圳城市竞争力分析

如果回过头去看改革开放二十多年的中国，要问哪个城市发生的变化最大，答案毫无疑问是深圳。无论国内外的哪位专家学者也无论采用何种指标体系，在测算城市竞争力时，只要数据的取值时间范围是最近二十年，从历史动态的角度来看，深圳不仅无疑是中国最具竞争力的城市，而且也是世界上最有竞争力的城市之一，否则无法解释深圳如何以无与伦比的"深圳速度"缔造了城市发展史上的奇迹。事实上，《2001—2002 中国城市发展报告》显示，深圳的城市发展潜力在中国大陆居首位，发展"真实能力"居第三，城市综合实力居第四。在以上三个指标中，发展潜力与竞争力最为接近，但是用于排名测算的数据所反映的仅仅是过去，只有透过数据表象去分析数据背后的事实，才能找到提升城市竞争力的正确路径。本文现结合深圳城市竞争力的形成原因分析，探讨深圳进一步提升未来城市竞争力的政策取向。

1. 因特定历史条件下的政治因素而获得的特殊优惠政策，在深圳城市竞争力形成中起着重要作用，但是，随着中国市场经济体制的确立和中国加入 WTO，这种特殊的优惠政策已逐渐丧失，深圳未来城市的竞争力不能建立在继续寻求所谓的政策特殊和优惠上。1980 年 8 月，五届全国人大第十五次常委会决定，在深圳市划出一定区域设立经济特区，鼓励外商在特区内投资设厂和兴办各种实业，依法保护其合法收益；并对在特区内投资的各类企业在土地、用工、产品定价、税收、外汇、海关监管等方面实行特殊的优惠政策。这种在计划经济体制下的特殊优惠使深圳享有强大的政策垄断优势，深圳充分利用这种政策垄断优势，很快使自己成为全国对外开放的窗口和市场化改革的试验田，国内外各种生产要素特别是资本云集深圳，奠定了深圳城市竞争力的坚实基础。深圳经过多年的大胆试验和迅猛发展，积累的许多市场化改革经验都在全国得到了推广，最终促成中国把建立社会主义市场经济体制作为体制改革的目标，与此同时，深圳也完成了市场化改革试验田的历史作用，大家都在搞市场经济，深圳也就没有什么特殊的了；随着中国加入 WTO，中国全方位对外开放的格局基本形成，深圳的对外开放的窗口作用正在逐渐消失，深圳的优惠政策已基本普惠化，深圳今后很难在经济政策上享受多大的优惠了。因此，深圳的未来城市竞争力不可能建立在寻求特殊的优惠政策上。

2. 比较优势是深圳城市竞争力形成的基础，其中，区位优势的作用明显，土地和劳动力价格的优势正在逐步丧失，资本和技术发挥着越来越重要的作用。深圳毗邻香港，陆路口岸与香港直接相通，香港是国际著名的自由港和商业中心，法制健全，市场体制完善，基础设施优良，深圳能够成为中国最大的外贸出口基地，香港因素明显；此外，深圳东西两面临海，有发展成优良海港城市的自然条件，这些都是深圳城市竞争力形成的天然区位优势。改革开放之初，深圳的土地和劳动力价格相对于其他城市还有一定的优势，随着深圳二十多年的发展，深圳的地价和人工工资早已超过了其他内地城市，优势变为劣势，只是相对于香港而言，还具有明显的竞争优势；但是，如前文所述，城市竞争中土地和劳动力价格对竞争力的影响取决于城市专业化分工的广度和深度，而拥有雄厚的资本和技术又是城市加深分工中的产业链条的重要基础。随着深圳金融业的开放和创新以及高新技术产品的研发能力的增强，资本和技术在深圳城市竞争力形成中的作用愈来愈重要。

3. 贸易和开放成为深圳城市竞争力的动力源。贸易和开放促进了竞争，深圳充分运用特殊优惠政策，发挥地缘比较优势，大力发展对外贸易，吸引外资，使深圳成为一个经济上高度开放的城市，以 2002 年为例，深圳全年实现 GDP 合约 271.44 亿美元，而外贸进出口总额

872.31 亿美元，深圳市的外贸依存度高达 321%，深圳市进出口总额占全国进出口总额的 14%，出口总额连续十年位居全国大中城市榜首；目前，深圳共有外资企业 19456 家，注册资本总额和投资总额分别为 273 亿美元和 460 亿美元，2002 年深圳累计实际利用外资 49.02 亿美元，比上年增长 36.1%，总量创历史新高，其中外商直接投资 31.91 亿美元，增长 23.2%，占实际利用外资的比重 65.1%，全年共有 17 家世界 500 强跨国公司来深圳投资或增资，投资或增资总数达 86 家；外商及港澳台投资企业完成现价工业总产值 2849.19 亿元，增长 27.8%，占深圳全市工业总产值的 80%。单就经济指标而言，深圳完全称得上是一个国际化的新兴城市。

4. 敢闯敢干和勇于创新使深圳有了先行一步和先期进入的优势，但这种优势逐步受到来自上海等其他城市的挑战。深圳敢闯敢干、勇于创新主要体现在如下几个方面：在价格和要素市场上，率先进行物价改革；率先推行劳动合同制并实行结构工资制；率先有偿出让国有土地使用权并实行工程全面招标承包，率先进行住房制度改革，实行货币分房；率先成立外汇调剂中心，组建股份制地方商业银行和现代证券公司，成立深圳证券交易所和有色金属期货交易所。在企业改革和发展上，对外商投资企业实行国民待遇；率先实行国有企业股份制改革；成立国资委；建立深圳产权交易所；进行现代企业制度试点；国企经营者实行年薪制；出台扶持高新技术产业发展的二十一条。在政府公共服务和行政效率上，实行小政府、大社会；进行口岸管理体制、税收征管体制和社会保障体制改革；率先实行政府审批制度改革等等。这一系列大胆创新，使得一些关键产业诸如建筑和房地产开发业、高新技术产业、金融业、对外贸易、旅游和物流业等，在深圳形成产业集群，并且由于先期进入和市场竞争，逐步取得了外部规模经济的优势。但是，随着中国全方位开放格局的形成，特别是上海自 20 世纪 90 年代初实行浦东开发以来，深圳在金融业和高新技术产业上受到上海的挑战，随着大量外资金融机构落户上海，中国惟一的全国性外汇交易中心和黄金交易所在上海的成立，特别是新股发行上市全部集中在上海证券交易所进行，上海得以重拾历史上的全国金融中心的地位，形成了强大的资本竞争力；近年来，上海市高新技术产业发展迅猛，2002 年高新技术产业工业总产值 1980.08 亿元，比上年增长 18.7%，占全市工业总产值比重达到 23.4%，比上年提高 1.6 个百分点；全年受理专利申请量 19963 件，比上年增长 56.3%，而深圳 2002 年全年受理专利申请只有 7917 件，增长 31.2%，虽然深圳专业技术人员的总体数量只有上海的 1/3，但仍反映出目前深圳企业寻求技术垄断优势的能力略逊于上海。

5. 在开放和创新基础上形成的关键产业城市集群是形成当前深圳强有力的城市竞争力的根本原因。在高新技术产业方面，以电子及通信设备制造业为主体的高新技术产品产值达 1709.92 亿元，占全市工业总产值近 48%，其中拥有自主知识产权的高新技术产品产值达 954.48 亿元，增长 34.6%，占全部高新技术产品产值的比重 55.8%，信息产业部公布的“2002 年我国软件产业前 100 家企业”中，深圳有 11 家知名企业榜上有名，其中华为和中兴通讯分列百强第一和第二位。在金融业方面，深圳金融业机构组织体系健全，金融产业集群为深圳提供了资本核心竞争力，全市包括银行、证券和保险在内的国内金融机构达 80 余家，还有 30 多家外资银行分行和代表处，国内所有银行都已全部在深圳开设了分支机构，17 家证券公司总部、204 家证券营业部设在深圳，深圳的上市公司有 76 家，全国 20 家基金公司中有 11 家注册地在深圳。深圳的金融业对深圳 GDP 的贡献率达 12% 以上，金融业已成为深圳的支柱产业。在物流业方面，深圳物流业的发展一直超前于交通基础设施的承载能力，深圳是全国惟一拥有海陆空口岸的城市，公路、铁路、港口和航空运输十分繁忙，以港口和航空运输为例，2002年深圳港跃升为全球第6大集装箱枢纽港，港口集装箱吞吐量761.78万标箱，增长50.1%。深圳机场已开通国内航线120条，国际航线9条。全年机场旅客吞吐量935.39万人次，比上年增长20.3%；机场货物吞吐量33.41万吨，增长35.0%，美国与韩国已在深圳设立了全资航空快运公司，南航与美国一家航空公司合作在深圳设立了国际货运公司总部和货运基地。

通过上述对深圳城市竞争力的形成原因分析，可以总结出深圳提升未来城市竞争力的主要政策取向应该是：以扩大开放和鼓励创新为手段，进一步发挥外部规模经济在提升城市竞争力中的重要作用，大力培植高新技术产业、金融业和现代物流业等关键产业，使深圳形成强大的产业集群，为深圳赢得未来激烈的城市竞争打下坚实的基础。

在高新技术产业方面，政府要以制度创新为重点，提高政府的行政效率，进一步优化深圳投资和创业的软环境；制定支持高新技术产业发展的新举措，建立产业发展基金，形成促进高新技术发展的政策优势；以建立信息化城市为目标，利用政府采购的方式刺激信息产业加速发展；加强深港双方在高科技领域的合作，共同培育深港科技风险投资市场体系和科技服务中介体系；研究和探讨在深港接壤地区合作开发建设高科技园区；企业要以技术创新为重点，通过开发拥有自主知识产权的高新技术产品来寻求竞争优势；鼓励外商投资企业在深圳设立研发中心，使深圳不仅成为高新技术产品的生产基地，而且成为高新技术产品的研发基地。在金融业方面，深圳要抓紧落实WTO过渡期内中央赋予深圳在金融服务领域的先行先试权，扩大外资银行在内地的服务范围，加快外资金融保险机构与深圳内资商业银行和保险公司的合资经营步伐，吸引符合资格的境外机构投资者(QFII)进入深圳的证券基金市场；巩固深港港币支付系统合作成果，鼓励更多的香港金融机构来深圳发展；可尝试采用市政债券、企业债券，集合居民委托贷款等金融创新方式筹集建设资金，加快基础设施和重点工业项目的建设；当务之急是尽快争取恢复深圳证券交易所新股上市发行的功能，远期可考虑开展国债期货、股票指数等金融衍生品的交易。在现代物流业方面，交通基础设施一直是制约深圳物流业发展的瓶颈，深圳应超前规划，加速建设，加快西部通道、轨道交通网、内环高速公路、盐田集装箱码头三期、蛇口集装箱码头二期的开工建设；加强深港两地口岸通关、机场业务等方面的合作，推动建立两地物流合作的沟通联系机制；加强深圳与珠江三角洲在大型基础设施建设上的协调，形成群体合成优势；拓展深圳物流业在南中国区域的辐射腹地，包括沿京九、京广铁路和即将全线通车的京珠高速公路等辐射带，重点搞好海铁联运，发挥铁路在中长距离运输中的优势，使深圳成为这些地区的出海口。

汕头特区经济国际化的思考

郑　仰

一、汕头特区经济国际化势在必行

汕头是最早开放的4个特区之一，经过20多年建设，无论是进出口数额，还是利用外资数量都迅猛增长，不仅推动区内经济突飞猛进，而且为中国内地扩大开放，参与国际分工做出了贡献。

汕头创办经济特区的初衷是希望发挥汕头的侨乡优势，吸引海外潮人回乡投资，发展出口加工业。这说明汕头特区一起步就选择了经济国际化的目标。汕头特区的建设目标经历了由出口加工区到多功能综合性特区再到现代化国际港口城市的变化。纵观这一变化历程，可以说，汕头特区每一步更高目标的实现，都依赖特区经济国际化程度的加深。汕头创办特区以来，国内生产总值大幅度增加，产业结构改善，城市面貌大为改观，并且较好地发挥了辐射和带动内地经济发展的功能，大大推进了潮汕地区的城市化和工业化。这一切成就的取得，都和特区实行对外开放，大力发展外向型经济分不开。但是到目前为止，汕头特区经济的国际化程度还不高，产业结构还处于较低层次，还没有把整个经济发展重心置于世界经济当中，这已成为制约汕头特区经济发展的严重障碍。

汕头特区所处的亚太地区是全球经济增长最快，最富于活力的地区。而且，亚太区内国际投资活动增长速度由于亚太国家和地区经济发展层次不一，各国经济的互补性很强，各国经济合作的特点是阶梯型发展和互补性分工，各国都充分利用区内资源和市场，积极从事分层追赶。

目前，全球经济一体化和区域经济集团化并存，而且经济集团化在深度和广度上日益发展。据报道，全世界约有各种区域经济集团23个，有119个国家参加。区域经济集团化，从根本上来说是生产和资本国际化的结果，在一定意义上它能推动经济国际化。但它在扩大区内开放性的同时，又具有对区外国家的封闭性。它的发展造成的贸易保护将从过去的国别保护向集团保护转变。在国际贸易的新形势下，亚洲国家已在加强合作，以增强竞争能力。虽然亚洲地区距离建立自由贸易区还很遥远，但各国的加强合作的势头正在不断强化。

世界经济国际化的新变化，对汕头特区的影响很大。一方面，亚太经济的繁荣和合作为汕头特区发展提供了前所未有的机遇；另一方面，区域经济国际化又对汕头特区造成不小的压力。如何面对新形势，已成为决定汕头特区未来发展的严峻课题。汕头特区只有更加积极地投身亚太经济交流，才能找到发展出路。中国内地自20世纪90年代以来形成了全方位开放的态势。沿海、沿江、沿边、内地都积极加入对外开放行列，纷纷利用优惠政策吸引外商和发展对外贸易。相比之下，经济特区拥有的政策优势逐步丧失，加上特区地价和工资成本提高，持续发展面临严峻的挑战。特区经济只有更加开放，更加深入地融入世界经济，才能生存和发展，所以，汕头特区经济国际化，势在必行。

二、汕头特区经济国际化存在的主要问题

1. 出口依存度不高，进出口结构不佳

外贸出口值在一个地区国内生产总值的比重是衡量这个地区经济国际化程度的主要指标。20世纪90年代汕头经济特区的国内生产总值增长了6.27倍，但是汕头特区出口依存度(出口总额/国内生产总值)正常年份一直在50%上下波动，并不随着国内生产总值增长而增长，与深圳、珠海等特区有很大的不同。这说明汕头特区外贸出口对经济发展的影响力并不强，地方经济增长主要依赖国内市场支撑，没有能实现以国际市场为依托。这种国际市场开拓滞后于国内经济增长的状况，和特区未能真正确立以国际市场为导向有关。汕头特区出口产品结构虽然也有改善，目前仍不理想，低加工度、低附加价值的劳动密集型产品占绝对优势，资金、技术密集型产品太少。

2002年在全市出口的工业品中，技术含量高的机电产品，比重仅25.3%，而同年全国大中城市机电产品出口占出口总额比重为56%，差距很大。同时，汕头特区出口市场结构存在明显缺陷，集中表现在出口产品市场过分依赖香港，汕头特区出口产品80%—90%输往香港。尽管特区出口市场数目众多，但其中绝大部分实际上微不足道。出口产品市场过分集中，必然降低汕头特区对外市场变化的反应能力，也制约出口规模。当然出口香港的产品中的一部分还要再出口，但为了减少出口中间环节，今后应创造条件转向主出口。

汕头特区进口产品结构存在先进机器设备和技术引进太少，一般工业品特别是生活消费品进口过多等问题，例如2002年特区外贸进口总额13亿美元，其中进口成套设备及技术机电、仪器等用汇仅占6.78%，而加工贸易所需原辅材料占34.8%。

2. 利用外资，形式单一，结构不合理

深圳、珠海分别从1979年和1980年开始利用外资，汕头特区从1983年才开始利用外资，起步比较慢。以外贸出口比较正常的年份1998年为例，汕头实际利用外资为10.39亿美元，与珠海11.07亿美元差不多，相当于深圳25.52亿美元的40%。另外，从三资企业工业产值占特区工业总产值的比重来看，深圳、厦门、珠海、汕头4特区三资企业工业产值比重分别为：75.9%、82%、66.6%和42.3%，汕头差距悬殊。

从利用外资的方式来看，汕头特区利用外资基本局限于直接投资，对外借款1989年才起步，数额也极少，国际租赁一直未起步。另外还缺少国际流行的证券投资方式。

汕头特区引进的外资一直以香港资本为主。2002年汕头市实际外资1.58亿美元，其中港资1.02亿美元，占64.56%相比之下，对其他国家和地区资本吸引不够；尤其是美、日、欧等国家大资本没引进。这种资本来源结构决定了外商投资的产业结构。汕头特区外商投资规模小、技术层次低的状况十分突出。外商资金一般投向服装、食品、陶瓷、塑料制品、玩具、钟表、制鞋等劳动密集型项目上。近两年虽然外资投向有了一些改善，但外资企业小型化，轻型化的特点没有大的改观。另外，外商在第三产业领域内投资倾向于房产、商贸、饮食、宾馆等已呈饱和之势的行业，至于保险业、教育、科学研究事业、综合技术服务业、信息咨询行业等则很少投资。

此外，存在先进技术引进太少，吸收、消化、创新能力不强等问题；国际旅游方面则存在开发不足、设施落后，档次过低、吸引力不强等问题。2002年境外旅游者人数17.6万人次，旅游外汇收入9632.4万美元，在各个特区中居于末位。

三、汕头特区经济加快国际化的构想

汕头特区经济国际化的进展缓慢，不适应亚太地区经济的高速发展，必须急起直追，抓住世界经济发展的有利机遇，加大国际化步伐。

1. 改善出口结构，提高出口依存度

经济特区外向型经济健康发展的标志之一，就是出口依存度的稳定上升。因此必须改变汕头特区出口依存度下滑的局面。为此就要大幅度增加外贸出口，一方面建立出口生产体系，积极组织出口货源，另一方面对目前份额不大的海外市场加紧开拓。今后汕头特区应逐渐把出口重点转向西欧、北美、日本等发达国家，韩国香港以外的东南亚各国在汕头特区出口市场中的地位应该得到明显提高，同时必须把开拓南亚市场，尤其是印度市场提到日程上来。

提高出口依存度，根本途径在于特区产业结构和出口产品结构的调整。由于发达国家传统部门技术进步加快，引起一般劳动高度节约，发展中国家劳动成本低的优势大为减弱。另外发展中国家争相发展劳动密集型产品出口，引起此类产品在国际市场上供大于求，而发达国家对服装、食品类、鞋类、玩具等传统工业品则实行高保护，这一切决定了汕头特区产品出口的重点必须转向加工度深、技术含量高的产品。

可是，汕头特区目前的产业结构远不能满足这一要求。汕头特区缺乏钢铁、汽车、造船、石化等大工业项目，机械电子行业基础差，高新科技产业更是薄弱。特区工业企业普遍从事轻加工，规模小，技术水平低。这样的产业结构决定了特区出口产品结构即资金技术密集型产品少，出口竞争力不强，出口增长有限。近几年汕头特区出口依存度下滑的根本原因就在于产业结构落后造成产品层次低、出口路子窄。实际上，目前区内相当部分出口产品，已没多大潜力可挖。发展资金技术密集型产业，依赖产业结构更新，提高出口额和海外市场占有率，已成为汕头特区发展出口贸易的必然选择。

2. 改善外商直接投资结构，多种形式利用外资

第一，加强引导外资投资方向，鼓励外商投资上规模、上水平、多创汇，对重点投资行业如基础设施和基础产业、重化工业、高科技产业和金融保险、信息咨询等第三产业实行政策倾斜，给予更多优惠，甚至让出部分国内市场，换技术，换资金。至于一般轻加工项目，特别是那些国内已成长线，外销又有困难的项目，应该明确限制。

第二，努力推进投资多元化。汕头特区利用外资不足和外商投资结构不理想，都和过分倚重港资有关。今后应重视引入美、欧、日等国大资本。这些大资本投入资金多，技术水平高，经营期限长；加强引入这类资本有利于特区产业结构优化和经济现代化。

汕头特区利用外资的另一重点是台湾资本。台湾资本实力雄厚，目前，共有大约300—350亿美元需要向外转移投资。20世纪80年代后期开始，台湾资本不断加大对大陆投资力度。台资涌入大陆，受益最大的是珠江三角洲地区和厦漳泉三角区，特别是深圳和厦门。目前台资逐渐向内地转移，相比之下汕头特区明显落后。去年汕头市实际利用台资4142万美元，占全市实际利用外资的6%多一点。汕头本来拥有利用台资的人缘和地理优势，可惜没有发挥好。台湾对外投资项目高中低层次都有，分别以微电子、石化、制鞋为代表，不像港资基本局限于轻工企业。汕头特区以争取台资为重点，当然重心要放在台资的中高级项目上。由于受到科技承载力不强、基础设施落后等制约，引进台资中高级项目有不少难度，但必须创造条件，打破制约，开创引进台资和其他外资的新局面。

第三，汕头特区必须扩大利用外资的途径。除了重点吸收外商直接投资外，国际借款和

国际证券融资都是值得采取的形式。国际借款中的外国政府贷款和国际金融组织贷款，条件优惠，要求着重用于发展基础产业和教科文卫事业，这对于改善特区投资环境和产业结构十分重要。国际商业银行贷款尽管贷款代价较高，但借来之后，归我方自由支配，特区可根据需要自主安排投资。总之，利用国际借款是汕头特区增加利用外资不可缺少的形式，特别是在偿还能力强、外商直接投资方向难以引导的情况下，更是如此。

3. 走"大工业"的路子，壮大对外开放实力

以钢铁工业、机械工业、化学工业、汽车工业、家电工业为代表的现代大工业是发展中国家国民经济支柱。首先，现代化工业部门拥有先进的技术。其次，大工业企业规模大，经济效益显著，而且占国民经济的比重高。再次，现代大工业具有强烈的产业带动效应，能够明显带动一系列产业部门的发展。虽然发达国家由于服务业和高新技术产业的发展，现代工业部门渐趋衰落。但发展中国家和地区的现代工业部门前景广阔，发展势头强劲，包括韩国和台湾也是这样。

现代大工业对发展中国家经济现代化和国际化的影响十分深远，轻纺工业—重化工业—服务业和高新技术产业的发展链条很难逾越。道理很简单，没有现代化的重化工业，就没有发达的工农业，没有发达的工农业，就没有发达的服务业，包括没有发达的科学技术，于是高新技术产业的发展也困难重重。结果出口缺乏实力和后劲，引进资金技术能力弱，国际交流只能处在低水平上。发达国家现代化工业部门的衰落，是成熟之后的衰落，是由于现代大工业的成熟带动了服务业和高新技术产业的发展，而后者发展到一定程度又具备了相对的独立性。香港算是一个例外，它没有现代大工业，但服务业相当发达，依赖发达的服务业而成为国际贸易、金融、旅游中心。但香港的特殊优势是不可比的，而且香港至今也没有发展起强大的高新技术产业来。

汕头特区的致命弱点之一，就是缺乏现代大工业基础，或者说是一片空白。这一弱点造成产业结构和产品结构层次低，经济国际化进程受阻，还造成汕头特区企业组织结构存在严重缺陷。现代大工业与现代大型企业密切相关，原因不仅在于现代工业企业投资规模大，技术水平高，而且在于它产业关联度强，相关企业很容易组成分工协作的大型企业集团。汕头特区企业普遍是轻工中小企业，一些较大的集团式企业，内部企业规模小，数量少，彼此关联度不强，所以总体规模仍然偏小，集团效益不能很好发挥，原因还是在于缺乏现代大工业企业作龙头。这样，汕头特区企业参与国际竞争的能力必然有限；经济国际化步伐再次受到延缓。

现代化大工业缺乏，造成汕头特区的高新技术产业成长缓慢。与轻工中小企业对应的只能是低水平的科学技术。这种状态下，对外商高新技术产业投资的吸引力和承载力就差，另一方面，自我开发生产能力弱，于是汕头特区发展高新技术产业比国内其他很多城市面临更多的困难。

在现有工业水平的基础上，汕头特区不可能实现以服务业为支柱，建成现代化国际港口城市。汕头不具备香港的特殊优势，工业落后必然制约第三产业发展，即使交通设施彻底完善，汕头特区第三产业发展仍然是有限的，未来汕头港的物资流，资金流，信息流增长不会太快，以汕头港为依托的特区第三产业难以飞跃发展，而单靠第三产业的发展也难以支撑汕头特区经济的大厦。

新加坡港和荷兰的鹿特丹港地理条件十分优越，但它们今天的经济地位，绝不仅靠发展与港口有关的第三产业取得。新加坡的炼油、钢铁、造船、电子等现代工业相当发达，它的

炼油工业年加工能力达5500多万吨，仅次于休斯敦和鹿特丹。鹿特丹除发展第三产业外，还大力发展石油化工、造船、化学工业等其他现代工业。广东的珠海和湛江，从交通状况和腹地条件看，区位优势至少不亚于汕头，但它们都明确提出把现代大工业作为未来经济的骨架。

汕头特区要实现宏伟目标，必须确定现代化大工业作为支柱产业。汕头完全可以发挥大港口的优势，实行原材料来源和产品销售两头在外，以吸收外资为主发展现代大工业。比如可以考虑发展大型石化工业，建设大型轧钢厂。这些大项目投产后，不仅促进贸易和航运等一系列服务业的发展，实现“以工兴港”，而且可以带动化学工业、机械、汽车、造船等下游产业的发展，形成互相关联的产业群体。

汕头特区实现国际化目标任重道远，只有坚定地沿着更加开放的路子，实行经济国际化战略，开展全方位的调整与更新，汕头特区才能在新世纪以崭新的姿态出现在太平洋西岸。

和谐社会与国际化城市

韩望喜

党的十六届四中全会提出构建社会主义和谐社会的概念，将构建社会主义和谐社会的能力作为党治国理政的五大能力之一，在理论和实践上具有划时代的伟大意义。在新的历史条件和新的形势下，党必须准确把握时代特点，以人为本，转换治国理政视角，树立科学发展观，努力寻求人与自然的和谐、人与社会的和谐、人自身的和谐，大力发展社会主义物质文明、政治文明和精神文明，构建社会主义和谐社会。

人与自然：共生共荣的环境意识

构建社会主义和谐社会，生存环境是前提。人作为大地之子，应该与自然环境契合一体。《中庸》曰：“致中和，天地位焉，万物育焉。”

人生活于环境之中，人我之间有社会道德，物我之间有环境道德。从宏观来看，是人类怎样对待自然环境，怎样对待共生共存的生态；从中观来看，是一定地域的民众怎样对待生存的环境，怎样处理人与环境的关系；从微观上看，是个体对生活环境的认知与期待。

人，对于自己的生存环境，有怎样的生存自觉和生命体验？中国有所谓澡雪精神，西方有所谓诗意栖居。作为主体的人，既是自然的一部分，遵循自然的规律，又是社会的一部分，以社会生产方式和生活方式影响自然和生态。自从出现人类，自然已不是纯粹自然，而是人化自然，自然打上了生产活动、社会活动的烙印。原始社会人与自然的朴素和谐，农业社会人与自然的部分和谐，工业社会人与自然的紧张失衡，未来社会人类与自然的重新和解，人类对自然征服的画卷，自然对人类报复的场景，都构成了人类的体验，并从中生发出对人与环境的反思。

对环境的理解要有世界视野。在经济全球化的今天，对环境的保育已成为全球共同的事业。人类应该对头上的星空怀敬畏之情，对足下的大地怀感恩之心，对人类未来担负责任。宇宙具有严整的秩序，圆满的和谐。古希腊的毕达哥拉斯学派提出的“数的和谐”与“天体和谐”论，德国天文学家开普勒，将自己的著作命名为《宇宙的和谐》，而爱因斯坦将宇宙统一和谐升华为一种信仰。从毕达哥拉斯到爱因斯坦等科学家们所深深执著的宇宙的和谐，值得人们思索与尊崇。顺应自然规律，追求人与自然和谐发展，应成为全球共识。

对环境的理解要有生命意识。生命是宇宙中最伟大的力，是生生不息的运动。中国古代哲人对生命的时空有着深深的体验，由此形成了对生命的体验和超越的意识，对人生世相、宇宙万物抱有深切的同情。中国传统文化强调赞天地之化育，不作主体客体二元之分，反求物我和谐之道。《中庸》曰：“万物并齐而不相害，道并齐而不相悖。”人类对待自然必须有生态意识，有人和自然和谐相处的生态伦理观，把道德关怀扩大到一切生命和自然界生态系统，承认生命和自然界的价值和权利，尊重生命及其存在权利，让地球充满生机与活力。

对环境的理解要有生活准则。人与环境是息息相通的，生态的危机实际上是人类精神生活的危机。人一方面是自然之子，另一方面，又是自然环境的威胁者。地球科学家把现在或者说最近这一个时代看作环境问题的时代，并将“人类世”作为一个单独的有其特殊含义和内容的地质时代，来研究人与自然和谐发展的远景，可见人类生活方式对环境的影响。生活方式决定着环境的命运。对健康生活有正确的理解，才有自然环境的未来。明确社会责任，超越物质欲望，提升精神境界，才能与环境共生共存。

深圳是移民城市，移民心态、移民文化一直潜在地影响着城市的建设和民众的思维。在城市规划、管理和建设中表现出来的一些严重短期行为和一些市民的急功近利，直接影响着城市的环境，大气环境、水环境、市容环境的破坏，土地环境的不可逆转性破坏和城中村的畸形发展相当突出。

美丽和谐的家园，才适宜于人的栖居，人与城市才能融为一体。缺乏环境意识，必然危及城市的生存与发展，更不用侈谈国际化城市的建设。塑造环境意识，提升城市形象，对于深圳有着重大意义。十六届四中全会要求坚持以人为本、全面协调可持续的科学发展观，统筹人与自然和谐发展。深圳建设的国际化城市是文明城市、人文城市，必须具备优美的自然环境和人性化的人文环境，走生产发展、生活富裕、生态良好的文明发展之路。培育理想的环境，关怀自己的生存家园，实现人与环境的和谐共生，对于城市的成长和市民素质的提升是极其重要的。目前市委、市政府大力实施的“净畅宁工程”、清拆违法建筑和“城中村”的改造，正是提高城市管理水平和城市环境质量的重大举措，对于建设国际化城市，构建人与自然的和谐将产生极其深远的影响。

人与社会：公平正义的社会理念

构建社会主义和谐社会，公平正义是核心。公平正义是人类社会的基本理念和普世价值，正如罗尔斯所说：“正义是社会制度的首要价值，正像真理是思想体系的首要价值一样。”在法治社会，正义原则不仅是对个人的要求，也是对整个社会的要求。

要形成全体人民各尽其能、各得其所而又和谐相处的社会，就必须促进社会公平和正义。正义是指一种与社会理想相符合，足以保证人们的合理需要和利益的制度，是人们利益诉求的合理的、公平的满足。因此，衡量一个社会是否遵循正义的理念，要看公民的经济权力、政治权利、文化权利是否得到切实尊重和保障。

发展社会主义市场经济，实现公民经济权利。这里主要是兼顾效率与公平的问题。构建和谐社会，发展是第一要务。要坚持以经济建设为中心，不断解放和发展社会生产力。和谐社会又是经济社会协调发展的社会，单纯的经济增长并不意味着社会的进步和人的全面发展，人民群众还必须能够共享社会发展的成果。人民群众既是社会财富的创造者，又是发展成果的享有者，必须使社会成员在社会分配上“各得其所应得”。公平对效益并不构成威胁，相反，在公平和效益之间寻找一个恰当的平衡点，能够更大地激发活力，提高效率，创造稳定和谐的社会环境。因此，和谐的社会必须遵守社会公正的两大基本原则：机会平等原则和按贡献进行分配规则。同时，任何社会必须至少应该保障公民享有生存和发展的权利，尊重劳动者的基本人权，这样才能使得人们各得其所，共同发展。

建设社会主义民主政治，实现公民政治权利。这里主要是健全民主与完善法制的问题。柏拉图认为，当每个人都从事最适合自己的工作，并且所有社会职能都得到最好发挥时，社会就是合乎正义的。但是在社会阶层急剧分化，利益诉求出现差异甚至对立时，要兼顾各个不同阶层和不同群体利益，要实现各个社会成员的意志和权利，就只能通过民主政治来表达。民主是政治的归宿。人民当家作主是社会主义民主政治的本质要求，必须保证全体人民真正享有通过各种有效形式管理国家和社会的权力。没有民主，没有自主参与、自主管理，没有民意的表达渠道，就不能调动人民群众的积极性、主动性和创造性，就无法激发社会的活力。法制是民主政治的保障。在现代法治社会，民主和法治是不可分离的整体，公共意志必须落实为具体的法律制度。任何民主制度必须通过法律制度来提供切实、可靠的保障，社会主义民主也只有通过法治才能得以存在和发展。因此，必须不断推进国家经济、政治、文化、社会生活的法制化、规范化，保证人民依法享有广泛的权利和自由，在全社会实现公平和正义。

发展社会主义先进文化，实现公民文化权利。这里主要是发展与共享的问题。社会主义先进文化，是面向现代化、面向世界、面向未来的，民族的科学的大众的文化，繁荣发展社会主义先进文化，其目的就是为了向人民奉献更多的文化产品，满足人民群众日益增长的精神文化需求。公民文化权利主要包含享受文化成果的权利、参与文化活动的权利、开展文化创造的权利。公民文化权利的诉求，是实现社会的协调发展、人自身的全面发展的重要内容。

建设社会主义物质文明、政治文明和精神文明，充分实现人民群众的经济、政治和文化权利，其结果就必然是经济发展，民主健全，文化繁荣，社会和谐。

特别要指出的是，社会管理是实现社会公正与维护公民权利的重要途径。现代政府的职能是管理与服务，公平地维护和平衡权利是国家和社会的基本责任；以人为本，完善社会救济、调剂和补偿机制，是社会公共管理的重要任务。社会管理的目的在于谋求社会生活的和谐、安定与发展，而社会生活的安定与发展，必须建设一个人人共享、普遍受益的社会，社会各阶层都能各尽所能、各阶层都能得到基本满足，平等地关怀和维护每一个人的权利，更多地关注社会弱势群体的生存状态。社会管理要以公正、人道的伦理价值为核心，尊重人、爱护人、帮助人、发展人，在依法行政的同时，体现出人道关怀，对社会弱势群体提供社会救济与利益补偿。

人与自身：宽容谅解的社会心理

构建社会主义和谐社会，社会心理是重要条件。社会主义市场经济的高速发展，充分激发了社会活力，但是社会生活的急速转型以及社会利益的急剧分化，社会心理出现了失衡。首先是社会心理比较浮躁和焦虑，非理性成分明显。经济利益驱动的恶性膨胀诱发个人主义、拜金主义和享乐主义，一些人不能正确处理个人利益和集体利益、局部利益和整体利益、当前利益和长远利益的关系，社会责任感淡漠；其次是对改革开放的阵痛迷茫困惑。由于社会利益分化加剧，不同社会群体和社会阶层之间贫富差距拉大，少数人不能以和平、理性、合法的方式协调利益矛盾，解决利益冲突，而经常以过激的言辞和举动来表达利益要求。第三，盲目跟风从众，缺乏成熟、稳定、理智的社会心理结构。

社会心理是社会和谐的风向标。不健康的社会心理蔓延，会引发公共政策信用危机、人际信任危机、价值信仰危机，直接损害行政效能，破坏社会安定，增加社会风险，阻碍社会发展。一个成熟的社会必须能够适时反映群众诉求、通达社情民意，疏导社会心理，引导社会舆论。

建设健康的社会心理，必须讲求善意。在罗马法中，诚信有两重含义，一是“善意”，一是“利益平衡”。其中善意原则十分重要。中国传统文化尚和贵中，其底蕴是以“仁爱”为核心的道德精神。“中和”是其目的，“仁爱”是其内核，以仁爱致中和。儒家讲心性与德性，是从内圣生发，从正心诚意开始，从而建立一个充满人性、人情的理想社会。意者，心之所发也，不可不慎也。要意诚，必先正心，求内心的和谐。保持理性和健康的心态，以科学的态度客观地看问题；在与他人的情感传达中，达到与他人情感的和谐；排除万难，择善去恶。内心的和谐不仅是个人完善自我的需要，也是社会安宁发展的需要。

建设健康的社会心理，必须有宽容之心。宽容就是善待他人。宽容谅解是构建和谐社会的必由之路。中国传统文化推己及人，讲求忠恕。夫子之道，忠恕而已矣。而忠恕之道，就是普世伦理的“金言”，让世人和睦相处。宽容与纵容、放纵是截然不同的两个概念。宽容的基础是理性。人有理性，人性本善。不希望别人因为自己的行为受害和受苦，人同此心，心同此理；宽容的尺度是公正，站在公正的原则上来评判人和事、价值与事实；宽容的表现是仁爱，只有仁爱之心，才会设身处地去体谅他人、尊重他人。明白了“忠恕”之道，也就理解了中国传统的道德文化的深刻内涵。

建设健康的社会心理，必须有同情之心。在现代社会，团结互助、扶贫济困越来越成为共识。大卫·休谟指出，道德起源于人类的同情心。同情是人性中一个强有力的原则。同情、谅解、友谊、关爱这些情感，充分表现出了道德的敏感性，是维系社会群体的最基本力量。同情心沟通人际关系，能够换位思考，相互关心，营造和谐温暖的社会氛围。对他人的尊重、关心、同情是一个人道德水平高低的重要体现。一个没有同情心的人就不可能是一个有道德感的人，一个没有同情心的社会就不可能是一个有凝聚力的社会。

深圳是一个新兴的移民城市，城市文化具有天然的兼容性和开放性，但由于人与人之间的文化背景不同，建立稳固和谐的社会关系，殊非易事。因此，必须大力倡导善意、宽容、同情和谅解，形成平等友爱、融洽和谐的人际环境，营造充满人文呵护的爱心社会，提高深圳人彼此之间的关爱程度，塑造关爱之人，建设关爱之城，成就文明深圳，爱心深圳，和谐深圳。

和谐社会是经济、政治、文化和社会全面发展的社会，高效的经济、有序公正的社会、优美和谐的生态是现代化国际城市的基本标志，也是深圳在可持续发展中不断追求的目标。但是，和谐并不是绝对的静止。和谐之中也有冲突，赫拉克利特说：“结合物既是整个的，又不是整个的；既是协调的，又是不协调的；既是和谐的，又是不和谐的。”社会的和谐是动态的，是协调和冲突的统一，在发展中构建和谐社会，在化解矛盾中促进社会发展。

中国“入世”与深圳特区的发展

曹龙骐

中国入世，意味着什么?

从“复关”到“入世”，中国经过长达15年的艰苦谈判，终于迈过了WTO的门坎。中国入世，意味着什么呢?

1. 中国融入世界经济主流

拥有13亿人口、充满活力的中国“入世”，无疑给世界带来希望和强劲的动力。作为WTO的成员，才能参与WTO规则的制定和决策；才能取得WTO成员国间的最惠国和国民待遇；才可利用世贸的多边争端解决机制；中国才能以最大发展中国家的身份参与，使发展中国家的意志与利益得到更好的表达和维护。

2. 全面竞争的到来

具体说：(1)竞争广度上：从区域走向世界；(2)经营模式上：从传统型发展为现代型；(3)改革方式上：由改革推动开放到开放推动改革；(4)政府管理职能上：由直接型向间接型转变；(5)法律体系上：由不公开透明向国际要求靠拢；(6)经济环境上：由政府主导向市场主导转化；(7)企业制度上：由政企不分到建立以企业为主体的现代企业制度；(8)市场运作上：由过分强调中国特殊性向既定的国际市场“游戏规则”转变；(9)中介服务上：由一般管理到行业协会管理；(10)交易范围上：从管制到全面放开。

3. 中国改革开放的继续

中国加入WTO，为中国提供了一个国际竞争的大环境；有利于促进中国引进外资，扩大贸易，技术进步和提高国际竞争力；会使要求公平、公开、公正的市场竞争法则将更趋于完善；有利于我国经济体制转换及体制与国际接轨两大目标相衔接；有利于经济结构战略调整的外向化；有利于驱动改革的力量，使市场开放带来的种种压力转化为深化改革的动力；有利于提升中国的国际地位；有利于促进和加强内地与港澳台的经济合作和联系。

4. 中国加入了“经济联合国”

尽管WTO的规则还需继续完善，但总的说来，WTO符合科学原则和全球经济发展规律。所以，WTO是一个永久性的国际经济、多边贸易体系，一个具有法人地位的常设性的国际组织。WTO不仅是一个协调机构，而且是一个裁判机构；不仅是立法，而且是司法。WTO必须坚持权利和义务的平衡，它主张有条件地推进自由贸易，即一方面允许成员国根据自身的经济贸易状况逐步实行自由化；另一方面必须根据共同制定的“游戏规则”来解决国际之间贸易争端。所以说，WTO与联合国等国际组织处于平等地位，或称“经济联合国”，目前WTO的贸易份额已经占到世界市场的90%以上。中国“入世”，表明中国加入了“经济联合国”，为全面参与今后的国际事务，行使权利和义务提供了组织保证。

5. 中国参与世界经济三大支柱

世界经济之大支柱即指国际货币基金组织(IMF)、世界银行(IBRD)和世界贸易组织(WTO)。IMF主要是帮助解决一国国际收支平衡的问题，谓“救急不救穷”；IBMD主要为发展中国家提供项目贷款，谓“救贫不救急”；WTO负责管理世界经济和贸易秩序，可见，它提供的只是与贸易有关的游戏规则，既不供给资金，也不提供技术，是一个法律体系或称法律体系实施的平台。随着全球经济的一体化和各国多边贸易的迅速发展，中国从过去的“三缺一”到全面参与世界经济三大支柱，不仅大大提高中国的国际声誉，而且为推进国际经济事务争端的解决和维护发展中国家的利益起到重要和长远的作用。

6. 既是“挑战”也是“机遇”

“入世”意味着我国必须按WTO规则办事，这对我国仍处于“双轨”制的经济体制和政治体制是最大的冲击和挑战。但它同时也给我们以契机和动力。所以，中国加入WTO，挑战和机遇并存，两者不能分割。因为，机遇来自应对挑战而产生的推动改革的动力。机遇只能通过更好地应对挑战而赢得，或者说，重点应放在应对挑战，才能抓住机遇，否则就会失去机遇。

中国加入WTO，最大的挑战应是现行体制以及依存于这种体制的政府职能和传统理念。可以这样说，世贸组织首先是一个体制概念，中国入世，首先是体制入世，由此也可延伸为政府入世和理念入世。目前我国以管制与审批为基础、为基本特征的政府主导经济的管理模式，显然有悖于坚持“公开、公正、公平”的WTO精神。传统理念和恶俗与WTO规则的核心——尽可能保护市场公平竞争和市场经济必须是信用经济——是不相容的。

另外，对经营不良的国有大中型企业，对比较劣势的产业，对技术含量和市场集中度低、规模小的企业，对一向靠国家支撑的国有商业银行，对经营困难规模较小的股份制商业银行以及保险业、证券业也将面临较大的冲击。

7. 中国深层次理念的更新

当今世界，经济全球化已成为势不可挡的历史潮流。归根到底，经济的全球化是市场化的客观要求。市场经济运作模式最适应社会资源的最佳配置。马克思曾将资源的配置称之为特殊的生产力。据说，从1986年到1992年的整整6年“复关”和“入世”谈判中，涉及的问题有4万多个，但问题的实质紧紧围绕着四个字——“市场经济”。市场经济既是一种规模经济、效率经济，也是一种信用经济。以这样的理念去认识和处理政府职能、企业经营、商品交易、中介服务等问题，才能真正使WTO起到联结各国与国际经济体系的重要桥梁作用。

一位研究WTO的专家说：“对于中国，‘入世’过程就是一场市场经济基本知识的普及教育，一场思想启蒙，其意义远远大于‘入世’本身”。这话讲得何等深刻！

WTO与深圳特区的发展

直面WTO，深圳怎么办？我以为，首先应在实事求是地分析现状的基础上，然后再从深圳的实际出发采取相应对策。

一、“入世”对深圳各行业的影响

1. 对工业

工业是深圳经济发展的“领头羊”，2000年全市工业总产值2517.85亿元，经济增长的贡献率达66.5%。

经过20余年的改革与发展，深圳工业以轻型、外向为主，电子信息产业比重较大，它不仅在经济总量、效益等方面已跃居全国大中城市前列，排名第四，而且对结构的调整动手较早，深圳已初步形成了高新技术主导型、产品外向型、门类较齐全、有一定区域特色、有较强参与国际竞争能力的现代化工业体系。

深圳的轻工业目前年总产值已经达到1000亿元，占全市工业总产值的一半，不少行业如服装业、啤酒、塑料制品、自行车、钟表、照相机等，具有传统优势。

“入世”后，深圳的工业特别是机电与服务产业的出口优势和招商引资网络，有较强的承受能力，可能是机遇大于风险。但深圳工业面临的严峻问题，一是结构调整和产业升级的任务还艰巨，即一方面要继续加快高新技术的发展，另一方面又要加速用高新技术和先进技术改造和提升传统优势产业；二是深圳制造业对外资的依存度大，目前全市实际利用外资累计超过200亿美元，其中制造业利用外资占60%以上，“入世”后受国际市场和环境的影响会更大；三是电子信息产业已是国内新一轮投资热点，产业趋同性增强，“入世”后竞争激烈。

以电子信息产业为主的高新技术产业是深圳工业的主导产业，目前已初步形成信息技术、生物技术、新材料技术为代表的高新技术产业群，高新技术产品产值已经占全市工业总产值的42%强，且这类企业大多资金在外，市场在外，原材料在外，产品价格偏低，对“入世”后的适应能力较强。但与国内外同行比，深圳一些高新技术产品的技术含量、规模水平、产品性能和品牌影响等还有不同程度的差距，“入世”后难免受到国内和国外厂商的双重夹击。

2. 对金融业

深圳经济的腾飞离不开深圳金融业的支持，至2000年末，全市金融机构各项存款余额3169.00亿元，比年初增加610.67亿元，增长23.95%；全市金融机构各项贷款余额2292.18亿元，按可比口径计算，比年初增加537.16亿元，增长28.2%。由《深圳特区报》提供的数据：深圳企业的流动资金80%来自银行贷款，企业基本建设投资的36%来自银行贷款，银行投入的资金占有全部建设资金的56%。截至今年上半年，深圳市本地上市公司已累计在国内证券市场筹资逾400亿元。目前金融业创造的增加值占全市GDP的13.5%，金融业的税收从1995年的12.1亿元增加到1999年的35.5亿元，年增幅近35%。金融业还为全市提供了4万个多层次的就业机会。在全国200家外资金融机构中，全市外资金融机构的资产总额约占20%，利润总额却占了约40%，资产收益稳居全国首位。

与此同时，深圳金融业还出现了不少有影响力的创新和品种。就机构创新看，第一家外资银行、第一家股份制上市银行、第一个法人持股的商业银行、第一家股份制保险公司、第一家证券公司、第一家外汇调剂中心、第一家中外合资经营的金融公司，第一家金融电子结算中心等等都始于深圳。

就业务创新来看，第一个实现了银行之间业务的全面交叉与竞争、第一个试行信贷资金比例管理、第一个推行金融资产风险管理、第一个组织大型项目的国内银团贷款，第一个涉足离岸金融业务、第一个发行了B股和可转换投资债券以及国库券收益凭证，第一个建立银行证券卡等等。可以说，深圳的金融业是在不断创新中发展的，它为抵御国内外金融业竞争做了一些前期准备。

中国“入世”后，首当其冲的是金融业面对的挑战。当然，深圳金融业也不例外。据预测，将面临6大争夺战：(1)优良客户群体争夺战。“入世”后，外资金融机构吸收存款和发放贷款的规模和范围逐渐放宽，加上采取各种非价格竞争手段和理财技术的吸引，一些优良客户主要是指三资企业、跨国企业集团、上市公司、优秀民营企业、个体私人企业和高收入个人等会是争夺对象，据亚洲开发银行驻中国首席代表布鲁斯·莫利认为，未来10到15年，外资银行将可能夺得中国金融市场约30%的份额。这种也要“分享一份蛋糕”的强烈要求，会促使金融业市场份额减少，造成支付能力和流动性受挫，最终会出现盈利能力的较大幅度下降。(2)优秀人才和业务骨干争夺战。国外金融机构抢滩中国，会采用人才“本地化”战略。而其具有高薪和工作环境的吸引力，加上我国经济转型期在体制、政策诸方面的不适应，部分具有专门技术的业务骨干会流失。这种“以少胜多”、“伤筋动骨”的做法，会影响金融业的发展。(3)中间业务争夺战。在银行业传统业务开展比较艰难的情况下，中间业务的重要性也愈显现。随着“入世”后国际贸易额大量增加，大型跨国企业增多，外资银行遵循国际惯例，不受政府干预，实力雄厚，资产质量优良，经营机制灵活，设备先进，这就自然将抢占风险小、成本低、利润高的中间业务当成他们登陆的桥头堡。(4)保险业务争夺战。保险业的开放问题一直是中国“入世”谈判的焦点，因为：一是保险服务业在发达国家对外贸易中日趋重要，甚至已成为某些国家对外贸易顺差的最重要基础；二是中国保险业潜力巨大，而发达国家的保险业已处于饱和状态，发展空间已经有限。目前外国保险公司的市场占有率只有10%，随着“入世”后对人民币业务寿险、财产险市场的逐步扩大，保险业务的争夺激烈将不可避免。(5)潜在市场争夺战。如中国广大农村市场，开发潜力巨大，但目前我们的注意力往往看重于城市市场而忽视农村市场。还有消费信贷市场，目前因为我国存在体制、观念、分配差距等问题而难以见效，消费信贷占全部银行信贷的比例还不到2%，而国外已达20%左右，且历史长办法多，优势明显。还有信用卡业务，目前信用卡透支利息换算成年利率高达18%，而我国贷款利率只有6%左右，加上信用卡业务有一套独立于国内银行之外的完整的组织网络，故信用卡业务的争夺战也将激烈。(6)网上业务争夺战。依靠网络是现代经济发展中的一大特色和发展趋势，西方发达国家金融业网上业务已占整个金融业务的10—20%，计划到2005年，网上业务达50%，银行本身就是个大网络公司，而我国目前的上网业务只占2%左右。

3. 对外贸

就外贸进出口而言，深圳是“内地—香港—国际市场”经济联系的主要通道，具有发展对外贸易的得天独厚的条件。深圳已经建立起以出口为导向的外向型经济结构，外贸进出口迅速发展。2000年深圳外贸进出口总额639.40亿美元(其中出口总额345.63亿元，进口总额293.77亿美元)，名列全国大中城市第1位。这些成绩的取得，得益于深圳的外贸体制开放和改革。从20世纪80年代起，深圳已经逐步形成多元化外贸经营主体以及多种所有制经济成分、多层次、多渠道的外贸经营格局。由此，在1999年深圳外贸进出口额中，外商投资企业进出口额达275.8亿美元，占总值的54.7%。深圳主要工业行业大都具有出口倾向，一些外方投资企业有着广泛关税优惠政策，以及较多的跨国公司已经参与深圳的外贸实务运作。由于深圳在外贸方面具有上述特殊环境和经济结构，所以“入世”后关税对深圳外贸进出口的影响程度相对较小，这将有利于为深圳外贸的发展提供更大的市场空间和更多的发展机会。但是，“入世”后将实行全国普惠政策，对深圳来说最主要的优惠政策包括增值税的“地产地销”政策和所得税的15%优惠率，还包括在关税减免和市场准入方面的优惠政策等也将消失，出口补贴的做法会受限制，这些，必会出现激烈的竞争态势。

4. 对商业

深圳在商品领域开放程度较高，商业业态接近香港，商业网点规模超过发达国家的水平，已经经历了一轮外国零售业如美国的沃尔玛、山姆和法国的家乐福等进入的考验，对于“入世”已经有超前准备。但在目前通货紧缩大环境下，深圳社会商品零售消费增长趋缓，加上批发市场和相关服务领域还存在不少薄弱环节，“入世”后与国外零售业分割市场份额的竞争也将不可避免。

5. 对旅游业

深圳为建成“旅游胜地”已经做了不少努力，目前一个基础设施配套齐全、档次高雅、体系完整、现代性强的旅游业已经展现眼前，旅游业已经成为深圳市国民经济的支柱产业和新的经济增长点。“入世”后对深圳旅游业不会造成不利影响，可能会带来更多的发展机会。但也应该重视，深圳旅游产品和组织形式随着国外旅行社的进入，国际先进的旅游经营方式的采用，将对深圳旅游业带来冲击。

二、对策建议

总的说，深圳应以加入WTO为契机，以开放促改革，进一步推进制度创新和科技创新，建立更高的发展平台，全面调整经济结构，推进产业结构优化升级，积极营造人才高地，实现跨越式发展，努力发挥示范作用。具体说：

1. 构筑高新技术产业发展平台

深圳的高新技术产业中，IT产业占9成以上。深圳的IT产业由信息产业、制造业和以计算机及其网络为核心、以传输数据为主的信息服务业组成。发展高新技术产业就是要重点发展IT产业。具体说，一是把电子信息产业作为主导产业，重点发展计算机、网络与通讯、集成电路、软件、光电子、数字家电等六大主导行业，形成深圳高新技术产业的重心、优势和特色；二是跟踪和研究全球IT产业的新动态，抢占高新技术制高点，增强核心技术和重要应用技术的开发和创新，努力形成核心产品的生产配套能力；三是高标准规划建设高新技术产业带，根据市府规划，建设一条由9个高新技术产业片区和1个大学片区、1个生态农业高新技术产业片区组成的高新技术产业带，以增强深圳高新技术产业的整体实力和辐射带动能力；四是用高新技术改造和带动传统产业，进一步推进产业结构和经济结构的优化升级。

2. 组建金融控股集团(公司)

它是指面对国内外银行、证券、保险等金融业务出现全方位交叉的趋势，积极推进国有商业银行的股份制改造，促进商业银行与金融同业之间的战略联盟、合并和兼并，以造就与国际大银行相抗衡的金融控股集团。

当今世界，随着国际经济一体化的加强，金融业日趋全球化，金融业“做大做强”并向国际市场拓展已经是大势所趋。据1998年末数据，世界总资产排名前200家的大银行中，境外资产比例超过30%的有近100家。与此同时，金融业由分业经营转向混业经营已是历史必然，国际商业银行对证券市场的依托性日趋加深，银行和保险业之间传统界限逐渐缩小，形成银保联盟方式也大有发展。

可见，即将挥师直入的外资金融机构，大都是全副武装、规模超级的金融“巨无霸”，它们作为“金融百货公司”，集商业银行、投资银行、保险、基金、租赁等几乎所有金融服务种类和金融衍生产品于一身，这对我国金融业构成了极大的威胁。

我以为，虽然我国目前成立金融控股集团还是一个禁区，但随着国际金融业发展的新潮流，中国金融业为增强自我生存和发展能力，银行、证券、保险业合作已在不断扩展。近几年，银行和券商之间的业务交叉发展迅速，国内已经出现承担综合业务的金融控股集团，如光大集团、中信集团等。目前招商银行也正积极准备上市，民生银行、平安保险等正在考虑扩展为金融控股集团。

面对国内外金融业“做大做强”的现状，深圳应在建造金融业“航母”上创新路，这样做意义重大：一是能按照市场化条件下资金运动规律的客观要求，克服单一机构经营往往将资金运动限制在狭小范围内的弊端，满足其资金增殖的内在要求，通过灵活调度，增强规模经营效率，实现真正的风险和效益的平衡；二是通过股份形式，改善法人治理结构，推进金融业的企业化经营；三是银行、证券、保险、信托等多行业结合，有利于开拓各自新的业务领域，为满足市场需求和稳定客户获取更大的发展空间，有利于培育新的利润增长点，达到增强自身抗风险能力的目标；四是有利于提高金融机构的信息处理能力，冲破认为因素和自然因素形成的市场分割，缩小不同融资工具、技术和服务之间的差别，增大不同金融机构产品和服务之间的可替代性，促使信息对称和信息成本的降低；五是为加入WTO后我国金融业与国外金融业都已采用混业经营模式相对应，以减少和避免因为存在事实上的不平等而使中国金融业在激烈的竞争中处于不利境地。

3. 创建现代物流中心

物流业作为深圳除高新技术产业、金融业之外的第三支柱产业，它具有得天独厚的发展条件：一是深圳产业经济基础实力雄厚，产业转型紧跟世界潮流；二是深圳进出口总额超过全国的1/7，进出口贸易连续八年居于全国之首，有充足的货物流、信息流、资金流和人才流；三是深圳毗邻香港这个全球举足轻重的商贸、金融、信息和运输中心，既能借鉴又获双赢。

近几年深圳的物流业正在崛起，发展现代物流，已经形成了深圳人的共识。“入世”后，深圳应进一步完善形成公路、铁路、水路、航空为主，各种运输方式协调发展的综合运输体系。现代物流业是以计算机网络技术、卫星定位技术等智能交通技术为依托，这种网络信息平台是现代物流的命脉。深圳市应建设现代综合运输和网络信息平台，充分发挥海港、空港优势，建设国际物流为重点，物流配送和电子商务为主体的现代物流业为基础的多层次综合性物流中心城市。

4. 加大改革开放力度，推动“外向型经济”向“开放型经济”转变

事实证明，中国“入世”，激烈残酷的竞争不可避免，但要实现“双赢”，“合作”是主流，努力拓宽合作的空间，有利于提高各自的竞争能力。

深圳首先应尽快熟悉国际“游戏规则”，市府应眼观全球化视野，思考前瞻性问题，切实制定关于特区加入WTO的行动计划，重点围绕政府职能转变、政企关系、发展中介组织、企业信用制度、社会保障体系等，抓紧推进应对“入世”的各项工作。政府部门应加强对WTO规则的研究，全方位提高政府和企业的应对能力，形成按照国际惯例运作，符合WTO组织规则的体制和机制环境。

在巩固和发展现有外贸进出口优势的同时，注重发展技术贸易和服务贸易，拓宽贸易渠道。通过“走出去”、“跨国经营”等办法，拓宽利用外资渠道，进一步开拓国际市场，大力发展“开放型经济”。

开放不仅是对外，也应重视对内开放。应充分利用深圳的地域优势，依托内地，面向海外，连成一片，实现最佳组合。要继续积极推进与港澳地区在金融、物流、商贸、旅游等领域的全方位合作，继续加强与台湾在信息技术等领域的产业衔接，加强在珠三角地区的协作配套，以及通过联营、兼并、参股控股等方式到西部和其他地区投资，推动深圳的生产要素向内地特别是西部地区流动，实现资源的优势互补。

5. 树立全新观念，营造人才高地

人才是事业发展之本，赢得人才，才能赢得竞争，中国“入世”面临最大的挑战是人才的培养和使用。

深圳经济特区的建立才过二十年，没有名牌大学，也没有大的科研机构，但经济的发展对人才的需求，特别是对高级人才的需求量相当大。依据深圳的实际，一方面要依靠机制上的灵活创新，以开放式、社会化的姿态，以“互利、双赢”为目标，建立“利益共同体”，吸引内地和国外的名牌大学、大公司、科研机构来深圳设立研发中心，创造条件吸引海内外优秀人才来深发展，并努力办好深圳大学城，以提高深圳人的技术水平和文化底蕴。另一方面，应立足于自己，办好深圳大学。深圳大学建校18年来，已奠定一定的基础和相当的规模，但毕竟是一所新学校，还没有形成规范合理的学术梯队和较强的学科优势。重要的是深圳大学必须针对加入WTO后对人才知识结构的要求，调整专业结构和课程设置，围绕教学和科研两个中心，着力于提高学科层次，更好更多地为特区培养懂外语、懂管理、熟悉国际业务的高质量、高层次的科技和管理人才。

加入 WTO 后经济特区的发展思路探讨

张亦春

从 2001 年 12 月 11 日起我国正式成为 WTO 的成员，这标志着我国对外开放政策的进一步飞跃，也是我国经济融入全球经济的一个开端；可以预见，此举将在我国经济各领域发生深刻影响，其中比较引人注目的是经济特区发展问题。

众所周知，经济特区是我国对外开放的“排头兵”，也是我国经济体制改革的“试验田”。在长期与世界经济隔绝、国门刚刚打开的时候，经济特区作为对外窗口，发挥了难以替代的作用：国外(境外)先进的生产技术、管理经验、市场机制、组织形式乃至资本，通过这一窗口流入我国，使我国的市场取向化改革有了一个可兹借鉴的参照系；我国的技术、产品尤其是改革开放的决心和实际进度，也以此得以让世界了解。可以说，二十年来，经济特区作为我国对外开放政策的主要标志和成果之一，其发展成为我国经济机体发展和开放程度的一个真实反映。不仅如此，经济特区还作为体制改革的“试验田”存在：从一开始创立，经济特区就被赋予较多的政策自主权力、特殊优惠政策和经济体制改革试验任务。如一些论者总结的，在特区的发展过程中，“趟过一片旧体制的‘雷区’”，冲破了许多传统意识形态的“禁地”，取得了体制创新的一个个突破，从而为全国体制改革的展开和推进做了先行性示范准备，并把一些失误措施的损失控制在一定范围内，避免付出更大的代价。应该说，经济特区的体制改革实践，是我国经济体制改革的一个先导，它预示着并体现了我国进一步改革的方向和力度。

二十年来，经济特区的发展和对我国整体经济发展演进的巨大作用已为历史所证实，在新的历史时期，经济特区面临着新的机遇和挑战。

前财政部长项怀诚证实，“为加入 WTO 铺路，中国将逐步统一中外资企业所得税；中国国家税务总局目前倾向将税率定在 25% 到 30% 之间。但企所税统一后，将影响目前在经济特区享受 15% 和 24% 企所税优惠的外资企业，甚至触及经济特区存废的问题。”更多先前特别赋予经济特区的优惠政策必将随着我国履行 WTO 义务被取消，从而，在政策优惠意义上，经济特区的特殊优势将趋于消失。又据 WTO 协议规定，WTO 规则在整个关税领土上统一实施，这意味着就法律意义上看，我国各地区的可开放度将被置于平等的地位，经济特区失去其开放窗口的政治定位。可以说，在 WTO 规则付诸实施后，政治层面上的经济特区将不复存在，“经济特区”这一称呼也将逐渐成为历史名词。

特区不特成为大势所趋，这使经济特区的继续发展面临严峻的挑战；但在一个开放度大大增加的宏观经济背景下，又必然会涌现出许多前所未有的机遇。如何回应挑战、抓住机遇，推进经济特区继续发展，笔者认为个中关键在于发展定位和发展模式的转变。

特区不特并不意味着特区原有的优势丧失贻尽，尽管在政策上的优惠将逐渐消失，但经济特区仍在以下两方面占据优势：1. 先发优势。经过二十年的发展，经济特区“先行一步”，已基本建立起比较规范的市场运作范式和市场秩序；奠定了较好的与外资合资合作的基础；经济实力已有相当的积累；区域建设和人民生活水准也已初具现代化的雏形。对比内地，特区的经济体制和市场机制与 WTO 要求的差距不大，可以更快、更好地适应 WTO 带来的冲击和影响，更及时、更敏锐地抓住 WTO 提供的良好的发展机遇。2. 区位优势。当年设置经济特区，关键的一点就是它们具有明显的区位优势，便于发挥对外窗口这一职能。目前，窗口的政治定位诚然已经消失了，但区位优势不会改变，凭借所处的有利地理位置以及与香港、澳门、台湾乃至东南亚经济体间深厚的地缘、人缘、亲缘、血缘乃至深层次的文化渊源，各特区在实际上仍可继续发挥其沟通内外的桥梁作用。

如果说以前经济特区的发展更多地是依靠政策优惠支撑的话，那么，WTO 规则的执行对特区提出的第一个要求就是发展定位的转变：“排头兵”、“试验田”的角色定位显然已经过时，在一个机会均等的宏观框架下，只有充分发掘本地区特点和固有优势，并积极寻找新的发展途径和经济增长点，才有可能在日渐激烈的国内国际竞争中立于不败之地。——就这个意义看，特区不特对特区的长远可持续发展而言倒是一件好事，它迫使特区最终抛开政策倾斜这一拐杖，直面来自世界范围的挑战。

特区发展思路应实现哪几方面的转变以适应新形势的要求呢？笔者认为可从以下几方面着手：

1. 充分发挥区位优势

经济特区的区位优势比较明显，在今后的发展中，这一优势应得到更充分的重视和更大限度的利用。具体而言，(1)深圳应进一步加强同香港在经济、金融、科技等方面的合作与交流，促进两地资金、人员、资源和技术的充分流动和取长补短，以期逐步形成深港良性互动、互相促进的发展态势；特别是在金融领域，作为国际金融中心的香港和作为国内金融中心的深圳，其合作的空间是十分广阔的；(2)珠海应进一步利用毗邻澳门的优势，促进两地技术、知识密集型产业与旅游业的结合与发展；(3)厦门应充分利用与台湾密切的地缘、血缘和文化渊源联系，加强闽南厦漳泉三角区域的区内联系，建设好特区腹地，并形成对台吸引的合力，借三通直航的东风，使自己的经济实力和经济地位再上一个台阶；(4)汕头可进一步把自己发展成为粤东、闽西南、赣南地区和京九线南端的出海口，进而以此为依托扩大港口的辐射面；(5)海南则可充分利用大特区亚热带气候和自然条件，发挥农业、旅游业优势，加强同中国台湾、中国香港、越南、泰国等东南亚地区和国家的经济、金融、科技、旅游等方面的合作。区位优势是经济特区之能成为经济特区的一个重要的因素，今后，它作为这五个地区的一个最显著的特点，对其经济的发展和现代化的实现仍有很大的潜力可挖；并且，这一优势在加入 WTO 后更加凸显：中国“入世”后，厦门与台湾的合作更加密切，深圳通过香港、珠海通过澳门，可以获得内地难以得到的信息、资金、人才，可以开辟更广阔的市场。另外，特区在国际联系便利条件方面也有着内地无法比拟的优势。

2. 充分利用先发优势

经济特区的先发优势是比较明显的，有了二十年优惠政策的扶持和市场化体制的潜移默化，应该说，经济特区已经初步具备了融入世界经济机体，接受世界范围挑战的条件。在今后的发展中，应充分利用这一良好基础，继续在先字上做好文章。由于我国各地发展开放程度不一，因此在加入 WTO 后还有一个长达五年的过渡期，在这个阶段，占据了先行优势的经济特区完全可以再先行一步，提前完成过渡期任务，建立起比较完善的地方性市场和社会结构体系。当然，一些宏观性、全局性的开放措施必须全国统一步调(如人民币的资本项目放开)才能实现，但在一些地方性较强的领域，特区还是能够凭借其已有的基础达到先行一步的目的，譬如在地方性立法上予以适当支持，推动比较完善的生产资料市场、金融市场、科技市场和房地产市场的形成，率先建立起完整、合理、规范的市场秩序，并以此吸引国内外资源、资本和人才，进一步巩固在市场建设和市场规范方面的先发优势；又如在社会保障体系领域，也可通过适当的地方立法，率先解决这个长期困扰着中央政府和地方各级政府的难题，并为国有企业的转机建制改革推向深化消除后顾之忧。另外在政府职能转变、现代企业制度构建、高新技术开发、国际性城市建设等各方面，特区都可充分利用先发优势，并结合其特殊的区位优势，先行一步，为嗣后的全国性改革开放树立楷模、充当示范。

3. 充分利用、继续加强人才优势

经济特区的飞速发展在很大程度上可以说得益于“漏斗效应”：由于这几个地区政策较活，市场氛围较浓厚，因此逐步形成一套比较合理的人才激励机制，这就吸引了全国各地的优秀人才，——深圳本来是一个小渔村，二十年后的今天发展成为具有一定国际影响的大都市，其中外来人才的贡献是最关键的。目前，由于多年的积累，各经济特区都已沉淀下一大批专门性人才，这是经济特区对比其他地区的一个重要优势。如何充分利用、继续加强这一优势，留住人才、并进一步吸引更多的人才，无疑是特区发展的关键。根据特区经济现状，笔者认为应在制度建设上着手，建立起完善合理的人才激励报酬机制和人才流动机制，具体而言可包括：参照国外经验，建立合理的人才考核评价机制，并以此为基础逐步建立起涵盖各行业的人才大市场；适当提高、拉大不同层次人才的报酬水准，以期逐步建立起报酬和贡献相对称的人才激励机制；充分开发、利用资本市场上的各种金融工具如股票期权、优先认购权等，以便更好地将对人才的激励和其长期(而非短期)贡献相结合，防止其短期化行为倾向；进一步强化人才的流动机制并予以大范围推广，以扩大个人的再选择余地，减少人才因用非所长导致的事实上的人才流失。如果说对一个步入知识经济的时代而言，经济的竞争在本质上就是人才的竞争的话，那么，无论在吸引人才和使用人才方面给予多大的关注都是不为过的。

4. 抓住历史机遇，变劣势为优势

我国加入 WTO，对经济特区而言，其原先独有的政策优势消失了，这似乎对特区今后的发展是一个负面因素。但任何事物都有正反两面，WTO 的进入也不例外；诚然，这一事件使特区的发展失去政策方面的优势，但它使我国的开放程度提高了一个层次，必将吸引更多的外资和外商进入中国，而广大的内地区域限于经验积累、市场建设和信息、技术等各方面的不足，单靠自己的资源劳动力优势很难吸引外资做大规模的投入，在信息不对称、体制、观念等各方面存在较大距离的状况下，经济特区作为在市场化改造先行一步，与外资外商合作已积累了较多经验的特殊区域，应该、也必须继续发挥其独特的沟通内外的桥梁作用，——就这个角度看，特区的“特”并没有消失，它们仍将发挥独特的作用。而以此为契机，特区可以通过与外商更加频繁的接触和交往，更多地吸收借鉴其先进的资本运营模式和生产经营方式，完善自身的市场规范和组织形式，并促进高新技术产业和信息工程产业的发展，从而为将来经济结构的转型和知识经济的到来先期作好准备。另外，加入世贸组织后，同各国之间的经贸联系将大大增加，频繁的经贸商务活动也将为特区的旅游业提供极好的发展商机，尤其是厦门、海南等地，这一机遇显然不容忽视。总之，加入 WTO 对经济特区来说可说利弊并存，如何去弊兴利，化劣势为优势，则取决于特区地方政府的审时度势、扬长避短的适当作为。

总的说来，加入 WTO 对经济特区而言堪称机遇与挑战并存。在没有了特殊优惠政策支持、“特区不特”的条件下实现定位和发展模式的转变，从而继续充当中国经济发展的“排头兵”，经济特区面临着自身发展的一个重大转折点；如能顺利实现上述转变，则笔者坚信，如江泽民同志在深圳经济特区建立二十周年庆祝大会上的讲话所预言的：“展望新的世纪，中国人民将继续坚定不移地沿着邓小平同志开创的建设有中国特色社会主义道路奋勇前进，我国经济特区也必将迎来更加美好的未来。”

“入世”为深圳开拓了新的发展空间

倪元辂　汪俊石

要分析、预测我国加入世界贸易组织(WTO)对深圳经济特区的影响，就必须先剖析WTO的内核。

一、世贸组织规则的核心和实质

世界贸易组织的基本规则，理论界的许多人都是耳熟能详的。在此，我们试图对这些规则的核心和实质做一点探究，以寻求其理论支撑。

商业理性

我们知道，商品交换不是人类与生俱来的，它最早发生在第二次社会大分工(农业与畜牧业分工以后的农业与手工业分工)之后。在机器大工业或者资本主义产生之前，它在人们的社会生活中始终扮演着配角，而且往往是小丑的角色。它经常以高利贷和剥削者的身份出现，在我国长期的封建社会中则处于与“本”(农业)对立的“末”的地位。那时的商业活动和商业指南也不可能步入理性的殿堂，至多在思想家的零星叙述和民间的朴素意识里，看到它促进社会分工的方便以及薄利多销的合理内核，擦到了商业理性的边缘。只有当机器的轰鸣声隐约出现，资产阶级开始登上历史舞台，商业理性才真正崭露头角，并逐渐被社会普遍接受。商业理性的代表性著作就是亚当·斯密的《国富论》，其中“看不见的手”这一著名论断，力图将经济和人性结合起来，找到私利和公益协调一致的光明，使社会和个人的发展同步。只要深入分析，我们就会发现，世界贸易组织基本规则的精髓，也体现了斯密的理论。它在理论上设定，不断扩大和日益繁荣的国际贸易，将对各国都有利；而参与国际贸易的各国，如同理性的经济人，在追求本国利益的同时，实现了世界公益——促进世界贸易，促进成员发展。马克思说，商品就其本身来说是要超越一切民族和宗教限制的，它的共性是货币，它的语言是价格。这也说明世界贸易是商品经济发展到一定历史阶段的必然产物。马克思还说，商品是天生的平等派。我们可以看到，这一平等关系也体现在世界贸易组织的基本原则中，诸如非歧视原则、最惠国待遇(正常贸易关系)。而这种平等关系正是世界贸易组织原则的基石。其他的原则如国民待遇等都建立在这个基础之上。所有这些，说明WTO在基本规则中，力求体现人类从经验和教训中逐渐积累起来的商业理性。

集思广益

世界贸易组织条款纷繁庞杂，除了上述体现商业理性的理论基石以外，也吸收了各个学派之思想精华。它对外贸理论的两大主要流派比较成本理论和国民经济理论可以说是兼收并蓄，各取所长。世界贸易组织提倡不断扩大、日益繁荣的国际贸易，这体现了比较成本理论的精华，同时世界贸易组织又反对别人将它称为“自由贸易组织”，允许各成员方在贸易中对自己实行合理和必要的保护。这体现了德国古典经济学家李斯特的国民经济理论中保护幼稚工业和“财富的生产比财富本身更重要”的理论原则。另外，世界贸易组织条款规定了对发展中国家的优惠，也体现了20世纪50—60年代以来一些发展经济学的理论观点。现在世界贸易组织仍然不断地兼收并蓄，汲取各派经济学家和一些非政府组织的有益思想和观点，并就人们普遍关心的环境、生态、生物多样性以及卫生、健康等问题，不断地提出新的协定、条款，供各成员方讨论。这种集思广益的取向符合世界文明进步的历史趋势。

时效性和可操作性

世界贸易组织是世界各国外贸经验的积累。随着经济全球化进程的加速发展，在外贸运作中，时效性的价值尤为突出。市场瞬息万变，汇率、利率等各种即时变动的因素都影响商品的价格和供求。所以在世界贸易组织规则和协定中有许多明确的时效条款。在进入争端解决程序后，在启动保障措施时，都规定了要有必要的提前通知。在对新成员的开放市场以及降低关税的要求中，承诺的时限必须严格履行。就象世界贸易组织资深官员拉卡特大使说的，“公正的裁决不仅意味着谁对谁错，而且意味着要有时效性。”程序严格、时效性强再加上责权明确，就产生了可操作性。

二、“入世”对我国的冲击

首先，世界贸易组织的基本规则，汲取了世界各国的对外贸易经验，得到了世界绝大多数国家的认可。但是从意识和行为主体上看，它是以古希腊、罗马以及随后的基督教文明为基础的，反映了一种海洋商业文明的观念和行为方式。对于我国来说，历史上以农业文明为基础的儒家思想占主导地位，长期以来形成的等级尊卑、中庸守成、虚荣礼仪等传统观念及其残余，“入世”后必然产生观念上的广泛冲突。其次，世界贸易组织的基本机制，是建立在开放的市场经济架构上的，我国虽然在20世纪90年代开始实行市场经济，但是建国以来长期形成的高度集中的计划经济体制，还在很大程度上影响着我国经济；以目前的改革进程来看，我国过渡到成熟、完善的市场经济体制尚需时日。所以“入世”对我国体制上深层次的影响和冲击，将反映到社会生活的各个层面，最主要的表现在政府的行政管理方面。

1. 重审批、轻服务的管理方式将受到巨大冲击

WTO是世界各国及独立关税区之间管理贸易的组织，它强调的是管理服务。而我国长期以来形成的政府审批制度根深蒂固，即使经过20多年的艰难改革，重审批、轻服务的现象仍然广泛存在，这次在“入世”谈判中，我国承诺将要取消许多审批项目，所签订的23个协议除2项涉及企业外，其余几乎全是与政府有关的。近几年，政府审批制度改革也加大了力度，各地方政府如上海、深圳都分别取消了数百个审批项目，加快向世贸规则靠拢。但是单靠削减审批项目无法改变政府批项目、管企业的积习，有些审批项目取消后，因为机构还在，职能没有转变，变相的繁琐手续使一些事务办起来更为困难。关键要从思想观念上认识这种管理方式的落后性，并从法律法规和制度上保障管理方式的改革，拿出配套措施出来。

2. 企业分类定级的组织制度将被否定

WTO规则的基础是公平贸易原则、非歧视性贸易原则，它强调的是对所有贸易伙伴实行平等的待遇，与之相对应的是对境内外自然人和法人一视同仁的国民待遇。而在我国对企业却因所有制、隶属关系在待遇上有所区别，对国内的个体和私营企业来说，在从事某些生产和服务、投融资以及股票上市、对外贸易等方面都要受到比国有企业更多的限制。“入世”以后，我国将全方位地对外资实行国民待遇，而外资无疑都是一些私人资本。那么，既然对境外的私人资本都实行国民待遇，对本国的个体、私营企业却不给予同等的待遇，将会产生什

么后果？WTO 并不涉及一国经济政策的差异性，只是规定，在一国存在经济政策差异性的条件下，应该将最优惠的条件予以外方，才符合国民待遇原则。这次我国"入世"谈判，外方也提到我国对国有企业的各种补贴问题。所以"入世"之后，我国的企业分类定级及其所发生的待遇差别势将最终被否定。

3. 户籍制度将被冲破

从自然人的国民待遇来看，必然冲破我国几十年来的户籍管理制度，这种以城镇户口与农村户口两种待遇泾渭分明为特征的管理制度终将寿终正寝。广东省最近决定实施的户籍制度改革符合 WTO 规则，可以说是我国"入世"带来的社会进步。

4. 服务业不发达和企业办社会的局面将改观

我国"入世"一个重点开放的领域是服务业，而我国的服务业恰恰是国民经济的薄弱环节，除了一些具体的服务产业部门的竞争劣势以外，还表现在服务业不发达，其产值在我国 GDP 中只占较低的比例。与此相关的是我国沿袭前苏联的经济模式，企业代政府、企业办社会的架构，既妨碍了服务业的发展，还使许多新的服务行业和服务产品在我国难以产生和成长。"入世"后加快对服务业的开放，直接冲击是外商要求市场准入的一些部门，但深远影响也许会波及到我国社会生活的各个层面，比如境外服务业社会化程度高的地方，会计、人事等都由社会提供，而我国连司机、打字员都是由政府、企业自行配备。

5. 新闻文化界将遭遇竞争强手

"入世"后必将发生冲突并经历激烈竞争的是新闻出版文化娱乐业。"入世"1 年后，我国报刊零售市场对外开放；3 年后，发行批发企业允许外资进入。这意味着，我国新闻、出版和文化娱乐业将直接面对强大的竞争对手。近几年，组建报业集团、广电集团有进展，这是为了应对"入世"后的挑战。除了我国在这些领域的产业规模和经济实力处于弱势以外，深层的冲突在于，我们历来对上述产业一贯还是强调宣传教育功能，而一些资本主义国家虽然强调文化娱乐业的休闲功能，宣扬新闻出版的公正、客观性，但它们为其国家利益服务，为其统治阶级服务的功能并没有削弱，只是它们做得比较巧妙，并且在与经济效益的结合方面做得比较好罢了。

三、"入世"后深圳必须面对的现实

1. 全国经济政策加速趋同性

"入世"以后，经济特区政策优势呈现加速削弱趋势，体制创新等主要靠自身创造的优势要凸显出来。从政策优势趋弱方面来看，所得税全国统一的趋势不可避免，有报道说全国所得税率将统一到 24%，那么经济特区 20 年来的 15% 优惠税率可能会取消。另外，深圳特区特有的地产地销政策，虽然较少提及，但从以后的趋势看，在"入世"后能维系多长时间，也是个问题。当然，深圳经济已经发展到如此规模，这种政策优惠对深圳经济贡献率已经很小。随着外资进入和国民待遇政策的进一步实施，深圳今后将要更多地依靠体制创新、发展高新技术产业和现代服务业来增强在全国乃至国际上的竞争力。

2. 来自全国的竞争

改革开放之初，由于政策落差和区位优势，深圳成为外商、外资云集之地，经济发展呈现一枝独秀势头。随着政策落差逐渐走平和内地交通条件改善，深圳原有优势明显弱化；加之深圳物价、工资、地价以及房地产价格普遍高于内地大部分地区，自然资源匮乏，服务价格昂贵，从这方面看，深圳对外资的吸引力也存在弱化趋势。

国家实施西部大开发战略，肯定会从政策、投资、人才等方面对西部给予倾斜，这将明显增强西部经济的竞争力。

另外，还有一些地区，特别是上海浦东，近些年改革力度很大，对外开放步伐很快，而其改革开放的成本比深圳相对较低，加上本身特有的一些优势，有些方面已经走在深圳前面，深圳在早期吸引外资和外商的高比例今后将会有所下降。

3. 改革锐气的减弱

深圳经济社会的快速发展，已经造就了一个初步现代化的新兴城市，市民普遍领略了现代化带来的实惠。这种相对发达的经济、相对富裕的生活，一方面使广大干部、群众普遍坚信邓小平理论，坚信以江泽民同志为核心的党中央，坚信中国特色的社会主义，更自觉地投身于改革开放和现代化建设；另一方面也容易在一部分干部、市民中滋生骄、奢、惰的情绪，小富即安，不思进取，感受不到危机和风险，等等。这是深圳来自自身的严峻挑战。

四、深圳机遇大于挑战

应对“入世”，深圳仍有许多优势。

1. 较强的适应能力

深圳毕竟是全国最早的对外开放地区，是我国经济体制改革创新的试验场，同时深圳是我国年龄结构最年轻的大城市，而且是最为典型的移民城市，这里充满着蓬勃的朝气，而且较少积淀下来复杂的人际关系、人事纠葛。相对说来，这里经济人气味重，经济理性被普遍认同。以往20多年，深圳从加工贸易为主转向高新技术产业为支柱的成功，说明深圳对市场经济、对经济全球化有较强的适应能力。

2. 与国际接轨已先行一步

这表现在两个方面，第一，从市场来说，深圳企业外向程度很高，有参与国际竞争的经验，“入世”后对它们来说无疑是一个新的“利好”。另外，境外的服务业诸如银行、保险、零售百货业早已经在深圳登陆，刚开始这些外资服务业以价格、服务和经营方式吸引了消费者，确实也占据了较大的市场份额。但几年下来，以零售百货业为例，万佳等本地企业在与外资企业面对面的竞争中不仅立住了脚，而且创出了民族名牌，竞争力明显增强。第二，从消费来看，深圳市场上舶来品众多，顾客早已习惯了万商云集、货比三家的市场环境，“入世”不会对市场消费造成多大的冲击。

3. 资本入口—区域金融中心

深圳所处的珠三角，北有广州，南有香港，东西两翼还有东莞、惠州、汕头和珠海、澳门、中山等城市，可以说是世界上位居前列的大都会群。与深圳水陆相连的香港是世界三大金融中心之一；深圳有全国两大股票交易所之一，居民存款比例高踞全国之首，银行、证券和保险等金融机构密度之高，也居全国前列。深圳既是大量资金聚集之地，同时对资金也有着大量的需求，“入世”以后，我国分阶段有步骤地开放资本市场，必将有大量的外资进入我国，深圳将成为国际资本进入中国市场的重要入口和滞留地，有条件发育成为华南区域金融中心。

4. 商品进出口——地区性物流中心

深圳所处的珠三角，现已成为世界制造业中心之一和主要的加工贸易地区，国际间和区域间的物流量十分庞大，同时深圳的交通网络、信息网络以及物流服务处于全国领先地位，“入世”后对外开放运输、物流服务业，势必有助于深圳在珠三角乃至更大的范围承担地区物流中心的角色。

5. 发展现代服务业——建设现代化国际性城市的必要条件

深圳市委已确定现代化国际性城市的战略定位，"入世"后进一步对外开放服务业，服务业引入国际竞争机制，既是深圳经济发展的强劲推动力，又是建设现代化国际城市的必要条件。包括城市建设与规划，房地产与物业管理，以及众多的涉及教育、医疗、会计、监理、律师等方面的专项服务的发展，既可以为深圳引进大批专业人才，提高深圳服务业的档次和水平，又可以有力地带动深圳第三产业的发展，改善深圳的产业结构。同时服务业的对外开放远远超出其本身的影响，它将进一步促进和深化我国服务业的分工，提高其专业化水平。

6. 技术贸易和知识产权协议——进一步发展高新技术产业的机遇

与贸易相关的知识产权是 WTO 的三大主要协定之一。WTO 没有制定另一套专门规定，而是采用了 20 世纪 70—80 年代巴黎公约和伯尔尼公约关于保护知识产权的规则，强调了其与贸易的相关性。我国"入世"以后，要进一步加强知识产权保护工作的力度，否则将会引起诸多的贸易争端。深圳对知识产权保护方面的工作一直是十分重视的，这也是它吸引众多国际高科技投资的重要原因。技术贸易的发展和知识产权保护的加强，肯定会使深圳已有相当基础的高新技术产业如虎添翼，获得长足发展。

五、深圳亟待改进的几个方面

应对"入世"，深圳需要有清醒的头脑、敏锐的眼光、巨大的勇气，全面向国际通行规则靠拢。我们从眼前比较急切的几个方面，谈点改进意见。

1. 树立服务意识，进一步深化行政管理改革

深圳虽然已经按照 WTO 的要求，多次对行政机构进行改革，对现行法规进行了清理，废止了一些审批项目。但仅做到这一些是远远不够的，重要的是，行政机关要真正树立服务意识，提高办事效率。"入世"后，各国的经济竞争在很大程度是行政效率竞争，在资本进一步国际化的条件下，资本客观上是用"脚"来投票的，哪里行政效率高，它就"跑"向哪里。同时世界各地间的商贸竞争，反映在第一线的是企业劳动生产率和服务的竞争，而体现在第二线并且往往起支配作用的，却是政府管理服务效率的竞争，因为它直接影响企业的生产效率和运营成本。深圳已经进行了行政提速、办事限时和投诉查处等改革，总体行政效率高于全国平均水平，但按照国际上发达国家城市行政管理标准要求，还存在着相当大的差距。深圳在提高透明度方面做了一些努力，例如以政府公报形式定期公布政府文件，并在网上为查询政府文件提供方便，这个行动算开了个头，按 WTO 关于透明度原则的要求，需要公布的东西要广泛得多、详细得多。在立法方面，深圳还没有按照国际上许多发达国家那样规范，还没有完全走出执法者立法的老路，而且缺少有效的听证和公示程序。个人和企业到深圳的各级政府机构办事，仍然手续繁杂、时间过长，办事过程和办事结果的监督管理不严。还有，在深圳，开办企业的门槛过高，以开办生产企业为例，需要注册资本 50 万元，在银行已经出具验资证明以后，还要会计师事务所出具验资报告，又要让企业花费 3000 元。这与发达国家和新兴工业化地区相比，明显属于苛刻限制。另外，深圳的各种收费还是偏多，需要进行认真清理、有效压减。

2. 发展市场经济框架中的社会信用

市场经济的充分发展，需要有力的社会信用体系支撑；信息业的发展，又为更广泛的社会信用体系创造了条件。深圳是一个以移民为主体、外来人口占很大比重的城市，发展社会

信用，就更显得十分必要和紧迫。目前深圳市场上假货猖獗，商业诈骗行为不时发生，说明社会信用的普及程度亟待提高。信息社会的经济也就是信用经济，以银行信贷为例，现在我国的个人信贷在信贷总量中的比例仅占20%，主要还是以对企业信贷为主。个人信贷除了住房按揭和少量的信用卡消费外，其他品种很少。这就说明，我国的社会信用程度还处在较低的水平。再如深圳的装修业，每年的产值可以达到上百亿元，住宅装修也不下几十亿元，目前的普遍情况仍然是由个体包工头承担，户主几乎需要全天监督。如果树立广泛的社会信用，那将会极大地提高装修产业的效率，减轻户主的劳累。

3. 尽快提高服务业在国内生产总值中的比例

深圳近些年来，二、三产业比重相当。近年三产比重又有所下降，约占40%多。作为一个已经基本上不存在农业的城市经济来说，以其要求实现的现代化国际城市目标来衡量，这个比例是相当低的，香港第三产业占本地产值的比重已高达83%，美国第三产业比重亦占GDP近80%。深圳第三产业发展一个明显特征是，还没有进入发达国家那种导致社会分工进一步深化的状态和程度。像传统的餐饮业、旅游业、银行业、证券业等部门，在深圳都有较快的发展，但是将生产过程中的非物质链接进一步剥离，促进分工进一步深化的行业却没有得到充分发展。专业的投资公司、人事管理、机器检测与维修、仓储、独立的会计师等专业服务，发展相对缓慢。这些服务业要得到较快的发展，需要营造优化的服务环境和进一步深化的体制改革相配合。

中国经济特区的新使命

——从"中国"经济特区走向"世界"经济特区

苏东斌

1. 中国经济特区的基本含义是实行特殊经济政策的地区。1981年中央所规定的《十条政策性意见》就曾明确指出：它的"特"在于实行国家规定的特殊经济政策和特殊管理体制。

显然，当时中央兴办中国经济特区的基本目的，就在于它要启动中国市场经济的进程。由于它的对象是广大的非特区所存在的中国计划经济体制，所以，办特区的实质并不是什么既可成功也可失败的"试验"，而是起着带动、辐射、示范作用的"先锋"(即人们常说的特区是经济体制改革的"试验场"，对外开放的"窗口")。可以说，作为中国市场经济的先锋和排头兵，就是中国经济特区的基本使命。

1984年1月邓小平说，深圳的发展和经验证明，我们建立经济特区的政策是正确的。1994年6月12月江泽民重申党中央发展经济特区的决心不变，对经济特区的政策基本不变，经济特区的地位与作用不变。

我理解，兴办中国经济特区全部的意义就在于：通过特区，来探索由计划经济向市场经济体制转型的有效途径；通过特区，来发现由普遍贫困走向共同富裕的现代化各种道路。

2. 当1992年初邓小平发表南方谈话，尤其是1992年底党的"十四大"正式确立在全国建立社会主义市场经济体制目标之后，首先是特区的"理论"使命，接着是特区的"实践"使命就开始在事实上逐渐削弱了。虽然这丝毫不能否认特区尤其是深圳经济特区在现代化建设的伟大成就。

3. 而当中央在2000年宣布中国经济特区的发展将贯穿于中国改革开放和现代化建设的全过程时，我体会它是有其具体的时间内容的。如果说2010年中国改革开放即市场经济体制将基本大体建立，那么这个过程就还有10年；如果说2050年中国现代化建设将基本大体实现，那么这个过程还有50年。

重要的问题在于，无论是10年，还是50年，特区原来的性质、地位、作用都不可能再靠相对于计划经济的特殊政策、特殊体制来做制度背景了。也就是说，在全中国都走向市场经济之后，中国经济特区已经不存在什么"特殊的体制"、"体制外"了，而在中国加入WTO之后，中国经济特区也不会再被允许实行什么原来那套"特殊政策"了。

4. 在"特殊政策"与"特殊体制"双无的前提条件下，中国经济特区只能作为一座普通城市，即较为发达城市而向前发展着。

这样，在事实上，中国经济特区所保留下来的仅仅就是特区的"名称"(即形式而非内容)，对于深圳来讲，还可能保留这一道铁丝网。

5. 在这种情况下，中央有必要实行"以开放促改革"的大战略，以此来加快中国的现代化建设。

我以为，这种"以开放促改革"的大战略的实施，首先应是把若干个"中国"经济特区建成

“世界”经济特区，即自由贸易区。

由于发展中国家同发达国家自由贸易的关键因素是发展中国家能在何种程度上早日实行零关税政策。由于越小范围的经济一体化越能更快促进双边与多边国家之间贸易自由化总进程，所以在中国建立自由贸易区是完全必要的。

毫无疑问，这个大战略的对象当然是全中国，但是，仍然可以首先在中国经济特区强烈实施。因为特区经过20年发展已经有了比较相当雄厚的物质基础(如深圳形成了高科技的重要产业)，有了比较优越的制度实践，可以说，在这一点上一些特区如深圳，不仅具有比较优势，而且具有绝对优势。中央完全可以利用这一点来推进中国贸易自由化的时间表，这说明，在特区建立自由贸易区又是切实可行的。

根据“APEC非正式首脑会议”的承诺，中国将在2020年前实现贸易和投资的自由化，对根据WTO框架下多边贸易和投资自由化，中国也将在2030年才实现，现在又主动提出在2010年实现东盟与中国的自由贸易区计划。为此，可以考虑，再把几个已经发展起来的特区，从计划经济中的特区发展成为市场经济中的特区，即从中国经济特区走向世界经济特区，它不仅超越计划经济体制，而且超越一般市场经济体制，甚至超越发达的市场经济体制，给特区赋予时代的新内涵、新定位。把它的性质、作用、意义重新规范。也就是说，它已不再是什么“示范”地区，而是特殊需要的特殊地区。

这种自由贸易区如中国的香港、新加坡的裕廊工业园、台湾的新竹工业园区等。在这个设想的自由贸易区内，其一，货物的进出口不再通过其他地区(如香港)转口，而是直接地进行对外贸易；其二，允许国际资本进出中国资本市场。为此，在这个新的自由贸易区内取消外汇管制和实行人民币在资本项目下的自由兑换。可以说，东亚地区成功的一个重要经验就是自由贸易政策的实行，它可以导致发展中国家与发达国家之间长期人均收入的反收敛。

应当强调，即使中国加入WTO之后，仍然可以实行更加开放的政策。现在许多发达的市场经济国家，为了吸引外资，仍然在不同程度上对外资实行优惠政策。因为国民待遇原则是讲对外公民和企业所提供的待遇“不低于”向本国居民和企业实行的待遇。而高于对本国的待遇则从未禁止。所以，在中国加入WTO之后，采取自由贸易区政策不是一种违规，而是一种特例。在这里，可从地方政府规模、经济和法律架构、货币具体政策等客观指数去考察经济自由度，尤其是从个人选择、保护个人财产和汇兑自由等去考察。

如果能赋予中国经济特区的这种新鲜使命，也就会早日实现邓小平所期待的在中国“再造几个香港”的远大设想，我以为，今天的这种大战略下的大布局，对于中国的贸易自由进程，决不亚于20年前兴办中国经济特区的伟大决策。

对于中国经济特区自身建设来讲，我以为，第一次创业的目标是建立市场经济体制(1980~2000年，第二次创业的目标就是建立自由贸易区(2000年~2005年)。

WTO 与中国经济特区的定位与走势

钟 坚

在人类刚刚迈入21世纪之际，中国跨入了世界贸易组织的大门。这既是中国改革开放20多年来的一件大事，又是中国发展历史上的一件大事。入世对中国经济社会发展的影响是全面的和深远的。作为中国改革开放先行者的经济特区，又面临着一次难得的历史大发展机遇。这就需要经济特区立足现实，放眼世界，展望未来，进一步衡定自己的发展方位和明确自己的发展路径。

一、举办经济特区本身就是国际经济惯例

经济特区是世界各国和地区发展经济普遍运用的形式。“经济特区”的称谓是我国的叫法，但并不说明世界其他国家和地区没有类似的经济特区。其实，世界经济性特区的问世已有数百年的历史。

世界经济特区的产生和发展，大致经历了三个时期：(1)1228年至20世纪50年代，是自由港和自由贸易区在世界范围内的发展时期。经济特区的最初形式是自由港和自由贸易区，历史可以追溯到古希腊时代，1228年法国马塞港自由贸易区被认为是世界上最早的经济特区。1547年意大利热亚那自由港，是世界上第一个正式以“自由港”命名的经济特区。(2)20世纪50年代至70年代中期，是出口加工区在世界范围内出现和发展时期。出口加工区在欧洲最先出现，1959年爱尔兰香农自由加工区，被认为是世界上第一个出口加工区。典型的出口加工区出现在亚洲，1966年台湾高雄出口加工区，被认为是世界上第一个正式以“出口加工区”命名的出口加工区。中国大陆在20世纪90年代初和90年代末分别设立了保税区和出口加工区。目前世界上许多国家和地区，特别是发展中国家和地区都设有许多出口加工区(目前世界经济加工区协会把“出口加工区”更名为“经济加工区”)。(3)20世纪70年代末至现在，是世界经济特区向科学化和综合化发展时期。1951年美国斯坦福研究园(后发展成为闻名于世的“硅谷”)是科技性经济特区的始祖，70、80年代以来，随着科技革命浪潮席卷，各类科技性经济特区(科学园、技术城、大学园、研究园、科学工业园区、高新技术产业园区等)在世界范围内得到蓬勃发展，中国大陆于20世纪80年代中期开始设立了众多的高新技术产业园区。以此同时，世界经济特区的另一种重要形式——综合性经济特区也在广大国家和地区涌现出来。创办较早的综合性经济特区有新加坡裕廊工业区、巴西马瑙斯自由贸易区、印度尼西亚巴浩岛自由贸易区以及中国深圳、珠海、汕头、厦门、海南、浦东等经济特区。

透过世界经济特区发展的历史轨迹，我们至少可以获得以下启示：(1)经济特区的发展已经超越了自然地域范围的限制，它从西欧扩展到世界五大洲，除大洋洲以外，亚、非、欧、美都各有数以百计的各类经济特区；(2)经济特区的发展已经超越了经济发展水平的限制，无论是美国、日本、德国、英国等欧美工业发达国家，还是韩国、新加坡、中国台湾、中国

香港、巴西、墨西哥等新兴工业化国家和地区，抑或是泰国、印度尼西亚、马来西亚、印度、中国等准工业化国家，或者是经济极为落后的南太平洋岛国斐济，都设立各类经济特区，利用经济特区促进本国和地区的经济发展。(3)经济特区的发展已经超越了经济体制的界限，无论是欧美市场经济高度发达和市场主导体制的国家，还是像韩国、新加坡、中国台湾等市场比较发达和政府主导体制的国家或地区，抑或是像中国这样正向市场经济过渡的国家，或者是像朝鲜这样完全实行计划经济的国家，都设立或者正在准备设立经济特区。(4)经济特区的发展已经超越了社会经济制度的界限，20世纪70年代以前，经济特区只存在于资本主义和带有浓厚前资本主义色彩的国家。进入70年代以后，一些社会主义国家也相继兴办了各类经济特区扩展到社会主义国家。可见，经济特区本身就是一个国际经济惯例，把经济特区仅仅看成中国惟一的事情，并以此主张取消经济特区，显然是对“世界知识”的无知。同时，我们也要看到，中国经济特区不仅仅是深圳、珠海、汕头、厦门、海南、浦东等综合性经济特区，而且还应包括为数较多的保税区、高新技术产业园区、出口加工区。如果我们以“世界的眼光”和“广义经济特区的概念”来审视中国的经济特区，也许我们的认识会更客观、更全面。

二、经济特区与WTO通行规则并行不悖

过去我们对经济特区的认识存在有两个误区：一是认为经济特区违反了市场经济的原则，甚至个别学者认为经济特区是“特权经济”，因而要求取消经济特区；二是认为经济特区违反了WTO的规则，认为中国入世经济特区就失去了存在的基础，自然要被取消。这两个看法实际上都是对经济特区的误解，是缺乏根据和站不住脚的。

1. 经济特区的设立符合WTO的宗旨

1995年成立的世界贸易组织的宗旨是，试图在互惠互利的基础上大幅度地削减关税及其他方面的贸易障碍，消除国际贸易中的差别待遇，有效地建立稳定和透明的国际贸易环境，逐步实现贸易自由化，扩大货物和服务的生产和贸易，以实现全球资源的最佳配置，提高生活水平、保证充分就业。WTO的目标就是要维护贸易市场的公正、自由、公开的贸易秩序，实现世界贸易的自由化。世界各类经济特区的设立和发展，是符合WTO宗旨的。我国设立经济特区，不仅实现经济特区自身经济的快速增长，而且加快我国对外开放的进程，促进了我国与国际经济的接轨，推动了我国对外贸易和整体经济的发展，增加了我国居民的就业机会，这些与WTO的宗旨是一致的。此外，经济特区实现更加开放的体制和一系列优惠措施，与WTO的实现世界自由贸易、降低关税、弱化关税壁垒以及消除非关税壁垒的宗旨也是相吻合的。

2. 经济特区的存在符合WTO的规则

无歧视原则是WTO最基本的法律原则，它包括国民待遇原则和最惠国待遇原则。但是WTO允许关税同盟和自由贸易区是个例外，它们可以为自己的成员制定更优惠的贸易政策。比如欧洲联盟和东盟。除关税同盟和自由贸易区等跨国经济特区以外，其他一国境内的经济特区则不同于跨国关税同盟和自由贸易区，因为它们是向全世界开放的。无论是国内人还是国外人，一旦进入经济特区就平等地享有经济特区的优惠待遇，因而它比跨国自由贸易区和关税同盟更符合国民待遇原则。既然WTO允许自由贸易区的存在，就必然允许其他经济特区的存在。只要经济特区的优惠政策是公平的，并公开地给予本国人和外国人，就不违背国民待遇的原则。经济特区与非经济特区之间的差异是一个国家和地区区域经济发展战略和区域

发展政策的使然，是不违背 WTO 的原则的。否则，这就无法解释为什么世界上有这么多 WTO 成员国和地区都设有经济特区的现象。

3. 经济特区的发展符合市场经济原则

市场经济原则是 WTO 最核心和最高的原则。我们说经济特区的发展不违背市场经济的原则，理由有：(1)几乎所有发达市场经济国家和地区都设有经济特区(形式有多样)，经济特区的发展并没有阻碍这些国家和地区市场经济正常运行；(2)几乎所有 WTO 成员国家和地区都设有经济特区，经济特区的发展并没有妨碍各成员国家和地区对 WTO 原则和规则的遵循和执行，WTO 对于各类经济特区的设立和发展，也没有提出过任何限制原则和措施；(3)我国经济特区是中国市场经济发育和与国际经济接轨最好的区域，无论经济自由度和对外开放度，还是体制市场化程度和经济国际化程度属全国最高。

4. 经济特区的政策与 WTO 规则并不冲突

优惠政策是经济特区的生命线和核心内涵。从世界范围看，各国和地区的经济特区均为特殊优惠政策的产物。美国在全国设立了 400 多个对外贸易区，它们都采用了一定的优惠措施，如：入区的货物无需报关或交纳关税；货物运出区外，如进入关税区才需完税，美国货物经海关许可进入外贸区，即视同出口。其他国家和地区的经济特区也都实行程度不等的特殊优惠政策。世界经济特区实行特殊优惠政策已成为世界通行的国际惯例。那种把经济特区实行特殊优惠政策看成特权经济的认识是不妥的。此外，WTO 只限制其成员可能阻碍或扭曲正常国际贸易的做法，除此之外，对成员的国内措施并无限制。一个国家为实现某种战略目标在全国范围内划定一些区域建立经济特区，实施包括税收优惠在内的特殊优惠政策，这是一种国家让利行为，是一国主权的体现，只要不造成国际贸易的扭曲则行。WTO 是要求实行国民待遇原则，但并不限制其成员设立经济特区，实施特殊优惠政策，实行经济特区内和外的差别待遇。那种把中国入世经济特区就自然该取消的看法是一种误解。

5. 入世国内政策调整对经济特区的影响

过去中国基于保护国内产业而对外来货品或投资，多有限制规定，有许多与 WTO 规定不相符合。例如，我国对外来投资鼓励外销(出口补贴和退税)，限制内销、附加价值限制的措施有可能构成可控诉补贴而遭受其他 WTO 成员的质疑。再如，如果内资和外资企业所得税有可能走向并轨，因经济特区外来投资比较活跃，比重较大，国家有关这一政策的调整，对经济特区吸引外资和加工贸易也会产生负面影响。当然，我国经济特区是中国经济外向程度最高的地区，也会从中国入世中也将获得许多正面影响。例如，可享受最惠国待遇和国民待遇，可进一步优化投资环境；关贸上的争端，可借 WTO 机制解决；贸易障碍减少，纺织品配额逐步取消，国外市场将会扩大；内销限制取消，可增加国内市场。总之，入世对中国经济特区而言，是一件利多于弊的事情。只要能够抓住机遇，中国经济特区将会有更大的作为。

三、中国经济特区在“入世”后的前景与走势

中国经济特区应该着眼国际国内发展的新形势，立足经济特区的实际，抓住中国入世的新机遇，筹划自己的未来发展之路。

1. 发挥“三个优势”

顺应和发挥后发优势。我国的经济特区，在世界经济特区发展史上还属“小字辈”，它与最早出现的自由港、自由贸易区这一类经济特区相比，设区时间相差 7 个多世纪；与科技性经济特区(科学园、技术园、科学城等)相比，设区时间相差 40 多年，与第一代出口加工区

的诞生，迟了30年以上；与一些综合性经济特区的问世相比，也迟了10多年。我国经济特区作为世界经济性特区群体的重要组成部分，是世界经济性特区发展的继续和延伸。这一历史时间差，既使我国经济特区从诞生那天起就面临着严峻的挑战和竞争，又为我国经济特区的生存和发展提供了后发机遇和后发优势。

透过世界和我国经济特区发展的实践和经验，我们应该至少可以得到两个启示：一是经济特区建设应该把握世界经济性特区的一般共性，借鉴世界经济性特区建设的经验。世界经济性特区从问世至今已有几个世纪，无论是传统欧洲式经济性特区(自由港、自由贸易区)、美国式经济性特区(对外贸易区)，还是现代经济性特区(出口加工区、科技性特区、综合性特区)，它们在各自的发展过程中，都取得不同程度的成效，积累了丰富经验。我们在开发和建设经济性特区中，切勿片面地强调自己的特色，而舍去了经济特区发展的一般共性，而应该在与世界经济特区的一般共性和惯例衔接上下功夫，即在遵循世界经济特区发展的一般规律、通行做法和成功经验基础上进行创新和实现自我发展。也只有这样，才能减少失误，少走弯路，事半功倍，发挥后发优势。深圳经济特区之所以能在中国几大经济特区中独占鳌头，甚至在世界综合性经济性特区群体中也出类拔萃，除了选址恰当外，关键在于其与世界经济性特区建设惯例的衔接上做得更好。

二是应该继续利用好经济特区这一形式促进我国区域经济乃至整体经济的发展。世界经济性特区发展至今，尽管不平衡，但从整体上看，继续处于勃兴和发展阶段。从量上来看，兴办经济性特区的国家和地区越来越多，兴办的数量也越来越多。从质上看，不少国家和地区的经济性特区正在进行重组、升级，向科技性、综合性、多功能方向发展。不论是发展中国家和地区把它作为振兴民族经济的重要手段，而且发达国家也越来越重视它的作用。单拿美国来说，它就有对外贸易区400多个，科学工业园区近300个。我国的经济特区，无论是从数量上，还是从质量上，与世界上其他一些先进国家和地区相比较，都有一定的差距。一方面我国六大综合经济特区发展不平衡，有的发展还不尽人意，需要不断提升水平；另一方面我国的经济特区数量太少，分布不平衡，需要增加扩散。我国目前尽管有6个综合性经济特区、15个保税区、53个国家级高新技术产业园区和15个出口加工区，但我们认为还是太少，而且主要分布在东部地区。既然中外实践已成功证明，经济性特区是经济发展一个有效形式，我们为什么不多加利用？我国西部开发，应该借鉴东部开发的经验，在中西部地区建立新的各类型经济性特区。因为西部开发不可能是全面开发，只能是由点到面，通过优化局部投资环境，形成新的经济增长点和发展极，从而辐射、带动中西部地区的发展。建议在中西部较好的地区(中心城市附近)，由中央政府或省级政府(省级政府以下不考虑)具备适合该地方特点的经济特区(类型可以各异)。

发挥和再造先行优势。经济特区曾领中国改革开放风气之先达20年之久，成为全国改革开放的先行区和示范区。经济特区尽管面临诸多挑战，政策优势减弱，但20年改革开放所形成的先行优势还在，经济特区的特殊地位和作用没有改变。在中国入世新的一轮改革开放中，经济特区不仅要立足于自身的发展，而且要服从国家创办经济特区的总体战略部署，充分巩固、发挥和再造改革开放的先行优势。(1)要继续发扬解放思想敢闯敢试的“先行精神”，不敢闯敢试，既不能创造经济特区的新优势，更违背了国家举办经济特区为全国闯出新路的宗旨。特别是经济特区的领导要更具开放气魄和开拓精神。(2)要继续充当全国体制改革的“试验场”，做到“五个带头”：带头加快体制，率先为全国建立比较完善的社会主义市场经济体制积极探索和实践；带头大力推进科技创新，在加快结构调整和产业优化升级、实现经济增长方式的根本转变上创造新鲜经验；带头增强服务全国的大局意识，加强与内地的经济技术交流与合作，积极支持实施西部大开发战略；带头始终不渝地坚持‘两手抓，两手都要硬’的方针，大力加强社会主义精神文明建设，交好物质文明建设和精神文明建设两份答卷；带头按照‘三个代表’的思想，加强党的建设，不断提高党组织的战斗力和凝聚力，增强拒腐防变的能力。

挖掘和发挥比较优势。我国六大经济特区都是一种综合型的经济特区，与世界其他大多数经济特区相比，具有空间大、多功能的比较优势，特别像海南经济特区这样大面积的经济特区在世界上也是绝无仅有的。这有利于经济特区多行业发展和各行业之间的相互补充和促进，使经济特区向多元、综合、配套方向发展。但是，综合型经济特区发展具有建设投入大、开发周期长、政策体制要求高的特点，一味地求快求全，往往得不偿失。中国各地举办的其他经济特区也一样，决不能盲目攀比，搞“一刀切”和“大跃进”，要充分考虑自己的条件和环境。中国各经济特区由于各自的地理人文和社会经济条件的不同，它们的发展目标和方向应有所区别，各有侧重。中国六大经济特区及各地设立的保税区、高新技术产业园区、出口加工区，应该在遵循世界经济特区建设的一般做法和一般规律的基础上，充分考虑到自身条件和环境，挖掘内部发展潜力，发挥各自的特有优势和比较优势。一方面，中国经济特区要理论与实际相结合，借鉴与独创相统一，努力形成和发展经济特区的中国特色、中国风格、中国气派。另一方面，中国各经济特区要从实际出发，因地制宜，逐步形成各经济特区的自己特色、自己风格、自己气派。

2. 实现“四个提高”

提高技术水平。经济特区要瞄准国际市场走势和世界新技术革命进程，引进和开发更多的先进技术以至高新技术，大力推进科技创新，提高竞争能力，充分利用特区已有的经济实力和有利条件，尽快地实现产业结构、产品结构的升级，促进特区经济向资金、知识、技术密集型转化，实现经济增长方式的根本转变，同时，大力发展知识密集型的第三产业，增强特区的综合功能。通过科技创新和经济结构的战略性调整，形成新的经济、产业、技术优势，强占高新技术及其产业化的制高点，努力把经济特区建设成为重要的高新技术研究开发基地、成果转化基地、产品出口加工基地和成果交易中心。

提高管理水平。各经济特区要在新的一轮改革开放中争取主动，关键是要提高自己的管理和服务水平，以质取胜，使政府行政管理、市政管理、经济管理和企业管理更加科学化、现代化和法制化，增创管理和服务的新优势。管理工作要全面，无论是经济的、法律的、行政的、社会的管理水平都要提高，要在实现和加强现代化管理方面，走在全国前列，起到‘排头兵’的作用。各经济特区要进一步完善经济特区的投资软硬环境，高度重视和加强经济特区建设的总体规划。

提高知识水平。各经济特区要增进广大干部的国际经济、贸易、金融、法律知识，特别是 WTO 的有关知识，培养宏大的对外经济工作队伍。同时，各经济特区要大力重视教育和人才的培养。

提高政策水平。通过深化改革和全面开放，及时修正各种与 WTO 规则不相符合的法规政策，使经济特区的政策、法规更好地适应外向型经济发展和全面社会进步的需要。

3. 深圳的定位与前途

社会功能定位。深圳的今天已经不是过去的深圳，其经济社会正面临全面的转型和发展。深圳已由过去单纯的经济特区变成一个区域性大城市，其社会功能已由过去单项的经济特区功能（主要指经济功能）向多元化的城市功能转化。深圳面临的主要任务已由过去的主要抓经济发展和取得经济目标为主转向现在的综合抓经济、政治和文化发展并取得经济发展和社会全面进步。社会功能的扩大和泛化，使深圳经济特区的色彩在退化，区域性城市的色彩在增强。深圳已经由一个综合性的经济特区发展成为一个区域性大城市。从一般意义上说，深圳的社会经济特征与整体上非经济特区的上海、广州的社会经济特征已没有什么差异，要说有差异，也不是经济特区与非经济特区之间差异，而是城市与城市、地区与地区之间的差异。如果仅仅把深圳作为一个经济特区来定位，这不仅不符合深圳的现实，而且也会束缚深圳的发展。深圳的未来发展不应该仅从一个经济特区的角色来筹划，而应该从区域性城市发展角色来筹划。另外，还有一不容忽视方面，即深圳具有小“经济特区”的优势问题。深圳有 1 个国家级高新技术产业园区、1 个国家级出口加工区和 3 个国家级保税区。这些小经济特区还保有某些特殊的经济政策，深圳应该更好地发挥它们在对外开放和经济建设中的桥头堡作用。所以，如何进一步培育和完善深圳的城市和社会多元化功能是深圳未来发展的一项重要任务。

发展阶段定位。深圳经过 20 年的高速起飞和迅速崛起，经济社会得到快速发展和进步，已经基本上完成了工业化，进入到现代化的初始阶段。如果按照目前的中速增长态势，深圳到 2005 年基本实行现代化、2010 年达到世界中等发达国家的水平的目标是完全能够实现的。但深圳相对于发达国家和地区而言，经济社会发展水平大概要落后 15—20 年。1998 年西方七国集团人均 GDP 约 29000 美元。就拿新加坡和香港来说，1995 年人均 GDP 也分别到达 27985 美元和 22990 美元。人均 GDP4000 美元左右的深圳，标志着深圳以工业化为主要内容的经济起飞阶段（现代化原始积累阶段）已经结束，全面现代化建设事业即将开始。也就是说，深圳超高速的经济起飞阶段已完成，正进入中速续航阶段。尽管深圳虽然已经基本完成经济的工业化和现代化，但就整体而言，离完全实现工业化和经济的市场化、社会化、国际化、高科技化和现代化，还有一段长路要走。同时，现代化还不仅仅是经济的现代化，而是一个包括经济、政治、文化、社会等诸方面的现代化。如果从这个意义上说，深圳还有一段更长的路要走。所以深圳未来的发展还仍然要坚持发展是硬道理，紧紧抓住现代化这个发展主题，从全面现代化这个角度和世界发展水平的高度，来全面筹划深圳的未来发展。

城市定位。深圳已经发展成为一个大城市，这是一个不争事实。问题是深圳将成为一个什么样的大城市。从世界城市发展史来看，城市的合理定位对于城市的发展至关重要。对此，深圳曾把自己定位为“一个基地”（高科技制造基地）和“四个中心”（国际性区域贸易中心、运输中心、金融中心、信息中心）和“一个胜地”（旅游胜地）、“经济中心城市”和“区域中心城市”、“高科技城市”等。我们认为，深圳不能仅从珠三角或华南地区角度来定位，而应该从亚太乃至国际范围来定位，要世界眼光。谁能想到昨天的深圳会变成今天这样，那么，再过 20 年的深圳又会是什么样呢？从深圳这样的发展势头来看，定位为一般的区域中心城市是不够的。深圳综合实力已进入全国大中城市前列，是内地惟一海、陆、空国际口岸都具备的城市和商品、资金、技术、信息、人才等世界市场双向流动咽喉，已初具国际性城市的雏型。虽然目前深圳离一座完全的现代化国际性城市还有一段距离，但从目前的发展态势来看，深圳发展成为国际性现代化城市的目标是完全能够实现的。诚然，香港是一个非常现代化和国际化的都市，上海也有可能成为内地首要的国际性城市，但这并不能排除深圳能够跃上国际化城市的行列，使其城市辐射、枢纽、服务功能达到国际化的标准。深圳的内外条件足以支撑其发展成为国际性区域营运中心，成为国际性区域制造中心、贸易中心、运输中心、金融中心、信息中心和旅游中心。基于这一点，深圳应该打好入世牌，争取在这一轮全方位和深层次对外开放中抢得先机，使自己尽快融入世界经济体系中去。

发展动力定位。深圳过去主要靠政府主导，通过优惠政策吸引外资，主要借助外力促进经济发展。现在动力条件已经发展变化。一是过去主要靠经济优惠政策，现在则主要依靠良好的投资环境，包括基础设施、投资软环境和自身素质的提高，即要苦练内功；二是过去主要靠政府推动，而现在应该转向靠市场运作。如果说在经济起飞阶段需要政府推动的化，那么在经济续航阶段则需要市场来调节。如果这个时候，政府还是过多直接介入和投资，一会造成国有资产的流失或浪费，二会造成官僚体制的低效率运作，三会造成社会资源低效率配置。政府应该转变职能，从过去的管制型政府转向服务型政府，从过去的政府主导转向市场主导。市场追求效率，政府维护公平，如何培植和维护市场，最大发挥好社会、私人和市场作用，是深圳下一阶段改革的重点；三是过去主要靠增加投入、扩大规模，现在主要靠技术创新和制度创新。实践证明，只有市场、创新才是经济发展的永久动力。

力争四个提高。江泽民总书记曾经在 1990 年深圳建立经济特区 10 周年纪念大会上提出了“四个提高”。它应该成为深圳应对 WTO，筹谋未来发展的指南。一是要提高技术水平，以科技进步来推动产业结构和产品结构的优化。深圳与发达国家和地区之间是一种垂直分工，主要生产劳动密集型产品。这种产品的优势正在逐渐被弱化。现在随着工资、地价的上涨，国际贸易保护主义的抬头，国内外加工业的竞争，特别是低成本的竞争，使深圳出口的劳动密集型产品已没有多少竞争优势。深圳走重化工业条件不足，只有产业升级，尽管实现从以劳动密集型产业为主向以知识和技术密集型的转化，争取与发达国家和地区实行水平分工与合作，参与国际竞争。二是要提高管理水平，使政府行政管理、市政管理、经济管理和企业管理更加科学化、现代化和法制化。这里管理包含服务，可能更多是服务。政府管理和服务水平要跟上市场发展的步伐。三是要知识水平。这个“知识”是个大概念，包括文化教育等。从文化角度讲，不要说与建成一个国际性城市目标相比，就是与内地的一些中小城市相比，深圳的发展也是滞后的。一个国际性大都市，需要有国际知名的文化教育机构和载体。要发展高技术产业、高技术产业带和高科技城，一个重要的条件就是要有一个知识和信息中心。深圳不要老沉醉于获得某某“大奖”，靠高投入获得一时喧嚣，这不是文化建设的根本。深圳为什么在吸引人才方面落在国内先进城市的后面，原因固然是多方面的，但主要是由于文化贫瘠所致。没有多少文化载体，这些文化人即使来了能待什么地方。所以说，深圳文化建设，无论从硬件还是软件都欠账不少，需要补课。要提高政策水平，通过改革，使深圳的政策、法规更好地适应外向型经济发展和社会全面进步的需要。特别要根据 WTO 的规则要求，全面清理和优化深圳的有关体制、政策和法规，实现与国际惯例的接轨，使经济活动有更大的方便度、开放度和自由度，使深圳的对外开放水平上一新台阶。

全力打造国际城市

——“入世”后经济特区发展的主流战略取向

方宁生

加入WTO，意味着中国的国内市场将转化为新的世界市场，特区的发展，不仅要从中国的对外开放战略上考虑，而且应从世界经济格局的变化上着眼。

中国经济特区借鉴了世界加工出口区的经验，但一起步就高于加工出口区，其特色是工业化与城市化的同步发展。这“两化一体”的过程，从深圳开始，随后厦门、珠海、汕头都把特区区域范围扩大到市区，综合性特区发展为特区市。进入20世纪90年代，特区完成“窗口”的历史使命，紧接着开始了国际城市化进程。1991年10月深圳提出要建设“多功能的国际城市”，自那时以来，国际城市不断成为特区市发展的目标。汕头提出要建设现代化国际港口城市，厦门提出要建设社会主义现代化、国际性的港口风景城市，上海提出要建设国际经济中心城市，海南省的三亚提出要建设世界知名的滨海旅游城市。在特区国际城市化的热潮中，中国沿海的许多名城也都要奔向国际城市，由南而北有广州、宁波、青岛、天津、大连等。虽然目标设计不尽相同，直奔国际城市却是共同的。中国加入WTO，将引起当代世界经济格局发生新的变化，这种变化将是中国沿海地区产生国际城市的机遇。对于特区来说，机遇实是挑战，全力以赴打造国际城市，理所当然地应成为中国加入WTO后经济特区发展的主流战略取向。

一、世界经济发展重心转移最后在中国落脚突显特区国际城市化

国际城市是世界经济发展重心形成和转移的产物，工业化和城市化是世界经济发展重心形成和转移的支配力量，而动态比较利益则是直接的动因。

发生于18世纪中叶的工业革命揭开了近代世界经济发展史，英国花了100年左右的时间发展成为“世界工厂”，成为当时世界经济发展重心区域，使伦敦成为首个国际中心城市。19世纪初，工业化浪潮推向大西洋两岸国家。19世纪中叶，美国结束南北战争，为工业化提供了良好的国内环境，此后，美国花了半个世纪，超过了伦敦，成为世界经济发展重心首次转移的最后落脚地区，纽约脱颖而出成为新的国际中心城市。在这个转移过程中，沿线出现了一批国际城市。进入20世纪，工业化浪潮继续东移，越过太平洋，推向西太平洋沿岸的国家和地区。世界经济发展重心发生第二次转移，首站到了日本。二次大战后，日本利用战后的国际环境，走上以新兴工业为主体的工业化道路，“超欧赶美”，花了20年左右时间，产生了东京这样一个新的国际中心城市。但西太平洋沿岸的国家和地区，除了“四小龙”赶上工业化浪潮外，尚都处于农业社会发展阶段，因此工业化仍然是西太平洋沿岸国家经济社会发展的基本动力。随着西太平洋沿岸国家相继实行对外开放政策，从日本开始的工业化浪潮，继续向南推进，即向中国和东南亚各国推进。世界经济发展重心第二次转移的路线，和西太平

洋国际航线基本一致，包括中国沿海地区和环南中国海周围各国。但进入20世纪90年代，世界经济发展重心第二次转移所经过的国家和地区发生了许多重大变化：1997年的金融危机使东南亚各国一蹶不振，不仅如此，东南亚各国还从对外开放倒退为闭关自守：马来西亚和印度尼西亚实行资本控制，泰国基本上中止私有化计划，菲律宾被取消接受国际货币基金组织资金的资格，等等。中断了经济上高速度发展，现在，再加上美国“9·11”事件的影响，政局越来越不稳定，失去了成为发展重心的机遇。与之成为鲜明对照的是：中国经济一枝独秀。东南亚金融危机的冲击，曾经使中国的出口和外资的流入都减少，人们普遍推测人民币会贬值，但这种推测落空了，一直以来，人民币没有贬值，1999年中期出口急剧恢复，2000年以后外资流入急剧增加，从1997年以来，中国GDP除1999年为7.1%外，其他年份都在7.8%—8.8%之间，这在当今世界普遍不景气的情况，表现出异常繁荣，而且政局稳定，为经济持续高速发展提供了保证。北京申办奥运成功，意味着国际社会对中国的认可、接受，长达15年的加入WTO问题顺利解决，则意味着中国从此融入国际社会。中国开放以来沿海地区的动态比较利益不断提升，东南亚金融危机以后，中国沿海地区的动态比较利益更独步世界，中国加入WTO将进一步吸引各国制造业资本，从而促使世界经济发展重心第二次转移最后在中国落脚。

第一，中国开放20年，是工业高速发展的时期。中国的高速工业化从接受境外的轻工业资本起步，进入90年代中国向重化工业发展，世纪之交中国接受国外高技术产业资本，开始新一轮的高速发展期。目前，中国已拥有1.3亿部移动电话，超过了美国；上网人数接近3000万，与德国相当；中国生产的移动电话，台式电脑，DVD机等超过了日本；世界上每两辆摩托车就有一辆、每三台空调就有一台、每四台彩电就有一台是中国制造的。中国已成为电子消费品、计算机硬件、电讯器材的世界生产中心，农业生物技术产业已占世界第2位。外国人把加入WTO后的中国称为“世界工厂”。近代世界史上，只有最先走上工业化道路的英国被称为“世界工厂”，从而奠定了那个时代世界经济发展重心的地位。事隔100多年，中国被称为“世界工厂”，正说明世人已认识当代世界经济发展重心正在中国形成。

第二，工业化进程同时是城市化进程。在工业化发展最快的地区必然伴随着城市群的崛起。100多年前，英国的“世界工厂”主要集中在英格兰中部地区，工业化带动人口集中，英格兰中部涌现了一批近代工商业城市，形成当时英国经济发展最快的区域，伦敦成为这个区域的中心城市，随着英国工业产品向全世界开拓，伦敦发展成为国际中心城市。之后世界经济发展重心转移至美国，造成了美国东北部—五湖地区工业的大发展，相应地出现了城市群，纽约逐渐成为该区域中心城市，随着美国货流向世界各地，纽约发展成为新的国际中心城市。中国对外开放以来，在东部沿海地区，已形成工业化速度最快的两个三角，即珠江三角洲和长江三角洲开始了当代新兴工业化。世纪之交，这两个三角洲地区都以接受境外高技术产业为特征。珠三角包括深圳、珠海两个特区在内共14个市县，面积41698平方公里，1999年总人口为2262.14万人，GDP为6439亿元；长三角包括上海(浦东)在内横跨三省市共15个城市，面积99678.5平方公里，1999年总人口为7470.55万人，GDP为13740亿元。这两个地区工业发展已达到相当高的水平，珠三角的电子、医药、建材等行业产值均居全国首位，纺织居第二，彩电业占全国1/2，家用冰箱占1/3，家用洗衣机占1/7，特别是高新技术产品出口占全国第一位；深圳正在成为珠三角IT产业龙头。如果说珠三角以轻工为主，长三角则以重化工为特色：钢产量占全国1/2，钢材占1/4，化纤占1/2，汽车占1/5，同样，高技术产业发展迅速，微电子、光纤通讯、生物工程、海洋工程、新材料等居全国领先地位。外国人眼中的“世界工厂”，实际上集中在珠三角和长三角。工业化是城市化的原动力，在珠三角和长三角的工业化进程中，已涌现了一批新兴工商业城市，这是一批开放型、外向度高的城市，组成了新的大城市群，深圳特区正在成为珠三角地区的中心城市之一，而上海（浦东）已经成为长三角地区中心城市。今后随着中国制造的产品不断开拓世界市场，深圳和上海（浦东）极有条件成长为国际中心城市。

二、环南中国海自由贸易区的出现催动特区向区域性国际城市发展

“入世”使中国融入国际社会，促使世界经济发展重心转移最后选择在中国落脚，也将促使世界经济格局发生新的变化。

二次大战后，世界经济进入区域集团化的发展阶段，20世纪最后20年成为世界经济中最具活力的因素，几乎世界上所有的国家——包括不同社会制度和不同经济发展阶段的国家，都在不同程度上进入区域集团化的发展轨道。到了20世纪90年代前期，形成了欧洲联盟和北美自由贸易区两大区域集团，由于日本已经发展成为世界第二大经济强国，由于中国坚定地实行对外开放，由于西太平洋沿岸国家和地区的投资与贸易空前活跃，因此，人们寄以厚望，预料会出现另一个强大的区域集团与西欧、北美抗衡。

成为世界经济发展重心第二次转移首站的日本，到了20世纪70年代达到了发展的顶峰，并且雄心勃勃地以领导亚洲经济为目标，于80年代抛出了以日本为主导的雁阵型发展模式。这个模式的先天缺陷不在经济方面，而在政治方面。在二次大战中，中国和相邻的东北亚、东南亚国家都深受日本军国主义的侵略和蹂躏，日本不仅没有进行历史反省，反而在经济腾飞之后，挟其雄厚的经济实力，试图掩盖、抹煞历史，试图重新军国主义，试图再度君临东亚地区，起码在感情上，日本的雁阵型发展模式不会被东亚人民所接受。在日本抛出雁阵型发展模式的同时，日本的泡末经济也在发展。到了90年代初，泡末经济破灭，日本进入了长达10年的经济萧条期，这是日本经济“失去的10年”。进入新世纪，日本经济仍然滑向衰退，据国际货币基金组织最近预测：日本2001年和2002年都将出现负增长，分别为 -0.9%和 -1.3%，比9月底的预测分别下调0.4个和1.5个百分点。事实说明，日本是不可能充当“东亚共同体”的火车头的。

从20世纪70年代开始，特别是进入80年代以后，环南中国海的东南亚国家先后采取对外开放政策，参与国际分工，从农业经济社会快速迈向工业经济社会，出现了一股持续不断的工业化浪潮。进入90年代，在世界经济区域集团化的刺激下，1992年东盟首脑会议宣布15年内建立自由贸易区。1995年决定提前实现既定目标，并把东盟6国扩大到10国。1997年金融危机之后，东盟面临经济形势严重恶化的重大挑战，转而谋求与日、中、韩加强经济合作，以便今后推动东亚经济一体化，建立东盟与日、中、韩参与的东亚自由贸易区。但是，由于农产品的问题，日本不容易加入东亚自由贸易区，因此，东盟首先与中国签订了自由贸易协定。

建立中国—东盟自由贸易区的建议，是中国于2001年11月提出的，经过1年的准备，2002年11月，东盟10国和中国达成一致：在未来10年内建成中国—东盟自由贸易区。这个时间正是中国加入WTO的最后冲刺阶段，根据有关方面的研究：中国加入WTO将为中国和东盟之间的合作带来更多的机遇。

中国在加入 WTO 前夕提出与东盟建立自由贸易区，构建今后亚洲发展的框架，意义深远。近20年来，对于中国的高速发展，被一些人视为威胁，而中国通过签订自由贸易协定表示了与东盟长期合作和互相依存的诚意，特别在农业问题上，中国显示出准备作出牺牲的气量，这和日本形成鲜明对照，中国甚至表示，为了支持东盟缩小内部发展差距，中方将适时向老挝、柬埔寨、缅甸提供特殊优惠关税待遇。东盟没有把中国的经济实力视为威胁，而是开始把中国视为有希望的市场。怪不得日本人惊呼：亚洲经济的中心已开始逐渐由日本向中国转移。

中国—东盟自由贸易区涵盖环南中国海11个国家，如果按照现时国际流行的说法，可以称之为环南中国海自由贸易区，这是全世界最大的自由贸易区，目前拥有消费人口达18亿，而欧洲联盟和北美自由贸易区都只有3.7亿左右。10年后，即2010年，环南中国自由贸易区的消费人口将达到20亿，这是一个巨型的区域市场。

环南中国海自由贸易区的出现，使西太平洋沿岸经济的区域集团成型，成为与欧盟、北美鼎足而立的三大经济板块，世界经济一体化进入一个新的发展时期。

中国在粤、闽、琼三省设置的5个特区市，都位于南中国海之北，面对东盟10国，环南海自由贸易区的出现，必然要催动特区向区域性国际城市发展。

世界各国的往来，实际上可以简单化为城市之间的往来。南中国海把中国和东盟10国分隔开来，又通过港口和航线连接起来，因此海港城市成了国与国之间往来的出发点和归宿点。中国5个特区，都是海港城市，在推进环南中国海自由贸易区中，应充分发挥本身的区位优势、地缘人缘优势、基础设施优势、经济实力优势以及专业人才优势，充当“排头兵”角色，调整原来提出的国际城市化目标，努力打造区域性国际城市。

环南中国海沿岸的国家，历史上是华侨最为集中的侨居地，其中尤以潮汕籍侨民和闽南籍侨民最多，这是当年决定在汕头和厦门辟地设立特区的依据之一。20年来，汕头和厦门实施基于制度不同的开放政策，引进侨资，以侨引侨，重点就是现今东盟的重要国家，中国和东盟日益紧密的经济联系，汕头和厦门两个特区发挥了重要作用。

汕头特区所依托的潮汕地区是全国著名桥乡，现今潮侨分布在世界五大洲四十几个国家，但仍然以居住在东盟国家为大多数，特别集中在泰国。适应着今后10年中国—东盟自由贸易区发展的需要，汕头应该把现代化国际港口城市的目标具体化，即应定位于环南中国海这个区域。

和汕头特区属于同一类型的厦门特区，其所依托的闽南地区也是全国著名桥乡，厦侨在东盟国家相当集中，适应着今后10年中国—东盟自由贸易区发展的需要，厦门特区也有必要修正先前设计的目标，重新定位于环南中国海这个区域，成为区域性国际城市，同样，这样一个国际城市必须体现侨乡特色。

海南省三亚市是面对东盟最前沿的海港城市。三亚市背靠海南特区省，是海南省与东盟国家往来的门户，在建成世界知名的沿海旅游城市之前，责无旁贷地也要打造成为环南中国海地区的国际城市。

由于东盟谋求建立的是东亚自由贸易区，日、韩两国都在考虑之列，今后即使从目前的10+1扩大为10+3，东亚自由贸易区在西太平洋沿岸崛起，也不会改变粤、闽、琼三省5个特区打造区域性国际城市的定位。

三、特区国际城市化的目标定位、发展速度与竞争态势

中国加入 WTO，国际城市化成了特区发展的主流战略取向，但各个特区国际城市化的目标设计有很大差异，定位层次相去甚远，发展速度十分悬殊，而所面临的竞争也相当错综复杂。

中国特区发展到 20 世纪 90 年代，其数量为 5 +1，即深圳、珠海、汕头、厦门、海南加上上海浦东，在发展目标的设计上，大体是三种不同的定位：珠海未见国际城市的设计；深圳、汕头、厦门、海南三亚，明确设计了建成国际城市的发展目标，但四个特区市的侧重点也十分不同，深圳从功能上定位，汕头从基本特征上定位，厦门、海南三亚从行业上定位，反映了特区经济发展的多样性；上海的目标最高，提出要发展成为国际经济中心城市。

中国对外开放，从沿海设立特区开始，特区及其周边地区最早走上工业化和城市化的道路。如前所述，到了 20 世纪 90 年代后期，深圳和上海已经分别成为珠三角和长三角区域中心城市，按照世界经济发展重心转移的历史经验，深圳和上海已具备发展成为国际城市和国际中心城市的历史前提。珠海虽然和深圳同属珠三角经济区域，并没有像深圳那样成长为区域中心城市，缺乏成为国际城市的前提。汕头、厦门、海南三亚虽然提出了国际城市化的目标，时至今日，也缺乏建成国际城市的历史前提，这就大大削弱了这三个特区市对世界经济发展重心转移的吸引力和承接力，发展国际城市的机遇有擦身而过的危险。

加入 WTO 前，中国沿海的许多名城纷纷提出国际城市化的目标。广州就是珠三角区域中心城市之一，天津日益发展成为京津塘区域中心城市，都已具备成为国际城市的前提，像宁波、青岛、大连虽然尚未成为区域中心城市，但其区位优势、海港优势、强劲的经济发展势头，大大超过了有的特区。按照世界经济发展重心转移的规律，在重心地区一定要出现国际城市化的进程，一定要产生国际城市，这种机遇对于中国沿海的特区和港口城市来说，是一种普照的光，所有的沿海港口城市都将根据自己的竞争力，去把握国际城市化的机遇。为抓住机遇而竞争，机遇实际转化成为挑战，这是特区国际城市必须面对的问题。

特区倒退回去是没有出路的，譬如说，把特区市缩回保税区，把保税区申请为自由港或自由贸易区。目前中国—东盟自由贸易区已宣布建立，要把保税区申请为自由贸易区已失去现实性。因此，特区应该有所扬弃，有所继承，才能发展，应该超出 20 世纪所形成的传统思维，把特区放在更大的发展空间，在当代世界经济平台上进行设计和规划，全力以赴，打造国际城市，这样才能在新世纪，继续充当中国现代经济的"排头兵"，发挥带动作用。

打造国际城市，各个特区所要解决的问题将是极其不同的，以目前阶段而论，主要有两大类问题：

第一类，已经成为区域中心城市的特区。进一步完善、发展作为区域中心城市功能的建设，应是深圳、上海提升国际城市化竞争力首先要考虑的问题。作为区域中心城市必须是交通中心、市场中心、产业中心、信息中心、人口中心等等。时至今日，中国外贸 90% 的货物通过海运，国际贸易 90% 的货物也通过海运，因此深圳、上海都必须加强港航业的发展，其中必须着重构建通往世界的铁/海大通道，公/海大通道。目前，京广铁路、广深铁路、九广铁路三线实为一线，为了强化深圳在全国开放格局中区位，应该申请将京广铁路和广深铁路重新命名，直称为京深铁路。京津铁路、津浦铁路、沪宁铁路三线连成一线，早已重新命名为京沪铁路，上海区位因此增强。目前上海港正向国际大港发展，但深水港的开发建设仍然必须摆上议事日程。作为国际城市，跨国公司的地区总部数量是一个重要指标，深圳、上海

还须要下大力气创造环境，吸引跨国公司的地区总部，等等。

第二类，还未成为区域中心城市的特区。有两种情况：一种情况是汕头、厦门，必须发挥特区的辐射作用，推动周边地区加速工业化和城市化。在20世纪90年代中期，汕头、厦门已经联手推动粤闽赣三边经济区的发展，可在这个基础上，在今后10年，着力推动粤闽赣三边经济区的工业化和城市化，形成新兴工商城市群，进而造就汕头、厦门成为这个区域的中心城市。笔者曾经建议，在香港回归后的某个适当的时候，把京九铁路和广梅汕铁路接轨之后所形成的从北京到汕头特区的铁路重新命名为京汕铁路，以增强汕头特区在全国开放格局中的区位，现在看来，应是重新命名的时候，理由有两点：其一是，现在的京九铁路进入广东龙川后向西行与广梅汕铁路西段重轨，到了常平以南又与广深铁路南段重轨，一段铁路两个名称没有任何商业意义，其二是京汕专列早已奔驰在大江南北。因此，中国大陆铁路“八纵八横”的规划应该修改。特别要把其中的京九铁路修改为京汕铁路，从而完善汕头特区的铁/海大通道，这将有助于汕头特区成为区域中心城市。另一种情况是三亚作为海南特区省的一个港口城市，如果仅仅定位为世界知名的滨海旅游城市，在中国—东盟自由贸易区出台之后，这样的定位显然低了，但如果以国际城市为目标，则必须先发展成为海南省内的区域中心城市，这个问题的解决也许比汕头、厦门的难度大了些，这就更需要全力拼搏了。

特区成为区域中心城市，只是迈向国际城市或国际中心城市的前提，国际城市化之路不是一日就可以走完的，特区人还要全力以赴。

WTO框架下的中国经济特区

——兼论21世纪中国经济特区的历史使命

封小云

中国经济特区是20世纪80年代中国实行改革开放的产物。20多年来经济特区肩负着中国从计划经济体制向市场经济体制过渡的试验场使命，从而对全国起“启示”和“示范”作用。进入21世纪，中国发动了经济市场化的最后的攻坚战，加入WTO，以开放促改革，加速社会主义市场经济的最终确立，以此来完成中国的现代化与强国之梦。在这历史发展的新阶段中，中国经济特区的新的使命成为了人们十分关注的一个问题。本人认为，在21世纪中，中国经济特区的历史使命是双重的，它不仅要在中国经济市场化的最后攻坚战中，继续完成其试验场的“示范”作用；而且，还要在WTO的框架下，作为中国全球经济战略中一个重要的环节，为实现中国的强国之梦发挥重大作用。

中国经济特区的改革开放试验场的任务并没有最终完成

有一种观点认为，在1992年党的“十四大”把建立社会主义市场经济体制确定为中国经济体制改革的目标以后，特区的市场经济体制的试验作用与历史使命就已经完成了。各个特区的任务就是展开全面的现代化建设。本人认为，这种观点值得商榷。

首先，我们不能把现代化建设与经济市场化的改革割裂开来。中国经济特区在20年前启动的中国经济市场化的进程，其本身就是中国现代化的重要内容，中国经济特区的产生，可以说是中国一百多年来，人民不屈不挠地追求现代化、实现强国理想的必然产物，是中国共产党领导中国人民对现代化道路的又一次的探索。100多年来，中国在进行现代化的进程中作过了多种模式的探索，伴随着政权的交替，维新与改革交互迭起。由计划经济向市场经济的转变，是中国现代化的历史发展在20世纪80年代作出的最终抉择。正是由经济特区带动的改革开放的进程，使一度在中国中断的现代化运动重新开始出发，并且走上了高速发展的快车道。我们从经济特区的20年经济飞跃、现代化不断发展的历史事实中，就可以得出这一结论。由此可见，改革开放与现代化的建设并不是两个不同的进程。中国经济特区的实践已经证明，改革开放，建立市场经济体制，是社会主义现代化的发展之路。因此，并不存在经济特区在前20年搞改革开放，20年后搞现代化建设这样一个事实。

其次，更重要的是，中国经济的市场化方向的改革并没有最终完成。按照中国权威专家与学者的说法：从中国经济市场化的进程来看，市场经济体制的最终确立在中国是分两步走的。第一步是市场经济的量的扩张，这就是由中国经济特区在20世纪80年代首先启动的经济市场化的进程。这个阶段花费了20年的时间；而进入新世纪之后，市场化的进程也随之进入了质的提升阶段。这个阶段的主要任务是在中国建立与规范市场经济的秩序——即市场竞争的主体秩序、交易秩序、法制秩序与道德秩序。这一阶段所需时间大约为10年。加入

WTO 就是这个任务中的重要内容。也就是在 WTO 的框架下，用国际市场经济的秩序去规范和推进国内市场经济秩序的建立。由此可见，新世纪的前十年将是中国经济体制与政策发生根本性变革的时期。中国市场经济秩序的规范与确立代表着市场经济的质的飞跃，只有完成这个任务，中国的市场经济体制才能最终确立与建立。

在完成中国经济市场化的第二阶段的任务中，从区域的比较来看，中国经济特区与国内别的地区相比，具有制度上高度的市场化与国际化的竞争优势，这是特区继续"特"的基础。经济特区在 20 年来的改革开放中，通过参与国际竞争而形成的观念、制度、产业的综合竞争优势与创新体系，是内地其他地区所不可比拟的。尤其是在中国的以 WTO 的统一规则开放与规范市场的进程中，特区的制度、规则与 WTO 的框架与规定最为接近，其开放度也最高。因此有可能在中国政府承诺的对外开放的时间表方面比其他地区更为提前。特区这一"特"的优势，也就是经济特区继续发挥中国经济市场化的试验场、对全国提供"启示"与"示范"作用的基础。

今后经济特区在市场经济体制建立的改革中，可以在以下三个方面发挥示范作用：

其一是在 WTO 的框架下，依据经济特区经济市场化程度较高的优势，率先于全国建立起市场经济的规范与秩序；

其二是因应 WTO 的要求，率先推进行政与管理机构的改革。建立市场经济的秩序和因应 WTO 的需要，其关键的环节是政府与行政的改革。经济特区在过去的先行一步的基础上，继续推进政府与行政改革的试验，为全国提供制度性创新的"示范"；

其三是充分发挥经济特区经济市场化程度较高的优势，把经济特区作为建立适应社会主义市场经济的道德伦理与秩序、文化体系的试验场，为全国的市场经济的文化、道德建设提供"示范"。

"经济特区要带头加快体制创新，率先为全国建立比较完善的社会主义市场经济体制积极探索与实践。"江泽民同志的这个指示，就清楚地指出了中国经济特区在新世纪中的历史使命。

中国经济特区要成为 21 世纪中国全球经济战略的重要组成部分

21 世纪中国加入 WTO，不仅是中国经济市场化进程的关键步骤与质的飞跃，同时也是中国经济融入全球经济，从国内经济发展战略走向全球发展战略的质的飞跃。

20 世纪 80 年代由中国经济特区启动的中国改革开放的进程，不仅预示了中国经济市场化的开始，也揭开了中国经济的国际化、全球化的序幕。在中国改革与开放是不可分开的进程。但是，在过去的 20 年，由于中国经济的实力与封闭的计划经济体制正处于转型等客观原因，中国在对外开放与逐步融入世界经济的进程中，主要采取的是一种防御性的战略。尤其是对外经贸发展上，主要以双边关系为主，且还常常陷于被动的"反倾销"地位。经过了 20 多年来的对外开放与经济的迅猛发展，中国今天已经成为了全球经济中的发展中的大国，中国的市场、中国的经济发展与发展战略，对全球经济都有不可低估的影响。尤其是在 97 年亚洲的金融风暴中，中国作为亚洲地区的一个大国开始显露头角，并展示了一个经济大国对地区经济稳定的重要作用。加入 WTO 使得中国的市场成为全球市场的一个部分，中国的经济发展成为全球经济发展的重要组成部分，而中国的经济发展战略，也就理所当然地对全球的经济发展产生影响。WTO 的框架同时也为中国实施立体化的全球经济战略提供了条件。因此，21 世纪中国的入世，标志着中国的经济发展战略的一个根本性的历史转折，即经济发展要从全国战略走向全球战略。

由于地区经济发展的不平衡与对外开放的程度差异，中国的全球战略也应有不同的地区策略。从地缘经济与政治的角度出发，中国经济特区地处对外开放的最前沿，与周边地区与国家的贸易依存度与外资依存度最高，外向型经济已经成形。因此，在WTO的框架下通过贸易投资的自由化更快更好地与全球经济融合，与周边地区与国家的经济一体化，是经济特区在中国的全球经济战略中的突出作用。为此，按照WTO的规则和国际化的规范，经济特区向自由贸易区的转化，就是21世纪经济特区的发展方向。

把经济特区建成合乎国际规范的自由贸易区，推进中国与全球经济的融合，以利于国内经济结构按照国际经济发展的方向进行合理的调整，利用全球资源优化产业，形成综合的国际竞争力，从而提升中国在全球经济中的地位以实现中华民族的全面复兴，就是21世纪中国经济特区的又一个历史使命。这个历史使命昭示了；发展经济特区，是建设中国特色社会主义事业的重要组成部分，将贯穿我国改革开放和现代化建设的全过程。

在中国的全球经济战略中，把经济特区办成自由贸易区，与周边地区与国家的经济一体化发展，可以有以下的几个层次：

其一是通过自由贸易区的发展，把WTO框架下的中国的"一国四席"推向大中国经济区。中国经济特区与周边经贸关系最为密切的是港澳台地区，这三个地区都是WTO中的非主权的独立关税区。在内地与港澳台经济关系日益密切的条件下，把经济特区办成自由贸易区，与港澳的自由港、台湾的国际化经济对接，并且在适当条件下推动中国自由贸易区的形成。这是在WTO框架下，"一国四席"发展的最终目标。只有这个目标实现了，才能谈及21世纪中国经济的腾飞与中华民族的全面复兴。

其二是通过自由贸易区的发展，为2010年的中国——东盟自由贸易区(CAFTA)作准备。2004年十一月的文莱会议上，中国与东盟达成了建立自由贸易区(CAFTA)的协议。这是中国全球经济战略中跨入亚洲的一个重要策略，对中国成为一个地区性的大国、承担地区发展的义务和责任具有战略性的意义。据估算，CAFTA可以令中国东盟间贸易增长五成，并提高各方GDP增长率0.3%以上。但是，为取得预期的效益，各方都要调整发展战略与经济结构。对中国来说，十年的准备期间必须在WTO的框架下首先落实入世的承诺，同时采取新的措施为筹建CAFTA作准备。而经济特区在21世纪的初期建成自由贸易区，作为一个试验场提供CAFTA以"示范"和"启示"，正是其准备工作的重要部分。

其三是通过自由贸易区的发展，推动APEC政策的落实与向更大区域的经济合作与一体化发展。目前APEC的发展现状，显示出这个区域的经济一体化的落实是难度最大的。但是，参与这个区域经济一体化对中国真正成长为一个世界性的大国具有举足轻重的意义。从APEC所要推进的亚太地区的贸易投资自由化的方向来看，自由贸易区应当是最能体现其政策要求和发展方向的。中国以经济特区或称自由贸易区的方式来发展与亚太地区的经贸关系，实际上是落实APEC政策与方向的主要步骤。通过自由贸易区的发展，可以达到分步骤地实现APEC的具体与远期目标。

总而言之，中国经济特区在21世纪的历史使命将是任重而道远。然而，人们有理由相信，中国经济特区一定不会辜负祖国在21世纪全面复兴的理想和期望，在肩负历史使命的奋斗中再造特区的辉煌。

WTO与经济特区发展

——从制度兼容与经济绩效谈起

高兴民

一、正式制度与非正式制度间的关系

制度包括正式制度和非正式制度。正式制度，亦称正式约束或规则，它们以某种明确的形式被确定，由行为人所在组织进行监督和用强制力的保证实施。非正式制度，亦称非正式约束或规则，是人们在长期交往中自发形成并被人们无意识接受的行为规范，主要包括价值道德规范、风俗文化习惯、意识形态等。从动态意义上看，某一时点的正式制度都是作为制度变迁的结果而存在的。从而按照正式制度形成途径的不同，可把正式制度分为：适应非正式制度要求出现，后经过制度制定者确认的正式制度，称之为“诱致性变迁型”正式制度；把人们有意识地设计并创造出来的行为规则，称之为“强制性变迁型”正式制度。

（一）“诱致性变迁型”正式制度与非正式制度的关系

首先，当交易双方选择一种类型的约束来保证协议的执行时，只要交易双方相互了解和彼此信任，利用非正式制度的边际收益大于边际成本，他们首先考虑的是非正式制度。其次，由于人们天生的机会主义倾向，所以即使有非正式制度约束，但当违约收益大于违约成本时，“非正式制度失效”也会发生。现实中的“杀熟”现象在一定程度上即是证明。再次，分工和专业化使市场半径扩大，人们必须与一些素不相识的人合作及交易，交易者之间的“第一次博弈”具有很大的风险，协议无法“自我实施”。当“非正式制度失效”作为必要的补充，正式制度出现了。这里的正式制度体现了非正式制度的要求，是后者的明确化，并保证了对行为人的普遍约束力。所以说，这一类正式制度与非正式制度能够兼容。而这类正式制度即为“诱致性变迁型”的正式制度。

需要指出：(1)正式制度因为是经过组织确认并强制实施，所以对交易行为者的道德要求较低，或称“低文本文化”，或者说是一种将他们从原人际网络中剥离出来的非人格化的过程。这一过程使“底文本文化”变成以经济契约为基础的“高文本文化”，分工与交易就突破了非正式制度约束作用的限制，范围将大大扩展。(2)转化为正式制度的非正式制度需要满足一定的条件。除了成本制约的因素，最重要的条件就是能转化为正式制度的部分必须具有“主体间性”。所谓“主体间性”，是指主观知识经过交流，可以在不同程度上为不同的主体所相信，于是具有了某种“客观性”，或进入这些人的客观知识的界域。这强调的是对于确认并保证实施正式制度的实施组织而言的“主体间性”。组织对交易规则、交易后果等方面要与交易双方一样具有“共同知识”，否则正式制度就难以实施。事实上，由于实施组织(“第三方”)缺乏“共同知识”而造成监督和执行的困难，是“合同不安全”的主要原因之一。

(二)"强制性变迁型"正式制度与非正式制度的关系

主要可概括为可能不能兼容。其原因：一是"强制性变迁型"正式制度是由政府推行的，往往是专家决策的产物。而人的有限理性使专家不可能对分散于每个人身上的知识有全面的了解，所以制定出来的政策会与非正式制度发生冲突。二是作为"强制性变迁型"正式制度的制定者，往往身兼多重价值，重要的是经济利益和政治利益。因此，制定的政策往往是总价值最大化的结果，如果正式制度与非正式制度的偏好结构不同，两者就会产生不一致。三是"强制性变迁型"正式制度的制定者由于受到"注意力"的限制，只能"一时解决一事"，因此正式制度的制定就有一定的时滞；即使能及时制定出来，制度的推行也存在时滞。四是制度的明确性是以其失去灵活性为代价的。人们获取和建立制度知识的努力应在某处达到均衡，即进一步制度化所带来的好处与制度化所放弃的灵活性的价值在边际上相等。正式制度就其本质而言也是一种契约，也会因为制定成本过高而导致契约不完全；而且，正式制度一经确定，在较长时间内具有稳定性，这就造成不确定性与制度刚性之间的矛盾，使其不能兼容。五是"制度移植"造成两者并不一致。后起国家在借鉴发达国家和地区先进经验时，容易只看到正式制度的作用，而忽视了支撑正式制度的非正式制度，从而照搬"外壳"，造成"形似神不似"。移植的正式制度不能与本国非正式制度兼容。20 世纪俄罗斯的"休克疗法"改革绩效就是最好的注解。

二、制度兼容、演进与经济绩效

正式制度的目标取向与组织中个人的利益偏好是否一致决定了正式和非正式制度是否兼容，两者的兼容与否决定了组织和经济运行的交易成本，而交易成本的大小最终决定了经济绩效的影响主要通过激励、监督费用和强化成本三方面进行。一是当一个组织的正式规则与子群体中的成员的偏好和利益一致时，将会大大提高组织的经济绩效。组织中的成员受到一种自我激励，这种激励通过正式制度的确立而更加明确。而当博弈的正式和非正式的规则一致时，它们将相互强化。非正式与正式约束的一致性将导致较低的交易成本，因为监督和强化机能以一种非正式的方式取得预期的效果。二是当一个组织的正式规则与子群体中成员的偏好和利益有较大差异时，这种不一致性将导致较低的绩效。因为首先，对立的规则与规范使经济行为者无所适从，缺乏激励。其次，由于组织目标与个人的利益偏好不一致，不能使个人自觉为组织的目标工作，监督成本高，从而导致正式制度的形式化、组织的冲突和摩擦。

用进化博弈论的方法研究制度演进中的兼容性问题的结论：一是进化过程不一定带来最佳的传统和制度。由于社会的历史初期条件的原因，最佳反映动力的结果难以从帕累托劣势的社会传统中摆脱出来。即社会体制进化的路径依赖性。二是与正式制度相比，非正式制度的变迁更具演进特点。且正式制度和非正式制度的变迁受不同之手——"刘易斯之手"和"斯更努之手"的指引。前者是指通过理性的共同知识、主观的认识和批判，来预设和推动制度的变化；后者指人们只通过他们过去的行为观察到其获得的效用，并强化好的行为或继承坏的行为。因此，在制度演进过程中仍可能出现正式制度与非正式制度的不一致。进化博弈论给出关于克服路径依赖，实现制度演进中的制度兼容的解决之道：一是通过引入较系统的突然变异，使社会脱离原有的低水平的均衡；二是通过政府政策性介入，将人们的行动转换到更高支付的战略上；三是积极促进低水平均衡的社会与具有不同习惯的高水平均衡的社会交流，提高原社会形成更佳习惯的可能性。据此达到新制度的正式制度和非正式制度在较高水平上的兼容，并使两者以一种非正式制度的形成达到自我强化，通过互动强化，使两者结合得更加紧密，造成一种报酬递增的机制，从而降低交易费用，提高经济绩效。

制度兼容性对经济绩效影响归纳为下表所示：

制度兼容性	对经济行为人的激励	对经济行为人的约束	交易成本	组织和经济绩效
一致	强，自激励	自我约束	较低	较高
不一致	弱，外力推动	需要另设监督机构	较高	较低

总之，在其他条件相同的条件下，如果正式制度与非正式制度一致，则无论是从激励角度还是从约束角度所需的交易成本都较低，从而导致较高的经济绩效；反之则相反。

三、WTO 制度与特区制度兼容、经济绩效

加入 WTO，中国面临 WTO 制度与中国现存制度的兼容问题。提高制度的兼容性，增强整个制度的经济绩效已成为当务之急，即使中国的经济特区也不例外。

WTO 制度即市场经济制度，其变迁、演进具有“诱致性变迁”与“强制性变迁”的双重性质，是两种正式制度的制度结晶体。但对加入 WTO 者来说，则明显具有“强制性变迁型”正式制度的特征，尤其对市场经济不发达国家即发展中国家这种表现更加明显，而加入 WTO 者本国原有的制度则具有非正式制度的特性。因此，两者既存在着相容的可能性，也存在着不相容的可能性。在 WTO 制度与本国原有的制度能够兼容的情况下，经济运行所需的交易成本较低，而经济绩效相应较高；当两者不一致时，或当 WTO 制度与本国原有制度由于各自变化的机制不尽相同，造成两者不能兼容时，则均对应着较高的交易成本和较低的经济绩效。现实表现为市场经济反对发达国家的制度与 WTO 制度具有强兼容性，而市场经济不发达国家的制度与 WTO 制度具有弱兼容性，经济绩效的差异即市场经济的发达与不发达由此引出。中国的经济特区制度与 WTO 制度同样既具有兼容性较强的一面，同时更有兼容性较弱的一面。说其兼容性较强，是相对于市场经济不发达的非经济特区而言具有较强的兼容性，而说其兼容性较弱则是指相对于 WTO 制度的要求存在着较大的差距，即市场经济不发达而言的。经济特区较强的制度兼容性和欠发达地区较弱的制度兼容性的差距，足以使加入 WTO 后的经济特区在相当长时间内继续保持其制度优势、经济绩效优势和地位的优势，并构成经济特区今后的“特”之主要所在，这一点是毋庸置疑的。

相对 WTO 制度而言，各国的内在制度均属“非正式制度”，就制度的兼容性强弱程度来讲，发展中国家的国内制度的“非正式制度”程度更高，而其经济特区与非经济特区在“非正式制度”程度上只有参差不齐之分，而无本质上的区别，经济绩效上的差异是制度兼容性的晴雨表。

四、强化经济特区的制度兼容性，保持经济特区的高绩效

与 WTO 正式制度比较形成的各国的制度虽属“非正式制度”，但各国的制度又存在着正式制度与非正式制度之分。加入 WTO 国家的制度兼容，将面临 WTO 制度与本国的正式制度兼容和与本国非正式制度的兼容两方面的难题。而由于 WTO 制度具有“强制性变迁型”正式制度的特性，决定了加入 WTO 国家的正式制度和非正式制度均居于屈从地位，并应努力改变

本国现存制度，以适应 WTO 制度，强化整个制度的兼容性，达到加入 WTO 提高经济绩效的目的。此点对于发达国家、发展中国家及其经济特区概莫能外。比较而言，经济特区由于市场经济相对发达，正式制度、非正式制度与 WTO 制度均有较强的兼容性，而非经济特区由于市场经济的欠发达在制度兼容性上则明显弱于前者。但两者的制度兼容性与 WTO 的制度要求均存在一定的差距，只不过是程度不同而已，需变革的制度多少不同罢了。

WTO 制度的强制实施的特征决定了加入 WTO 国家的原正式制度必须服从于 WTO 制度，形成新的正式制度安排，而这一新正式制度安排具有更强的时效性。政府作为正式制度供给者的功能决定了政府的供给主体地位。发挥政府在这种强制推行制度变迁的优势，以最短的时间和最快的速度推进制度变迁；以自己的强制力和"暴力性潜能"等方面的优势降低制度变迁的成本。这就要求经济特区政府必须迅速地对现有正式制度进行清理和整顿，具体包括政治规则、经济规则和契约，以及一系列的规则构成的一种等级结构，从宪法到成文法和不成文法，到特殊的细则，最后到个别契约，尽力缩小 WTO 制度与法律制度的偏离程度，减少制度摩擦，降低交易成本。从某种意义上说明：中国乃至经济特区需要的不是更多的经济学，而是更多的法律。同时，再一次对"时间就是金钱，效率就是生命"进行了诠释。

制度经济学认为：对经济绩效的考察，应集中于制度的激励和约束机制上。因为，经济绩效最终要落实到经济行为者的决策和努力上。所以，在考察制度兼容性对经济绩效的影响时，激励因素便成为首要的因素。因此，经济特区政府在新的正式制度的安排过程中，要注意新规则的目标与其成员的偏好和利益的一致性，充分体现制度的激励功能。经济特区政府在此方面大有可为。另一个影响经济绩效的重要因素是监督费用。由于经济行为者具有机会主义倾向，监督是十分必要的。因此，降低监督费用，成为保证制度以较低成本运行的关键。降低监督费用的约束机制属于制度的实施机制范畴。实施机制是制度的内在构成部分。检验制度实施机制是否有效主要看违约成本的高低。强有力的实施机制将使违约成本大于违约收益。使违约者望而却步。制度的硬度是实施机制好坏的函数。在中国建立与 WTO 制度相适应的制度(尤其是正式规则)并不难，问题在于制度的实施程度。国人的权利观(等级权利观，而不是西方人的权利相互制约观)、人情观往往使一些制度软化、甚至形同虚设。国人在实施制度时喜欢讲灵活性、弹性、例外(实质上是特权)等等。经济特区人在此方面的观念虽与非经济特区人有一定差距，但也并不十分明显。能否在制度面前做到人人平等是我们衡量一个制度是否硬性还是软性的基本标志。因为构建稳定的、"透明的"政策法规，稳定而有效的政治体制是摆在入世后中国乃至经济特区的惟一选择。任何东西都可以交易，但制度规则是不能交易的，这一点必须明确，否则，违约的成本将是高昂的。

非正式的制度安排与正式制度安排相比较则明显带有诱致性变迁的特征。诱致性制度变迁作为一种自发性制度变迁过程，其形成是人们在长期交往中无意识形成的，具有持久的生命力，并构成了代代相传的文化的一部分。而经济特区由于市场经济的相对发达，其非正式约束与正式约束的偏离程度较低，制度兼容性强，使经济特区在加入 WTO 后的制度优势由正式制度的优势转为非正式制度的优势。这种优势制度已成了特区文化的一部分，是非特区文化中最为或缺的，并将构成其经济绩效较高的坚实基础。

非正式约束变迁的主体是广大民众。其面临的主要问题是外部效果和"搭便车"问题。而由于其变迁主要依据一致性同意原则和经济原则，如果克服了外部效果和"搭便车"之类的问题，那么在制度变迁中将是最有效率的形式之一。而非正式约束中意识形态处于核心地位，是能产生极大外部效果的人力资本，可以节约交易费用，克服"搭便车"和淡化投机主义行为倾向。因此，任何政府包括经济特区政府都应通过向意识形态教育投资来对个人意识形态资本积累进行补贴，增加民众的意识形态资本量，使生产虔诚的影子价格低，配置到虔诚上时间的边际效用提高，使其消费更多的虔诚商品，从而实现制度的兼容和经济的高绩效。其实这与我们经常讲的“不能一手软一手硬”的道理恰好一致。

从试验到示范："入世"是经济特区发展的新起点

詹长智

正式加入 WTO，标志着中国改革开放"摸着石头过河"阶段的正式结束和严格按照国际通则进行改革的正式开始。"与国际接轨"不仅是受到条约限制的义务，而且将逐渐成为整个社会的思维习惯和行为方式。民主不仅仅是一种政治制度，而且是一种生活方式。改革开放坐标和方向的确立，是否意味着作为改革开放试验区的经济特区已经没有存在的价值，它的历史使命已经终结。答案是否定的！众所周知，目标的确立并不意味着中国改革开放的任务已经大功告成，恰恰相反，加入 WTO 是中国真正走入国际社会漫漫征程的开始。很难设想，在一个幅员辽阔、人口众多，有着悠久的文化传统，自然地理和社会发展差异巨大的国家，每一个内部区域进入国际社会的步伐是整齐划一的。在这样的背景下，经济特区的功能和发展模式必定发生相应的变化，它的历史使命已经从改革开放的试验变成改革开放的示范。

一、经济特区内涵的扩大：从经济领域扩大到政治领域

从 18 世纪 90 年代乾隆皇帝与英国马尔嘎尼使团交手时算起，中国对外的大门时关时闭。210 年来中国现代化的道路艰难曲折。贯穿于其中的一个中心课题就是中国必须选择一条合理的道路，这就是适应世界逐步走向一体化的潮流，通过开放促进改革，在改革中实现从传统的，有着浓厚封建社会色彩的农业社会向现代工业社会和后工业社会转型，这本来是无法抗拒的历史潮流，但是真正要认识到这一点却受到了种种主观和客观条件的限制，中国花了整整两个世纪的时间，并且为此付出了高昂的代价。

WTO 是保障自由贸易的规则体系和相应的运行机制。但是，现代社会的一个重要特点是组织的系统性越来越强，政治和经济的关联性越来越高，任何改革的举措都可能"牵一发而动全身"。所以，经济特区不可能简单地停留在经济体制改革的阶段，而是在政治体制改革和社会管理体制改革方面做出示范。

十一届三中全会以来，我国的改革开放经历了一个不断深化、逐步完善的过程。在经济特区的启动阶段和它的发展早期，虽然特区人有大刀阔斧、革故鼎新的主观愿望，但传统的思维方式和传统的经济体制还有相当的影响。刚刚打开国门的中国，虽然有迅速走向世界的强烈要求，但对真正按国际惯例办事还显得十分生疏。经济特区成立以来的一个较长时期内，有不少人把通过实行特殊优惠政策的办法，大规模吸引境外投资，看作经济特区的全部价值和意义，这是人们对于经济特区的一种片面认识。在特区建设的实践中，为了在短期内迅速打开吸引外资的局面，对境外投资者采取了一些"超国民待遇"和"准国民待遇"同时并存的"权宜之计"。比如，外资企业享受比内资企业更加优惠的税收政策，但同时外商的投资领域又受到了很大的限制，保留了相当多的国有资本垄断领域；外资或合资企业享有原材料和产

品进出口方面的优惠待遇，但是对产品销往国内市场的比例又进行了相应的限制。这种投资与贸易政策，与 WTO 的原则并不相符。相应随着 WTO 协议的逐步兑现，经济特区的这些特殊待遇会相应消除。但是，中国经济特区建立的初衷和发展的目标与世界贸易组织原则之间具有本质意义的共性就是建立完善的，高度开放的市场经济体系。与多数资本主义国家建立的自由贸易区或出口加工区不同，中国经济特区具有从计划经济体制向市场经济体制转轨试验区的特殊作用，虽然在它的启动阶段和发展的早期，留下了一些计划经济的痕迹，采取了一些与自由贸易原则并不完全相符的做法，但是，经济特区的功能和使命，它的成功经验和发展趋势与 WTO 的原则是完全一致的：这就是建立完善的市场经济体制。

除了公平待遇、透明化等一般原则之外，关贸总协定和世界贸易组织协定都承认众多发展中国家处在经济制度转型期的现实，把鼓励发展中国家的经济发展和经济改革作为一条十分重要的原则。虽然随着"乌拉圭回合"的结束，发展中国家日益表明准备承担更多的义务，以便尽快缩小与发达国家的差别。但是，在"过渡期"内，发展中国家可以通过内部的改革和调整，去适应世贸组织协定中那些不熟悉的和可能出现困难的条款。这就是说，世界贸易组织不是简单地要求成员国"减税让利"，而是在要求发展中的缔约国开放市场的同时，鼓励它们在加入之前的准备阶段和加入之初的"磨合期"内大力推进体制改革，通过与其他成员国的体制"对接"，在国际经济大家庭中获得长期稳定的利益和保障。

对于我们这样一个处在转轨阶段的国家来说，在加入 WTO 后的"过渡期"内的核心任务就是通过深化改革，扩大开放，建立和完善市场经济体系。我国创办经济特区 20 年的历史已经证明，作为一种"以点带面"的开放模式，经济特区不仅在促进国内经济发展中起到了试验、带动和辐射作用，取得了辉煌的成就，而且在促进我国与国际经济接轨的进程中，发挥了不可取代的示范作用。经济特区不仅是外国人了解中国和跨国公司"投石问路"的窗口，也是我国学习按国际惯例办事，参与国际分工，开展国际合作的前沿阵地。经济特区所实行的更加市场化的体制和更加开放的措施，以及它所达到的实际效果，与 WTO 自由贸易的原则在本质上是完全一致的。经济特区在建设之初实行的对不同投资者采取差别性的政策，吸引了大量的境外投资，客观上加大了改革开放的深度和广度，对迅速提高整个国家开放度，建立市场经济体制起到了催化作用。经济特区在这一方面的历史使命基本完成，但是它的历史功绩同样得到肯定。

改革开放 20 年，成绩有目共睹。最重要的原因是逐步恢复和扩大了经济自由，学术和政治等领域的自由也有所改善，被束缚的力量得以迸发。加入 WTO，首要的一条仍在解除束缚，按照 WTO 的规则和法治的内在要求去解除束缚。能否把挑战变为机遇的关键，就在对此有没有足够的准备。

发展的不平衡性是经济特区继续存在和发展的决定因素。

发展的不平衡是我国作为一个处在转轨阶段的发展中大国的突出特征。发展水平的不平衡，影响到投资环境的不平衡，进而导致投资效益的不平衡。在重视效益，兼顾均衡的基本方针指引下，国家发展政策关注的重心开始向中西部倾斜，鼓励中西部采取更加得力的改革开放措施，但是，可以肯定，中西部的发展政策既无可能，也无必要突破 WTO 要求的基本框架，所谓"比特区还要特"的说法，只可以解释为"比特区更早和更彻底地实行 WTO 的原则"。不过，现实的情况是，由于经济特区在市场经济制度建设、投资环境、产业结构与资本市场成熟程度等等方面具有比中西部地区更加突出的优势，在下一阶段经济全球化的过程中，它不仅将保持对外合作窗口的地位，而且将继续成为体制创新的表率。

按照世界贸易组织的协议，除了过渡期对部分行业采取保护性措施之外，处在转轨阶段的成员国必须承诺取消按投资者的国别或所有制划分的差异性优惠政策或歧视性待遇，对所有的投资者和企业实行无差别的“国民待遇”，实现真正的投资和贸易自由化。

从80年代初期以来，境外投资来源地的经济运作规则为经济特区的体制改革树立了参照系，这是中国迈向世界的第一步。随着WTO的建立，经济全球化的步伐正在进一步加快，我们可以分享WTO的规则这一人类文明的共同成果，更加有序、更有成效地推进现代化的进程。1997年9月，中共十五大报告中，要求经济特区、浦东新区“在体制创新、产业升级、扩大开放等方面继续走在前面，发挥对全国的示范、辐射、带动作用”。这就是经济特区继续存在和发展的真正价值。

另一方面，经济特区相对发达的经济也为政治体制改革提供了重要的基础和条件，或者说经济特区具备产生政治体制改革示范功能的可行性。按照主流政治学者的观点，经济的发展可以促进政治民主化步伐的加快。首先，经济富裕了，可以培养一种“公民的价值观和态度”，以及人际间相互信任感、生活满足感和凭能力竞争的性格；其次，社会集团之间有更富足的资源可供分配，因而提高了融合、和解与妥协的可能性；第三，促使社会更全面地对外开放，更深度地卷入世界经济，由此可产生一些非政府的财富来源和影响，并使社会受到更多的在工业化社会流行的民主观念的影响。最后，经济发展将促进中产阶级的扩大，而中产阶级往往是社会稳定和社会改良的中间力量。

二、政治制度的改革和创新成为经济特区的主要任务

中国加入WTO是面对经济全球化做出的战略选择。同以往的改革相比，21世纪初期的改革是在经济全球化的背景下进行的。以开放促改革是未来几年中国经济改革最显著的特点。21世纪初期经济特区改革的方向和主要任务就是以WTO为参照，通过制度创新和制度接轨，建立起更加完善，更加成熟的市场经济体系。

21世纪初期，经济特区通过深化体制改革，加快制度创新的主要任务可以概括为以下3个方面：

第一，按照WTO的要求，加快经济市场化改革。在全面开放的形势下，打破行政控制，取消行业垄断，进一步创造各种所有制主体平等竞争的市场环境和市场机制，真正贯彻WTO的国民待遇原则，透明度原则。

经济特区当前的主要任务，是率先开放金融、保险、电讯、铁路、航空、教育、医疗等公共产品领域和服务领域。在按照与WTO成员国的双边协议向外资开放前，首先向国内的民营资本、私营资本开放。只有从制度上保障民、私营资本的法律地位和实际的经济地位，经济领域的行政干预、无序竞争和行业垄断等病疾才能得到根本的解决。

第二，按照WTO的原则，加强民主与法制建设，在实现民主与法治方面走在全国的前列。当前我国法制建设的关键不是立法环节，而在于执法环节。大量的违法乱纪、贪污腐败问题，不是由于无法可依，根本原因是由于没有摆正司法与行政的位置，使政府缺乏真正有效的监督机制，导致“有法不依，执法不严”，使违法乱纪的“执法者”得不到应有的惩罚。经济特区在下一阶段改革的任务应该集中在加强基层的民主自治，扩大直选的范围；加强舆论监督，提高司法与行政的透明度；加强司法独立，减少行政干预，杜绝“权大于法”现象；加大对官员违法的打击力度，提高法律威慑力。深圳特区已经在行政体制改革方面迈出了重要的步伐，为其他经济特区乃至全国提供了重要的示范。

第三，按照 WTO 的原则，规范和调整政府行为，使政府的功能到位而不缺位，保障市场经济健康而有序地发展。经济特区下一阶段的主要任务是进一步改革政府机构，精简人员，提高效率；明确职责，构建政府与企业、政府与社会的正确关系，更好地履行公共管理职能；强化内部监督和约束机制，有效地防范腐败现象滋生；以创新的体制适应加入 WTO 之后的新环境，有力地推进社会主义现代化进程。

加入 WTO 是经济特区发展的新起点。但是经济特区的新使命是靠中央政府的授予还是靠特区人主动去创造，这本身就是一个新课题。笔者认为党的"十五大"报告中关于经济特区的任务从试验到示范已经有了明确的阐述，而关于"三个代表"的重要思想也已经为中国共产党在社会主义历史时期的任务有了高度的概括，所以关于经济特区的改革开放工作重心转移的具体规划需要靠特区人自身去创造、去探索。特区人本来就以创新为自己的崇高使命，我们坚信，经济特区一定能够在中国现代化建设的伟大实践中走出一条更加宽广的道路。

WTO与深圳加工贸易发展路向

袁易明

一

深港在20世纪80年代选择了加工贸易这一最优的合作方式，各自从中充分地分享到了合作的利益，极大地促进了两地的发展，创造出了今天的繁荣。

近数十年，特别是80年代以来，香港经济迅速成长，国内生产总值持续强劲，以人均国内生产总值计算，其本地生产总值已成为世界上最高的经济体之一。香港的经济成就在表面上看来是来源金融、地产、贸易、航运等行业的贡献，实际上是发端于工业，其根本动力因素在于工业+贸易的结合，是两因素共同推动的结果。客观上，香港不具备工业发展的资源、技术和劳动力条件，这一资源约束使得香港在50年代起经历了不长的加工工业发展的黄金时期之后，经济结构就开始向着其优势行业的金融、地产、贸易、旅游发展。发生于80年代初期的这一次经济转型十分成功，因为其加工工业通过向以深圳为代表的华南地区的北上，利用内地极大的成本优势，使得其加工工业在异地得到长足发展，同时，珠三角区域大量的原材料进口和成品输出又创造了大量的贸易、金融进而地产机会，特别是贸易机会，使得香港贸易找到了一个未曾有过的发展空间。上述经济现象的出现，应归功于香港与深圳等"珠三角"地区的加工贸易合作方式，被港人称为外发加工业务的加工贸易已是香港与内地间，特别是与深圳之间贸易的主要成分：2000年1～9月底，香港输往内地的外发加工估计货值为2052亿港元，比上年增长20.7%，占输往内地总货值的51.7%；从中国内地进口的外发加工制成品估计值多达4158亿港元，增长19%，占从内地进口总货值的79.1%。香港外发加工贸易额占到两地贸易总额的67.6%。这里看出，加工贸易在香港与内地贸易中的地位的重要性，并且其重要性仍在持续增长。

对于深圳，加工贸易作为初期引进外资特别是香港资金的主要方式，其作用至少体现在这样的四个方面：

其一，加工贸易中的"加工"造就了深圳工业。深港之间加工贸易合作的开始，是以大量加工制造业由香港到深圳的跨地域迁移为内容的，实际上，至1993年香港已有7～8成的纺织业加工工序和皮具制造工序已完成了向深圳等地的北移，需要大量劳动力的生产工序和车间的迁入，使深圳在短期内起动了自己的工业化进程。随着进一步的发展，加工贸易带来了服装、制鞋、纺织、电器制造、机械、电子产品等传统工业的发展，也促进了计算机、信息通信、广播视听、光学仪器等领域高技术产业的发展，形成了今天深圳相当规模并正在迅速扩大的工业体系。在深圳的加工贸易企业中，以香港为主体的外商投资企业工业总产值占全市工业总产值的比重高达73%，对全市工业产值增长的贡献率为63%，这两个数字，足以说明加工贸易对于深圳工业发展具有的支柱性作用。

其二，加工贸易中的“贸易”环节，使深圳成为著名的外贸大市。以“大进大出、两头在外”为特征的加工贸易使深圳真正地参与了国际加工体系，这种垂直分工的结果带来了深圳对外贸易业的大发展。1989 年，加工贸易进出口额为 54.16 亿美元，为全市外贸进出口总额的 66.4%，到 1998 年，这一比例已升至 82.8%，加工贸易引起的贸易额已高达 374.73 亿美元，在 1989 年至 1998 年的 10 年统计时期，加工贸易的贸易额年增长 23.98%，而一般贸易年均递增仅 7.37%。因此，加工贸易成就贸易强市的结论难以否定。

其三，因为有加工贸易才有今天的经济高度外向。经济的外向度表征一个经济体对于国际经济循环的参与程度，即参与国际生产力分工的多少。外向型经济战略显然如此重要，是因为在参与国际生产力分工之后所能获得的巨大利益能使经济跨入起飞的“快车道”。除了上述国际贸易之外，外资作为外向经济的另一重要表征，可以清楚地说明加工贸易对深圳外向经济发展的至关重要作用。在 1979 至 1998 年间，以加工贸易为主的深圳工业实际利用外资累计占外资总额的 65%，协议外资额占总合同引进外资的 64%。加工贸易引起的各种资本形式的大量进入是加工贸易“大进”的实质内容，正是由于资本的“大进”才激活了国内巨大的劳动力潜能，劳动力加资本，为深港两地带来强大的增长活力。

其四，为高技术产业准备了土壤。今天深圳的加工贸易企业已经并继续向高技术领域转换，我们常会看到这样的事实描述：

自 1992 年以来，深圳市加工贸易开始向高新技术产业转变。世界大企业和跨国公司纷纷落户深圳，向高新技术产业投资。《财富》杂志列出的世界 500 强企业中，就有 IBM、日立、飞利浦、惠普、三星、施乐、康柏、三洋、理光、西屋电气、数字设备公司、富士康、东芝等 15 家在深圳投资高新技术产业，这些公司在深圳设立的企业多数为加工贸易企业。截至 1998 年底，深圳市认定的高新技术企业 129 家，其中，从事加工贸易业务的企业 67 家，占 52%；经认定的外商投资先进企业 102 家，其中从事加工贸易业务的 91 家，占 89%。

1998 年深圳市加工贸易 100 家重点出口大户中，约有 55 家从事生产高技术含量、高附加值产品。如希捷、爱普生、三洋华强、开发科技、唯冠、理光、长城电脑、奥林巴斯、施乐等。1998 年全国十大外商投资企业中，深圳有 6 户榜上有名，全部加工生产高技术产品。

1998 年，深圳加工贸易出口中，高技术含量和高附加值的产品出口金额为 159.69 亿美元，占加工贸易总出口额的 70.3%，占全市外贸出口的 60.5%，等等。这些事实表明，加工贸易对深圳高技术产业的发展具有重要作用。这里讨论的加工贸易对高技术产业化的作用显然不仅在于高技术企业群体中加工贸易企业有多大的比重，更在于加工贸易企业为高技术产业成长创造了基本的工业背景，为高技术工业的成长打造了一个平台，还在于加工贸易企业为高技术产业提供产业配套。

除上述几方面外，更为重要的是加工贸易给深圳带来了新的工业技术、新的企业经营管理、甚至是新的企业制度概念。而这样的制度作用具有长效性。

二

在新的国际生产力分工格局中，深港之间的经典“加工贸易”合作已优势不再，加工贸易合作的内容必须随生产力发展而升级。

20 世纪 80 年代初开始在深港之间建立起来的加工贸易方式，其合作的实质内容是香港的资金、技术、管理和深圳低廉土地、劳动力的组合，形成了著名的“前店后厂”的模式，走了一条香港（资金、管理、市场）——深圳（土地）——内地（劳动力）这样一条“三点一线”路径，具有合作层次与水平低、范围狭窄、方式简单松散、无序、过分注重短期效益的特点。这样的方式已经面临挑战。

第一，深圳土地和劳动力价格在经历了20年的发展之后，已上升到相当水平，不仅远高于内地，还高于“珠三角”的其他地区。这样一来，深港之间加工贸易合作的基础即香港资本，深圳土地、劳动力的组合优势已经减弱，也就是说，传统的加工贸易合作，使深港区域经济在全球经济中的比较优势已下降，已经出现的一些加工企业由深圳的迁出，标志着两地间在低层次加工工业上垂直分工的结束。

第二，政策优势不再，进一步降低了传统加工贸易合作方式存在的合理性。内地的开放、西部开发，珠江三角洲地区其他区域的高速成长已成为深圳中低层次加工工业的强力竞争者，深圳在这一环节正在失去原有的领域，上海为代表的华东经济特别是浦东的发展，使深港间的加工贸易合作备感压力。我们看到了这一现象：在美、日经济连续滑坡和全球经济增势趋缓等诸多不利因素的影响下，浦东新区加工贸易依然保持了增长态势。据浦东海关统计，今年1—7月份，浦东新区加工贸易出口达33.16亿美元，与去年同期相比增长了23.6%，加工贸易进出口总量50.9亿美元，同比增长了22.2%。

纵观浦东新区加工贸易发展，不难发现其加工贸易整体结构正在快速优化。加工贸易正由劳动密集向技术与资金密集、局部的简单加工向全工序的复杂深加工转变。加工企业行业类别涉及家电、微电子、仪表电器、化工、通讯、汽车制造及船舶制造等产业领域，而集成电路、电脑、机顶盒、wap手机等“高、精、尖”产品正成为生产亮点，使浦东新区加工贸易“含金量”随之大幅提高。2004年1—7月，浦东新区加工贸易进口前五位的商品依次为：集成电路、印刷电路、传真机零部件、纺织原料和手机零件。出口前五位的商品为：船舶、移动通讯设备、录像机、岸边吊桥、集装箱。在加工贸易出口额超1000万美元的66家企业中，电子电器类企业就占到了近30%。

浦东新区加工贸易出口的另一显著特点是，三资企业成为新区加工贸易的主力军。三资企业加工贸易货物出口额达到15.03亿美元，比去年同期增长了42.8%，占新区加工贸易货物出口的45.3%，是新区国有企业同期出口额的2倍。加工贸易出口额最大的前100家企业中，三资企业数量超过60%，前十大出口企业中，三资企业更是占到了8家的绝对多数。在众多三资企业中，越来越多的跨国公司采取加工贸易方式，目前，世界知名跨国公司(《财富》500强)中已有100余家在浦东投资了约200个项目，其中相当一部分的加工贸易进出口十分可观，如日本夏普、理光、松下、美国的柯达、联信、杜邦、德国的巴斯夫、西门子等著名跨国公司都是浦东加工贸易进出口大户。

在不断增大的国际与国内竞争压力面前，在深港之间以加工贸易的“前店后厂”方式建立起的众多工厂里却难以找到一个实验室，也很少出现技术研发中心，甚至很难找到一个真正的技术密集型企业。

第三，台账制度和分类制度的政策约束。

为了发展加工贸易，我们选择了开放式的加工贸易管理，试图在国际惯行方式——出口加工区封闭动作的基础上寻求创新。在运行了10余年之后，由于有引发走私之嫌而出台了台账和分类管理制度，给加工贸易企业带来大量的运行成本，加工贸易发展受到约束。在深圳，加工贸易A类企业在减少，由原来的1131家到现在的917家，而C类企业则由54家增至96家，B、C两类企业数增长，使深圳加工贸易经营成本上涨，10多亿元的台账“实转”资金和大量手续办理的时间耗费，只能导致加工贸易步履的日趋艰难。由此看出，当初开放式的加工贸易管理政策选择的确失当，而后的纠偏政策又成发展的制约，使得今天加工贸易正在遭致政策选择的代价。

第四，香港正在经历着竞争力的下降和经济增长速度的快速下滑。香港经济的现实是香港本土缺乏高技术工业，香港与深圳、内地间传统加工贸易优势不再是金融、贸易、地产发展推力的减小，以及深圳金融、贸易、地产发展之后对香港依存度减小等因素加总的结果。

香港的积极不干预政策导致需要政府扮演重要角色的基础研究和长远科研项目难以开展，使高科技在香港仅仅成为一个市场炒作的概念，这正像有人描述的那样，香港找不出一个像样的黑客，只有认领 tom. com 发行股票时疯狂的长龙，没有一个思科式的电脑网络公司，只有盈科式的空洞概念。概念，说穿了是一个泡沫，但它闪烁着高科技的光环。香港大学教授的薪水，据说在世界上算是最高的，但是香港所有大学的科研经费加起来，还不及美国一个麻省理工学院的一半。香港的发展在于内地，这是一个普遍的认识，而重点又在于“珠三角”区域，特别是与深圳间的新的合作，转换原来的合作方式。

三

深化深港合作，推进两地资源的再度重组，走技术密集和资本密集的道路，实现加工贸易的高技术化、高附加值化，由此形成全新的深港区域经济优势，参与全球生产力分工，这是两地理应作出的选择。

今天香港面对的深圳，已经不是 20 年前港人第一眼看到的小渔村，1800 亿的 GDP 值，430 万人的城市人口；已经拥有了相当规模的人才基础，具有与香港所没有的研发人才；发达的高技术交易和转化机制使深圳成为了中国南方著名的高新技术产业化基地；还有高速发展的港口服务业、现代金融、物流业，环境优美且旅游业发达，等等。上述这些不仅仅是得意列举，它表明深港之间的生产力分工方式与 80 年代相比已经不同，从垂直分工到水平分工，生产力格局在深港区域经济中的转变决定了两地合作方式的升级。深化深港两地合作，推进加工贸易的升级可考虑采取如下战略：

1. 建立两地政府经贸部门之间的合作交流机制，并在两地经贸主管部门的领导下，成立深港区域加工贸易发展专家小组，提出深港经济区域加工贸易升级的近期和中长期规划，并制定与协调两地政府的扶持政策。

2. 强化深圳的制造、研发优势和香港的贸易优势，发展高技术加工贸易企业。深圳发达的加工工业体系为高技术加工贸易发展创造了良好的基础，作为高新技术的集散、交易中心，使传统的低层次加工贸易企业升级具有了优良的技术源条件，良好的高技术产业化机制为高技术加工贸易发展创造了背景。利用香港发达的金融市场，特别是货币的自由兑换制度和香港在国际高技术产品市场上的信息捕捉优势，共同推进加工贸易工业层次的提升。具体地，通过建立深圳加工贸易协会与香港银行公会的合作，拓展香港银行对加工贸易企业的结算业务和融资服务，克服国内金融机构进出口业务的不足；建立两地海关间的定期讨论机制，实现两地进出口货物信息的共享，为高技术加工贸易货物进出提供便捷的通道。

3. 加大保税区和出口加工区对香港企业的开放度和对香港投资者的招商力度。通过在出口加工区和保税区创办新的高技术加工贸易企业或迁入并升级原来的港资加工贸易企业，可以避免现行分类制度和加工贸易台账政策的约束，真正实现出口加工区和保税区与香港自由港的一体化。

4. 对高技术加工贸易企业实行政策倾斜，放松管制。制定特别的区外高技术加工贸易台账制度与企业分类办法，大幅度降低分类标准和条件。这不仅是加工贸易发展升级的需要，也是应对 WTO(低关税原则)的需要，加入 WTO 后，关税降低、国内市场开放，将使走私的动力减弱，过紧的加工贸易政策管制显然必须调整，对高技术加工贸易企业实行优惠税收，实行人才、土地、产品市场的政策倾斜，改革"免、抵、退"政策和对转厂加工贸易企业的挂账办法，尽一切可能为加工贸易升级创造宽松的政策环境。

总之，推进加工贸易的转型升级无论对深圳，还是对香港都具有十分重要的意义，只有在占工业主体，并对经济增长具有重要作用的大量加工贸易企业实现了转型升级之后，深圳的高技术产业化才算实现，深圳才能从中再造自身优势，迎接来自国内外的挑战。对于香港而言，只有在深化与深圳和国内其他地区的合作，共同推进加工贸易的升级，在其过程中强化自己的分工地位，才能找回自己经济成长的活力，这正是，香港的发展取决于与内地的合作，特别是与深圳之间新的合作方式的开展。

四城联姻　经济一体

——"入世"后珠江口特区群落的合作战略

莫世祥

一、合作造就领先全国的经济实力

当今华南珠江口入海处，已经崛起实行"一国两制"的中国特区群落。它由实行资本主义制度的香港特别行政区、澳门特别行政区和实行社会主义制度的深圳经济特区、珠海经济特区等四个特区组成，在中国现有的香港、澳门两个特别行政区和深圳、珠海、汕头、厦门、海南省五个经济特区以及上海浦东新区当中，占有八居其四的主干地位。其中，香港与深圳接壤，两城位于珠江口东岸；澳门与珠海接壤，两城位于珠江口西岸。港、深与澳、珠成对隔江海相望，彼此相距最远不过60公里。若论特区接壤毗邻之近、团聚结合之多，四城联姻的中国珠江口特区群落应属世界各地特区之最。

尤其引人瞩目的是，珠江口特区四城的经济发展在中国现代化建设事业当中一直起着率先飞跃的带头作用，长期成为建构与发展中华经济圈的核心动力。

兹将2000年香港、深圳、澳门、珠海等四个城市的经济概况列表如下：

	面　积（平方公里）	人口（万人）	本地生产总值（GDP）	人均生产总值（美元）
香港	1098	686.5	12717亿港元	24000
深圳	2020	432.9	1665亿元人民币	4795
澳门	23.8	43.8	498.28亿澳门元	14185
珠海	1630	124.9	330亿元人民币	3213

根据国家统计局公布的统计数据，2000年中国国内生产总值（港澳台地区的GDP未统计在内）为89404亿元，按2000年末1美元兑8.2781元人民币的汇率，折算为10800亿美元。2000年11月1日第五次全国人口普查统计出祖国大陆人口为126583万人，折算人均国内生产总值为853美元。相比之下，珠江口特区群落的经济实力显然已经远远超过全国一般地区的发展水平。港、深、澳、珠四城的人均GDP分别是全国人均GDP的28.1、5.6、16.6和3.8倍。其中，香港的GDP等于祖国大陆GDP的15%；深圳的GDP则在祖国大陆GDP中占1.8%，人均GDP位居全国大中城市的前列。

换句话说，在2000年，6个多香港或者50多个深圳的GDP就等于祖国大陆GDP的总量。珠江口特区四城的GDP合计折算为15998亿人民币，相当于祖国大陆GDP的六分之一强；并且以2863亿元人民币的巨大差额，远远超过位于长江口的上海市与江苏全省的同年

GDP的总和。这一比较，彰显出中国实行改革开放和“一国两制”的辉煌成就，也昭示着珠江口特区群落在面向21世纪的中华经济圈的发展过程中，仍然具有方兴未艾的经济实力，起着继续领先于正在迅猛崛起的长江口区域经济的带头作用。

在很大程度上，珠江口特区群落的领先实力来源于四城持续发展的互补互利的经济合作。20世纪80年代深圳、珠海两个经济特区的腾飞，最先分别得助于港澳地区的资金、技术和管理经验大量涌入，并且作为外资的主要成分融入当地经济生活之中。由此启动的深港合作和珠澳合作，首先实行的都是以经济垂直分工为主导的“前店后厂”式梯度合作（即港澳接单、深珠生产）。虽然合作最初局限在资金、劳力、土地等基本生产要素相结合的范畴，却使深、珠两地迅速获得白手起家所必需的巨额资金、海外市场和企业管理技术，摆脱传统农业经济而大步跨入以工业为主导的外向型经济。香港从此成为深圳引进外资的最主要来源地，来自香港的投资金额始终占外商在深圳投资的第一位。澳门的投资也在珠海的经济发展中占有举足轻重的地位。从这个意义上说，香港和澳门分别起着带动珠江口东、西两岸区域经济发展的“龙头”作用。与此同时，香港和澳门也通过利用深圳、珠海等内地的廉价土地与劳力，顺利完成劳动密集型生产企业的内迁，从而创造可观的经济收益，促进港澳金融、贸易等服务业的迅速发展，为港澳两地实现从工业、服务业并重转向服务业独享繁荣的产业调整腾出回旋余地。

深圳、珠海等经济特区借助港澳资金迅速崛起之后，开始突破以经济垂直分工为主导的梯度合作模式，努力建立与港澳地区乃至世界各地的平等互利的合作关系。20世纪90年代中叶起，深圳确立以发展高新技术产业为先导的经济发展战略，大力发展高新技术产业，不仅使本地经济由于纳入国际高新技术产业链的发展轨道而保持强劲的增长，也为深港、珠澳的合作朝着优势互补、平等合作的方向前进奠定了坚实的基础。90年代后期，香港、澳门相继回归祖国，成立“一国”政制下的特区政府。从此，珠江口形成四城唇齿相依的特区群落。彼此间的合作不再停留于民间自发往来、企业投资互惠的经济领域，四地政府可以通过拜会协商，直接发挥政府在促进相互合作关系发展中的引导功能和保障作用，合作规划、兴建改善跨境水陆交通的大型基建设施，改善口岸服务管理体制、优化人流、物流通关效率，在交界地带合作发展高新技术产业以及旅游、商贸、房地产业等。

而今，政府协商、朝野并进、优势互补、共创繁荣，已经成为珠江口特区群落跨世纪合作的新特色。深港合作与珠澳合作不断发展，经济一体化的趋向渐露端倪。以前者为例，港资在深圳利用外资总量中继续占有2/3的份额，深圳进出口贸易的70%需要经由香港转口；香港则将深圳作为经济发展的首要腹地，作为香港经济结构调整的重要支撑。据悉，香港人每年要在内地消费300亿元以上，其中在深圳消费数十亿元。越来越多的香港人走出素享“购物天堂”盛誉的香港，涌到深圳购物、旅游、度假、居住，经济联姻使深港之间的交通流量不断扩大。经深圳一线公路口岸出入境的车辆日均超过32000辆，占全国口岸出入境车辆总数的80%；出入境的旅客日均超过30万人次，全国每出入境两个人，就有一个人途经深港通道。深圳市市长于幼军多次强调深港两地合作应“着眼全球竞争，立足两地双赢，携手优势互补，共谋比翼齐飞”，在“一国两制”的架构下，按照市场经济的规律，进行更大范围、更高层次的、自觉的、全面的合作，整合两地的资源和优势，形成“深港经济区”，努力建成为亚太地区甚至全球最有生机、最有活力和最有竞争力的地区。

随着政府介入与引导合作，民间多年呼吁而无力解决的若干大型跨境合作项目陆续付诸实施，极大地拓展了深、港、珠、澳四城密切合作以趋向经济一体化的发展空间。最近，深港两地政府已就解决深港口岸交通存在的“瓶颈”问题，达成延长通关时间、提高通关速度的协议。为了促进两地客流、物流畅通，《深港西部通道(深圳湾公路大桥)工程可行性报告》在2001年12月初通过专家组的最后一次内部审查。深、港政府共同确定“以粤港分界线为界，各自投资，共同建设，各自拥有，各自管理”的建设模式，同意并承诺由政府出资建设深圳湾公路大桥。大桥从深圳蛇口的东角头东侧填海区跨海直达香港元朗的鳌勘石，全长5088米，相当于两条香港青马大桥的长度。大桥初步定于2003年初开工，2005年底同步建成。其中，需要深圳出资建设的大桥长度为1910米，主体工程总投资估算为12.7亿元。大桥建成后，不收取大桥通行费，约需10至15分钟的车程便可由香港过境到蛇口，比现在从落马洲过境横越深圳市区要快得多。通车容量每日可达至少9500辆次，比扩建后的落马洲通道多三倍。货柜运业人士估计，经由深港西部通道前往东莞，车程至少节省半小时。香港已决定兴建迪斯尼乐园，从深圳经跨海大桥到香港迪斯尼乐园，将只需半个小时的车程。即将动工的深港跨海大桥将建构新的珠江口东岸的陆上出海大通道，加快深港两城乃至珠江三角洲地区的经济一体化进程。与此同时，珠海、澳门以及广东省政府已将合作开发毗邻澳门的横琴岛列为重点合作项目之一。2001年5月中旬，由广东省政府发展研究中心和珠海市经济学会主办的珠海横琴开发模式研讨论证会在珠海召开，来自粤、港、澳三地的专家学者就建设横琴岛旅游开发区的规划积极进行研讨论证。与会人员都赞同加快珠澳开发横琴的进程。珠海还通过珠澳合作，利用澳门与欧共体形成的独特经济技术关系，加强珠海与欧盟合作。同年12月初，珠海国家高新区与法国《欧中经贸》杂志签订“欧盟投资示范区”协议书。该示范区将设立于珠海国家高新区内，总投资规模为1.8亿欧元(约折合为15.3亿人民币)，2005年完成示范区的所有基础设施和配套设施。区内将只允许获得欧盟专利或国际专利的项目、国家品牌的项目、中国国家专利的项目进入，预计技术进步贡献率将达到50%。

珠江口特区群落经济合作的持续发展，将使这一区域的经济实力有可能持续保持位居全国前列的领先优势。

二、四城联姻　经济一体

进入21世纪，经济全球化的异动，中国加入世界贸易组织(WTO)，都使珠江口特区群落在全国的持续领先地位遭遇前所未有的巨大挑战。2000年下半年起，美国经济开始大幅减速。2001年的“9·11事件”之后，美国经济进而出现衰退的征兆。与此同时，欧洲经济走软，日本经济继续深陷泥沼。世界三大经济体增长同时放缓是1990年以来首次呈现的严峻走势，对全球经济的影响大大超过几年前的亚洲金融危机。我国已经成为世界第七大出口大国，经济的对外依存度已经达到40%以上。世界经济减速导致外部需求增长放缓，迫使我国出口增长速度相应降低，从而滞缓国民经济的增长。珠江口特区四城均属较为发达的外向型经济，外贸依存度远高于内地，对美、日、欧的贸易又多居本地进出口贸易的主要成分，因而最先敏感到世界经济减缓对于本地外贸增长率与经济发展速度的压制。特区四城的内在不足与相互合作关系的现存问题，则使四城都难以独自应对挑战、克服困难，同时也更加意识到加强与毗邻地区合作的紧迫性。

仅以作为珠江口发展“龙头”的香港为例：在世界经济增长放缓的冲击下，处于经济转型和周期性下滑的香港经济进一步转弱。本地生产总值的增长幅度由2001年第2季的0.8%，下滑至第3季的0.3%，预计第4季度还会有较大的下滑。香港政府因此在相关新闻稿中指出：2001年香港经济已经难以达到先前预测的1%的增长，故将预测修改为2001年香港本地生产总值的实质增长为零。值得注意的是，在2001年头3个季度，祖国大陆对香港出口与进口的增长率分别仅有2.2%和3.9%，远低于大陆进出口的总体增长率。这表明，随着内地港口设施与物流服务的改进，香港作为中外贸易的主干枢纽港的地位已经相对下降。中国加入WTO之后，香港的这一地位预料还会继续下滑。在这种情况下，香港政、商各界对于上海为龙头的长江三角洲区域经济的腾飞感慨良多，担心"上海将取代香港"的忧虑不胫而走。为了重振香港经济，董建华在2001年施政报告中指出："现在国家'入世'在即，粤港合作可进入新阶段。特区政府决心以积极进取的态度，推动香港与珠江三角洲的经济合作，达致互惠互利的'双赢'局面。这是我们巩固和加强香港作为国际金融贸易中心、运输和物流的枢纽和重要旅游城市的一个关键部署。"

港、深、澳、珠四城的政、商、学各界均已从现实发展与切身体会中达成共识：进一步加强相互间的合作其实已是大势所趋，势在必行。2001年12月11日中国正式加入WTO以后，WTO的协议适用于整个中国关税领土，包括边境贸易地区、少数民族自治地区、特区、沿海开放城市、经济技术开发区和类似地区，以及那些实施特别关税和税收制度的其他地区。这意味着以后内地经济特区享受的所有优惠政策将不再优惠，特区的财政、税收等政策将与全国各省市等齐划一，特区今后制定的所有经济政策还应在实施前60天提交世贸总部审议。深圳与珠海经济特区必须从加快与港澳地区经济一体化的进程中增创发展的新优势，香港与澳门两地也必须通过密切与深珠两城的合作获得振兴经济的新的商机与动能。四城分则势孤，合则共荣。只有加强区域经济合作，有效整合区域内部资源，形成合理分工和协作配套，在平等互利的基础上实行优势互补，才能更好地提升各自的乃至整体的经济竞争力，达到共赢共荣。本文因此以"四城联姻，经济一体"为标题，概括这种势在必行并且已经运行的发展趋势。其中，"联姻"意指平等互补的合作，"一体"表示经济一体化的合作目标与路向。

然而，仍有一些固有的成见妨碍人们清醒地把握这种发展路向。这些成见主要表现为：沿袭以经济垂直分工为主导的"前店后厂"式合作思路，继续规划港深、澳珠两对不同社会性质的城市沿江合作的模式，忽视深、珠两个后发展城市已经具备在更高层次与更广泛领域上与港、澳开展互补性合作的优势，也忽视四城间还形成港澳、深珠两对同质城市的隔岸平行合作与深澳、港珠两对异质城市隔岸交叉合作的事实。这些成见源自港深、澳珠经济发展水平始终存在巨大落差的思维定势，没有觉察到这些落差正由于深、珠两城的经济腾飞而迅速逐年缩减。1979年深圳国内生产总值仅为1.96亿元人民币(当时价格，下同)，香港本地生产总值则为1075.45亿港元，按当年折合价格计算，前者仅及后者的0.36%。到2000年，深圳国内生产总值增至1665亿元人民币，香港本地生产总值增至12717亿港元，按当年折合价格计算，前者已为后者的12.3%。这意味着在22年间，深圳国内生产总值以年均增长30%的高速发展，到如今已将落后于香港的巨大经济差距缩小33倍。诚然，香港作为长期积淀了雄厚经济实力的国际大都市，即便处于经济调整时期，也仍然保持着8倍于深圳国内生产总值的领先优势。香港位居国际金融、信息、物流、营销中心之所长，正是深圳之所短。不过，深圳高新技术产业成就斐然，2000年高新技术产品产值1064.5亿元，占限额以上工业总产值的比重达42.3%。深圳拥有大批的科技人才，研究和开发力量雄厚，并且形成与国际接轨的高科技产业链条，这些优势正是香港之所短。珠海也在经济结构调整方面取得较好成效，高新技术产品产值在工业总产值中的比重仅次于深圳而居于广东省第二位。珠海还全面启动"大学园区—科技创新海岸"建设，正在形成和培育起一批优势科技产业。这一切，都为两城开展与港澳互补互利的平等合作奠定坚实的基础。深珠与港澳各为新秀和老成，双方取长补短，优势整合，就一定能够提高彼此的经济竞争力。

需要指出的是，珠江口特区四城的经济发展并不平衡，而且已经形成东岸领先于西岸发展、港深强于澳珠的态势。这种态势不仅继续强化港深、澳珠的沿岸对应合作，而且促使四城中的有识之士从经济发展不平衡中捕捉商机，拓展与加强隔岸合作事务，从而建构与完善四城相互合作的经济网络。其中，港澳两城的经济联动早自19世纪40年代初香港开埠起便已运行而且延续至今，可谓客观存在，历史悠久，深刻地影响着港澳两地乃至深圳、珠海以及珠江三角洲地区的社会经济生活。在此基础上的港澳合作是同一社会制度下的同质平行合作，与不同社会制度下的港深、澳珠异质合作相比较，有着更加广泛的发展空间和更加便利的可操作性。将港澳合作提升到战略发展的重要地位加以认识和操作，不仅有助于合力重振两城经济，而且有助于继续带动珠江口两岸经济的协调发展。同样，将珠江口后起之秀的深圳与珠海两个经济特区的同质隔岸合作，以及港珠、深澳的异质交叉合作提升到战略发展的地位一并规划整合，也将有利于四城的区域分工与合作，带动珠江三角洲乃至华南经济更上一层楼。2001年深圳、珠海各自颁布的国民经济和社会发展第十个五年计划，都已分别表明在继续重点发展与港、澳沿岸合作的基础，注意发展与珠江口隔岸特区城市的平行合作和交叉合作的战略意向。董建华与何厚铧也分别在香港、澳门的施政报告中，肯定港澳合作以及与广东珠江三角洲地区合作的发展路向。即将兴建的深港跨海大桥不仅可以极大地促进珠江口东岸物流业的畅通发达，而且可以通过横跨珠江口的虎门大桥，共同构成新的珠江口西岸的陆上出海通道，形成珠江三角洲区域经济与国际经济接轨的新动脉。据悉，澳门特区政府运输工务司已聘请顾问公司，对粤澳跨境合作的交通网络基建项目进行可行性研究，其中包括修建连接澳门与深圳间轻便铁路的项目计划。深港跨海大桥工程的即将动工与澳深轻便铁路的可行性论证都表明，随着珠江口特区四城经济交往日益频繁，四城的沿岸与隔岸的合作都已经由政府间的协商筹划，开始进入完善交通网络新布局的更高层次的实质运作。

中国加入WTO，不仅面临巨大的挑战，也造就巨大的机遇。继2001年11月初东盟高峰会议同意中国总理朱镕基提出的十年内建立中国—东盟自由贸易区的建议之后，同月下旬香港特首董建华向中央政府递交有关建立内地与本港贸易区的建议书。28日，国家外经贸部副部长龙永图在香港出席第十四届太平洋经济合作议会全体大会上表示，内地与港澳共同设立自由贸易区是个好的建议，国家有关方面会积极研究内地与香港、澳门建立新的经济贸易关系。此后，深港等地开始有舆论率先响应建立内地与港澳自由贸易区的建议。建立自由贸易区（FTA，Free Trade Agreement），加速区域经济一体化的进程，既是参与经济全球化的最佳路径，也是经济全球化发展的必然结果。在自由贸易区内，各成员相互取消关税或其他贸易限制，同时又各自独立地保留自己的对外贸易政策，尤其是关税政策，从而能够在经济全球化的潮流中趋利避害，获取最大的经济效益。传统自由贸易区侧重于关税减让与传统产品的贸易，新型自由贸易区的功能除商品自由贸易化之外，还扩展至服务贸易自由化、相互投资自由化以及经济合作、技术共同开发等领域。内地与港澳按照后者模式建立自由贸易区，就能产生更大的优势互补效应，既有利于中国加入WTO之后继续保护与促进港澳在内地的投资和贸易，帮助港澳尽快走出经济困境，保持国际竞争优势；也有利于促进内地的服务业贸易自由化，增进人力资源开发与科技产业的国际合作，保持经济持续增长。

建立自由贸易区的动议，为珠江口特区四城加快经济一体化进程创造了前所未有的机遇与再度飞跃的契机。根据区域经济整合理论，经济一体化将按照5种层次演进：一、自由贸易区，区内无关税；二、关税同盟，对外采取共同关税；三、共同市场，区内生产要素自由活动；四、完全经济同盟，实行共同的财政、货币政策；五、完全经济一体化，实行共同的经济政策。珠江口特区四城建立自由贸易区，就可以将迄今仍然处于经济一体化初始阶段的四城合作，引领到正规意义上的发展台阶。早在20世纪90年代初，穗、深、港等地已有学者倡议建立深港自由贸易区，然而当时尚未具备实施的条件与可能。中国加入WTO，正式融入经济全球化的时代潮流，先前不可能建立的内地与港澳自由贸易区就具备了启动实施的可行性和紧迫性。深圳、珠海两个经济特区的高速发展，迅速缩短先前与港澳的巨大经济落差，开创了能够与之建立自由贸易区的基础实力；两地毗邻港澳的区位优势及其与港澳经济的关联互动，便于消解内地一般地区骤然与港澳建立自由贸易区之后自然引发的体制摩擦，具有内地不可能具备与替代的独特条件；基于经济特区先行先试的使命与职责，深圳、珠海更应率先肩负与港澳建立自由贸易区的重任。

珠江口特区四城应该及时抓住建立内地与港澳自由贸易区与建立中国—东盟自由贸易区的大好机遇，尽快开展四城协商，争取首先在全国建立自由贸易区的运作机制，优化整合区内经济资源，磋商区内合作发展战略，实现资金、物流的自由有效流通与人流的稳妥双向流动，促进经济再度起飞，继续保持在全国的领先地位，以便为循序渐进地建立珠江三角洲乃至祖国大陆与港澳的自由贸易区实现中国经济一体化而探路引航。这样，在不久的将来，华南珠江口入海处就会耸立起由港、深、澳、珠四子城组合的新的国际大都市，向全世界昭示中华民族振兴的伟大成就和中华经济圈的璀璨辉煌。

略论 WTO 与深台经贸关系的发展

田启波

世界贸易组织第四届部长会议相继通过中国和中国台北加入该组织，此举标志着海峡两岸正式成为世贸组织的成员。两岸经过十多年的努力，终于实现入世的目标，这是两岸突破经贸障碍、推进经贸合作、与世界经济接轨的一个重要里程碑。深圳与台湾一水之隔，两地交往具有良好的地理条件，加入 WTO 对深台经贸关系无疑将产生重大的影响，深入分析深台经贸交往所面临的机遇，明晰我们在深台经贸交往中应采取的对策，对于深圳在迎接 WTO 的挑战中趋利避害，不断提高国际竞争力，具有重要的理论和实践意义。

一

总体而言，深台经贸合作主要表现在台商对深圳投资及双方间接贸易两个方面。自从 1982 年 12 月第一家台资企业落户深圳，深圳一直是台商投资的热点地区。到 2000 年 6 月底，深圳累计批准台商投资项目 3045 家，协议投资金额 36.6 亿美元，实际利用台资 32.5 亿美元（包括近年增长资金额），占祖国大陆实际使用台资的 1/7 左右，占深圳的外地投资约一成五。深圳台资企业年进出口总值约 100 亿美元，其中出口超过 50 亿美元，就业人数超过 50 万人以上。虽然台商对深圳的投资及双方间接贸易额一直处于上升势头，但同期香港对深圳的投资已超过万家，实际投资金额达数百亿美元，占外资比重达 60%。与香港相比，就台湾的经济实力、产业结构及与深圳经济的互补性而言，均有其独到的方面，双方经贸合作仍有巨大的潜力。

深台经济的互补性高于竞争性。经济上的互补性，源自于经济的差异性，即双方在资金、资源、技术、人才、劳动力、管理等经济要素方面有所差异，从而产生地域间分工协作的可能性，发挥这些分工协作的可能性，对促进深台经济发展都将产生积极的影响。台湾的 IT、通讯、光电等高科技产业、创业资本、物流业均较发达，深圳具有科技人才、研发力量、技术产业配套能力比较强、劳动力成本仍低和生态环境较好等优势，双方合作将达到扬长补短、优势互补的效果。

虽然台湾当局对台商投资采取“南向政策”和对大陆投资的“戒急用忍”的政策，但台商投资热情一直不减。这在很大程度上缘于深圳良好的投资环境。1997 年发生席卷东南亚的金融风暴以后，深圳市认真分析引进台资的形势，进一步增创引进台资的优势，采取各种措施，化弊为利，加强引进台资的工作，使台资企业有了进一步的发展。特别是唯冠电脑、才众电脑、富士康精密模具、鑫茂大型电脑主机板等一大批高科技产品纷纷落户深圳。目前，被认定为高科技企业的台资企业有 13 家 15 个项目；投资 IT 业的有 270 多家，年出口额达 20 多亿美元，占全市 IT 业出口的相当份额。从经营效益看，在深台资企业经营状况普遍良好，已投产开业的企业中，盈利的企业达 90% 以上，部分台资企业已成为深圳市纳税大户。一些台商在深圳投资取得丰厚的回报后，多次追加投资，扩大生产规模或投资新的企业。

当然，双方经贸往来不可能是一种纯经济行为而完全按经济规律运行，经济难免不受政治影响，深台经贸关系的发展将因两岸政治上不确定因素的影响而受掣肘。但是，经济议题毕竟是目前两岸共同的契合点。台湾因目前的经济衰退需要从拥有巨大市场的大陆寻找出路，而大陆需要从台湾得到资金和技术。随着两岸入世，这种趋势会继续发展。在两岸局势持续紧张的状况下，祖国大陆并没有改变吸引台商投资的政策，而是进一步加大力度引进台资，扩大两岸经贸交流。通过两岸进一步相互沟通与了解，在台湾就会形成促进两岸关系缓和的舆论与呼声，从而产生有利于祖国和平统一和促进两岸经贸合作的正面因素。最近，在岛内各界的强大压力之下，台湾当局正式宣布放宽“戒急用忍”政策，取消台商投资祖国大陆5000万美元上限，并只审查超过2000万美元以上的投资项目，实行了5年之久、备受海内外舆论批评谴责的“戒急用忍”政策正式成为历史。在祖国大陆、国际社会以及台湾岛内正义势力的压力下，台湾当局迟早必须面对一个中国原则，并认同两岸和平统一。在这一前提下，两岸关系仍有改善调和的余地，城市之间的经贸交流与合作因而就具有一定的发展空间。

深台城市交流已开始起步，今年3月，应台湾工业总会的邀请，于幼军市长率领深圳经贸考察团成功地访问了台湾，成为第一位踏上台湾土地的大陆市长。加入WTO，不仅有利于排除目前两岸经贸关系中存在的重重障碍，促使其正常化，而且将创造种种商机，推动两岸经贸合作的新发展，深台经贸合作也将呈现出新的格局。

二

两岸“入世”后，将会根据各自的经济发展水平，为加强多边贸易体制作出贡献，使两岸经济更好地融入国际社会，这无疑将对深台经贸的进一步合作与发展带来极大的机遇。这具体表现为如下几方面：

第一，随着两岸相互关税大幅降低，深台贸易更趋密切。至2005年，大陆工业产品平均关税降到10.8%，并逐步取消进口商品数量、配额、许可证等非关税壁垒，这将有利台湾产品对深圳出口。“入世”后深圳经济的持续发展与经济规模的扩大，进口需求总量增加，也会带动台湾对深圳的出口。同时，台湾也承诺到2004年主要工业产品关税降为4.7%，特别是对大陆产品进口的严格限制将会大幅减少(目前台湾对大陆产品进口只开放了57%，即有近一半的产品没有开放)，这将促进深圳产品对台湾的出口。“入世”后，不仅深台贸易额扩大，而且由于政策限制的减少，深台贸易的互补性与互惠性将得到充分体现，贸易产品结构也会相应发生变化，深台贸易关系将更加密切。

第二，深台双向投资与资本流动有望在“入世”后变为现实。加入WTO后，大陆承诺将实施《与贸易相关的投资协定》和《与贸易相关的知识保护协定》，取消对外资，包括台资企业国产化率的限制性措施，并保护外资企业技术优势的发挥，这将有利于深圳等沿海城市在技术和资本密集型产业吸引更多的台资。同时，深台贸易与资金往来将大幅增加，对资金融通调拨的需求更为迫切。为解决台商在深圳发展对资金融通的需求，台湾商业银行到深圳设立分支机构乃势所必至。另一方面，基WTO的规范，台湾也已表示将首先推动大陆资本投资不动产的政策，深圳资本有望进入岛内，实现深台资本的双向流动，打破过去“只有台商投资深圳，未见深资进入台湾”的资本单向流动局面。

与此同时，深圳将开放新的投资领域和投资方式，为台商投资提供广阔的投资空间和新的渠道。“入世”后，外商将被允许进入银行、保险、电信等20多个行业，这些领域国际竞争十分激烈，但由于文化背景相同和地缘优势等条件，台商进入这些领域远比欧、美、日商有利。在过去几年，深圳在部分领域率先在全国进行了先行先试，取得良好效果，对加入 WTO 后服务贸易领域进一步对外资开放极为有利；而收购、兼并、合资股份有限公司、战略联盟、特许授权经营、BOT 等国际通行的 FDI 方式也将逐步开放，台资公司进入深圳渠道拓宽。

第三，投资与贸易环境的改善将有利于深台经贸合作的发展。加入 WTO，有利于深圳市场化程度日益提高、投资环境显著改善，各项有关投资、贸易经营的法律、法规进一步健全，政策措施的透明度不断增强，对台资权益的保障走上正轨，深圳对台商的吸引力将逐步增大。同时，中国的价格体系将进一步与国际价格接轨，有助于提高深台之间资源配置效率，对产业内贸易有推动作用。

第四，两岸“三通”将有所突破，有利于推进深台经贸交往。入世后，尽管台湾当局会以“台湾安全”等理由延缓开放全面直接“三通”，但在 WTO 的规范要求及台湾经济发展困境与社会各界压力下，台湾当局会对“三通”政策进行局部调整与开放。基于此，过去许多人为障碍将废除，货运朝发夕至，运输成本大幅减低。台湾的半成品可以到深圳加工，深圳台资的产品也可以回销台湾，使深台间的产销关系垂直分工向水平复合式分工发展，进一步提高深台贸易额。

第五，深台在高科技产业合作的可能性远高于相互竞争。台湾在若干高科技领域，特别在信息电子产业部门，部分产品的设计、生产、制造技术已经接近发达国家的水平，企业具有国际化的经验和经营管理能力，能将科研成果迅速转化成产品，深圳具有科技人才、研发力量、技术产业配套能力比较强等优势，深台合作有利于各自发挥优势，为双方高科技产业开拓更宽广的发展空间。

三

如上所述，加入 WTO 必然会促进深台经贸关系的发展，但这并非完全自发的过程。我们只有顺应时代趋势，抓住历史赋予的大好机遇，切实转变政府职能，研究制定与加入 WTO 相适应的法规体系；从根本上改革中介机构，使之成为维护市场规范和公正的组织；总体而言，“入世”将给深圳投资环境、引资领域、外资来源地及引资方式带来影响。

第一，彻底转变政府职能，创造优良的经贸交流环境。

在世贸组织里，各成员政府部门不具有企业属性，不能直接介入国内外市场竞争。政府的角色仅是市场规则的制定者、市场秩序的监管者、公共物品的提供者。深圳应彻底完成政府职能的转变，要以规则导向型政府取代权力导向型政府；以服务型政府取代命令型政府。政府各宏观经济管理职能部门，必须依据 WTO 的有关规则，建立健全适应市场化的宏观管理职能和机制，实现政府职能由审批为主到服务为主的转变，由管理具体事务到设立标准规范的转变。彻底把应该由企业做主的权利还给企业，把市场能够自我调节的事情交给市场，把能够由事业单位和社会中介组织完成的事务交到中介组织手中，把政府职能集中于经济社会发展规划、政策指导、执法监督、组织协调等方面，为企业、为市场提供有效服务。应努力实现“九个法定化”，即政府机构组织、职能、编制法定化，行政程序法定化，行政审批法定化，行政收费法定化，行政处罚法定化，政府招标采购法定化，政府投资行为法定化，行政执法责任法定化及政府内部管理法定化，以此促进加入 WTO 后政府职能的转变。

第二，加强法治建设，推进软环境的规范化。加入 WTO 后，虽然我国应承担的义务由国家承诺，涉及国际贸易的法规也主要由全国人大来制定。但深圳可以利用自己的特别立法权，修改、制定符合国际规则的法规。我们应对照WTO的各项协议，抓紧完成涉外经济法律法规的清理、修改和增补的调整适用。应尽快总结多年来利用外资的经验与教训，借鉴外地成功的做法，制定和颁布《深圳市外商投资企业项目审批条例》、《深圳市外商投资企业管理条例》和《深圳市外商投资企业投诉及处理办法》等法规和法令，使包括台商在内的所有外商投资深圳有法可依，有章可循。在立法过程中，要平等对待各种市场主体，不仅要考虑国有企业和国内私营企业的权利，也要考虑外商投资企业的权利，以体现"国民待遇"的原则。

第三，抓好产业结构调整，以发展IT产业为龙头的高新技术产业作为深台经贸合作的核心。IT产业占深圳高新技术产业9成以上，发展高新技术产业就是重点发展IT产业。面对WTO带来的机遇和挑战，基于充分利用台湾的高科技优势，深圳吸引台商的主攻方向，重点应是以IT产业为龙头的台资跨国公司在世界体系的制造中心和分销中心，将深圳逐步发展成为IT产业跨国公司的研发中心和设计中心。目前，深台高新技术产业发展合作已有良好的开端，但合作的广度、深度仍有待加强。可采取合资、合作、技术转让、联合开发等多种有效形式，进一步加强与台湾高新技术企业的经济技术合作，引进其技术、资金、品牌和管理，引导其投资于深圳的高新技术产业，迅速提升深圳高新技术产品的发展水平。

第四，利用中介机构为台商提供专业化服务。目前，中介机构的专业化服务在国际商务中正在发挥越来越重要的作用。在未来深圳利用台资的服务方面，中介机构的专业化服务是一般机构与部门所不能替代的，应大力发展深圳的投资促进机构、会计师事务所、律师事务所、信息咨询公司、投资顾问公司、行业协会和技术贸易经纪行等中介机构，并通过市场竞争和专业培训提高其参与国际商务的水平，为利用台资工作提供专门服务。

第五，积极引进台湾创业投资基金，大力发展风险资本市场。深圳高新技术产业的迅速崛起，已吸引了境外30多家创业投资机构的进入。加入WTO之后，深圳高新技术迅速发展的态势将继续保持，基础设施、体制、政策等投资软硬环境将进一步完善，加上"退出渠道"——香港、深圳二板股票市场的充分利用，利用境外创业投资将是深圳未来利用外资方式当中一个新亮点。台湾的创业投资公司经过17年发展已形成了一套成熟的体制和操作程序，目前登记的创投公司有120多家，资本额超过40亿美金。随着深圳经济的发展，越来越多的台湾创投公司把目光投向了深圳。双方合作，共享资金来源和投资效益，既有利于台湾走进来又有利于深圳走出去。深圳如能形成一个比较大的风险投资的资本市场，将极大地推动深圳的高科技发展。

第六，研究建立"中华经济合作区"的可能性。当前全球掀起了区域经济一体化的浪潮，如北美自由贸易区、东南亚自由贸易区、欧盟等。WTO规则实际是"软性法律"，有很多例外条款，在同一经济区域内相互享受更优惠的待遇。因此，利用经济区域联盟是保护自己的有效手段。建议从深圳开始倡议，尝试在珠三角、香港和台湾地区形成区域经济联盟，利用WTO规则来趋利避害，如相互免税等，最终扩大到整个大中华经济圈。

厦门应对“入世”影响的现状分析与对策研究

厦门市委政策研究室

一、“入世”对厦门的主要影响

加入世贸组织对于拓展我国的经济发展空间，参与世界经济的分工与合作，推动我国进一步扩大开放和深化改革具有重要意义。

“入世”也给厦门经济特区带来了新的机遇和挑战，将对厦门的经济社会发展产生重大影响。

(一)正面影响：

一是为厦门特区外向型经济发展带来了新的机遇。特区创办之初，国务院在《关于厦门经济特区实施方案的批复》中指出：“厦门经济特区应当建设成为以工业为主兼营旅游、商业、房地产业的综合性、外向型的经济特区”，“特区内的工业建设要逐步做到以利用外资为主，产品要以大部分进入国际市场为目标，积极扩大出口”，十多年来，厦门积极贯彻党中央、国务院的指示精神，大力发展外向型经济，使国民经济取得了超常规的发展。在特区进入二次创业之际，“入世”为特区外向型经济发展带来了新的机遇。一方面，“入世”必将推动特区的运行机制进一步与国际惯例接轨，使投资环境更加规范和完善，吸引更多的世界著名跨国公司前来投资兴办具备高技术含量、高环境保护标准、高国际竞争能力的“国际型产品”生产基地，从而更有效地实现资源的全球优化配置，带动特区新一轮进出口贸易总额的增长：另一方面，“入世”将使特区现有的三资企业、贸易公司和港口运输业等凭借世贸组织成员国企业的身分，以比“入世”前更为有利的贸易地位和态势，向各大洲全方位地拓展已有市场份额、开辟新的目标市场，同时也将进一步增强进口国外适销对路商品的实力。

二是有利于推动厦台经贸合作进一步发展。中国加入世贸组织后，台湾也可以独立会员身分入会。按世贸条款规定，两岸都成为世贸成员后，台湾必须调整现有的大陆经贸政策，加快两岸“三通”的步伐，从而对两岸关系的发展和祖国和平统一进程产生积极的影响。这对于已成为祖国大陆与台湾交流交往的重要窗口和经贸合作集中地之一的厦门特区，无疑带来了新的机遇。不仅有利于扩大对台贸易，缩小贸易逆差，进一步吸引台商投资，促进投资由单向向双向发展，而且厦台之间有可能率先实现真正意义上的“三通”，进一步密切厦台两地的各项交流，促进厦门经济快速发展。

(二)负面影响：

一是加大了产业结构调整的压力。目前厦门第三产业的发展滞后于整个经济的发展，特别是第三产业中与第一、第二产业发展密切相关的科技综合服务业发展落后，对经济发展十分不利。“入世”后随着我国服务业的对外开放，将对厦门的产业，特别是农业、机械制造、电信、金融、保险、商贸、管理咨询、专业服务、医疗、以及与信息业相关的服务等领域产生较大冲击，进而影响厦门的经济发展。

二是对国有及国有控股企业产生较大影响。国有企业改革虽然迈开了可喜的步伐，但从总体上看，还有不少企业，特别是中小型企业的技术、产品、设备、管理、观念等较落后，机制不活，负担沉重，效益低下，竞争力偏弱，“入世”后这些企业将面临被淘汰的危险。

三是加大了劳动就业的压力。随着部分国有、集体企业的关闭，下岗人员将不断增加，加上农村还有18万左右的剩余劳动力将转移出来，就业形势不容乐观。

四是政府管理体制、管理方面临挑战。有些机构庞大、办事程序繁琐、办事效率不高等顽疾的存在，使得政府管理体制和管理方式难以适应“入世”的要求。如何加快政府机构改革步伐，转变政府职能，改变管理方式，逐步实现与国际惯例接轨，已是政府机构面临的严峻挑战。

二、厦门应对“入世”存在的主要问题

在党的十五大报告中指出：“机遇本身就意味着挑战，挑战之中也孕育着机遇。……能否抓住机遇，历来是关系革命和建设兴衰成败的大问题”。要抓住“入世”带来的新机遇，同时迎接前所未遇的挑战与风险，就必须冷静、深入地分析各行各业以及各方面面对“入世”所存在的主要问题，并针对这些问题制定相应的对策，才能趋利避害，乘势而上。综合各方面意见，我们认为，厦门应对“入世”存在的主要问题是：

(一)农业基础十分薄弱。一是目前有1/4的耕地仍是“望天田”，标准农田的建设十分落后，农业机械的使用仅占耕地面积的1/4左右。农业基础的薄弱严重制约了厦门农业产出水平的提高。二是农业劳动力的素质普遍较低。超过90%的农民为初中以下文化程度，这样的素质状况难以应对“入世”后所面临的与发达国家的竞争。三是农村人口比重很大，接近60%，因而人均占有农业生产资源短缺。这些问题的存在影响到农业劳动生产率的提高，影响到规模化经营，农产品成本因而难以降低，由此将阻碍农产品进入市场，农村劳动力就业压力将日趋严重。

(二)工业结构调整尚未完成。虽然三资企业工业产值已占厦门工业产值的80%以上，“入世”对于外向型的三资企业影响较小，但从整体上看，厦门的工业结构调整远未完成，面对“入世”，问题仍不少：一是科技进步还未成为促进工业发展的主要因素；二是产品结构调整任务艰巨，目前厦门工业产品中，长线产品较多，处于成长期的高新技术产品少；三是产业结构低度化程度依然较明显，具体表现为加工深度低、技术含量低、附加值低；四是中小企业数量大，发展处于粗放状态，没有形成围绕骨干企业、龙头产品发展的格局，因此竞争力也就弱。

(三)第三产业发展滞后。虽然厦门的第三产业与改革开放前相比有了飞速的发展，但从整体上看仍滞后于国民经济的发展，存在的主要问题有：一是高科技含量、高附加值行业，如金融、电信、信息等行业在第三产业中比重较小，难以起到龙头带动作用；二是与第一、二产业发展密切相关的科技综合服务业以及专业服务发展落后，影响国民经济的整体发展；三是在厦门第三产业中占据重要地位的商贸业由于体制、机制、历史包袱等原因举步维艰，“入世”后将受到较大冲击；四是旅游业处于小、弱、散状态，国有旅行社将受到国内外同行的挤压；五是港口管理体制不顺，综合配套功能薄弱，将影响港口航运业优势的充分发挥。

(四)国有企业面对“入世”仍缺乏国际竞争能力。国有企业当前仍处在从计划经济体制向

市场经济体制转化的过渡阶段，其技术装备水平、劳动生产率、产品质量档次、运行机制和管理水平等同外资企业比较均有较大差距，在短期内尚难以适应“入世”的要求。一是产权关系仍然不够明晰，政府、资产营运主体与投资企业三者之间的关系还未完全理顺，各自的职责不明确，全市仍有近半数的经营性国有资产尚未纳入国有资产营运主体的监管体系，还停留在计划经济体制的部门所有状态。二是企业组织形式不适应经济全球化的要求，国有企业投资主体单一，造成经营机制不活，以及过份依赖政府的保护等。已改制为公司制的企业，仍有部分运作不规范，法人治理结构不健全或难以发挥作用，企业经营者思想观念陈旧，素质不高和管理水平落后。三是企业发展的资本金不足，资产负债不合理。国家实行“拨改贷”后，地方财政主要投向基础设施建设，没有对国企再投入，而企业存量资产调整回旋的余地不大，造成增量投资乏力，难以进行资产的优化配置，加上一些企业盲目投资使企业的资产负债率居高不下，企业发展受到制约。四是历史包袱和社会包袱较重，与外资企业比较处于不平等竞争状态。企业办社会、冗员负担等造成企业运行成本过高，加之为了鼓励外商投资，制定了各种优惠外企政策，便国有企业与三资企业在税费等方面形成明显的反差，缺乏平等竞争的环境。

（五）金融服务业面临新的挑战。厦门银行业由于较早地引入外资银行，现有外资银行的数量也较多，故其对“入世”的适应性相对会好些。但我们不能因此而忽视其存在的问题：一是缺乏良好的激励机制，无法吸引优秀人才，不少单位冗员太多，人浮于事；二是技不如人，在人才、经营管理、服务水平和产品科技化程度方面尚有明显差距；三是按国际惯例运作缺乏经验，业务经营受非市场因素的影响较多；四是资金实力和盈利能力不强；五是银行业体制转轨不彻底，不良资产规模庞大；六是保险业市场发育不健全，保险管理法制化建设滞后；七是尚缺乏一个适合中国国情又与国际惯例接轨的金融监管体系。

（六）港口管理体制不顺，综合配套功能较弱。一是口岸联检部门辖区不一致。厦门检验检疫部门、海事部门的管理区域与厦门关区不一致，相关的业务单证在同一区域内，由于辖区划分的不同而无法顺畅流转，给船舶、货物进出港口造成很大不便，直接影响通关速度。另外，对同一管理区域内同一票货物重复检验，审批环节过于繁琐。二是港口货物集散运输网络不完善。面向内陆、贯通全省的高速公路网尚未建成，铁路出省“瓶颈”问题还没有彻底解决，港区后方陆域狭小，疏港道路与城市主干道混用，三是港口配套保障体系不健全。船舶淡水供给由于供需双方的经营矛盾，人为造成供水成本提高；船舶燃油多头管理、手续繁杂，服务质量、价格、设备状况均不如人意；船用物资供应品种单一，没有形成快速、可靠的调拨网络；船舶维修技术能力较弱，从业人员资质达不到要求，行业管理也不到位，削弱了港口对船舶停靠的吸引力。

（七）保税区建设尚未进入正常发展轨道。一是保税区定位不明确，功能开发受到制约。保税区没有明确的定位，政策的变化直接影响保税区的发展，按照“摸着石头过河”的办法，使保税区的发展难以把握方向，也制约了仓储等功能作用的发挥。二是保税区区域面积太小，且因填海形成，土地成本较高，不利于发展大型加工企业，对全市经济的贡献也有限。三是区内配套服务收费较高、手续繁琐、服务质量低下，影响了区内企业经营积极性，也影响了贸易商的投资热情。

三、面对“入世”厦门须采取的相应对策

（一）转变政府职能，提高办事效率。首先要充分认识和重视入世可能带来的社会经济影

响，做好足够的准备。各级领导和政府工作人员要学习和掌握世贸组织及其他相关的国际通行惯例，结合厦门实际，调整和制定相关的法规、规章和工作规程，营造与WTO规则相协调的、依法行政、公平竞争的优良环境。其次要加快政府机构改革步伐，转变政府职能，精简办事机构，简化办事手续，提高办事效率。第三，进一步建立健全社会主义市场经济体制，在外资政策和涉外管理等方面要进一步与国际惯例接轨，努力塑造一个廉洁、高效的政府形象，在全市形成“人人都是投资软环境”的氛围。第四，要规范办事程序，加大审批制度改革力度，切实减少审批环节，增加政策透明度，公开办事程序，使政府部门从繁忙的审批业务中解脱出来，转到依法加强宏观调控、制定市场规划、实施监督管理、强化社会服务上来。第五，要大胆先行先试，尽快实现对外商的国民待遇，优化投资环境，增强对外商的吸引力。

（二）加快产业结构调整，大力发展第三产业。首先要转变观念，寻找适合于特区发展的产业之路。要发挥中央赋予特区先行先试的权力，大胆探索，从国家的法律、政策规定、WTO规则中寻找适合于厦门发展的政策措施，实现三大转变：1. 逐步从以工业为主的发展思路中解脱出来，走第二、第三产业并重、进而按第三、第二、第一产业顺序发展的道路；2. 把第三产业的发展重点从传统的房地产业和餐饮业等，转到发展高新技术产业、信息产业、教育产业和科技咨询服务业上来，加快发展港口运输和旅游业；3. 从立足于本地自然资源利用型的发展思路，转为资源的开发，特别是无形资源的开发上来，通过港口城市功能的充分开发利用，实现外地资源在厦门的优化配置。要根据加入WTO的新情况，调整制定厦门的产业指导政策，优化产业结构，调整产业布局，在加大力度吸引技术、资本密集型产业的同时，决不能放弃劳动密集型产业。

（三）加快国有企业改革与发展步伐，全面提高企业的市场竞争能力。一是积极探索公有制的有效实现形式，鼓励国有企业跨所有制、跨地区、跨行业进行资产重组，形成投资主体多元化，促进混合所有制企业的发展，尤其注重国有企业嫁接外资进行改制，使国有资产与国际资本相互结合共同承担“入世”风险，提高抵御“入世”冲击的能力；引导和规范国有中小企业进行股份合作制、内部员工持股等多种形式改革，使企业与企业职工形成利益共同体，最大限度地调动企业职工的生产积极性，增强市场竞争能力。二是加快建立国有企业的新体制和新机制。按照现代企业制度的要求，推动国有企业规范化改制，真正落实所有者权利，形成政企分开、政资分开、管人管事相一致的国有资产监管、营运新机制；规范法人治理结构，形成激励与约束机制；深化企业人事制度改革，实现人才资源社会化，人才配置市场化、企业经营者职业化的人事管理体制。三是强化企业科学管理，提高管理水平。建立高效与职责明确的企业决策、经营和监督机制，严格界定各机构和主要职位的权利和义务；制定科学、高效、民主的管理制度，加强市场的质量和营销管理，推动计算机在辅助物流、资金流、产品销售、市场开发等方面的管理应用。

（四）加快农业结构调整，扬长避短，夯实基础。一要针对“入世”后对厦门农业可能造成的冲击，着手研究制订厦门农业结构调整的规划，扬长避短，突出发展蔬菜种植、花卉、水果(特别是龙眼等)生产、水产养殖等优势项目，以及相应的加工、保鲜、出口等行业。二要积极推进农业科技进步，加大农业发展的科技含量。通过进一步改革农业科技体制，形成科研与生产紧密结合的机制，促进农业科技层次不断提高，增强农业的国际竞争力。三要以市场为导向，加快农业产业化进程。要发展适度规模经营，促进农业产出的提高和农业成本的降低，同时要引导农民根据市场需求确定生产方向，要扶持龙头企业的发展，并积极培育提供市场信息、技术服务和流通媒介的中介组织，促进形成产业链带动农民发展生产，进入市场。四要加强农民素质教育，提高农民科技、市场意识。要充分利用农业技术培训、科技下乡、科普教育、电视、广播等形式对农民进行农业实用技术和市场基础知识的培训和宣传，提高他们的综合素质，增强他们参与国际市场竞争的能力。

（五）从战略上调整工业结构，提升厦门工业的国际竞争力。首先要以市场为导向、以资本为纽带，着力扶持和培育一批产品有市场的大型企业和企业集团。要通过多种形式的联合和改造来增强优势企业的对外竞争优势和实力，使其在发展高新技术产业、高科技产品方面、开拓市场等方面发挥先锋作用，带动和增强行业整体实力。其次要加大对高新技术产业化的资金投入。应加大对厦华、厦新、华联、法拉、厦工、厦控、厦汽、厦钨、航空工业、海燕、通士达等将在高新技术产业化中发挥先锋作用的国有或国有控股企业的资金投入，通过增投国有资本金、支持企业上市、风险投资、以及拨入优质资产等方式，使这些企业能够加快技术开发进度，提高工艺装备水平，加大吸引国外技术和资金的力度，并带动相关中小企业发展。第三，实施名牌战略，创出厦门品牌。要树立品牌意识，实施名牌战略。可先在工业的三大支柱行业中确立若干产品作为实施名牌战略的重点对象，从各方面加大扶持力度，推动这些名牌产品走出国门，打出厦门工业进入国际市场的通道。第四，引导和扶持中小企业健康发展。针对厦门中小企业数量多、分布散的情况，有必要对中小企业作一次摸底、分类，筛选出那些符合国家产业政策，产品有销路，发展有潜力的企业加以重点扶持。通过建立中小企业支持服务体系，为中小企业发展提供资金、信息、人才、管理、技术、市场、法律以及对外交流等方面的服务，促进厦门中小企业健康有序地发展，形成中小企业围绕骨干企业、龙头产品发展的格局，增强抗冲击合力。

（六）深化金融体制改革，不断提升经营管理水平。首先要通过深化改革，克服目前金融体制上的种种弊端，调整经营结构和转换经营机制，引进先进的管理体制，尽快建立与国际惯例接轨的新型的金融制度。其次要健全金融监管体系，防范和化解金融风险。要研究并引进符合国际惯例的金融调控和金融监管模式，利用厦门市的立法权率先制定加强金融监管的相关法规，不断提高特区央行宏观调控和监管的能力，构筑有序、稳定的金融环境；要大力培养一支既精通金融业务又熟悉国际惯例的高素质监管队伍，努力提高金融监管水平，有效地防范和化解金融风险，促进金融业持续、稳定和健康的发展。第三，要扬长避短，积极参与国际竞争。通过制定鼓励中资银行、保险公司参与国际竞争的措施，增强其竞争意识和竞争能力，主动积极地参与国际竞争。同时，通过优势互补，相互合作，提高整体竞争水平，不仅中资机构之间可以合作，中外机构之间也可以合作，如银行业方面，可以开展银团贷款、项目融资等业务。第四，要以市场需求为导向，以客户服务为目标，不断开发新的银行中间业务、金融衍生产品和保险品种。银行业要从单纯地依靠传统的存贷款业务，逐步转变为以非存贷性的中间业务为主要收入来源。要善于吸收风险、分散风险和进行风险管理。保险业要致力于符合市场需求的新险种的开发，要注重研究保险资金的投资问题，要致力于建立和健全保险中介体系。第五，借鉴外资经验，不断提升经营管理水平。要研究并引进符合国际惯例的现代经营理念和经营方式；借鉴外资银行、保险公司的先进经营管理经验，并加以吸收和创新；要把服务放在首位，不断提高服务质量；要逐步按现代企业制度的基本框架改进和完善经营管理体制，不断提高经营管理水平和国际竞争力。第六，要加大科技投入，提高科技含量。要将电子化技术和网络化管理渗透于经营活动的全过程，做到银行资金调拨实时，家庭银行、自助银行、电话银行和网上银行等新业务更快地推广，保险业能应用高科技手段，实现集中核保、核赔。通过加大科技投入，促进信息化管理水平的不断提高，使我们的银行和保险公司能以高效便捷的服务与外资银行、保险公司一争高低。第七，加强对金融人才系统的科学管理。要舍得投入，建立良好的激励、教育培训机制，并加强企业文化建设，以增强凝聚力、向心力和归属感，从而吸引人才、稳定人才，培育人才、激发员工的敬业精神和主观能动性，使他们竭力为特区中资银行、保险公司的发展服务。

（七）加快信息产业发展，培植新的经济增长点。一要全力扶持厦门市信息增值服务业的发展，促进厦门信息港的深层次开发。要利用信息港建设工程，促进信息港建设公司和全国性通讯公司的互相参股，推进厦门市各类企业和私营企业投资于信息港建设。制定各项优惠政策，吸引国内外通讯业进驻厦门，在厦门设立全国或世界性的网络信息库、节目源，提高厦门信息港的信息"内涵"，发展厦门网络信息咨询业。二要配合广电网双向改造工程，加快厦门市"三网合一"工程建设，提高网络发展物理空间，提高信息网络覆盖面。三要积极争取国家广电部、信息产业部同意对厦门广电网试办电信业务试点，授予厦门广电网驳入电讯网，使广电网的电讯业务能够利用中国电讯国内网进行通讯，增加业务覆盖面。通过开展包括电讯在内的综合经营，兴办地方通讯业，促进广电网和电信网的融合，实现厦门市直管电信基础设施的最大增值。四要营造适宜的环境，促进软件业发展。联系国家信息产业部、科技部共办园区，扶持厦门市软件业发展。把园区发展嫁接国外软件业，在人才、技术、税收等方面创造条件吸引国外同业，改变以往建设开发区形式，由市政府免费或低价提供土地、配套基础，建设园区。对入驻园区的软件企业，按"只租不售"、"先收后返"的方式，每年度根据企业生产产品和发展前景情况，评定其等级，返还入驻园区的各项费用。五要发展诸如与国际接轨的国内计算机等级认证等方面的信息服务业，推动厦门信息产业的大发展。

（八）加快商贸管理体制改革，再造商贸服务业优势。一要通过建立以"科学的政策扶持系统、及时的贸易信息咨询系统、高效的口岸通关服务系统、有力的资金支持系统"为主要内容的对外贸易服务促进体系，大力提升厦门外贸竞争力。二要加大招商引资力度，大力发展与厦门经贸业关系密切的服务贸易。通过鼓励外商投资我市货物运输业、物流业，增强厦门港口的竞争力；抓住对台"三通"机遇，营建对台海、空运货物运输中心；与外商合作拓展厦门劳务输出的新市场；配合厦门发展会展业需要，把厦门会展办成华东南物流枢纽展示会、博览会，促进厦门会展业与物流业的共同发展。三要加强厦门外经贸业务培训力度，提高企业素质。指导企业建立规范化、现代化的财务管理、成本管理、资金管理制度；学习先进的国际市场营销理论；以强化新的《合同法》实施为契机，提高企业法律风险控制能力。四要加快内外贸企业改革，打破经营商品、经营方式与地域、股权比例等各种限制，加快商业集团等国有内贸企业转机建制工作，健全厦门市外贸国有企业管理体制。外贸国有企业要率先在内部建立起股份期权、年薪制等鼓励机制、监督机制。五要加快外贸管理体制改革。争取国家外贸管理体制改革试点放在厦门进行；鼓励有条件在厦外资工业企业合资外贸；全面实施外贸经营权登记制。通过厦门国有外贸企业与国外大型商贸企业合资，充分运用国外大型商社的成功经验和国际市场网络发展外贸产业。

（九）全面实施"以港兴市"的发展战略，率先应对"入世"考验。加入世界贸易组织，商品的周转量将会上升，周转范围相应扩大。物流量的增加将首先和直接受惠于作为货物进出的港口。因此，港口发展要先行一步，从而带动城市发展。一要大力发展航运业，提高港口经营的开放度。进一步规范航运、代理、外供市场，培育发展国际货运代理市场；允许国际大型航运企业通过租赁方式独立经营码头，鼓励有实力的国外船代、货代公司来厦设立地区总部或分支机构；规范港口的淡水、燃油、物资供给和船员交通、船舶生活垃圾清运等配套服务，设立有形市场，进行一站式的统一管理。二要率先建立以港口为依托的现代物流业体系。允许国际知名的物流公司和具备条件的国内货运公司在港区设立物资配送中心，鼓励我市现有的跨国公司(如DELL、KODAK等)进行港口配送基地建设，构建以厦门港为基点的国内外配送网络；适时调整湖里工业区的功能，使之成为东渡港区后方陆域，建设集装箱堆场、仓储、拆拼箱、转运，以及水、路、铁、空联手的区域性多式联运中心，尽早同国际流通领域接轨。三要进行统一规划厦门港的研究，探讨将漳州招银港区纳入厦门港统一开发经营，制定跨行政区的厦门港总体布局规划。可由厦门、漳州两市政府共同组建厦门港口管理委员会，行使整个厦门湾的港政管理与协调；由两市港口企业组建股份公司，共同经营厦门湾业务，利益共享，形成厦门港与漳州招银港发展建设的合力，发挥港口资源的最佳潜能，避免港口资源浪费、重复建设和恶性竞争等不良后果，提高厦门湾港口的整体竞争实力。

(十)全面提高旅游业的竞争力。首先要加大依法治旅的力度，强化行业管理。要根据WTO的相关规则，特别是国民待遇原则，检查、修订《厦门市旅游管理条例》等法规、规章和规范性文件，增加鼓励和允许外资兴办独资旅游企业等条款，废除歧视性的价格条款，同时加大行业管理的力度；其次，要加快国有旅行社的改制、改革，壮大实力，提高竞争力。要通过增加投入、兼并、联合、改组等方式，尽快改变旅行社小、弱、散的状况，同时，争取在国外开设旅行社，提高国际市场竞争力；第三，要加快费改税步伐，减轻旅游企业负担。目前，高额的旅游汽车公路附加费和旅游饭店排污费、水电费等加重了旅游企业的负担，不利于旅游企业的发展；第四，要加快旅游人才的培养，特别是旅游行业管理人才、企业管理人才、外语类导游人才的培养和引进，进一步提高旅游服务水平。

(十一)积极探索开展国际专业服务，全面提高专业服务水平。国际专业服务(Professional Service)是指国际间对在他国获得的某些营业执照、学位证书以及技术职称等资格予以承认，专业人员运用自己的专业知识，在律师、会计、咨询、建筑设计等方面，根据委托人的要求进行调查、研究和预测等，提供可靠的数据、公正的法律依据和科学的论证与判断以及具体意见，并获得报酬的经济活动。国际专业服务是国际服务贸易中迅速崛起的新兴服务项目。它的发展有着广阔的市场前景。"入世"后厦门将面临国际专业服务领域高水平的竞争。为了在竞争中立于不败之地，首先必须认真学习和研究与WTO相关的国际专业服务规则，在国内专业服务市场上尽快采用国际标准和国际惯例接轨，使厦门的专业服务人员能够适应国际市场竞争的要求，为参与国际竞争打下良好基础；其次，要不断提高专业服务人员的职业道德水平和业务技能，确保执业质量；再次，要深化专业服务领域管理体制改革，尤其要加快中介机构的脱钩改制，建立个人信用制度，促进专业服务机构依法、独立、公正地行使职能；最后，要充分发挥厦门外贸部门熟悉国际市场行情和国际贸易运作惯例的优势，积极为厦门乃至国内专业服务人员开展国际服务贸易牵线搭桥。

(十二)发挥试验区作用，把保税区办成符合WTO规则的自由贸易区。一是积极探索实现保税区及其港区一体化的具体途径，加强港口与保税区的合作，共同推进一体化。加快建设保税区专用码头，同时开通保税区至东渡港区深水泊位的保税通道，保证进出口货物的仓储流转顺畅；建立货物分拨中心，作为港口物资的后方集散地，方便国际集装箱运输业务的开展。二是开展保税区离岸金融业务，利用保税区"境内关外"的特点，准许中资银行拓展离岸金融业务，降低保税区外资银行准入条件，扩大经营权限和范围。三是努力开拓现有政策的功能优势，积极拓展保税区的各项业务，推动国际服务贸易有实质性进展，吸引国际租赁、国际航运、国际法律服务、国际商品展示，以及国际货运代理公司进入保税区拓展业务。

（十三）利用加入WTO的机遇，促进厦台经贸合作的发展。首先要深入研究WTO有关规则，在厦台合作中争取主动。两岸加入WTO后，都必须遵循世贸的有关规则，两岸经贸合作将在WTO的框架下进行，台湾当局的政治限制必将受到削弱。厦门应组织专家、学者、企业家共同深入研究世贸的有关规则，深刻理解，熟练应用，当台湾当局的限制措施违反WTO的规则时，要善于运用世贸组织的有关规则，迫使台湾当局放弃不公平的贸易、投资限制。我们应该善于运用WTO框架内的各种手段促进厦台经贸合作的健康、稳步发展。其次要适时扩大厦台经贸合作的规模。厦门应该充分利用“入世”后我国放宽投资领域的有利时机，扩大对台招商引资的范围，提高对台招商的层次。同时要抓住“入世”后台湾当局必须放弃对大陆产品输台人为限制的时机，大力开辟对台贸易货源，通过采取投资建立出口产品基地，进行独资、合资或合作生产，或向生产厂商收购出口或代理出口等多种形式，保证有丰富的出口货源，组织有优势的产品出口台湾，借机扩大贸易额，缩小两地贸易逆差。此外，还可以利用台湾开放陆资进台的机会，在台湾开设“窗口”企业，便于获取信息，直接宣传厦门的投资环境，展示新产品，有利于扩大招商引资的影响范围，进一步拓宽厦台两地经贸合作的渠道。第三，明确定位，再造特区新优势。厦门虽然具有对台的区位优势，但一直以来，定位不够明确，造成工作方向不够明朗，对台特殊区位优势没能较好地发挥。随着祖国大陆全方位的开放，外商投资焦点已转向长江三角洲、珠江三角洲及西北地区，特别是中国“入世”后，大陆经济朝普惠制方向发展，厦门特区的对台区位优势将日趋弱化。目前厦门亟待解决的问题是如何定位，找准切入点，再造特区新优势。厦门应努力成为海峡两岸一国两制的缓冲地带和两岸自由贸易区。第四，加快厦门港口现代化建设，争取成为两岸直航首选地。“入世”后，台湾必将调整现有的大陆经贸政策，加快两岸“三通”的步伐，厦门应该抓住这一契机，加快港口现代化建设步伐，建立高效的港口联检机构，简化进出港和通关手续，逐步健全适应未来直接“三通”的港口管理体系，争取厦门成为两岸海上直航的首选地。

四、需要争取的政策

（一）按照邓小平视察厦门时提出的实行自由港某些政策时的特定对象、范围，将厦门经济特区的功能扩大，设立“对台自由港区”或“海峡两岸自由港区”，与台湾拟设的“经贸特区”对接，以此带动两岸物流、人流和资金流。

（二）向国台办争取下放赴台手续审批权，直接受理申请，有权批复，以便简化手续，缩短申请时间，促进厦台两地的各项交流与交往。

（三）将保税区作为“入世”的试验区，率先在保税区内试行市场准入。1. 率先放开一般贸易经营权。赋予区内贸易公司拥有进出口经营权，直接在非保税区收购商品出口，不必通过区外企业进行，无条件限制地从事保税区与非保税区之间的贸易。2. 区内加工性、生产性企业应准予有自营产品进出口经营权，放开特种机械维护业经营权。3. 区内企业采购国内零部件、原材料进行出口加工的视同出口，依照国家有关出口退税的规定予以退税。4. 放宽经常项目下的外汇管制，实行经常项目下的货币自由兑换，取消区内企业自行购汇管制。5. 允许在保税区设立中外合资、合作的法律咨询公司。

（四）港口先行先试政策：1. 允许外国（境外）船运公司及其附属机构进港并享有与国内同类企业相同的国民待遇。2. 经由厦广港中转的货物和海峡两岸试点直航的货物实行保税。3. 东渡港区经保税区出口的货物实行一次性检验。4. 统一厦广口关区与厦门检验检疫部门、海事部门的管理区域，避免对同一管理区域内对同一票货物的重复检验。

(五)旅游业先行先试政策：1. 允许厦门根据实际条件，兴办中外合资旅行社，引进国外旅行社的资金、人才和管理经验。2. 允许外商在厦投资兴办独资旅游饭店及大型旅游、文化娱乐公园、人造景观、旅游餐饮企业、旅游购物中心。3. 允许厦门旅行社到国外开设分支机构。

深圳外资银行试点经营人民币业务对中国银行业的影响

刘　群

1998年8月11日，中国人民银行宣布，经国务院批准，深圳成为继上海之后第二个允许外资银行试点经营人民币业务的城市。同年8月13日，中国人民银行深圳分行发布了《深圳外资金融机构试办人民币业务原则指引》，引起了深圳外资银行的强烈反响，许多外资银行，随即向中国人民银行深圳中心支行提出了试办人民币业务的正式申请。自1998年汇丰、东亚、南商、渣打经中国人民银行批准获准经营人民币业务后，1999年又有东京三菱、花旗和2000年又有富士、三和获准开展这一业务。深圳外资银行试点经营人民币业务，是我国银行业对外开放的一个标志，是中国政府入世前的一项前期准备，作为银行业开放的一个尝试，它的探索必将为我国银行业入世带来有益的启示。

一、深圳外资银行的基本情况

《深圳外资金融机构试办人民币业务原则指引》规定，申请经营人民币业务的外资金融机构必须具备的条件是"在中华人民共和国开业3个会计年度以上，无违法或不良记录，且在提出申请前连续两个会计年度盈利"，"在申请前一年，外国银行分行境内外汇贷款月平均余额在1.5亿美元以上，申请经营人民币业务的外资金融机构境内外汇贷款月平均余额占其外汇总资产月平均余额的50%以上"。深圳现有营业性外资银行27家，从上述条件看，深圳有很多外资银行达到了申办人民币业务的要求。

第一，在资产方面，截至1999年12月末，全市外资银行总资产为410332.68万美元，比上年同期下降16.31%，资产总额超过15000万美元的银行有12家，分别为汇丰、花旗、华商、东京三菱、三和、渣打、富士、东亚、南商、华联、荷兰和巴黎。放款余额为331975.16万美元，比上年同期下降20.45%。资产方面呈现三个特点：一是外资银行试点经营人民币业务后，促进了我国银行业加强经营管理，苦练内功，而我国银行业管理水平的提高，又使得外资银行与我国银行争夺市场份额的竞争趋于激烈，从而导致外资银行业务呈下降状态。二是放款和联行占款是主要的资金运用项目和生息资本。三是放款结构基本合理，促进了深圳和珠江三角洲地区经济结构的调整，这又具体表现为：其一，从放款的区域分布来看，深圳外资银行的业务覆盖面不仅限于深圳经济特区，同时还辐射到珠江三角洲地区，甚至内地。此外，境外放款所占比重不大，表明其信贷资金主要用于支持境内企业。其二，从放款的客户类型来看，外资企业比重最大，同时由于外资银行还是国内非银行金融机构筹措外汇资金的一条重要渠道，因而对国内金融机构放款也占有一定比例。其三，从放款的期限来看，中长期放款比例明显高于短期放款，这表明外资银行中长期项目贷款较多。其四，从放款余额来看，目前，放款余额最大的行业都集中在深圳的商业服务业、通讯电子和能源交通等支柱产业和基础产业，表明外资银行放款投向与深圳的产业发展方向基本吻合。

第二，在负债及权益方面，截至1999年12月末，全市外资银行存款余额为76118.18万美元，比上年同期上升0.79%，联行往来(负债项)余额262836万美元[联行往来(资产项)余额39837.01万美元]。资本(或营运资本)为42061.7万美元，比上年同期增长18.86%。负债方面呈现二个特点，一是外资银行由于吸收境内存款受到了我国监管法规的限制，因而其负债具有特殊的结构比例，主要依靠联行负债支撑资产增长。二是依靠国际经营网络从境外调入大量的资金，境外调入资金明显多于资金调出，表明为资金净流入。

第三，在人民币业务方面，截至1999年12月末，深圳获准经营人民币业务的6家外资银行，人民币贷款余额为105270.89万元，比上月增长48%，人民币存款余额为72699.28万元，比上月增长45%，存款增长的资金来源主要是向深圳国内银行折入资金。人民币资产余额为169846.56万元，比上月增长52%。从整体上看，深圳外资银行经营人民币业务保持着良好的发展态势。

第四，在盈利方面，截至1999年12月末，全市外资银行总体略有亏损，其亏损的主要原因是到期利息支出增幅较大和由于深圳国内银行业管理水平提高导致与深圳国内银行业竞争加剧使其本币业务缩减以及经营成本加大所致。

表1　深圳外资银行主要业务指标一览表

单位：亿美元

	1995		1996		1997		1998		1999	
科目	金额	较上年增长	金额	较上年增长	金额	较上年增长	金额	较上年增长	金额	较上年增长
资产总额	41.1	9.0%	53.1	29.1%	61.7	16.2%	55.7	—9.7%	41.3	—16.3%
放款	30.0	25.2%	37.1	22.4%	45.9	23.7%	41.7	—9.1%	33.2	—20.4%
…										
负债及权益	41.1	9.0%	53.1	29.1%	61.7	16.2%	55.7	—9.7%	41.3	—16.3%
存款	606	—33.3%	7.6	15.2%	8.6	13.2%	7.5	—12.2%	7.6	0.79%
税后利润	0.5497	68.1%	0.5918	7.6%	0.7711	30.3%	略盈		略亏	
…										

(**资料来源**：中国人民银行深圳中心支行外资金融机构处)

上述情况说明，深圳外资银行经营人民币业务呈现上升态势，但由于竞争的加剧和其本币业务的缩减以及经营成本的加大，导致利润下降并在1999年略有亏损。这也表明，即使我国完全开放银行业市场，而市场竞争的结果以及市场饱和度的限制和市场原有份额分配格局形成的定势，都会使得外资银行不可能轻而易举地占据我国银行业市场并得到更多的利益，同时还表明，只要我国银行业不断加强经营管理，提高自身素质，苦练内功，在银行业市场上占据绝对优势的就仍然还是我国的银行。

二、深圳外资银行试点经营人民币业务对中国银行业的启示

根据世界贸易组织《服务贸易总协定》有关条款规定，我国加入世贸组织后，要求对外开放金融市场，取消外资金融机构经营人民币业务的限制，保证国内外金融机构平等竞争的权利。1997年12月12日在日内瓦制订的《金融服务协议》规定：各国允许外国在国内建立金融服务公司并按竞争原则进行；外国公司享受同国内公司同等的进入市场的权利；取消跨边界

服务限制；允许外国资本在投资项目中所占比例超过50%等。一句话，我国加入世贸组织后应遵循两大原则：即市场准入原则和国民待遇原则。而外资银行在我国待遇的变化将表现在以下几个方面。

第一，在业务范围上，外资银行将享受与我国银行同等的待遇：①以经营外币业务为主转变为既经营外币业务又经营人民币业务；②可以经营债券业务，如买卖政府债券、发行金融债券等；③由经营批发业务（企业单位的人民币业务）扩展到零售业务（中国居民的人民币业务）；④由进出口结算业务扩大到国内结算业务；⑤外资银行还可以经营目前我国暂缺的其他形式的金融服务，等等。

第二，在机构设置上，将有更多的外资银行及其分支机构进入我国，设立经营性机构。

第三，在地域上，目前外资银行在我国还主要是单元制，跨省区开展业务尚有一定的困难，我国加入世贸组织后，将有更多的外资银行在更宽的范围内选择其经营地域，最终将取消地域限制。

第四，在服务对象上，我国加入世贸组织后，外资银行将突破目前仅向三资企业提供外汇业务和部分人民币业务服务的局限。

外资银行在我国国民待遇的实现，意味着我国银行和外资银行将进入全面竞争时代。但是，由于我国是以发展中国家的身份申请加入世贸组织的，因此，针对这一特点，我国银行业市场的开放在入世的五年过渡期内的安排是：“入世”后第一年，全面开放外汇业务；“入世”后第二年，全面开放批发业务；“入世”后第五年，全面开放零售业务。即“入世”后的第五年，我国对外资银行实行完全的市场准入与完全的国民待遇，五年后，我国银行业服务的游戏规则必须和国际金融制度完全接轨。我国银行业作为一个“与世隔绝”太久的行业，“入世”后，将面临着全方位的冲击和挑战，而深圳作为我国继上海之后第二个允许外资银行试点经营人民币业务的城市，理应在试点期和未来五年过渡期内为中国银行业的“入世”探索宝贵的经验，提供有益的启示。

1. 中国人民银行具有对外资银行实施金融监管的能力

如果说，金融市场的开放程度，主要取决于中央银行的监管能力，那么，深圳能够成为第二个外资银行试点经营人民币业务的城市，无不与深圳的金融监管能力有着密切的联系。

早在1982年1月，深圳特区甫建，南洋商业银行即在深圳开设分行，成为第一家在中国营业的外资银行。当一家外资银行来到深圳后，中国人民银行深圳分行即开始了对外资银行的金融监管，通过十几年的监管实践，已逐步积累了一套行之有效的监管外资银行的经验，建立了一支熟悉国际惯例的高素质监管队伍。近些年来，通过对外资银行的现场检查和非现场检查，初步建立了比较科学的非现场监管报表系统、经营风险预警系统和年度资产风险综合评级系统。

对外资银行资产风险的监管，是中央银行实施金融监管的重要部分。中国人民银行深圳中心支行根据《巴塞尔协议》的要求和境内银行业资产风险监管的实际需要，借鉴国际上银行评级办法，在国内首创了“资产风险综合评级体系”，于1996年月12月发布了《深圳市外资金融机构资产风险综合评级试行办法》，对外资银行资产的安全性、流动性和盈利性等各项风险监管指标进行考核，并根据各个指标所占权重确定最后得分，依据得分评定外资银行的风险级别，共分为五类，并将评级结果书面通知被评级的外资银行。中国人民银行深圳中心支行的评级报告，引起了外资银行的高度重视，他们经常以评级来检查自身的业务工作和内控制度，尽量消除潜在风险。

外资银行的内部控制制度如何，关系到其自身是否能健康运作。为了加强行业自律，中国人民银行深圳中心支行在国内率先建立了通过外资银行同业公会实行行为自律的监管机制，并且每年都对外资银行进行专项检查，采取现场检查的方式，先听取外资银行负责人对有关内控制度的汇报，然后调阅该银行有关的内部控制制度档案和内部审计报告，了解各内部控制制度的具体实施情况，就岗位责任、工作流程等业务内容询问各部门经理及具体工作人员，对资产质量管理、信贷管理、存款业务管理、汇兑业务管理、外汇买卖业务管理、现金管理等制度进行全方位检查，使中国人民银行深圳中心支行对各外资银行内部控制制度的基本情况做到心中有数，并就此对各外资银行做出较为客观的评价。

在实践中，中国人民银行深圳中心支行遵循国际惯例，健全和完善了中央银行监管和社会监督相结合、立法监管与自律监管相结合、合规性监管与风险性监控相结合的全方位、多层次监管模式，针对外资银行不同于国内银行的独特的一面，走出了一条自己的独具特色的监管之路。

金融开放总是相对的，而金融监管却是绝对的，这是金融发展的两大特点，世界各国都是如此。虽然我国的金融监管制度在各方面还很不健全，虽然面对“入世”后我们还可能碰到许多突如其来的意想不到的问题，虽然深圳和全国一样都还得继续为加强金融监管、保护国家金融安全而努力，但是在今天，深圳对外资银行的金融监管经验可以使我国在监管制度建设上少走许多弯路，有了这些经验，我们就能够有充足的准备迎接入世后的挑战。

2. 深圳经济的发展需要外资银行经营人民币业务

1982 年 1 月，当南洋商业银行深圳分行成为第一家在中国营业的外资银行时，不仅为深圳带来了宝贵的资金，还为深圳的外资企业提供了更多符合国际惯例的金融服务，使得那些对中国经济改革持观望态度的外商增强了投资信心，这在一定程度上起到了吸引更多外商前来投资的作用。目前，深圳共有外资企业 13100 多家，其工业产值和出口总额分别占全市总额的 76% 和 55%，外资银行的进入，为深圳的外资企业提供了形式多样的金融服务。以放贷一项为例，外资银行就可提供活存透支、活期存款、打包放款、定期放款、银团贷款等多种形式，为外商在深圳投资创造了良好的金融配套服务。同时，外资银行为外资企业提供全面快捷的国际结算服务，大大提高了资金周转速度，有效降低了外商投资成本。在外资银行经营人民币业务之前，深圳外资企业一个较大的困惑就是人民币配套资金不足，因此，进一步支持外资企业的发展，更多地引进外资和促进出口，适时地允许外资银行开办人民币业务，不仅可以缓解深圳外资企业每年引进 20 亿美元以上外资所需人民币配套资金的压力，还能解决外资企业在外资银行和内资银行分别开立外汇账户和人民币账户而造成资金使用效率低下的问题。

由此可见，允许外资银行经营人民币业务，使外资银行获得了更为广阔的发展空间，而深圳经济的发展也需要外资银行经营人民币业务，从而，深圳外资银行已越来越成为深圳金融体系中的一支重要力量。

3. 开放市场将促使我国银行业长足发展

从深圳国内银行业的发展历程看，深圳国内银行业之所以具有较强的竞争能力，是由于市场的开放促使深圳国内银行业加强了经营管理，改善了服务质量，提高了竞争意识。因此可以说，深圳外资银行的进入，市场竞争的加剧，迫使深圳国内银行业解决了经营效率低下的问题。同理，我国加入世贸组织后，短时期内，市场开放的紧迫感可能会使得我国银行业面临许多前所未有的挑战，但是，从长期看，市场的开放对我国银行业来说，一定是机遇大于挑战。

第一，允许外资银行经营人民币业务，有利于提高我国银行业的经营管理水平。根据《深圳外资金融机构试办人民币业务原则指引》规定，在深圳获准经营人民币业务的外资银行大多是国际上著名的大商业银行，这些银行其经营管理和内部控制水平都比较高，在服务质量、业务品种和工作效率等方面都有一定的优势。而深圳国内银行业从外资银行的经营理念、管理手段、业务创新上学到了很多宝贵的经验，这些经验推介全国，必将缩短我国银行业现代化的进程。

第二，允许外资银行经营人民币业务，可以进一步强化我国银行的市场竞争能力，改善服务观念，提高服务水平。长期以来，我国有些银行习惯于官商衙门作风，足不出户指望生意送上门来。加入世贸组织后，外资银行可进入的业务领域拓宽，外资银行数量也会不断增加。新的竞争机制，新的竞争对手，新的经营管理手段和技术等，无疑会对我国银行业起到很好的示范作用，会促使我国银行在体制和观念上对自身进行改革，以增强竞争能力，促进我国银行业向国际化方向发展。

第三，允许外资银行经营人民币业务，有利于促进我国银行体制改革的深化，优化贷款结构，减少不良资产，加大清理不良资产的力度。根据《服务贸易总协定》的透明度原则，任何加入世贸组织的签字国都必须把影响服务措施的有关法律、行政命令及其他决定、规则和办法，在生效以前予以公布。这就要求我国要对现有的金融法律、法规进行补充和完善，增加透明度。加入世贸组织后，我国必须以国际惯例和市场经济的游戏规则为准则，杜绝或减少行政干预。一方面减少国有银行的超额贷款，另一方面减少政策性贷款业务，从而铲除滋生银行不良资产的土壤，提高我国银行的资产质量以及抗风险的能力。

第四，允许外资银行经营人民币业务，有利于培养人才。外资银行的进入虽然会由于先进的经营管理水平和员工高报酬吸引部分国内人才，但它在招聘员工的同时，也会向我国银行和企业推销其新业务，使我国有关从业人员得到学习和提高的机会，并能够及时了解国际最新业务，从而为我国银行业的健康发展注入活力。

需要指出的是，有些人担心，我国开放银行业市场后，会造成国内银行业出现"人才荒"现象。其实，这种担心是多余的。

从深圳情况看，早在1988年以前，由于深圳外资银行福利条件较好，确实出现过国内优秀专业人才流向深圳外资银行的状况。但是，随着我国经济的发展，深圳国内银行不仅努力通过提高薪金、福利等条件来吸引人才，而且还通过提拔、重用等方式来留住人才，并且在吸引人才、留住人才方面，其条件也越来越优越于深圳外资银行。由于吸引人才是个综合概念，它要受一系列因素的影响，这其中不仅包括工资、福利等因素的影响，更主要的是包括对人才本身发展前途的影响，因此，在人尽其才，充分发挥人才的作用方面，深圳国内银行其用武之地已经远比深圳外资银行要宽阔得多。并且在以后的时间，已经有越来越多的人才集中于深圳国内银行，甚至还出现越来越多的深圳外资银行人才流向深圳国内银行的状况。

第五，从深圳外资银行现行状况分析，我国加入世贸组织后，外资银行对我国银行业开展竞争的领域暂时不会威胁到传统业务上，但是，外资银行会凭借自己的优势特点，在相关的金融技术、网上银行服务、汇款、托收和信用证进出口结算等中间业务领域以及金融创新业务方面与我们开展竞争，还会在推销它们本国产品、发展它们本国经济的消费信贷方面与我们开展竞争。这些业务具有风险小、成本低、利润高的特点，是全球银行业的一个新的利润增长点，在有些发达国家，银行利润增幅的60%以上来源于中间业务，因此，面对外资银行在这些方面与我们开展的竞争，如果我们不下大力气改善服务质量，提高经营水平，我们就将丧失一部分市场，失去一部分利润，甚至危及我们原有的传统业务的市场占有份额，这是我国银行业需要面对的一个严峻问题。

4. 我国银行具有迎接入市挑战的基本实力

深圳作为我国金融业最为发达的城市之一，其国内银行业经过20年的发展，已积累了较为雄厚的实力，完全具备了与外资银行开展人民币业务的竞争能力。目前，深圳分行级以上的国内银行已达15家，网点达到1300余个，从业人员超过2万人，而深圳外资银行的机构27家，网点28个，从业人员数百人，因此，深圳国内银行业在网点设置和客户基础方面占有绝对的优势。就全国而言，近几年国内银行业在改革发展中不断壮大，运行规则已逐步向市场经济转变，也积累了不少经验。与外资银行比较，我国银行业优势表现在：

第一，我国银行具有本土经营优势。我国银行根植于中国，有厚实的客户基础和庞大的经营网络，这是外资银行所不可比拟的，外资银行对国内情况尤其是文化背景的了解有一个过程，并且缺乏国内的客户基础。

第二，我国银行实力不可低估。工、农、中、建四大国有商业银行和交通银行均已进入全球1000家大银行之列。尤其突出的是，1999年美国《财富》杂志在以营业收入排序中，我国工商银行列世界大企业500强中第160位；在《欧洲货币》和英国《银行家》杂志以所有者权益排序中，我国工商银行列全球大银行第六位。除四大国有商业银行外，我国还有10家全国性股份制商业银行和近百家城市商业银行。我国的银行网点数以万计，从业人员数以百万计。而截至1999年2月底，外资银行在我国的经营机构及网点数不到200家，从业人员则相对更少。因此，在一个较长的时期内，外资银行在我国的实力相对我国银行业来说是望尘莫及的。

总之，“入世”在即，深圳外资银行经营人民币业务虽然在短期内会对深圳国内银行业产生较大的压力，但是从长期来看，它会促使深圳国内银行业提高自身的竞争能力。而试点的结果使得深圳人民币信贷市场更加充满活力。因此，只要我国银行业坚持苦练内功，在业务上不断深化创新，在体制上致力壮大完善，在制度上继续深化改革，我国银行业就一定能够应付入世后所带来的一切冲击与挑战。

加入 WTO 后深圳银行业存款业务浅析

徐晓光

2001 年 11 月 10 日，我国正式成为 WTO 的成员，15 年的努力，终于可以画上一个圆满的句号。加入 WTO 对我国各行业都将是机遇与挑战并存，所以，对我国的银行业来说也不例外。

根据 WTO 有关协议，我国将逐步取消对外资银行的限制。在外资银行的外汇业务方面：正式加入 WTO 时，外资银行可以对中国各地的中资企业及中国居民开办外汇业务。在外资银行经营人民币业务的地域方面：加入时，开放深圳、上海、大连、天津；加入后一年内，开放广州、青岛、南京、武汉；加入后两年内，开放济南、福州、成都、重庆；加入后三年内，开放昆明、珠海、北京、厦门；加入后四年内，开放汕头、宁波、沈阳、西安；加入后五年内取消所有地域限制。在外资银行经营人民币业务的客户对象方面：加入后两年内，允许外资银行对中国企业办理人民币业务；加入后五年内，允许外资银行对所有中国客户提供服务，取消外资银行办理外汇业务的地域和客户限制，外资银行可以对中资企业和中国居民开办外汇业务，允许外资银行设立同城营业网点，审批条件与中资银行相同；取消所有现存的对外资银行所有权、经营和设立形式，包括对分支机构和许可证发放进行限制的非审慎性措施；允许设立外资非银行金融机构提供汽车消费信贷业务，享受中资同类金融机构的同等待遇；外资银行可向中国居民个人提供汽车信贷业务；允许外资金融租赁公司与中国公司在相同的时间提供金融租赁服务。也就是说，加入 WTO 五年后，外资银行和中资银行将实行同等的国民待遇。

一、深圳外资银行业现状

深圳作为改革开放的示范城市，已经在全国率先成立了外资银行，即 1981 年 7 月成立的南洋商业银行深圳分行。随后一些外资银行也看好了深圳的投资环境和中国市场，纷纷申请投资。到目前为止，深圳共有外资银行营业性机构 27 家，包括外国银行分行 24 家，中外合资银行总部和分行各 1 家，中外合资财务公司 1 家。此外，还有 5 家外资银行在深圳设有代表处。

从 1998 年开始，国家允许外资银行在深圳试办人民币业务，允许深圳外资金融机构可以全部或部分经营人民币的存款、贷款、结算、担保、国债和金融债券投资以及经批准的其他人民币业务。自 1999 年起，允许外资银行经营人民币业务范围扩大到异地客户开户、同业拆借、异地资金头寸调拨、个人消费信贷等业务。外资银行在 1998 年到 1999 年受亚洲金融危机、广信粤海事件等因素影响，经营曾出现了亏损。深圳的外资银行经营状况总体上呈上升趋势，截至 2001 年 9 月份，深圳外资银行的税前利润达 1040.38 万美元，资产总额达到 76.47 亿美元。

外资银行在深圳的外汇及人民币业务占据了一部分市场份额，规模不大，但从现在开始，深圳银行业将对外开放，必然带来外资银行数量增多，经营业务的品种及领域逐渐扩展，其先进的管理方式、经营理念、人才管理及激励机制等，对中资商业银行来说在业务、管理、技术、客户、人才等方面，都将会有不同程度的冲击。

二、加入 WTO 对深圳银行业存款业务的影响

中资商业银行在与外资银行竞争中，要想立于不败之地，首先要拥有资金实力，而雄厚资金的主要来源之一就是存款。那么，加入 WTO 对深圳中资商业银行存款业务会有怎样的影响呢？笔者认为，在短期内影响不大，中期会有较大的影响。

外资银行在短期内很难获得大量的中国存款客户。首先，外资银行的营业网点远不及中资银行，使存款客户感到不便。其次，中资银行的客户对外资银行管理、风险控制等方面还需有一个了解、认识过程。虽然，外资银行在和中资银行的人才竞争中，可能获得一部分在中资银行工作过的专门人才，这部分人才可能会努力把原来的一部分客户带走，但是，由于存在上述两方面的原因，所以这部分客户在短期内不会流失很多。中国客户在短期内是外资银行的潜在客户，要使这些潜在客户真正成为外资银行的存款客户，还要有一个过程。

加入 WTO 之后，随着深圳的开放，中外资企业、在深圳的外国人的数量也会随之增加。在这种情况下，对于中资银行来说，潜在的存款客户数量增加了，但这些新增的潜在存款客户在短期内能否大部分成为真正的存款客户呢？看来很难。主要是因为，中资银行与外资银行相比在一些方面存在一定程度的弊端：

中资国有商业银行存在较大的金融风险。由于政府的行政干预，企业经营效益低下及没有形成良好的信贷文化等因素影响，造成了国有商业银行不良资产比例偏高。如 1996 年，不良贷款总额超过 9500 亿元，同年四大国有商业银行的所有者权益和呆账准备金合计约 3200 亿元；目前，商业银行又面临企业改制过程中的严重逃债废债问题，据统计，截至 2000 年底，在四大国有商业银行开户的改制企业共有 62656 家，贷款本息 5792 亿元，其中经过金融债权管理机构认定的逃废债企业 32140 家，逃废银行贷款本息 1851 亿元，占改制企业贷款本息的 32%；中资国有商业银行的资本充足率平均不超过 4%，远低于巴塞尔协议 8% 的最低要求。可见国有商业银行的风险程度较大。此外，深圳的中资非国有商业银行规模过小，会使来深圳的外资企业及外国人，对中资国有商业银行及中资非国有商业银行在控制风险的能力方面产生不信任感。

科技创新及产品创新不够。在深圳，虽然推出了许多银行卡，但很难在全国方便地使用，这样势必影响外商在其他城市的业务。银行从业人员服务意识不强，外语水平不高，贷款限制等方面因素，都会影响这些客户到中资银行存款的信心。

我国商业银行为迎接 WTO 带来的挑战，应进行产权制度的改革、加快金融产品创新、拓宽中间业务领域、利率市场化、完善金融法规、加强风险管理、在适当的时候进行混业经营等方面的改革。所有这些改革，不会在较短时间完成，并且在改革过程中，还可能出现这样或那样的问题。而外资银行随着经营领域的扩大、地域限制的解除，五年后与中资银行平等竞争，就会以其先进的管理方式、资金、技术、经营业务等优势，被越来越多的客户所认同，进而吸引一些客户；此外，由于一些高素质的专业人才到外资银行任职，从中资银行带走一些优质客户，从而引起中资金融机构和中资银行的各项存款余额下降。

三、深圳市金融机构、国家银行各项存款余额的变动趋势

由于加入WTO，在短时间内对深圳银行业存款业务影响不大，所以我们可以进行存款余额的短期趋势预测。根据1980年至2000年深圳市金融机构、国家银行各项存款余额统计数据，作出深圳金融机构、国家银行各项存款余额的变化曲线，可以看出，深圳市金融机构、国家银行各项存款余额具有指数增长趋势，所以可以应用综合增长模型对两者存款余额进行模拟和预测。

1. 综合增长模型

$$Y(t)=\{y_{1b}+(y_{2b}-y_{1b})[1-e^{-a(t-t_1)}]/[1-e^{-a(t_2-t_1)}]\}^{1/b}, \quad (1)$$

其中 $a\neq0$，$b\neq0$

$$Y(t)=y_1\exp\{\ln(y_2/y_1)[1-e^{-a(t-t_1)}]/[1-e^{-a(t_2-t_1)}], \quad (2)$$

其中 $a\neq0$，$b=0$

$$Y(t)=[y_{1b}+(y_{2b}-y_{1b})(t-t_1)/(t_2-t_1)]^{1/b}, \quad (3)$$

其中 $a=0$，$b\neq0$

$$Y(t)=y_1\exp[\ln(y_2/y_1)(t-t_1)/(t_2-t_1)], \quad (4)$$

其中 $a=0$，$b=0$

在(1)、(2)、(3)、(4)中 $y_1=Y(t_1)$，$y_2=Y(t_2)$，a、b 为参数。

2. 应用综合增长模型，研究深圳金融机构、国家银行各项存款余额变动趋势。

首先，对金融机构各项存款余额的预测：

取 $t_1=1$，$t_2=21$，并取参数的初值 $y_1=2.0284$，$y_2=3169.00$，$a=1$，$b=-1$。迭代过程稳定，收敛时的参数估计值为 $y_1=0.4632$，$y_2=3174.363$，$a=0.1$，$b=-0.02$，相关系数 $r=0.99$。

其次，对国家银行各项存款余额的预测：取 $t_1=1$，$t_2=21$，并取参数的初值 $y_1=1.9966$，$y_2=1874.54$，$a=1$，$b=-1$。迭代过程稳定，收敛时的参数估计值为 $y_1=0.0909$，$y_2=1835.325$，$a=0.099$，$b=0.052$，相关系数 $r=0.99$。

应用综合增长模型，研究深圳金融机构、国家银行各项存款余额变动趋势的输出结果如下表：

深圳金融机构、国家银行各项存款余额预测值(亿元)及相对误差(%)表

年份	深圳金融机构各项存款余额预测值	深圳金融机构各项存款余额预测相对误差	深圳国家银行各项存款余额预测值	深圳国家银行各项存款余额预测相对误差
1991	358.97	19.29	282.61	12.91
1992	505.28	8.21	385.92	13.99
1993	690.1	4.98	509.55	3.06
1994	916.83	1.77	653.15	1.65
1995	1187.56	1.28	815.6	0.40
1996	1502.97	1.99	995.16	2.12
1997	1862.24	2.17	1189.59	4.35
1998	2263.09	1.1	1396.28	2.52

（续表）

年份	深圳金融机构各项存款余额预测值	深圳金融机构各项存款余额预测相对误差	深圳国家银行各项存款余额预测值	深圳国家银行各项存款余额预测相对误差
1999	2701.99	5.59	1612.47	3.54
2000	3173.88	0.15	1835.32	2.09
2001	3674.89		2062.05	
2002	4197.64		2290.09	
2003	4736.57		2517.07	

从上述输出结果可知，1993 年以来，深圳金融机构各项存款余额预测值与实际值相对误差的最大值为 5.58%，相对误差的最小值为 0.15%；绝对误差绝对值的最大值为 143 亿元，此时，相对误差为 5.59%，绝对误差绝对值的最小值为 4.88 亿元，此时，相对误差为 0.15%。国家银行各项存款余额预测值与实际值相对误差的最大值为 4.35%，相对误差的最小值为 0.4%；绝对误差绝对值的最大值为 54.13 亿元，此时，相对误差为 4.35%，绝对误差绝对值的最小值为 3.24 亿元，此时，相对误差为 0.4%。可见，应用综合增长模型对金融机构、国家银行各项存款余额进行预测，相对误差不大，预测效果较好。2002、2003 年深圳金融机构各项存款余额的预测值分别为 4197.64 亿元和 4736.57 亿元，深圳国家银行各项存款余额的预测值分别为 2290.09 亿元和 2517.07 亿元。

以横坐标轴代表年份，纵坐标轴代表存款余额，则深圳金融机构、国家银行各项存款余额的预测值(亿元)与各项存款实际值(亿元)曲线如下图。

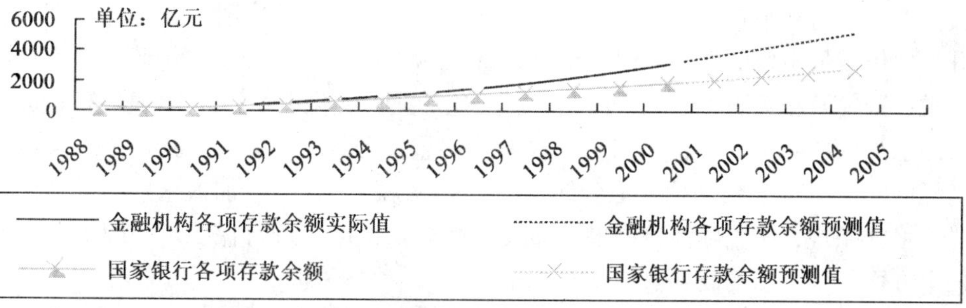

当然，应用上述模型，可以作长期预测，但预测的精度会降低，因从 2001 年 11 月 10 日开始，中国的金融业将步入一个新的发展时期，如果应用综合增长模型对未来长期趋势进行预测，应重新选取初值及样本容量。

通过上述分析可知，中国加入 WTO 后两年内，深圳金融机构、深圳国家银行各项存款余额的预测值，进一步可以推测出未来的两三年深圳金融机构和国家银行资金实力，所预测的资金实力，可以为金融机构或银行贷款决策提供参考。

总之，深圳的金融机构、银行应在未来的较短时间内，加大改革力度，利用加入 WTO 后在短期内对存款业务影响不大的有利时机，采取有效措施，稳定老客户，吸引更多的新存款客户，并有效地利用客户存款，开发各种贷款品种，提高银行盈利能力，使得深圳的金融机构、银行在与外资银行长期竞争中处于有利地位。

“入世”：深圳文化发展面临的挑战与使命

倪鹤琴

我们正处在一个改革、发展的伟大时代，历史条件的变化，使我们面临着新的挑战，也担负着新的使命。这挑战和使命，都与文化建构和社会发展息息相关。

文化是维系现代城市生存的基本要素，文化还是促进现代社会发展的一个重要经济因素。文化与经济的互动，文化与政治的渗透，乃至文化之于整个民族的兴衰，都迫使我们在关注文化问题时开阔视野，站在世界的制高点，作出战略决策，迎接挑战，不辱使命。

一、WTO之后

中国的改革开放走过20多年的辉煌历程，跨入21世纪，在对中国的社会发展进行新的展望时，我们谈论最多的就是中国加入世界贸易组织的话题。

1999年11月15日，中美双方终于就中国加入世界贸易组织达成双边协议，中国加入世贸组织迈入实质性一步；2001年11月10日，随着世贸组织第四届部长会议主席手中木槌一声敲响，中国“入世”得到了世贸组织最终的批准。“入世”后，中国将通过履行其在市场准入和国民待遇方面对外来资本、商品和服务所作出的各项承诺，使国民经济的各个领域全方位对外开放。仅就最主要的中美之间文化关系看，“入世”后，对中国文化产业最直接的影响体现在影视、音像及相关服务领域，因此，对文化产业、文化市场的冲击同样首当其冲。

中国已加入国际上所有有关知识产权保护的重要公约，包括《巴黎工业产权公约》、《马德里商标国际注册协定》、《伯尔尼公约》、《万国版权公约》等。加入这些国际公约，意味着我们必须恪守条规，按国际惯例办事，加大力度对知识产权进行保护。我国加入WTO之后，更有两个方面特别突出的问题。

一是在中美WTO谈判中中方承诺的条款，有一些内容属于文化产业领域的事情。好莱坞“大片”席卷全球(美国电影的国内外票房收入占全世界的74%)，美国传媒覆盖大半个世界(美国控制了全世界75%的电视节目和60%以上的广播节目的生产与制作)，而中美达成的双边协议作出的明确承诺有：第一，中国允许在与中国有关电影管理条例相一致的情况下每年以分账形式进口20部外国电影，用于影院放映；第二，在外资比例不超过49%的前提下，允许外国服务提供者建设和改造电影院；第三，在不损害中国审查音像制品内容的权力的情况下，允许外国服务提供者与中方伙伴设立合营企业，从事除电影以外的音像制品、娱乐软件的分销服务。

二是还有一些内容，例如互联网，看似属于其他领域，实际上同样会对我国文化产业带来冲击。因为互联网实际上已成为世界上最先进的传媒，不仅传播速度很快，而且具有跨地区、跨国界、覆盖面广的特点，对各类广告用户具有很强的吸引力。据美国一家大学提供的报告透露，1997年同互联网相关的企业产值为3010亿美元，1998年的产值则达到5070亿美元，涨幅超过60%，已成为美国第一大产业，其中很大一部分收入是从报刊、广播、电视等传统媒体的广告份额中获得的。而广告收入，正是以往这些传统媒体赖以生存的经济根基。面对这汹涌而来的"网潮"，人们最初还只是把互联网的出现当做一种科技现象，不予理睬，当广告份额大块大块地被割去，自己的生存受到了威协，欧美发达国家的传统媒体才感受到了它的冲击，制定了主动出击占领互联网市场的策略。最典型的，是世界传媒大王默克多宣布其新闻集团进军互联网市场，这一举措反映并代表了传统媒体新的觉醒。中国加入WTO之后，外国公司可以投资中国因特网业，中外合资的互联网公司必将迅速发展，投资比例在"入世"后的三年之内逐步达到50%并不受地域限制。因此，各种各样的信息服务内容一定会比现在更多，像欧美发达国家一样，我国现有的报刊、广播、电视的广告份额也必定会被互联网分割。

毫无疑问，加入世贸组织对中国文化产业将产生重大影响。文化产业是国民经济的重要组成部分，中国文化产业将在与世界文化市场互动式的接轨中面临前所未有的机遇和挑战。

首先，我国加入世界贸易组织之后，外国电影和音像产品势必会大规模涌入，占领我们的国产影片和音像制品市场份额，使我们现在并不景气的国产电影市场再加受一次重创；而扩大外资建改影院的比例以及允许外资与中方合资经营音像产品的分销，也将分别给我们现有的电影发行和放映体系以及音像产品的制作和流通体系带来冲击。但我们也应该看到，入世也给我们带来发展机遇，即发达国家雄厚的资金注入以及先进的技术力量和管理理念将带动我国电影和音像业的发展。与此同时，来自外部的竞争压力也迫使我们采取科学化管理的手段，顺应潮流，审时度势，及时调整政策和策略，以提高中国电影和音像产品的竞争力。

其次，飞速发展的信息技术越来越成为全球文化传播的重要介质，这其中最核心、最突出的工具就是因特网。根据中美达成的协议，我们可以预见，WTO之后，美国、日本等发达国家必将加大力度投资中国因特网并参与经营网络服务和网络内容。中国是历史文明古国，有着灿烂辉煌的文化，有着丰富的文化信息资源，早就有外国资本介入对像"故宫"这样的历史文化资源的开发，相信中国文化将成为外国网络投资者青睐的热门领域，好莱坞以中国历史故事为题材拍摄的电影《花木兰》赚了七亿美元，这就是个很好的例子。外国资本以网络媒体的形式介入中国文化，对开发中国历史文化资源、带动中国文化产业发展、促进中华文化传播会起到一定积极的作用。同时，因特网的迅猛发展也为我们打开了世界之窗，使我们有可能更多地了解和接触世界各国文化，为欣赏国外优秀文化产品打开了方便之门，为中外文化交流开创了更多的形式和机会。然而，同样必须看到，打开门窗之后，新鲜空气进来，苍蝇蚊子也会一同飞入，因特网也为外来文化特别是西方文化入侵中国大开方便之门。对此，我们必须要有防范意识。用一句通俗的话：提高警惕，保卫自己。

其三，与贸易相关的知识产权保护已被纳入世界贸易组织的管辖范围。虽然，在国内，关于知识产权保护的状况目前我们还不容乐观，要与国际接轨还有许多工作要做，任务非常艰巨。但是，中国加入WTO之后，将对我国文化领域的知识产权保护产生一定积极影响。一是它能为中国的民族文化产品顺利走向国际市场提供寻求和获取外国知识产权保护的便利；二是我国与外国发生知识产权争端时，它提供了一个规范化的多边解决机制，我国可以利用这样的机制来对某些国家用其国内法压制我国的霸道行为还以其人之道；三是我国虽然是国际知识产权组织的成员国，加入了知识产权相关的国际公约，但现行国内各项知识产权专门立法还不完善，加入WTO之后，将对我们形成巨大压力，这就促使我们必须认真思考这些问题，把它提到议事日程上来，早日完善立法，健全知识产权制度，及早制定战略，以便积极适应加入世贸组织后经济全球化的形势，在应对"入世"挑战时有充足的准备，使自己立于不败之地，并保持中华优秀民族文化在我们的思想文化领域中始终占有主导地位。

由于经济全球化带来了资本的自由流动和信息传播的自由交流，全球性资源的再分配拉动和刺激了规模空前的文化商品流动和文化形态对撞。人们都意识到，全球化实质是以西方发达资本主义国家集团为主导的，以美国为代表的西方强势文化利用其资本、技术和市场优势对其他弱势文化进行渗透、控制和强行"市场准入"，面对这种状况，世界上各民族国家的文化及其文化产业如何在全球化的背景下生存，选择符合本民族根本文化利益的发展道路，自然而然地成为民族国家文化和文化产业发展的一个突出问题。文化是一个民族的灵魂。文化发展不仅产生巨大的精神财富，而且自身创造巨大的物质财富，甚至新经济的增长不少还依赖文化的发展。我国加入世界贸易组织，应关注到世界经济结构和经济形态的新变化以及未来竞争对手在经济上所采取的策略，即我们必须面对新的经济环境，知己知彼，才能战无不胜。近几十年来，世界经济发展的主要趋势，是不断加重科技与文化在经济中的含量。这一趋势已经使世界经济的结构和产业排序乃至整个经济形态都发生了巨大的变化，科技产业和文化产业已逐渐成为新的经济形态中的两大支柱，深圳的发展也将逐渐体现出这种特点，文化产业和科技产业有望成为深圳经济发展新的增长点。对于这种新的经济形态，不久前召开的中央经济工作会议已明确提出"必须采取有力的政策和扶持措施加快信息、文化、教育、旅游、社区服务和中介服务的发展"。对此深圳应当而且有这个条件先行一步。

对深圳来说，面对入世的挑战，消极防御是无济于事的。就文化产业而言，积极的对策，一是运用报刊、广播、电视等传统媒体的文化资源优势、信息资源优势，以及已经积累起来的搜集、处理信息的经验优势，主动进军互联网市场，并借势形成一个传统媒体与先导媒体互补的新的传媒结构，实现深圳传媒业结构的优化升级；二是通过对电影发行业的院线建设、市场调查，开拓深圳文化产品的海外市场；三是全面总结并推广旅游文化成功的经验，在整体上推动深圳文化产业结构的调整和文化产业规模经营；四是最主要的问题，即解决深圳文化企业的产权明晰和投融资体制等问题。

二、深圳文化发展的空间

深圳是一个年轻的移民城市，在文化上具有蓬勃的创造活力，敢于创新，敢于开风气之先。由于其特殊的地理位置，它善于在中国传统文化与外来文化进行交融的基础上，大胆地进行创造新文化的尝试，这种实践，已经取得了宝贵的成就。而这种大胆创新的精神，正是深圳建设现代化国际性城市过程中所十分需要的。从中国的文化发展来说，目前仍处于一种从传统文化向现代文化发展、交融的转型期，在整体上还处于一种重构重建的过程中，深圳要想如经济试验场上那样在文化上有所作为，确立自己的文化地位，成为现代文化名城，首先就要有敢于创新、大胆创造的精神，在民族文化的重构中争当排头兵，在现代文化尤其是现代文化产业的建设中一马当先。这里，有一点非常关键，就是要继续保持特区文化已经呈现的文化上的开放性、包容性和先导性，不盲目排外，不存门户之见，充分吸收外来优秀的先进的文化。"泰山不让土壤，故能成其大；河海不择细流，故能就其深。"这样，我们就能在新的经济和文化环境中从容应对。

比起文化重镇的北京、上海等地来，深圳作为经济特区的崛起，文化结构相对松软，可塑性强。有新兴城市文化积淀的不深和文化建构本身存在的问题，也有面对"入世"的挑战所造成的文化真空。在经济全球化背景下对这片广阔的空间进行文化建构，我们首先会想到的就是如何防止外来文化入侵，建设我们自己的文化。从这个角度来思考，在我们看来，大致上离不开两个方面，一是政策，二是市场。

文化政策的目标，是要保持和促进一国一地文化的多样性、丰富性，同时又确保社会成员能够民主地享用文化和艺术。就政策层面而言，深圳需要加紧研究、制定和完善一系例文化政策和措施，包括科技文化政策、社会文化政策、文化产业政策、文化经济政策、对外文化交流政策以及精品生产机制、人才培养机制、文化体制改革措施等等，从政策的倾斜上体现对本地的文化保护和文化发展，有效抵御外来文化的入侵。

不妨让我们来看看欧洲发达国家政策性抵御的做法，从中可以借鉴一些经验，也能吸取一些教训。

欧洲发达国家的政策性抵御，在视听文化政策及对美国影业冲击的抵抗中尤为突出。

早在1921年至1934年间，德国、意大利、匈牙利、奥地利、英国、葡萄牙和法国，都先后采取配额和征税的办法来限制美国电影的入侵，用各种政府补贴制度来扶植本国电影业。由于这些政策和措施取得了实际效果，第二次世界大战结束后，欧洲各国政府都群起效之，广泛采用，这对推动欧洲电影业的发展起到了一定的积极作用。

但美国作为影视出口大国，二战之后，以实行“马歇尔计划”的欧洲“复兴计划”为诱饵，虽然对帮助欧洲医治战争创伤、加快社会发展起到了积极作用，但实质上，该计划目的是趁战后欧洲经济困难之机，打开西欧门户，以期控制西欧，大大削弱欧洲各国对自己的电影业的保护能力。欧洲各国意识到问题的严重性，竭尽全力予以抵抗。针对美国自身没有专门的文化部，解决文化上的争端也总是用经济自由贸易法则来作挡箭牌的霸道行为，欧洲各国联手起来坚决反对美国以自由贸易为口实，摧毁欧洲电影业的企图。作为一种妥协，1947年10月签署的关贸总协定给予电影业一种特殊的地位，即允许欧洲保护其视听产品，因此，欧洲各国保护本国影视业的浪潮暂时归于平静。到了20世纪80年代初，法国、爱尔兰、意大利和西班牙对电影的发行仍然实行配额制；而在广播电视领域，绝大多数欧洲国家则都按各国自己的法律实行保护性措施。

随着现代科技和经济的发展，大大促进了影视业的发展，影视业所带来的经济效益比以往任何时候都大。但在欧洲，人们缺乏应有的市场意识，特别是轻视影视产品的商品属性，没有下力气建立自己的视听工业，因此，欧洲视听产品很难打入国际市场，即使在欧洲也缺乏应有的竞争力。与此相反，正是看到了这一弱势，为向欧洲市场倾销其视听产品，美国人建立了一套强大的视听工业体系。到了20世纪90年代，美国影视产品在欧洲的占有率已高达76%，在很大程度上垄断了欧洲市场。针对好莱坞电影大举入侵的局面，欧洲电影界人终于发出了“欧洲电影到了最危险的时刻”的吼声。于是，在1986年的乌拉圭回合谈判中，欧盟要求给予欧盟各国的电影及电视工业以“特别待遇”，美国方面则针锋相对，提出任何属于商品的东西都不应列在谈判之外。欧美双方各执一词，并未能就视听产品问题达成协议。由此，欧美电影大战进入了一个新的高潮。以往在影视业颇有影响的法国，在对美国的文化抗衡中可以说是不遗余力，这首先从财政支持上可以看出来。据联合国教科文组织提供的数据表明，1996年法国政府文化预算达110亿欧元，比欧洲的德国(75亿欧元)、意大利(30亿元)、西班牙(20亿元)、荷兰(10亿元)都高。其次，从实际成果看，法国1999年各类图书的零售业额为250亿法郎，居文化产业中各部门的营业额之首，唱片生产1999年全年零售营业额达120亿法郎，成为全国第二大文化产业，电影院的年营业额为55亿法郎，其后是各类媒体产品，全年营业额为48亿法郎。在多媒体产品和音乐光盘流行的今天，购买和收藏各种唱片仍是很多法国人的爱好，法国的唱片市场是位居美国、日本、德国和英国之后的第五大市场。

这给予我们一些启迪：

第一，要以主动的姿态出击，从宏观上积极制定文化发展策略以及相关的一些文化政策是非常必要的，这是历史赋予的使命；第二，要有针对性地研究国际文化发展走向，及时掌握世界文化发展态势和各种信息、动向，扎根于我们中华民族文化的深厚土壤，使我们所制定的政策既有宏观伟略又有的放矢；第三，必须及早行动，牢牢掌握民族文化的主动权，坚定不移地发展自己的文化产业。

如果说国家的政策性抵御多少还带有一种被动的防范，那么，抵御外来文化入侵的主动姿态就是发展自己的文化，在当前的世界环境和国内条件下，更应注重发展自己的文化产业。

在文化产业发展中，文化在三方面对一国、一地的社会发展产生明显的影响：一是文化产业直接或间接地创造就业机会，起到维护社会稳定、促进经济效益的作用。如在美国，娱乐业早已成为一个主要的行业，解决了一大批就业人员的后顾之忧。在英国，直接或间接雇佣人员约 14 万人，而且该产业的从业人数以每年 5% 的速度增长，这是全国平均数的两倍。澳大利亚政府发现，文化产业的就业潜力增长比其他任何行业都快得多。二是文化在社会发展中形成一种越来越重要的投资市场，即文化不仅创造精神价值，而且还积极创造经济价值。2000 年，在芬兰的倡议下，欧洲文化产业发展的框架性合作计划启动。加拿大政府强调文化工业的作用，制定了支持文化产业生产和销售的方案。在澳大利亚，文化产业在国民经济中与银行业、电器业或公路交通业平起平坐，并从 1993 年开始就实行一项文化产业发展计划，其目的是加强文化产业的商业和销售策略并帮助文化产业实现其经济价值。英国创作产业(指生产出诸如艺术、戏剧、舞蹈、文学、音乐、设计、媒体内容、知识产权、电脑软件和游戏等)年产值达 600 亿英镑，占国内经济的 4%。三是文化不断地提高社会凝聚力和相互作用，对社会发展提供精神动力和智力支持。欧盟致力于在新的世纪建设一个“文化的欧洲”，目的就是要保持欧洲的价值观。事实上，世界上大多数国家都已经意识到文化对本国精神价值形成的重要作用。

鉴于文化产业在文化政策中所占有的重要地位，为了使文化产业得到更快更有序的发展，成立政府的或半政府半民间的专门的文化产业管理机构，以保障政府的文化产业政策得以落实，就显得非常紧迫。

西方各国政府文化主管部门，以往基本上都没有专职的管理文化产业的行政机构，无论官方或半官方的文化艺术管理部门内设机构，基本上都是按照不同的文化艺术门类、行业和综合业务分工而组建机构、划分职能。随着文化艺术某些行业产业化程度的日益提高和规模经营的不断扩大，最近的十多年来一些西方国家如加拿大等国开始进行相关的机构调整，扩大了某些主管机构的职能，并且新设立了某种形式的协调机构等等。比如，日本教科文部建立了一个独立的多媒体计划开发部门。加拿大通讯部于 20 世纪 80 年代末建立，英国的文化、新闻、体育部则于 90 年代初建立健全起来，两个部名称不同，都是把新闻、广播、影视、出版、娱乐等包括在内的各门类文化艺术事业通统集于一部管辖之下。英国议会和内阁还于 1998 年作出决定，把向来属于贸工部管辖的音像业也划归文化新闻体育部，完全实现了文化管理体制的大一统格局。大势所趋，我们必须顺应潮流。在国内，国家文化部在机构改革、编制紧缩的情况下，新增了文化产业司，各地如上海、云南等地都已在宣传部内设立了相应的文化产业管理机构。对此，深圳怎么办？需要作出切合实际的定位。有一点必须明确：文化产业发展关涉到多个部门，为了避免部门与部门之间产生矛盾，应设立一个相应的机构，逐步实现对所有涉及文化产业的部门进行大文化概念的集中统一的协调管理。

从以上看出，“行政干预”并非就是“中国特色”，在西方许多国家中，对文化产业的“行政干预”从财政支持到机构设置都能明显体现出来。但与此同时，在现代社会条件下，市场的作用越来越体现出来。我们明确指出这一点，是要避免进入一个认识上的误区，即认为只有政府干预才会出高质量的文化产品，而采取市场方式只会使文化艺术质量因粗制滥造而得不到保证。这种看法在文化产业的发展中是尤为错误的。西方不少有识之士就对此有相当深入的认识与研究，文化艺术批评家布鲁诺·弗莱提出必须澄清一种常见的误解。人们通常认为文化艺术的内容完全取决于政策的选择，甚至认为没有政府的干预，只会有低水平的艺术活动与成果；而那种依靠市场价格体系作用的特定措施似乎只能同质量低劣的文化艺术相联系，其实这种论点是站不住脚的。许多事实证明，最高水平的艺术不少是通过市场活动得以完成的。自 1996 年以来，北京音乐厅对高雅艺术进行市场化操作，取得了经济效益和社会效益双丰收；1997 年开始，中演公司对芭蕾艺术进行市场运作，它的成功证明，高雅艺术经典和中国芭蕾艺术都可以通过市场方式获得艺术的成功与大众的支持。浙江小百花对民族艺术的市场化运作也证明运用市场来保护自己是完全合理且切实可行的。相比之下，政府的资助既可能产出高质量的艺术，也可能产出质量低劣的艺术，这取决于政府究竟采取何种类型的干预方式，其行政干预是否有效合理。

在此，有必要结合深圳的特点，提出深圳文化产业先行发展的主要内容和促进文化产业发展的相关要素。

在我们看来，搞文化，既要谈文化事业也要谈文化产业；既要谈投入，也要谈产出；既要谈文化发展的数量，也要谈文化产业产值；既要谈满足人民群众精神文化生活、促进精神文明建设的作用，也要谈它对社会经济的促进作用。文化部门不是光花钱的部门。事实上，文化“市场化”和市场“文化化”是双向发展的，一方面高雅文化艺术也在走向商业化和商品化，另一方面文化含义逐渐渗透进商品生产中。这两个发展是并存的，需要我们进一步培育和拓展文化市场。就深圳的实际发展而言，完全可以在影视文化产业、娱乐文化产业、科技文化产业、休闲文化产业、旅游文化产业等方面得到优先发展。

当今时代，高科技对文化艺术事业发展产生重大影响。发展科技文化产业意味着在对文化和艺术品的生产、流转和接受方面更广泛地运用新技术。其具体表现：一是运用新技术使传统的文化艺术形式得以流转，即将现存的材料数字化，建立虚拟图书馆，创建文化艺术网络；二是随着新科技应运而生的新的艺术形式开始出现，新技术创造出全新的文化艺术概念，如通过全面运用多媒体，产生了多媒体戏剧、网络文学等等；三是技术的进步，创建新型的交互网络，使在文化艺术领域内全新的生产环境成为可能，也因此培养起新的文化消费群体。深圳实行“科教兴市”的战略，大力发展高新技术产业，使科技文化产业有望走在全国前列。以万科为代表的影视文化公司在深圳有数十家，近几年影视文化成绩可观，由此带动影视文化产业上规模、上水平发展。而休闲作为一个重要的文化产业，是一个新的经济增长点。从 2000 年开始，我国每年有 3 个长假，每次都有 7 天。知识经济蓬勃发展，由此带来的是人们的生活方式、工作方式的重大改变。工作效率的提高将使人们拥有更多的闲暇时间。在美国，人们大约有三分之一的时间用于休闲，有三分之一的收入用于休闲，有三分之一的土地用于休闲。据报道，1990 年美国全国的休闲消费已达 2800 亿美元，占当年国内生产总值的 7%，而到 2015 年将占国内生产总值的 50%。旅游业作为休闲文化产业中的龙头产业，不仅是对劳动生活的调节，而且也是人与人、人与自然、人与社会相联系的纽带。以华侨城为龙头的深圳旅游文化产业已经有了相当的规模，形成了鲜明的特色，为全国乃至海外所瞩目，以此来带动深圳文化产业的整体发展，不失为一个很好的突破口。

凡此种种，深圳的文化实践“摸着石头过河”产生了实效，这与深圳人在抓经济建设过程中一贯提倡的务实作风是一致的。20 年过去了，深圳的建设已经到了总结提高、宏观规划、政策引导、加快发展的时候了，通过规划和引导，真正拓展深圳文化发展的空间。

三、文化产业与文化共享

以上我们已经提出深圳文化建设中应加快文化产业的发展，其中一个紧迫的任务是加强文化产业政策研究，尽早出台相关的政策、措施乃至法律、法规。这是深圳建设现代化国际性城市的必要条件。

谈文化产业大致离不开两个方面。首先，文化产业是利用生产和组织模式(如文化企业)来生产和传播文化艺术、生产产品、提供服务，实质上是一种思想交流；其次，文化产业是一个涵盖包括文化艺术业、新闻出版业、广播电视业、电影业、音像制品业、娱乐业、版权业和演出业在内的庞大体系，是一个以精神产品的生产、交换和消费为主要特征的产业系统，即把文化资源转化为产品、商品，实现其经济价值，推动经济发展。由此，它在文化艺术创造和商业之间架起了一座桥梁。

回顾我国所走过的道路，文化产业是从“以文补文”、“多业助文”的附从地位脱胎而来的。“九五”是我国改革开放取得重大成果的五年，也是文化产业的觉醒和起步时期。据统计，1999 年实现利润 27.9 亿元，部分地区文化产业已率先成为支柱产业。像深圳、上海等地，文化产业集团聚集起实力，群雄竞争，越来越多的事业单位运用产业手段，积极走向市场，并在市场中获得新生。近一二年，我国对文化产业的管理和研究也引起了高度重视，以社科院、北京大学等著名学府、研究所为首的研究机构纷纷涉足这一领域。新世纪伊始，中国社会科学院文化研究中心成立暨文化产业发展战略研讨会在京举行，这表明中国最高的社会科学研究机构已经开始关注对文化产业领域的研究。该中心的主要工作任务包括：接受政府部门、社会机构、国内外经济组织的咨询和委托研究、重大招标项目研究，提供政策研究与制度创新的公共产品；建立“中国文化网站”，设立多种服务于社会的大型文化数据库，利用网络技术手段，推动中国文化产业信息化的发展，将中心建成具有巨大使用价值的文化资讯中心等。从中央到地方，政府着手制定政策和文化产业规划，确立文化产业发展战略目标，将文化产业纳入社会发展规划之中。在实际操作中，加强文化市场管理和建设，开拓投融资渠道，实行资源优化、整合配置。

可以说，从政策性文化补贴到以文补文，被现代的文化投资所代替，文化产业正在国内与国际之间、文化多样化、文化共享和标准化的大批量生产之间寻求平衡。

西方发达国家的文化产业之路走得比我们早，我们在文化产业的理念、管理、操作、产值等方面目前都难以企及。就深圳而言，虽然于 1995 年提出，要用 15 年或更长的一段时间，将深圳建成一座以“对外文化交流的窗口、文艺精品和文化人才荟萃的中心、现代文化艺术产品生产的基地、文化艺术商品交易的市场”为主要内涵的现代文化名城，有些方面还早走了一步，但在文化产业的战略思考方面，还有很多方面需要补课。

今天的文化就是明天的经济，此话在当今时代是千真万确的。今天的深圳经济快速发展是有目共睹的，但如果在文化产业方面不像以上几个兄弟省市那样有大思路、大规划，很难保证明天的深圳经济依然能保持强劲的势头。在现实环境下，深圳的文化产业却是有喜有忧。忧的是，深圳至今未能出台完整的文化产业发展规划，"十五"规划中对文化产业的声音也相对较弱，文化产业发展所必须的很多条件尚未具备，成功的文化企业不多，事业单位企业化管理自身发展的动力不足、效益不明显，文化团体还没有学会在市场经济的海洋里游泳，内部改革还有待深化，机制有待加强，文化市场的法制化管理必须进一步强化。可喜的是，以华侨城为代表的文化产业龙头已形成相当规模，积累了成功的经验，具有很强的示范效应。在这种情况下，通过对已经形成特色的华侨城文化产业的总结来促进有关政策的制定和完善，不失为一个有效的途径。

"深圳特区华侨城建设指挥部"所辖华侨城是由香港中旅(集团)公司于1985年开发经营的一个新兴的经济开发区。企业以自身成立的艺术团为依托，走文化与经济结合的路子，从20世纪90年代初开始，先后建起了深圳"锦绣中华"(后又建美国佛罗里达州"锦绣中华")、"深圳中国民俗文化村"、"世界之窗"、"欢乐谷"4个旅游景点和相应的艺术团，以及一个以承载高雅艺术为主的"华厦艺术中心"。作为企业，遵循经济规律是其基本要求。"锦绣中华"有限公司开业的当年就收回了近1亿元的全部投资，第二年开始盈利；民俗文化村仅1992年就盈利1.5亿元，成为深圳市的纳税大户；"世界之窗"于1994年6月开业，当年国庆节一天的游客竟达6万人，如果平均一人门票以70元计，这天的门票收入就达420万元。这些数字显示出的更大意义在于，这3个旅游景点都是以艺术团为媒介，开展各种各样的艺术表演和文化交流活动，赢得了消费者。仅"锦绣中华"就有5个艺术团，从1991年先后成立开始，每个团每天至少演出一场，每年至少演出300—400场；"世界之窗"五洲艺术团从1994年4月16日开业的第一天起，已演出200多场，平均每场观众人数达4000人。他们还先后出访了美国、德国、新加坡、马来西亚、香港、澳门等国家和地区，将中国民族艺术推向世界。1993年7月30日的美国《侨报》报道"锦绣中华"民族艺术团在费城演出盛况时写道："上千人的大剧院挤得满满，这些观众几乎都是一传十，十传百闻声而至，在座观众包括各行各业的侨胞，也有不少留学生，亦有当地的教授、学者，更有正在放暑假的学生，不少人找不到座位站了两个小时观看，为艺术团的精彩表演，发出阵阵掌声，惊叹演艺之精湛。"

1999年，华侨城请中国人民大学专家小组，对华侨城集团公司上下进行了近一年的诊断，制定了《华侨城宪章》。它以未来10年为时间跨度，以新经济、经济全球化和中国经济体制转轨变革为宏观背景，以观念创新、制度创新、管理创新为主题，确定了华侨城未来发展的一些重大战略选择及改革和发展的基本思路，阐明了华侨城的价值主张和文化取向，对华侨城集团的跨世纪发展进行战略定位。其核心内容，一是进行内部产权革命；二是实行分享经济；三是实行人本主义及人力资本优先投资战略，确立"知识就是优势"、"激活就是价值"、"创新就是未来"等价值理念，为员工创造"内部竞争机制和创业机制"；四是实行以市场原则、功绩原则为基础的价值分配原则，以及知识作为资本要素参与收益分配的激励原则；五是实行企业资产责任的人格化和经营者选拔考核的市场化、社会化以及人才选拔的连带责任等。

华侨城集团公司正是通过"立宪"的方式，在企业内部建立起一种新型的管理制度和运作程序。这种制度和程序不仅能把企业内部和社会上最优秀的人才吸引和选拔到企业的各级领导岗位上来，把那些不符合条件的人淘汰出去，使企业的人才得到优化，而且也能把这种追求变革和创新的动力机制延续下去，使企业的发展不因企业领导层的更替和总经理的去留而受到大的影响。而这一"立宪"的精神基础，就是以华侨城理念和华侨城精神为核心的先进文化力的驱动，其中开放意识、创新精神、包容心态和变革勇气更是华侨城企业文化的灵魂。公司将优秀的企业文化与科学管理相结合，将企业价值观和企业精神有机地贯彻到企业的经营观念和经营行为中，促进企业生产经营的全面发展和企业成长。公司成立15年，经济每年以30%的速度增长，有效地避免了落入许多国有企业容易发生的种种“成长的陷阱”中，充分展示了优秀文化企业在文化产业发展上的美好前景。

摆在我们面前已经有一个非常急迫的问题：华侨城实践成果早已成为上海、北京专家作理论命名的素材。深圳先后接待过来自北京、上海的多支文化产业调研队伍，文化部于1999年底和2000年初分别在北京、上海等地举行研讨会和讲习班，都用华侨城的经验作为活材料。相比之下，我们以往的调研充其量局限在华侨城旅游文化的亮点上，对其文化产业的战略发展总结和推广不够。把华侨城的文化产业发展作为一面镜子，既可以从中得到多方面的启迪，也能使我们头脑更为清醒，看到整体发展的不足，从而找到对策，迎头赶上。深圳历来重视抓精神文明建设，但我们搞文化，不能单纯从精神文明建设角度来看待文化，文化不仅有社会效益，也有经济效益，它的产业化可带来巨大利润，并使文化获得良性的自我发展机制。既然21世纪是信息产业化时代，那么，知识密集型和高附加值的文化产业正是最适合深圳发展的产业。深圳产业结构的调整，已有的高级人才资源，加上新出台的六项人才引进政策，有适合培育文化产业的文化氛围和土壤，及文化产业较早实践的成功经验，如果政府制定切实可行的政策，加上民间企业的积极投资，深圳的文化产业一定会形成强大的竞争力。

国民经济和社会发展第十个五年计划提出了“加快国民经济和社会信息化”的建议，并特别要求“推动信息产业与有关文化产业结合”。要使文化产业跟上信息化时代的发展，使之真正成为21世纪深圳的基干产业，深圳文化产业政策和发展规划中必须体现以下内容：

第一，加强文化产业结构调整。首先要制定文化产业发展规划，打破行政条块，树立大文化的观念，提高文化产业的增长质量，形成特色显著的文化支柱产业群。要特别注意文化与科技相结合，大力培育和发展文化内涵丰富、科技含量高、市场前景好的文化产业项目，使之成为文化产业新的经济增长点。就此，应着手对现有文化企业的经营方针、市场前景进行调查和调整，对像华侨城这样的文化产业“大户”实施优惠政策，创造各种条件促进其进一步发展，同时学习华侨城的经验，采取切实可行的措施，重点抓好文化产业单位的改制和资产重组工作，对于新办的文化企业则实行股份制。在此基础上，组建文化产业航母，把分散、零星的企业组织起来，集中运作。应建立大型文化产业布局结构宏观调控体系和投资回报管理体系，全面推进企业型文化产业的大发展，进行“抓大放小”、产权转让、股份制经营、集团化、集约化经营的探索。

第二，树立起文化有偿消费和文化成本的新概念，带动文化产业取得新发展。特别要加快进行艺术表演团体体制改革，使其合理并入文化产业发展格局。从根本上讲，就是要进一步树立文化产业观念，摒弃计划经济体制的束缚，树立市场观念和供需经营意识，让文化产品走向市场。要树立文化产业的社会化、现代化观念，在更大的现代社会网络中把握文化产业应有的面貌，转变经营机制和经营方式，探索文化产业现代企业制度的运行机制，实现文化产业发展“两个根本性转变”，提高综合效益。

第三，确保资金来源。一个产业的形成，投入是基础。文化产业在开始阶段尚无自己的资本积累，政府一方面可通过财政拨款给予支持，但另一方面，当市场运作趋于正常化，市场的功能越来越优化、强化，走上正轨，今后政府的经费投入将会逐渐减少，这就需要增强文化产业自身的市场竞争力和吸引力，广开资金来源渠道，鼓励经济与文化联合体的建立，鼓励工商企业集团公司兼做文化艺术、兴办文化产业的做法。也可引导金融和经济界介入，通过向银团贷款、不动产开发贷款、流动资金贷款、项目贷款等间接融资和通过发行股票、债券等直接融资方式，从财政和政策上扶持文化产业形成和启动。投资不足，文化产业成为深圳基础产业的战略目标难以实现。因而，政府必须对文化产业进行集中投资，首先要确保文化产业资金来源。加拿大就于 1991 年创办"文化产业发展基金会"，基金会由加拿大遗产部资助拨款，商业发展银行进行管理。其宗旨是扶持加拿大文化产业发展和繁荣，通过在资金上帮助文化产业的企业家来保护与丰富加拿大的文化遗产。商业发展银行的使命是协助这些企业家，尤其是那些中小企业家获得基金会的资助和咨询服务，并在文化产业领域中开发自己的潜力。近年来，加拿大企业在许多文化领域尤其在电影生产和新出现的多媒体产业方面与一些跨国公司进行了激烈的竞争，并取得成功。尽管文化产业的发展前景可观，相对于其他产业来讲，它在经济上更易于波动，常常处于一种不稳定的状态。在当今市场竞争日趋激烈的态势下，文化产品的出口往往受到一定的限制，而且市场对文化产品的需求和服务也在不断地发生变化，这就要求文化企业家们设法去适应这种需求和变化。但他们的商业活动缺乏资金，而通过传统的融资渠道往往难以获得所需的发展资金。基金会正是为了解决文化产业界所存在的这些困难，给文化企业家们以所需的财政和管理支持，使其在产业运作中获得成功。

第四，培养优秀的专业人才和管理人才。文化产业基本上是知识密集型和创造性产业，它最需要的是具有策划力和创造力的专业人才和管理人才。为此，政府应大力推进建立各种专业教育设施，派人到国外学习和研修，健全已有大学的教育科目，支援教育器材等与培养人才有关的各项工作，要在文化产业领域建立旨在提高专业人员创造积极性的多种奖励制度和确保构想变为现实的各种制度。

第五，构筑和完善文化产业基础设施。在报业集团成立的基础上，总结其成功经验，尽快成立广电集团、出版集团、演出集团，以及综合性影视中心、出版文化信息产业园等，同时，为发展音像产业而建立综合录音室并支持其运作，为文化商品的开发与普及而开设文化商品综合展销场所等。

第六，建立健全各种法规和制度。文化产业发展主要通过行政的、经济的、法制的管理来实现。从深圳的实际情况看，经济的、法制的管理尚弱，应注重建立有利于文化产业发展的产业法和相关法规，这样才能使三者各司其职，有所侧重，有机统一。国家应尽快建立"文化法"。在意大利、西欧和所有发达国家，法律非常健全，各行各业都有较详细的法规，文化艺术的生产、文艺场馆的管理、文物保护和各种展览等，都有一整套法律条文。深圳的文化产业发展，从一开始就应纳入法治的轨道，以法规范市场，使其受法律保护。深圳应进一步完善并真正落实文化产业政策，制定文化资源的占有、使用政策和国土政策、税收政策、信贷政策、人才政策、投资政策等，健全相应法规。知识产权的保护工作是文化产业发展的基础，我国加入 WTO 之后，更要不断完善有关保护知识产权的制度，打击非法复制等各种违法活动。深圳还应通过法规保障来大力整顿阻碍文化产业发展的落后的流通结构。

第七，要努力把深圳的文化商品推向国际市场。政府应积极创造条件，支持具有国际竞争力的文化商品出口，发扬深圳的优势，力争使电影、电脑游戏制品、动画片、音像制品等文化商品进入海外市场。为此，政府要从多方面做推动工作，例如支持有关部门和单位在国际性样品市场开设联合展台，支持本市影片和其他文化产品参加各类国际电影节和国际展览会等。

第八，大力培育文化市场和各阶层的文化消费者。庞大的文化消费品市场和巨大的文化市场购买力能为文化产业发展注入经济动力，对产业的生存起着至关重要的作用。

第九，应尽快设立文化产业的专门管理机构，提高与文化产业有关的政府机构的办事效率和相关人员的专业水平和管理能力，使之适应急剧变化的文化产业的需要。广东省即将出台“关于加快发展广东文化产业的若干意见”，提出“建立党委统一领导，政府有关部门监管管理，行业管理与属地管理相互配合，主管主办单位职责明确的管理体制”，深圳应在这个框架内加紧落实。

当然，大力发展文化产业，我们还要注意两个方面的问题。

*一是要把文化艺术事业的发展和文化发展的产业化加以区别。*如文学创作、艺术表演、博物馆等，很难按产业化要求发展，也不能过分强调其经济功能。国际经济学界已将文化产业界定为具有极大发展潜力的“朝阳产业”，在许多经济发达国家和地区，文化产业已成为国民经济重要增长点，文化消费在其国民总消费的比重已占到33%，远高于我国京、津、沪、穗等十大城市8%的比重。目前，以文化产业和文化消费行为共同构成的文化市场，主要包括娱乐、音像、书报刊、演出、文物、影视、美术、文化艺术培训、中外文化交流市场等九大门类。大概念的文化行业，主要包括文化教育、休闲娱乐、旅游、体育、报刊出版、影视音像、艺术、演出等。文化行业可分成两种：公益型和经营型。对于纯公益型的文化行业，如义务教育、职工体育、博物馆、图书馆、科技馆及特殊艺术院团等，必须通过行政或社会捐赠、赞助等方式以维护；完全可由事业型、公益型转为经营型的文化行业如旅游、体育、娱乐、广播电影电视、新闻出版业等，则应走产业发展之路。

*二是要预防文化产业发展中出现单纯商业化倾向。*发展文化产业，是指坚持把社会效益放在首位，旨在保持文化功能特征的前提下，为满足人们日益增长的精神需求，以资产为纽带，使文化产品(劳务)进入生产、交换、消费和服务领域，成为市场中的商品，文化企业按产业机制运作为市场生产和销售该类商品，以实现文化商品价值最大化，体现社会效益与经济效益的最大结合。

改革开放是我们的一个国策，加入世贸组织之后，中国的大门必将进一步打开。开放社会的一个显著标志，就在于它打破了许多传统的界限和垄断，使文化信息的流动范围更大，更趋活跃。更为明显的是，对文化的享用也不再是少数人的专门特权。社会出现了更大的公共领域，文化共享成为可能。而文化的产业化，正是社会努力形成一种“共享文化”的催化剂。1999年，在一次欧盟文化部长非正式会议上，对发展文化产业合作计划的动机作了这样的解释——

“商业压力和由此而来的内容贫乏，而不是文化的多样性，是存在于我们这个日益发展的、由数字电视造成的广播时代自身中的固有威胁。可靠而高水平的公共服务应该是欧洲的竞争优势所在。保存欧洲人的文化认同至关重要。如果没有有价值的内容，技术的未来发展是没有意义的，这是新千年的最大挑战。”

深圳人口发展与行为准则的规范

郁龙余　王晓华

在深圳的文化建设中，倡导以诚信为基础的契约化社会游戏规则具有特别重要的意义，城市人口迅速的增长，人口来源过于复杂，以年轻人为主的独特的人口“三元结构”特征等使深圳面临着群体隔阂及文化整合的困境。

一、人口规模迅速膨胀带来的问题

没有哪个城市像深圳这样人口飞速增长，1982 年的第三次人口普查，深圳总人口 35. 19 万人，大学及以上文化程度占 0. 89%；1990 年的第四次人口普查，全市常住人口 166. 74 万，比第三次人口普查增加了 131. 55 万人，增长 3. 74 倍，平均每年递增 21. 5%，流动人口 28. 18 万，此时深圳非户籍的暂住人口占全部人口的 66. 93%。人口的飞速递增主要是由人口迁移引起，从 1985 年—1990 年的五年间，深圳户籍人口迁入 105. 72 万人，此时大专以上文化程度的人口占人口的 4. 5%，比 1982 年有了明显提高。2000 年 11 月进行的第五次人口普查，时点人口已经超过 700 万，大专以上人口占人口的 8. 06%。与 1990 年相比，十年零四个月户籍人口增加了 57. 1 万人，年递增 6. 34%，自然增长保持在 1% 左右，机械增长速度在 5% 左右。非户籍人口增长速度更快，占人口总数的 82. 67%。

深圳人口的快速膨胀，使深圳的城市发展一直处于接纳、安顿新移民的状态，如何将带着不同口音、怀着不同目的而来的新移民在文化上整合起来，形成被各类人口认可的深圳文化，一直困扰着深圳的文化工作者。要在意识形态领域建立能被各群体认可的社会游戏规则需要一定的时间和不懈的努力。由于缺少对彼此过去的了解，人与人交往经常处于无所适从的状态，缺乏信任是移民社会面临的无法回避的问题。只有经过一定时间稳定的沟通与交流，才能逐渐消除移民间彼此的隔阂，而深圳人口的“三元结构”的特点加剧了在深圳建立“诚信”意识的难度。

二、人口的“三元结构”带来的问题

深圳人口是由“本地人、户籍移民、非户籍人口”三个部分构成，这三部分人在居住区域、职业分布、生活方式、语言习俗等各个方面具有明显的差别，加大了文化整合的困难。

1. 本地人群体

本地人主要居住在原来的“村”中，经济来源主要是房屋出租、股份公司分红、工作收入或经营等几个方面，特区的建立彻底改变了他们以往的农耕、捕鱼的生活方式，但是他们仍保持着完好的村民生活的习惯，交往也主要是在原村民中进行。尽管每个村、甚至每个村民家中都会有或多或少的租住房客（这些房客绝大部分是非户籍的中等打工者、个体经营者等），但是他们与房客的交往仅限于收房租，即使居住在同一栋楼，往往也会将自家居住的区域与出租的区域严格分开，有些村则把村民居住的区域与出租房的区域分开。村民在语言上以客家话和广东话为主，由于特区政府极力推行普通话，中青年的本地人不同程度地学会了普通话，而老一代本地人很多还不能讲普通话。他们的行为习惯主要是遵守传统的广府、客家文化习俗。

本地人在改革开放之初受政策的影响一夜之间暴富起来，他们完全没有这种心理准备，大量外来人口的涌入和创业之初的艰难使他们产生了极其优越的心理，他们中的很多人失去了生活的坐标，慢慢养成了坐享其成的惰性心理，较低的文化素质也决定了他们没有预见城市飞速发展对他们的冲击，于是很多家庭没有人工作，男女老少齐上阵，打麻将和饮茶耗费了他们的主要时光。经过20年的发展，当初政府的地价补偿已经用得差不多，子女长大成家分割了家庭财产，对集体分红的过分依赖和集体经济的下滑使相当一部分本地人在经济上慢慢走向贫困化，相当一部分本地青年躺在集体分红的梦想中放弃了读书和个人的努力，甚至出现了一大批"四不"青年，所有这一切都决定了本地人在经济上的优势逐步丧失，没有知识、没有很好的教育背景使他们越来越少有机会进入政府各级管理阶层，在深圳社会的高速发展中他们在逐步走向边缘化。

2. 户籍移民群体

户籍移民主要是来自全国各地、受过良好教育的各类人才，较高的教育程度是他们进入深圳的资本。深圳户籍人口的调入从一开始就以"学历"作为最主要的准入条件，如1993年深发31号文件"深圳市委、深圳市人民政府关于深圳经济特区干部调配的暂行规定"中明确规定调配干部必须具有"中专以上学历"，到1994年深人发1994年6号文件进一步提高了对调入人员的要求，规定"调入干部的文化素质要求，主要是具有学士学位的本科生和研究生，对于具有大专、中专学历的人员，要从严控制。对于'五大'毕业生，除具有特殊专业的，一般不予调入"。对于引进人才的学历要求越来越高，如2001年1－11月引进的23500多人中90%以上具有本科学历，其中仅IT业就有5000多人，占本年全国IT专业毕业生的10%。

图1：不同年代户籍移民本科以上文化程度百分比

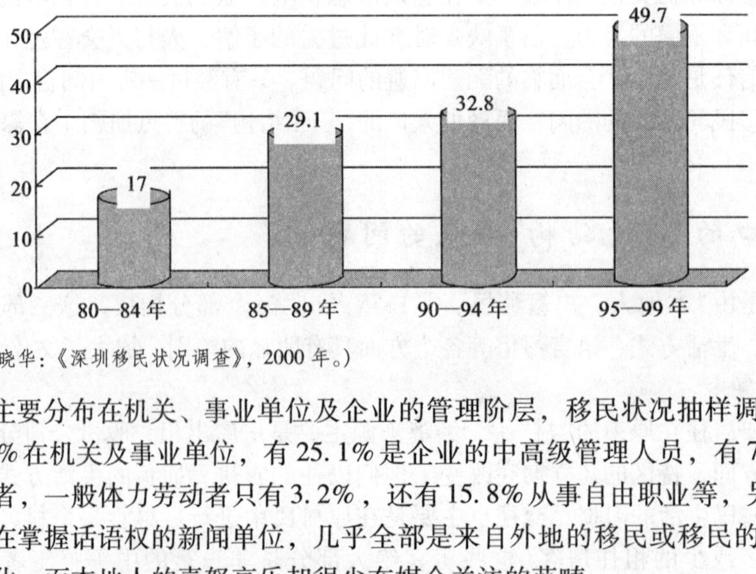

（**资料来源**王晓华：《深圳移民状况调查》，2000年。）

户籍移民主要分布在机关、事业单位及企业的管理阶层，移民状况抽样调查显示，户籍移民中有42.1%在机关及事业单位，有25.1%是企业的中高级管理人员，有7.8%是私营业主或个体经营者，一般体力劳动者只有3.2%，还有15.8%从事自由职业等，另外有6.1%做了家庭主妇。在掌握话语权的新闻单位，几乎全部是来自外地的移民或移民的后代，媒介营造了移民的文化，而本地人的喜怒哀乐却很少在媒介关注的范畴。

户籍移民来自全国各地，80%以上的人在单位或公共场所讲普通话，但是在家里，有39%的人会讲家乡话，而老乡之间的交流，有56.5%的人用家乡话，可见他们是集多种语言、多种文化于一身的群体，他们工作相对比较稳定，生活也比较安定，居住在政府的福利房或微利房住宅区，少部分住在中、高档的商品房区。他们在人数上大约占深圳人口的十分之一，但是他们在管理着深圳社会，在创造和引领深圳社会文化，是深圳精神的主要倡导者和实践者。同时也享受着深圳良好的社会福利和较完善的社会保障，良好的教育、稳定的工作、优越的生活环境使他们在这片热土上享受着自由的空气，成了深圳市民社会的主体。他们在居住区域、消费场所、娱乐方式等方面正在形成深圳这一群体独有的特点，是与本地人、与外来工具有明显的界限，这一群体内部由于地域来源的差异也具有一定的差别。

3. 非户籍人口群体

非户籍人口从数量上占深圳人口的主体，他们中一半以上来自内地偏远的农村，在许多方面与城市生活格格不入。到2000年末，深圳的常住人口432.94万，其中户籍人口123.93万，居住一年以上的暂住人口308.01万。暂住人口占深圳人口的71.14%，而实际比这还要多，尤其是特区外的两个区，大量三来一补企业中相当比例的员工人口普查时层层瞒报，通常不办理暂住证，据调查，这部分人员大约占劳务工总数的20%左右。非户籍人口主要分布在第二和第三产业，绝大部分人居住在企业的集体宿舍或村民的出租屋，与户籍人口具有明显的差别。他们主要是商业服务业人员和企业一线工人，也有一部分人居住在山间或一些偏僻的地域，以种菜或养殖、开办地下加工厂，或在城市的各个角落从事废品收购、补鞋等低级的服务性行业，他们没有固定居所，深圳温暖的气候给他们野外生存提供了便利，公园、山间、桥下、地下通道、深圳公共厕所等随便什么地方都可能成为他们的容身之地。他们是政府管理中定义为“三无人员”的部分，他们中绝大部分没有办理暂住证，但是他们实际上也是非户籍人口的一部分，推算大约占非户籍人口的五分之一。

外来劳务工是深圳人口的主体，出来“见见世面(31.2%)”“想学技术(26.4%)”和“家里需要钱(17.1%)”是他们离开家乡的主要原因，他们从家乡完全封闭的本地文化习俗中走出来，原来生活习俗的基础也随之失去。在家乡他们属于有知识的青年，但是到了深圳，他们生活在社会的最底层，没有稳定的工作，据23家相对较好的企业员工调查，平均做一份职业的时间不足3年，企业为了维持较低的工资水平，一线工人中每年至少换掉三分之一，面对这种频繁的职业流动，劳务工长期处于身心紧张的状态，如何生存是他们的首要任务。几百万劳务工来到这座充满活力的城市，在这个完全陌生的环境中没有人告诉他们该如何行为，他们需要了解城市的行为规则、需要学会城市的生活知识，更需要懂得在城市生活应该遵守什么样的游戏规则，但是他们赖以生存的企业对员工的培训多数限于技术和安全生产方面，调查显示只有8%的劳务工不同程度地接受过“城市生活基本知识”的培训。劳务工对法律知识、交通安全知识、自我权益保护知识、以及生理卫生知识的缺乏使他们遇到问题往往不知如何解决，也不知道如何寻求法律的帮助，于是他们尽量容忍各种屈辱和不公，当实在忍无可忍时很容易产生极端的、反社会行为。深圳的发展离不开几百万劳务工的努力，深圳社会游戏规则的确立更需要他们的参与和遵守，如何能让处于流动状态的几百万劳务工理解和接受加入WTO后社会全新的游戏规则，是社会科学研究和社会管理者需要高度关注的问题。

外来劳务工在政治、经济、文化几个方面都属于资源匮乏的群体，在人数上占绝对多数，与他们较低社会地位形成了鲜明的反差，他们是真正的被管理群体，是各种社会规则的被动接受者，没有合适的渠道表达他们的声音。在经济上，他们的收入也远远低于户籍人口，调查显示，户籍员工1999年的月均收入是3204元，而非户籍员工是1342元，户籍员工的平均收入是非户籍员工的2.39倍。劳务工中月收入在深圳最低工资标准以下的约占25%，还不包括他们中相当比例的无业者群体。

外来劳务工“身份认同的混乱”也导致了行为的失范。深圳没有给他们提供正式的接收渠道，歧视性的劳动和生活环境，不断在他们与城市社会之间制造对立的情绪。调查显示，有59%的非户籍人口认为自己在心理上不属于深圳，他们生活在深圳却无法融入这个城市，在情感上怀念家乡却无法忍受其贫穷与落后，这种两难境地使他们时时处于一种角色冲突中：农村人和城里人、农民和工人、家乡与深圳，多种情况的交叉使他们成了社会体制与文化的“边缘人”。他们失去了原来生活区域的文化，又没有被同化进深圳文化，在一定程度上处于“文化失范”的状态。这种心理的冲突势必引起行为的不确定性，因此要在这庞大而无序的人群中建立起契约化的行为规范并非易事。

对未来预期的不确定使劳务工难以确定人生的目标。劳务工群体的流动性使他们中的相当一部分人对自己的未来并没有明确的方向，调查结果显示，在困扰劳务工的若干问题中排在首位的是“将来不知道怎么办”，问及对未来的设想，有41.8%的劳务工表示挣些钱或学到技术后，将回家乡寻求发展；有34.4%的人期望能留在深圳发展，他们很清楚要在这个城市长期生存，就要长期面对动荡的生活，而没有户口，无法与户籍人口平等地享受医疗、养老等一系列社会福利与社会保障，在住房、子女入学等多方面都要付出比户籍人口更大的代价，而他们的整体收入又低于户籍人口。在国内城乡界限逐步松动、农村户口有越来越多的机会进入城市后，国内其他城市的吸引力、尤其是西部开发中的区域的吸引力逐步加大，更加大了非户籍人口对未来预期的不确定性，这些使深圳新的社会规则的建立和实施将面对更大的困难。

深圳人口结构的失衡带来了文化整合的困难，人口的快速增长和严格控制学历的人才引进政策导致严重的人口两极分化的现象，户籍移民在各个方面都与外来工具有明显的隔离，人口出现上小、中间细、下部庞大的葫芦型。城市稳定的人口结构集中在高素质的移民和本地人两部分，而这两部分又在各个方面都具有完全不同的特征，深圳缺乏稳定的、在人口数量和社会参与的各个方面都是主体的强大的中间阶层。外来工将这里作为人生短暂的驿站，对城市缺乏归属感和责任感，因此缺少了形成契约化社会所需要的基本市民基础。

三、在深圳建立契约化社会行为规范的优势及策略

“入世”后，不仅在经济领域要建立国际社会公认的行为规范，在社会文化建设中更需要建立以诚信为基础的、契约化的社会游戏规则，这需要城市相对稳定的人口和被各群体认同的文化，但是深圳快速膨胀的人口、高度的职业流动以及几个主要人口群体之间的差异与隔阂致使社会游戏规则的确立和遵守将面对比其他城市更大的困难和挑战，但是同时也具有其他城市不具备的优势，其中最大优势在于没有封闭的社会习俗的制约，没有根深蒂固的落后习俗和迷信的羁绊，这是建立以法律为基础、以诚信为原则的契约化社会的基本条件。而以青年为主的人口结构也有利于新思想、新规则的传播和接纳，来深圳的多数是不安于内地现状、期望通过努力改变生存状态、追求个人价值、思想比较解放的人群，他们本身就具备接受新的游戏规则的内在条件，加入WTO后如何使自己掌握国际社会通行的游戏规则，关系着自己未来的发展前途，因此他们主观上有接受与WTO相适应的新的游戏规则的愿望，这些都是传统封闭城市所不具备的。

在深圳建立与 WTO 想适应的社会行为规范需要从人口规模和人口结构两个角度关注人口的生态平衡。社会整合中，需要特别关注城市人口的规模与其拥有的土地资源、水资源、社会经济发展和社会环境等综合指标相适应，人口结构与规模必须与城市发展相协调，城市的发展既要考虑经济人口容量，也要考虑环境人口容量。深圳人口的飞速增长已经到了不能不关注其合理结构与规模的时候，需要组织有关专家学者进行综合的测评，以确定深圳未来发展中城市能容纳的最佳人口规模及合理的人口结构。同时在人才引进中有计划、有步骤地改善目前单一引进高学历人口的状况。合理的人口结构需要各个阶层都有相对稳定的人口。一个城市具备了其良性运行的合理人口结构，各部分人口相互依存，并对城市具有深厚的感情，它就具备了建立契约化社会所需要的市民社会的基础。在全球一体化的冲击下，在中国执行了几十年、将人口严格固定在某一块土地上的户籍制度终于有了松动，城乡人口自由流动是迟早的事。2001 年 8 月，石家庄首先开放了对外来人口入户的规定，10 月 1 日，2 万多个小城镇推行了户籍制度改革，宁波也推出“外来人口本地化、农村人口城市化”的政策，北京、上海等城市相继都推出了户籍改革的策略，这些城市无论怎样放开户籍制度，外来人口都是少数，稳定的市民社会及其文化是接纳外来人口基础，但是深圳情况完全不一样，目前还处于非户籍人口占人口主体的状态，在放开人口政策之前，若不能建立稳定的市民社会，建立起能够凝聚市民的、适应 WTO 行为准则的社会游戏规则，一旦户籍改革不可阻挡，必然带来城市的混乱。

从目前的状况看，深圳的人才引进中特别需要关注各学科的顶尖人才和企业技术工人两部分人才的引进。

培养真正的学科顶尖学者需要相当长的时间和城市本身的文化积累，这两点目前在深圳都不具备条件，只能靠优惠的政策从国内外引进现有人才，知识经济的时代，人才就是资本，发达国家人才争夺战已经到了争夺“青苗”的程度，我国一些发达城市也不断推出各种优惠政策吸引人才，深圳一向重视人才的引进，但是对于高尖端人才的引进还需要在政策上进一步解放思想，与北京、上海等城市比较，深圳只具有经济优势，不具有整体社会文化内涵的优势，在加大文化投入的同时，对优秀人才的吸引目前最可用的就是经济手段和比其他城市更加灵活的政策，给他们提供发展的空间和条件。

（图 2）企业内部各类人员短缺情况

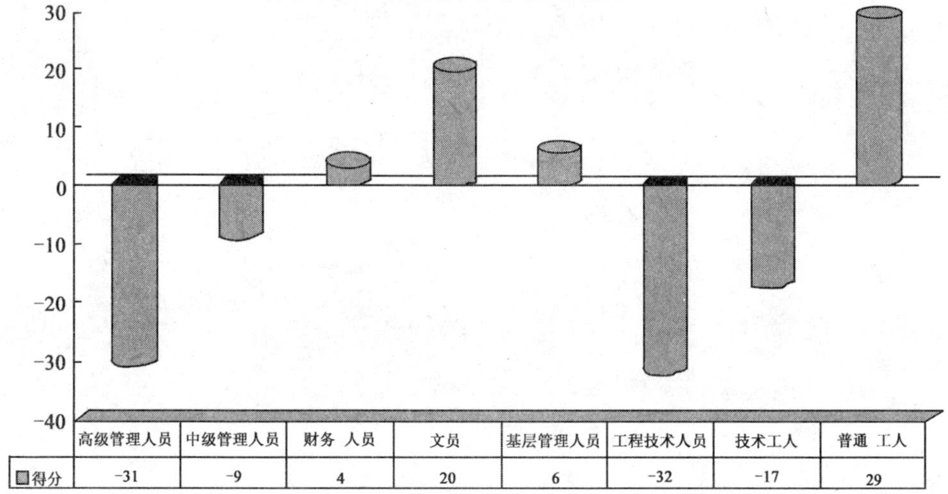

	高级管理人员	中级管理人员	财务 人员	文员	基层管理人员	工程技术人员	技术工人	普通 工人
得分	−31	−9	4	20	6	−32	−17	29

创造名牌的企业，提升企业的档次需要稳定、高素质的技术工人队伍。深圳以学历作为基本准入条件的人才引进政策把大部分技术工人挡在了门外，1998 年对 144 家企业的调查发现(见图 2)。

企业人力资源在中高级管理人员、工程技术人员和技术工人三部分短缺比较严重，前两者在深圳人才引进的范围内，而“技术工人”是人才引进中的难题，他们一般学历不高，年龄相对偏大，这两点都不符合以往的人才引进政策，因此深圳企业的技术工人中相当比例是非户籍人口，同一项调查显示，在被调查企业的技术工人中，有 49% 是非户籍人口。大量来自农村的年轻劳务工没有受过大工业生产的训练，在技术、素质等方面都比较低，致使企业的管理、产品的质量等各方面都受到了限制。企业发展需要大量稳定的技术工人，本市技工学校的毕业生远远不能满足企业的需求，但是从市外引进又受到了严格的控制。如深圳公交公司的司机，大部分是非户籍人员，几年前公司在签订协议时曾经有“若连续八年无交通事故，给解决户口”的说法，但是当司机工作超过 7 年后，公司会想尽办法解除或终止合同，事实上受到政策的限制，公交公司无力解决员工的户口问题。为了能保住这份工作，司机们只好与公司终止原来的合同，重新签订合同，一切又从头开始。员工们的努力无法达到预期的目标，长期生活在深圳却得不到身份的认可，这种矛盾使他们无奈又无助。

加大技术工人的引进，扩大户籍人口中技术工人阶层的比例，既是企业进一步发展的要求，也是深圳形成合理的稳定人口结构，向“平等、发展与和平”的人类社会发展方向迈进的需要。在多元化文化建设中，逐步树立被社会各阶层认可的、以诚信为基础的契约化社会的游戏规则是深圳未来发展面临的艰巨任务。

中国正式加入 WTO 与深圳特区执法建设

杨龙芳

中国成为世界贸易组织成员国，对中国经济、政治、社会生活的方方面面都会产生深远影响，而最为直接、首当其冲的是对中国的法制建设产生影响。深圳是中国较为成功的经济特区，在中国法律法规与世界贸易组织有关规则接轨方面积累了一些经验，并将在中国成为世界贸易组织成员国后继续肩负这方面探索的历史重任。中国成为世界贸易组织成员国，对深圳法制建设影响是全面的，其中包括对法治观念影响、对深圳立法影响、对深圳行政执法影响。本文主要就中国成为世界贸易组织成员国，对深圳经济特区执法体制的影响作一个初步的分析。

一、世界贸易组织法律规则的"非软法化"特征

世界贸易组织的法律体系框架是由《建立世界贸易组织协议》和四个附件构成的，它们是在对关税和贸易总协定的法律体系框架作出补充和修改的基础上形成的。世界贸易组织的基本法律规则继承了原来的关税和贸易总协定的无歧视原则、最惠国待遇原则、国民待遇原则、贸易自由化原则、贸易争端协商处理原则、透明度原则和市场准入原则，这些原则的适用范围从传统的商品贸易扩大到服务贸易和知识产权等广泛领域。

世界贸易组织的法律规则并不是关税和贸易组织法律规则的简单扩大，而是深深地打上了全球化时代全球社会法治化进步的痕迹。世界贸易组织协议是经世界贸易组织成员国签订的国际性法律文件，是国际法的重要部分。国际法往往被称为"软法"，它不像国内法那样具有强制实施的法律保障机制。世界贸易组织协定克服了国际法"软法"的一面，它要求各成员国的国内立法同其高度一致，对各成员国具有强大的约束力。同关贸总协定相比，世界贸易组织越来越成为名副其实的"经济联合国"，它在强化国际多边贸易秩序、规范国际贸易竞争规则、完善贸易争端解决机制等方面都有许多新的变化。世界贸易组织通过贸易政策审议机制、争端解决机制、补贴纪律、可持继发展、服务贸易自由化、知识产权保护等强有力的实施措施，把协调管理的触角从边境措施延伸到国内决策与立法领域，监督职能空前强化。世界贸易组织法律规则的规范约束力在国际组织的历史上是史无前例地大大增强，这表现在：

世界贸易法律规则对其成员国设立的义务主要通过成员的国内立法来实施的，要求国内法律、法规、行政决定、司法裁决与世界贸易规则的要求相一致。但这种要求的标准、约束力度是极其严格的，《建立世界贸易组织协议》第 16 条明确规定："各成员国应保证其法律、规章与行政程序符合附件各项协议规定的义务。"这表明世界贸易组织成员国有义务使其国(域)内立法与世界贸易组织协议相一致。在《关于 1994 年关税与贸易总协定第 24 条的解释谅解》中原第 24 条规定的基础上增加了"成员应对奠定 1994 年关税与贸易总协定全面负责"的规定，如果地方政府没有遵守有关规定，成员应采取合理措施来保证遵守有关规定或提供

赔偿。

世界贸易组织是一个超国家的经济主体和司法机构。世界贸易组织的规范是高于个别国家的法律规范，任何国家的经济立法与世界贸易组织法律规则相抵触，就有可能裁定违背世界贸易规则和受到制裁。

世界贸易组织的法律地位明显提高。关贸总协定是临时适用的政府间协定，只需遵守“祖父条款，”而不需要立法机关批准，不要求国内立法与其接轨。“祖父条款”(grandfather clause)是“在不违背现行立法的最大限度内临时适用关税与贸易总协定的第二部分。”)世界贸易组织协议是经各成员立法机构依宪法程序正式批准的国际条约，严格要求各成员国有义务确保国内立法同世界贸易规则接轨。同关贸总协定的祖父条款相比，世界贸易规则的规范力度有一个质的飞跃，这在国际经贸法律法规的发展史上是史无前例的。

世界贸易组织有较完整的世界贸易规则实施保障机制，包括法律法规的透明度、通知、贸易政策评审制度和争端解决制度。这些有效的保障机制大大地改变了国际法的“软法”特征。

世界贸易组织规则的“非软法化”倾向意味着中国既要享有世界贸易组织成员应当享有的权利，也要承担世界贸易组织成员应当承担的义务，体现权利与义务的平衡与统一。这种权利和义务，要求中国法律法规与世界贸易组织有关法律法规接轨，在世界贸易组织法律规则允许的范围内制定、修改有关法律法规，并按照世界贸易组织通行法律规则执行法律法规。换言之，中国要遵守世界贸易组织的规则和履行世界贸易组织的承诺，最后都要落实到相应的法制建设上，特别是执法建设上。

二、深圳在中国成为世界贸易组织成员国后执法环境的新变化

为了经济上融入全球市场和政治上迈进全球社会，中国一直致力于国家体系的创新，而经济特区特别是深圳经济特区是起着中国国家体系创新的“知识创新中心”的功能。深圳在创立中国社会主义市场法律体系和同国际社会法律规则接轨过程中有着举足轻重的地位，特别是市场经济执法方面积累了宝贵的经验。中国成为世界贸易组织的成员国后，深圳仅靠先前的经验是不行的，关键在于深圳的执法环境同先前的环境是大不相同的，出现了新的变化，这就是在深圳执法环境注入了全球因素，即世界贸易组织法律规则制约，全球市场经济影响，行政规范国际化、跨国犯罪活动扩大和数字鸿沟开始显现。

世界贸易组织规则的强制性。世界贸易组织规则是国际贸易通行规范、惯例，是以市场经济为基础的成员国之间开展经贸合作与竞争的“游戏规则”。这个规则的本质是民商法规则的统一化和国际化，是全球性民商法走向法典化的里程碑。世界贸易组织规则是国际经贸法律体系的核心部分，是各国市场经济法律体系的重要组成部分，是各成员国制定法律法规的基础。世界贸易组织规则为国际商品贸易、服务贸易和相关的知识产权交易活动提供基本的法律规则，它在某种意义上是规范全球市场经济的“经济法”，它是以市场经济为基础的，并以市场导向为前提条件，代表市场经济的通行规则。这个规则起着在国际上禁止垄断，反对不正当竞争和保护市场经济的作用，它要求各成员国减少对国际贸易的限制，大幅度地降低关税，消除贸易壁垒，实行自由贸易，保护自由竞争，以便在全球范围内配置各国资源，达到保护生态平衡，最终实现可持续发展。世界贸易组织法律规则体现了全球范围内市场经济发展的要求，是经济全球化的必然结果。

在中国成为世界贸易组织成员国后，深圳同国际社会的联系会越来越密切，国际社会成

为深圳执法环境的内在要素，作为全球规则的世界贸易组织法律规则是深圳法制建设的方向，这就从根本上制约深圳的执法体制及其执法活动。

全球市场经济联系日益密切。深圳是中国市场经济的前沿地带，市场经济发展相对发展要快些和充分些，市场经济在国民经济中所占的比例较大。但深圳仍处于由计划经济向市场经济转变过程之中，市场机制尚不完善，规模经济薄弱，真正公平的竞争机制尚未建立起来。中国成为世界贸易组织成员国后，深圳同全球市场经济联系日益密切，在市场经济的原则下进行国际贸易，开展各种形式的经贸合作与竞争，将国内市场和世界市场融为一体，充分发挥国内国外两个市场在资源配置方面的积极作用。深圳即要增强其在统一的国内市场的份额，又要积极参与国际市场分工，进而继续扩大深圳在国内外市场份额。

中国成为世界贸易组织成员国后，把深圳经济环境直接纳入全球经济环境进程加快，深圳开始直面世界贸易组织成员国的激烈竞争。世界贸易组织是在传统的商品贸易、服务贸易和知识产权等广泛领域中推进贸易自由化。中国按最惠国待遇原则落实“市场准入”，放宽行业限制，向一切缔约国“开放市场”。深圳处于中国改革开放前沿，其开放必然是全方位、宽领域、多层次的对外开放。深圳开始由有限范围和有限领域内的开放，转变为全方位的开放；由以试点为特征的政策主导下的开放，转变为法律框架下可预见的开放；由单方面为主的自我开放，转变为与世贸组织成员之间的相互开放。

在这样的开放过程中，深圳开始直接面对世界贸易组织成员国的激烈竞争。根据 WTO 一系列协定，中国开始大幅度降低关税和削减非关税壁垒，开放众多国内市场，特别是金融、保险、电信、运输等服务贸易领域，外国企业必将以各种形式进入深圳市场。国内外各种类型的企业、经营者在各个市场领域相互间展开激烈的竞争，深圳市场成为竞争主体更加多元化和竞争更加激烈的市场。以银行为例，早在 1980 年就有香港南洋银行在深圳设立分行，后来东亚、渣打、汇丰和华侨等银行陆续进入，在深圳注册开业。中国成为世界贸易组织重要成员，外资银行凭借享受“国民待遇”，靠在资金、结算、管理等方面的极强的优势，会快速进入深圳，成为深圳金融体系的重要组成部分。深圳先前对外资银行筑起的“提供优惠政策与严格进入、限制业务范围相结合的”壁垒，最终将彻底拆除，面临国外大银行这种“敌强我弱”的恶性竞争。

竞争激烈的市场对行政执法工作提出更高的要求。深圳市场开放和外资大规模进入，必将带来新的交易方式和手段，如电子商务、连锁销售、无柜台经营等。新的、隐蔽的、复杂多变的市场行为，如不正当竞争行为、垄断、限制竞争行为等会直接影响市场秩序，出现欺行霸市、虚假广告、制假售假、侵犯商业秘密、价格同盟等各种各样的不正当竞争行为。激烈的市场竞争要求加强反不正当竞争的执法力度，确保满足公平竞争市场环境的需要。

行政规范国际化。中国成为世界贸易组织成员国后，中国开始进入脱胎换骨的痛苦的政治改革阶段，同国际化行政规范相一致，重构政府体制，调整国家与企业、政府与市场、中央与地方的关系。当今行政规范国际化主要体现为政府管理模式由“指挥式”转向“服务式”，这就要求政府部门必然弱化过分的自上而下的行政权力，放弃层层行政审批习惯，减少行政审批，从这种“指挥式”的管理模式过渡到与世贸组织的通行规则相适应的“服务式”管理模式。这个过渡是需要时间的，但又不能太长。深圳行政改革特别行政决策体制先前有较大的突破，这使深圳容易适应国际化行政规范，并将其内化政府的日常行为，造就新的行政环境。这样政府管理模式的变化会直接导致执法方式的变化。

跨国犯罪活动扩大。中国成为世界贸易组织成员国后，国内市场进一步开放，与 WTO 成员国的贸易联系更加密切，但由于各国法律规定不同，以及贸易进程中可能受世界经济各种因素的影响，贸易纠纷将大幅度增加，带来新的不安定因素。跨国犯罪会成为新的职业化、智能化犯罪。境外高科技手段随着交流密切而更快更多地向深圳传播，犯罪方式层出不穷，作案手段不断翻新。境外黑社会和犯罪分子利用互联网技术、现代通信技术、现代信息技术等高新技术作为犯罪的手段，实施技术型、文化型、知识型、职业型的智能化犯罪，会造成更大的社会危害。

跨国犯罪职业化、智能化犯罪主要体现为经济犯罪。经济犯罪数额会越来越大且不断攀升，特别是共同犯罪、单位犯罪会呈上升趋势。经济犯罪侵害的目标主要涉及银行、股票、期货、外汇买卖、国债回购、保险、商贸、税收、海关、房地产等众多行业和部门，将渗透到商品生产、交换、分配、消费等各个领域和生活的方方面面。新的经济犯罪必将远远超过恶性的、原始的、人的本能的犯罪。新的经济犯罪往往与腐败行为紧密相连，经济犯罪加剧腐败行为，腐败行为又保护经济犯罪。这对深圳的执法提出了新的要求。

数字鸿沟开始显现。中国成为世界贸易组织成员国后，深圳的社会分化不仅加剧，而且会成为全球化时代数字鸿沟的一部分。这是因为国外产品和服务进入深圳市场，短期内将对深圳产业结构产生巨大的冲击，一些弱势产业将在激烈的竞争中被挤垮，城市失业率可能升高，职工收入不稳定，农村劳动力过剩，少数人的实际生活收入增加不大或者不增加，甚至减少，贫富差距拉大，社会分配不均。某些由于生活上的需求和对现状不满的人，可能会使用违法犯罪手段以满足其生活需求和较高欲望，产生社会不稳定因素。城市流动人口进一步增加，这就给深圳的执法带来越来越大的压力。

世界贸易组织法律规则制约，全球市场经济影响，行政规范国际化、跨国犯罪活动扩大和数字鸿沟开始显现，都表明深圳在中国成为世界贸易组织成员国后的执法所面临的环境同全球环境越来越密切，全球因素成为深圳执法环境不可分割的内在要素，这是考虑深圳执法环境新变化需要高度关注的。

三、深圳在中国成为世界贸易组织成员国后执法建设的新对策

中国成为世界贸易组织成员国后，面对新的执法环境变化，深圳如何在执法过程中同世界贸易组织的执法规则接轨？这是深圳法制建设面临的最大的挑战。深圳在执法建设上必须有新的对策。

第一，树立适应 WTO 规则的新的执法思路。

执法部门要认真学习 WTO 的基本知识，了解其运行机制，熟悉相关的国际条约、国际惯例、国际贸易规则，强化遵循国际法律和通行规则办事的意识，逐步使执法工作向国际通行规则靠拢。

第二，培养适应 WTO 规则的复合型执法人才。

深圳要抓紧执法队伍的人才培养，增强对计算机、金融、财税、贸易、外语、WTO 等方面知识的教育培训，尽快培养一批熟悉 WTO 规则和国际经济法律，能够掌握更高、更新、更多的科学知识和手段的复合型人才。特别急需建立一支有效对付国际性犯罪、有组织犯罪和智能化犯罪的专门队伍。

第三，建立适应 WTO 规则的综合执法信息中心。

加强对国际性犯罪、有组织犯罪和智能化犯罪的前瞻性和对策性的研究，强化针对黑社会性质犯罪的信息基础建设，加强情报分析研究，注重长期经营，立足长远。加强与境外执

法机构之间的合作，拓宽沟通渠道，开展情报交流，有效打击跨境犯罪。特别是确立司法协作协议，探索与境外执法机构之间的合作关系的制度化途径。

第四，提高执法效能。

要按照 WTO 的原则要求和国际惯例，进一步修订完善执法、司法法律体系，尽量减少或避免执法过程中的不规范、不统一现象，全面提高执法水平，做到严格、公正、文明执法。

第五，强化市场监督管理。

强化市场监督管理重在确立执行反不正当竞争，这是市场监管的核心。早在 1994 年 11 月深圳市人大通过了《深圳经济特区实施〈中华人民共和国反不正当竞争法〉规定》，并于 1997 年进行了修订。该规定细化了反不正当竞争法有关规定，增加了一些具体的可操作的条款，列举了经营者可能采取的不正当手段，增加了对取得专利权的商品的保护，明确了公用企业或依法具有独占地位的经营者的限制竞争行为的形式，加强了执法手段。但对反垄断和反限制性竞争行为的规定很不完善。特区竞争立法在弥补原有的缺陷时，要与 WTO 及有关的国际条约、惯例接轨。WTO 知识产权协议和《保护工业产权巴黎公约》等规定了反不正当竞争的内容，并将反不正当竞争与知识产权保护结合起来。切实加强反不正当竞争执法力度，应将法律、法规赋予的职权用好用足，集中经检、商标、广告、合同管理等机构的力量，查处不正当竞争行为，打破地方保护和市场垄断，创造公平的竞争环境。在市场监管、执法检查和行政处罚时，将 WTO 适用的"国民待遇原则"、"非歧视原则"贯彻到执法中，不能因当事人国籍、身份的不同而有歧视和差别对待，为公平交易创造条件，寓管理于服务之中。

第六，尽快建立国际贸易法院。

世界贸易组织根据"程序保障"原则，规定当事人对海关、贸易等行政部门的裁决有申请司法复审的权利。这种诉讼与普通的行政诉讼不同，需要特定的专业知识，如对反倾销、反补贴等事务的行政处理涉及到大量的国际贸易知识，法官没有较深造诣的专业知识，是难以胜任其工作的。因此，应当尽快建立专门的国际贸易法院，培养专业的国际贸易法官。

第七，强化涉外商事海事审判工作。

中国成为世界贸易组织成员后，涉外商事海事审判向专业化方向发展，深圳市两级法院要强化涉外商事海事纠纷案件审判工作，尽快熟悉和掌握世界贸易组织规则的诸多规定，准确把握世贸规则与中国法律的基本原则，妥善处理好司法的国际化和地域化问题，正确适用中国法律和国际条约、国际惯例，依法、平等地保护各类诉讼主体的合法权益。

第八，加强律师管理和改革律师制度。

中国成为世界贸易组织成员后，法律服务市场越来越大，外国律师会来深圳执业，深圳面临外国"律师军团"的竞争。外国的律师事务所规模大，能够提供高质量的法律服务。深圳律师事务所规模小，参加涉外法律服务的能力有限。深圳市现有律师事务所 120 多所，在深圳注册的律师达 1250 多人。深圳市的广和律师事务所是广东省规模最大的律师事务所，共有 57 名律师。深圳急需建立符合人类法制文明规律又有中国特色的律师制度，确保律师队伍要"上档次、上规模、做大做强、走向世界"。"做大做强"的关键是建立公职律师制度，建立公司制律师事务所，对规模达到一定程度的律师事务所放宽设立分所的条件，并建立一个科学的评价系统，对律师事务所的服务质量和信用、信誉进行评价。完善律师职业责任保险制度，律师职业责任保险费由律师个人与律师协会共同承担，由于律师在提供法律服务时不可避免地冒一定的风险，有可能给当事人造成一定的损失，律师参加职业责任保险有助于维护当事人的利益。加强律师管理，规范律师行为，提高律师队伍整体素质。律师队伍的整体素质还不够理想，特别是一些高、新法律服务领域中的懂经济、懂外语、懂科技、懂法律的高素质律师人才缺乏。律师队伍的职业道德、执业纪律建设有待进一步加强。

中国成为世界贸易组织成员国后，深圳建立和完善执法体制是一个长期的过程，需要经验的积累、沉淀、整合，最后成为体制和制度。

以"入世"为契机，坚持强化四个创新，努力促进珠海经济特区新发展

卓观豪

中国加入 WTO，对珠海来说，既是难得的发展新机遇，又面临着新的历史挑战。应对这一契机，各级政府和各行业必须统一思想，认清形势，苦练内功，开拓进取，更新观念，与时俱进，加大改革力度，加强法治建设，以实际行动迎接新挑战，以创新精神走进 WTO。

一、加入 WTO，是中国改革开放的必然选择

正当世界经济一体化，信息化不断向前迈进的时刻，中国经过 15 年的努力终于加入 WTO，这是一件非常值得中国人高兴和自豪的大事。所以高兴，因为加入 WTO，对中国来说，是一件利党利国利民的大事；所以自豪，因为过去被西方发达国家看成"东亚病夫"的中国人，自从 1971 年恢复在联合国的合法席位之后，又一次走进世界经济大舞台。当今世界变化确实很大，但是，中国变化更大。改革开放的春风，吹绿了神州大地的一草一木；改革开放的政策把中国从贫穷走向富强；改革开放的理念使中国大胆走上世界大舞台。当今世界形势变化结果充分体现了小平同志当年曾经说过的那句话：世界离不开中国，中国也离不开世界。

珠海经济特区成立前，是一个贫穷落后的边陲小镇，城区面积不足 4 平方公里，房屋建筑面积约 22 万平分米，且多为平房、茅屋。经过 20 多年的改革开放，珠海特区经济和社会发展取得了巨大成就，全市国内生产总值从建市时的 2.6 亿元增加到 1999 年的 286.6 亿元，年均增长 24.4%；工业总产值从 2.32 亿元增加到 537.65 亿元，年均增长 36.2%；农业总产值从 2.85 亿元增加到 20.90 亿元，年均增长 5.2%；地方财政收入从 3，652 万元增加到 20.20 亿元，年均增长 23.5%。可持续发展成绩显著，1998 年，荣获联合国人居中心颁发的"国际改善居住环境最佳范例奖"，还先后获得"国家园林城市"、"国家卫生城市"和"国家环保模范城"等荣誉称号。目前珠海特区的经济社会发展正由小康阶段向基本实现社会主义现代化新的创业时期迈进。总结珠海 20 年的建设经验，最根本的一条就是靠坚持改革开放政策，没有改革开放就没有珠海的今天。

二、中国加入 WTO，为珠海带来新的发展契机

加入 WTO，对珠海特区来说，既有欢喜，又有担忧，但两者相比，喜大于忧。

（一）促进珠海全方位、多层次对外开放，加速珠海现代化进程。经济特区是改革开放的产物，是社会主义市场经济建设的"排头兵"。对外开放促进了珠海经济模式由封闭转向开放，由计划经济模式转向以市场调节为主的市场经济体制。随着全方位多层次对外开放格局的形成和融入经济全球化进程，我们可以更充分地利用加入 WTO 之机会，更多地引进国外资

金、先进技术和先进设备，促进珠海经济发展。同时，珠海发展对外经济面临的环境和条件将进一步改善。对外开放，过去是珠海经济发展的成功之路，也是珠海今后加快发展的根本动力。

（二）促进政府职能转换，树立良好的政府形象。与WTO规则接轨，首先是政府职能要接轨。目前尽管各级政府正在进行体制改革，也取得初步成效。但这些成效，只能与计划经济时期相比而言，如按WTO规则的要求，还有许多不适应的地方，办事效率不高、制度不健全、透明度不强等现象依然存在。很显然，转变政府职能，加快制度改革，迫在眉睫，势在必行，我们必须顺应历史潮流，抓住"入世"机遇，把外部的压力转化为内部的发展动力，加快建立市场经济体制。

（三）促进产业结构优化升级，提高产业竞争力，加快珠海的高新技术产业发展。加入WTO后，由于发达国家放宽对我国引进先进技术设备的限制，将有利于加速产业技术的升级和换代，为珠海产业提供更为广阔的国际市场，从而拓宽产业结构和产品结构调整的空间。同时可以通过进口低价农产品，保持农产品供求平衡，为珠海积极引进外资发展本地"三高"农业，加快农业产业化的实施提供良机。

（四）促进外向带动战略实施，提高经济国际化水平。一是具有竞争力的优质产品有了更大的销售市场，尤其是劳动密集型产品、加工贸易产品的出口，优势将更为突出。二是促进发展跨国经营，实现国外扩张，提高经济国际化水平。三是为珠海开展国际贸易提供良好的进出口贸易环境。四是有利于进一步扩大利用外资，为珠海经济腾飞打下坚实的经济基础。

（五）促进经济立法，进一步完善市场经济制度。市场经济是法制经济。从目前情况看，虽然我国在建立社会主义市场经济的同时，先后制定了一些相关的法律法规，为维护市场经济秩序起到一定作用。但是，我们应当清楚地看到，在一些地区，伪劣产品甚行、假冒产品屡禁不止，权大于法的行政理念还相当严重。WTO也是一种规则组织，中国"入世"后，将进一步提高珠海依法治市水平。

三、加入WTO给珠海带来的突出问题

（一）政府的压力

从珠海创建经济特区开始，市委市政府在大力抓经济发展的同时，十分重视抓体制改革，尤其是近几年来，新一届班子把体制创新作为推动经济和社会发展的一件大事来抓。去年，成功地进行了政府审批制度改革，审批项目由815项减至274项，减幅达66%。今年，根据省的有关精神，大力开展市级机关改革，党政机关工作部门由53个精简至36个，精简率32%，编制精简555人，精简率31.4%，为政府简政放权迈出了新的一步。但是随着世界经济全球化和加入WTO的新形势到来，目前珠海政府行政管理体制与WTO规则相比还存在很大差距。一是政府科学管理未到位，决策民主化和公开化不够，行政干预随意性强，制约性较明显。二是政府还存在地方保护、政策倾斜等现象。三是政府管理经济的规章、文件繁多，许多还与世贸协定相抵触。

（二）企业的压力

1. 经营和竞争压力。加入WTO后，一批外资企业大军冲入中国市场，珠海的企业尤其是过去长期受到市场准入保护的银行、电信、保险等服务业面临着很大的挑战。从行业方面

看，珠海去年一、二、三产业相比是4.2 ：55.5 ：40.3，可见，第二第三产业受影响大于第一产业。虽然珠海企业竞争意识不断加强，但企业的经营理念、管理水平还是比较落后，尤其是一些生产制造企业，普遍存在设备落后、技术水平不高的问题。如果外资大军进入珠海，珠海企业面临着严峻的考验。

2. 就业压力。加入 WTO，珠海市场全方位放开，将会涌入一批国内外的市场竞争对手。市场发展空间越来越小，在这种情况下，一些无竞争力的企业会破产倒闭，失业率也会增大。表面看来，大批外资大军的进入对人们就业提供了广宽的空间与机会，但是我们应该看到，当今外资企业与改革开放之初的“三资”企业有很大区别。就用人方面来谈，“三资”企业主要利用廉价的劳动密集型人才，“入世”后的外资企业需要的将会是中高级专业人才，今后企业技术人才争夺将会越来越激烈。从珠海目前就业队伍看，存在着实践经验多，现代知识少，讲中国话(汉语)多，懂外国语少的情况。因此，如果这些员工不及早加强培训学习，提高业务水平和竞争力，即使是一批又一批的企业涌进珠海，他们有可能成为失业者。

(三)人才短缺的压力

1. 人才总量少，密度低。根据珠海市人事部门 1996 年《珠海市人才资源状况个人调查表》统计数字反映，全市有专门人才 54613 人，人才密度为 522 人/万人。至 2000 年，全市专门人才近 8 万人，但随着全市人口的增加，目前人才密度仍只有 580 人/万人，均低于北京、上海、天津、广州、深圳的水平。

2. 人才学历结构不合理，高学历人才比例偏低。据珠海市人才“十五”计划反映，目前全市研究生学历的人才占总人才数的比例只有 2%，本科人才占 25%，大专的占 31.1%，中专的占 42%。

3. 人才职称结构，比例不合理。据统计，高级职称人才仅占 4.35%，中级占 27.89%，初级及未定职称达 67.76%。这样的人才结构不合理，与形势发展需求差距很大。

4. 未能人尽其才，学非所用较明显。在人才应用上，据珠海市人事局对 3 万多专业人员的抽样调查，学非所用的占 44%，用非所学的占 39%；在人才的分布方面，75% 分布在第三产业，而其中医疗卫生、教育系统又约占 50%，第一、二产业的高新技术产业专业技术人才的比例不到 20%。

(四)思想观念的压力

改革开放前，珠海是一个边防区。过去长期受计划经济固步自封的思想观念影响，至今还存在着如下几个问题：一是束缚于旧的经营理念，缺乏市场大开放理念；二是束缚于国内市场，缺乏国际化经营理念；三是束缚于依靠政府保护，缺乏公平竞争理念。例如在珠海建特区初期，日本人在珠海投资办珍珠乐园和翠湖高尔夫球场，当时有些干部担心，怕日本人搞第二次侵华。经过十多年的实践证明，当时这些人的担心不但没有成事，反而，如今在这项目的周边先后引来了中山大学园区、香港和记地产、珠海国际赛车场、哈工大新经济开发港、南方软件园等一批知名企业和高科技企业，为珠海发展起到了表率作用。又如几年前，国际跨国公司家乐福进军珠海，有人认为“狼来了”，一些同行人士还要求政府出面干预，不要让其在珠海抢“饭碗”。由于该公司以价廉物美为经营宗旨，开业以来一直门庭若市，很受广大消费者青睐。从这些事例说明，珠海与 WTO 接轨，观念更新十分重要。

四、以"入世"为契机，坚持强化四个创新，促进珠海特区新发展

(一)强化理论创新，统一思想，认清形势，努力开创新局面

中国"入世"，首先要政府"入世"，而政府"入世"关键是理论"入世"。思想观念是行动的先导，有什么样的理念就有什么样的市场。如果只有特区的理念就只有特区的市场，如果只有中国的理念，就只有中国的市场。要在全市范围内推动新一轮的思想解放，一方面正确引导广大干部群众统一思想，确立信心，另一方面要在新的形势下，敢于开拓进取，理论创新。

1. 树立"别人发财我发展的理念，克服闭关自守"思想。社会主义市场经济体系的理想功能结构和最佳的实现形式，是要靠社会实践不断探索，逐步形成，谁能在制度创新上率先突破，谁就能把握发展先机，得到优势竞争地位。因此，我们不要陶醉于过去的辉煌，正视珠海不少方面已经落后于兄弟地区的现实，急起直追，与时俱进，再创新优势，更上一层楼。

2. 树立抢抓机遇理念，克服不思进取思想。一般人看来，珠海与内地相比，仍有一定的实力和潜力。但随着中国"入世"，珠海的区位优势、人才优势和产业优势将发生变化，一些深层次的矛盾和问题将会越来越突出。在外资企业大军的强劲竞争下，我们不进即退，别无选择。因此，我们要在全球经济一体化的新形势面前，不埋怨，不消极，主动出击，因势利导，研究新对策，找准新路向，增创新优势。

3. 树立与时俱进理念，克服小富即安，无所作为思想。加入WTO，是大势所趋，人心所向，是中国改革开放的必然结果，是中国建设四化的必由之路，是中国经济国际化的必然选择。所以，我们要不断更新观念，正确处理眼前利益和长远利益的关系，放眼世界而又脚踏实地，扎扎实实地做好"入世"工作。正确处理局部利益和全局利益的关系，坚决消除地方保护主义障碍，为促进珠海新发展提供良好环境。

(二)强化体制创新，建立完善社会主义市场经济体制

WTO规则的基础是市场经济，具有自由贸易不歧视原则和国民待遇要求，根据WTO规则要求，政府"入世"后必须实现两个重要转变，即从计划经济体制的管理方式转向市场经济体制管理方式，从内向型经济管理方式转向开放型管理方式。因此，深化行政体制改革，就是不断完善市场经济基础的过程。我们要抢抓机遇，解放思想，实事求是，尽快地彻底地转变政府职能，集中精力抓优化环境和优质服务。

第一，按照精兵简政原则，加快体制改革步伐，努力建立比较完善的社会主义市场经济体制。转变政府职能是突破生产力发展体制障碍的主要环节，转变职能的核心是政企、政事、政资、政社分开，其中关键是政企公开。转变政府职能的目的，就是要改进政府管理经济社会的手段和方式，建立科学的行政管理体制，把政府的精力集中到宏观调控、社会管理和公共服务上来。总之，我们要加快改革步伐，一是要坚持实行政企、政事、政资和政社分开，切实转变政府职能。二是深化政府审批制度改革，减少对经济事务的审批，依法规范审批制度。三是简政放权，提高工作效率，提高办事透明度，建立廉洁高效，运转协调，行为规范的行政管理体制。四是加快电子政府建设步伐，建立和完善政府信息网络，构筑政府政务信息平台。一句话，就是要建立精干、廉洁、高效的政府运行机制。

第二，加快事业机构改革，逐步推进社会事业产业化。明确区分事业机构的经济性职能与社会性职能，在经济性职能较强的领域积极推进产业化进程，逐步实行企业化管理和中介

组织管理的模式，实现管理社会化、投资多元化，机构法人化，加快制定与社会事业产业化发展的管理法规，规范和改进政府对社会事业的监管。

第三，加快调整国有经济布局，建立符合市场体制的国有经济进入和退出机制。一是通过参股、控股等方式建立若干有较强实力的国有大型企业集团，提高国有经济的市场竞争力。二是加快对国有企业的公司制改造，全面建立现代企业制度，完善公司法人治理结构，彻底转换企业经营机制，增强企业活力。

第四，进一步规范和完善要素市场。首先，要完善公开招标、拍卖、政府统一采购的交易和监管制度，建立有序竞争的市场机制。其次，深化改革用地审批制度，推行用地审批公示制，经营性用地招标拍卖制，开发超期回收制。再次，进一步培育和完善律师、公证等市场中介组织，尤其是要大力发展投资企业、市场信息、技术开发咨询等方面的现代市场中介机构。

（三）强化技术创新，推动产业结构优化升级，提高市场竞争力

技术创新，是实施科教兴市战略，加速科技进步的关键，也是珠海迈进 WTO 必然的选择。

1. 要建立有利于技术创新的良好机制，通过深化改革理顺体制关系，在科学研究、技术开发、成果转化及其产业化、激励体制以及人才开发等方面，实现从计划经济向市场经济体制的根本转变。要鼓励和支持高等院校的科研力量进入企业，建立产学研相结合的技术创新运行机制，把技术创新与企业改革结合起来。

2. 要大力推进传统产业的技术进步，用高新技术改造家电、服装、食品等传统优势产业，提升产品的技术含量，增强产品的市场竞争力，积极拓展发展空间。要围绕传统产业结构调整，优化升级的关键层面，组织力量开展技术攻关，解决关键的共性技术。与此同时，大力发展我市高新技术产业，重点发展计算机软件和生物医药产业，力争使珠海成为国外软件产品开发与技术培训基地和生物技术与医药技术产业基地。

3. 要充分发挥企业作为技术创新主体的作用。实践证明，加强技术创新，发展高科技产业光靠政府的力量和政策扶持是不够的。技术创新是技术成果实现商品化、产业化的经济活动。企业是科技与经济的结合点，是技术创新的主体。因此，我们要鼓励和支持有条件的企业建立技术开发中心和博士后流动工作站，抢占行业技术制高点，鼓励和支持企业兼并。联合高等院校科研机构，或与国外公司合作设立研究开发机构，增强企业科技开发实力。

4. 解放思想，扩大开放，努力促进高新技术产业国际化。加入 WTO 后，技术创新的开展要在全方位开放的对外开放格局中展开。一方面要加快建立技术创新服务中心和信息服务网络，营造良好的科技环境。另一方面，要加快科技人才的培养。我们既要鼓励广大科技工作者刻苦钻研，勇于探索，争当科技创新先锋，更要从工作上生活上和知识更新上关心帮助他们，让他们为珠海经济建设作出新贡献。

（四）强化环境创新，努力使珠海投资环境国际化，全面与国际环境接轨，增创发展新活力

在当今世界，看一个地区的经济发展速度和水平将不一定取决于其产业和企业的发展水平，而取决于这地区的投资环境，具体包括市场环境、体制环境、政策环境、人力资源环境、文化环境、法制环境等等。回顾珠海发展的历程，我们可以得出一个结论：环境不仅是生产力，而且还是社会发展的推动力。改革开放以来，珠海市委市政府十分重视改善投资环境和招商引资工作，先后投入大量资金进行交通、通讯、水电、市政工程等大型基础设施建设，进一步完善了投资的硬环境。在软环境建设方面，也花了不少精力去抓，尤其是近几年来，新一届班子通过狠抓机关作风的整顿，开展万人评政府和“两高一满意”的机关作风建设活动，使投资软环境得到很大的改善。可以说珠海市目前投资环境已超过历史最好时期，但是历史告诉我们，改善投资环境是一项长期坚持不懈的工程。我们要根据经济发展状况不断变化和加入 WTO 的要求，认真抓好投资环境工作，这是关系到招商引资成功与否的关键，也是进一步提高珠海经济国际化的重要一环。因此，我们要根据实际，认真抓紧抓好。首先要抓好软环境工程建设。一是按照 WTO 规则要求，深化政府行政体制改革和改革政府审批制度，建立一整套符合与国际接轨的经济运行机制，切实转变机关作风，营造一个办事透明、工作高效、勤政廉洁的创业环境。二是必须加强人力资源建设。(1)以创新精神建立人才培养机制，当前要把清华、北大、中大、暨大等珠海校园办好，作为培训各类人才的主战场。同时，也要有计划、有目的地选派优秀人才到国外学习。(2)改变作风，敞开大门，按照国际惯例和市场经济办法广纳各类急需人才。(3)探索建立市场工资机制，实行高级人才享受高级工资，按照按劳分配与按生产要素分配相结合原则，让优秀人才的知识和技术能够参与分配，形成新的利益机制。三是加强法规的检查清理，按照 WTO 规则要求，该改即改，完全不符的坚决除掉，未有建立的迅速建立。四是积极扶持中介机构，加强对律师、公证等中介机构的队伍建设，进一步完善投资环境。其次，在抓好软环境建设的同时，要不断完善基础配套设施。在充分发挥现有的港口、机场的交通纽带作用外，争取省和国家支持，使广珠铁路早日动工。在投资取向上，注意克服特区建设初期所有基础设施都由政府包揽的教训，投资主体由政府为主向企业为主转变。鼓励外资投向基础设施、基础产业、高技术产业、“三高”农业等。在基础设施建设上，要以高起点、高标准、高水平为原则，按照城市规划和功能定位要求，按照国际标准，进一步提高城市现代化管理水平。

附录：经济特区简介

深圳经济特区

1979年3月，国务院批准把宝安县改为深圳市，1980年8月，全国人大常委会批准，在深圳市划出327.5平方公里试办经济特区。深圳是一个移民城市，2004年末，全市常住人口597.55万人，其中户籍人口165.13万人。

深圳曾获得联合国“全球环境500佳”、国际公园协会“国际花园城市”、“国家绿化模范城市”和“国家园林城市”等称号。目前全市公园136个，特区内公园41个。

2004年全市实现国内生产总值3422.80亿元，比上年同期增长17.3%；全社会固定资产投资额为1090.14亿元，比上年同期增长14.9%；进出口总额为1472.83亿美元，比上年同期增长25.5%，其中出口778.46亿美元，比上年同期增长23.6%，进口694.37亿美元，比上年同期增长27.6%，地方财政收入为321.75亿美元，比上年同期增长20.0%。

发展目标：率先基本实现现代化的国际化城市，建设成为高科技城市、现代物流枢纽城市、区域性金融中心城市、美丽的海滨旅游城市、高品位的文化和生态城市。

厦门经济特区

1980年10月，国务院批准设立厦门经济特区，厦门也是全国著名侨乡，拥有众多的归侨、侨眷及厦门籍侨胞和港、澳、台同胞。2004年末，全市户籍总人口146.77万人。

厦门地处福建省东南部、九龙江入海处，濒临台湾海峡，面对金门诸岛。明洪武二十年（公元1387年），为防御倭寇筑城，号“厦门城”——意寓国家大厦之门，“厦门”之名自此列入史册。

厦门旅游资源丰富，先后被评为“国家园林城市”、“中国优秀旅游城市”、“国家卫生城市”、“国家环保模范城市”、“全国城市环境综合整治特别奖”等称号。

2004年国民经济快速增长，全市完成国内生产总值883.21亿元，比上年同期增长16.0%；地方财政收入大幅增长，为88.2亿元，比上年同期增长20.2%；对外贸易保持高速增长，全市外贸进出口总额241.1亿美元，比上年增长28.9%；其中出口139.46亿美元，增长32.2%，进口101.64亿美元，增长24.6%。

发展目标：构筑海峡西岸经济区，发挥龙头作用，建成海峡两岸合作与交流基地，初步形成区域性国际航运中心、旅游中心和商务中心。

珠海经济特区

珠海1979年撤县改市；1980年建立经济特区。珠海是广东省著名侨乡之一，有海外华侨、港澳台同胞近35万人。2004年末，珠海市共有常住人口133.2万人，其中户籍人口86.17万人。

珠海市陆海总面积7653平方公里，其中陆地面积1687.8平方公里，共拥有146个岛屿，海岛总面积236.9平方公里，享有"百岛之市"的美誉。

珠海两年一次的中国国际航空航天博览会已成为吸引国内外游客的新亮点，珠海还荣获联合国"国际改善居住环境最佳范例奖"、"中国旅游胜地四十佳"之一、"园林城市"、"国家环保模范城市"、"国家生态示范城市"等殊荣。

2004，全市实现国内生产总值546.28亿元，比上年同期增长13.8%；固定资产投资总额为179.6亿元，比上年同期增长27.3%；对外经济保持快速增长，外贸进出口总额为218.13亿美元，比上年同期增长30.8%；接待过夜旅客为561.18万人次，比上年同期增长28.1%。

发展目标：2010年，珠海市将在基本实现社会主义现代化的基础上，建设成为以信息技术为龙头的高新技术产业基地，形成环境优美、经济繁荣、秩序优良、文明富庶的现代化区域性中心城市的雏形。

汕头经济特区

1981年经国务院批准，在汕头市区龙湖试办经济特区。1984年11月经国务院批准，汕头经济特区的区域面积扩大为52.6平方公里。1991年4月国务院批准汕头经济特区的区域扩大到整个汕头市区，面积234平方公里。

汕头是全国著名侨乡，目前在海外的华侨、华人和港澳台同胞335万人，归侨侨眷和港澳台同胞家属200多万人，遍布世界40多个国家和地区。

汕头市位于广东省东部，素有"华南要冲，岭东门户"之美称。全市海岸线289公里，是全国惟一一个既有内海又有外海的城市。

2004年全市生产总值603.76亿元，比上年同期增长11.1%。固定资产投资总额为131.96亿元，比上年同期增长10.7%；对外经济快速增长，外贸进出口总额为41.79亿美元，比上年同期增长24.9%，其中出口25.45亿美元，比上年同期增长33.5%，进口16.34亿美元，比上年同期增长13.5%。

发展目标：经济综合实力显著增强，成为经济强市；基本建成广东省域次中心城市，城市综合影响力和辐射力增强；建成国家园林城市。

海南经济特区

1988年4月13日，第七届全国人大一次会议通过了《关于设立海南省的决定》和《关于建立海南经济特区的决议》，至此，我国最年轻的省份海南省暨全国最大的经济特区海南经济特区正式宣告成立。

海南省历来被称为"天涯海角"，旅游资源丰富，极富特色，其行政区域包括海南岛和西沙群岛、南沙群岛、中沙群岛的岛礁及其海域，陆地面积3.39万平方公里，海域面积210万平方公里，是中国陆地面积最小、海域面积最大的省份。全省2004年末常住人口为817.83万人。

2004年，全省完成国内生产总值790.12亿元，比上年同期增长10.4%；固定资产投资总额为322.50亿元，比上年同期增长16.7%；接待旅游过夜人数1402.89万人次，比上年同期增长13.7%。

发展目标：新兴工业省、海岛休闲度假旅游胜地和热带高效农业基地建设大见成效；海洋经济、信息产业和生态建设取得突破性进展。

上海浦东新区

1990 年 4 月 18 日，党中央、国务院宣布开发开放浦东，浦东的历史从此掀开了新的一页。浦东新区地处长江和黄浦江入海口的交汇处，辖区面积 556 平方公里，2004 年末户籍人口 180.88 万人。

浦东开发开放：15 年来，浦东的城市形态和经济规模发生了历史性变化，已成为“上海现代化建设的缩影”，“中国改革开放的象征”。

浦东新区国内生产总值由 1990 年的 60 亿元上升到 2004 年的 1789 亿元，增长近 30 倍；财政总收入 2004 年达到 402.23 亿元，比上年增长 32 倍；以高新技术产业和现代服务业为主导的新型产业体系初步形成，2004 年高新技术行业产值占工业总产值的比重一半左右。

2004 年，浦东新区国内生产总值为 1789.79 亿元，比上年同期增长 16.4%；外贸进出口总额为 808.07 亿美元，比上年同期增长 39%，其中出口 323.78 亿美元，比上年同期增长 52.8%，进口 484.29 亿美元，比上年同期增长 31.1%。

2010 年总体目标：辐射长江、服务全国、走向世界的龙头作用更加明显，国内领先的经济创新体系基本确立，综合竞争力显著增强，生态环境明显改善，社会文明全面进步。

作者名录

（按目录顺序排列）

章必功：深圳大学校长、党委副书记、教授
吴　忠：深圳市委宣传部副部长
周文彰：海南省委常委、宣传部长、博士
曹龙骐：深圳大学中国经济特区研究中心主、任教授、博士生导师
苏东斌：深圳大学中国经济特区研究中心副主任、教授
陶一桃：深圳大学经济学院党委书记、教授、博士生导师
代　明：暨南大学教授
杨立勋：深圳市社会科学院院研究员
钟　坚：深圳大学经济学院教授、博士生导师
袁易明：深圳大学中国经济特区研究中心教授、博士
乐　正：深圳市社会科学院院长、教授
郭茂佳：深圳大学中国经济特区研究中心教授、博士
祁亚辉：海南省社科联办公室主任、博士
俞友康：珠海市委政策研究室
鲁　兵：海南省海口市委党校教授、海口市社科联名誉言主席
黄景贵：海南大学经济管理学院院长、教授、博士
杜月昇：深圳大学中国经济特区研究中心副教授、博士
罗清和：深圳大学经济学院教授、博士
吴俊忠：深圳大学社会科学处长、教授
王志盛：中共海南省委宣传部
闻继宁：上海市浦东新区综合经济研究所研究员
韩建萍：上海市浦东新区综合经济研究所助理研究员
唐　玲：海南师范学院外语系讲师
方宁生：汕头大学教授
朱　斌：上海市浦东新区综合经济研究所副研究员
郑剑飞：厦门市体改办主任、党组书记
刘　平：厦门市体改办处长
李　忠：厦门市体改办博士
卢　博：汕头市委政策研究室
詹长智：海南大学社会科学研究中心教授

刘芳华：暨南大学《经济前沿》杂志社副总编
方　玫：汕头大学文学院副教授
张亦春：厦门大学金融系金融研究所教授、博士生导师
许文彬：厦门大学金融研究所博士生
黄发玉：深圳市委宣传部理论处处长
魏达志：深圳大学经济学院产业经济研究所所长、教授
陈建华：深圳大学经济学院副教授
刘　群：深圳大学经济学院副教授
国世平：深圳大学经济学院教授、博士
高兴民：深圳大学中国经济特区研究中心教授
杨中新：深圳大学中国经济研究中心教授
陈红泉：深圳大学中国经济特区研究中心讲师
赵登峰：深圳大学经济学院副教授、博士
郑　仰：中共汕头市委政策研究室
韩望喜：深圳市委宣传部博士
倪元辂：原深圳市委宣传部副部长
汪俊石：深圳市委政策研究室副研究员
封小云：暨南大学经济学院教授
莫世祥：深圳大学中国经济特区研究中心副主任、教授
田启波：深圳大学社会科学研究院副教授
徐晓光：深圳大学经济学院教授
倪鹤琴：深圳市委宣传部文艺处处长
郁龙余：系深圳大学中国经济特区研究中心副主任、教授
王晓华：深圳大学文学院副教授
杨龙芳：深圳大学管理学院副教授
卓观豪：珠海市横琴经济开发区管委会主任